LE PREMIER

TOME

*Né en 1918 à Kislovodsk (Russie), Alexandre Isaïevitch Soljénitsyne passe son enfance et sa jeunesse à Rostov-sur-le-Don, dans le sud de la Russie. A peine ses études terminées (mathématiques et physique à la faculté de Moscou, cours par correspondance d'histoire, philosophie et littérature), la seconde guerre mondiale éclate : soldat dans la cavalerie, puis officier dans l'artillerie, nommé capitaine, plusieurs fois décoré. En janvier 1945, il est arrêté pour avoir émis, dans une lettre privée, des doutes sur les qualités militaires de Staline. Condamné sans jugement à huit ans de déportation dans un camp, il devient maçon (comme le héros d'*Une journée d'Ivan Denissovitch*). En 1953, il est relégué dans un village du Kazakhstan pour trois ans, période pendant laquelle on décèle chez lui un cancer qui se résorbera de lui-même.*

Réhabilité en 1957, il devient professeur de physique à Riazan. Il publie en 1963 La Maison de Matriona, *en 1967* Le Pavillon des cancéreux. *Son roman* Le Premier Cercle *sera confisqué; édité en France, il reçoit le Prix du meilleur livre étranger en 1968. En octobre 1971 a paru à Paris en russe son dernier roman,* Août 1914. *Alexandre Soljénitsyne, qui a toujours plaidé pour l'abolition de la censure et subi l'ostracisme des autorités de l'U.R.S.S., a obtenu le Prix Nobel de littérature en 1970. En février 1974, il est expulsé d'U.R.S.S. et trouve asile en Suisse, à Zurich. C'est alors la publication retentissante des trois volumes de* L'Archipel du goulag, *suivis d'une autobiographie intitulée* Le Chêne et le Veau.

*Alexandre Soljenitsyne vit actuellement aux États-Unis où il a entrepris de rédiger la suite d'*Août 1914 *et de réviser entièrement ses œuvres antérieures, publiées jusqu'alors dans des versions altérées. C'est la version définitive du* Premier Cercle, *dans une traduction nouvelle, qui est ici éditée.*

Le jeune diplomate Volodine a eu connaissance de la transmission à l'U.R.S.S. du secret de la bombe atomique américaine. Doit-il prévenir une ambassade occidentale à Moscou ? Sa conscience et son cœur disent oui, l'instinct de conservation regimbe. En 1949, sous Staline, il faut se montrer en tout d'une extrême prudence si l'on veut vivre ou simplement survivre, mais alors est-on encore un être humain ? D'ailleurs, il n'existe pas de technique permettant d'identifier les voix. En appelant

(Suite au verso.)

d'une cabine publique, en faisant vite, les risques restent limités. Et Volodine téléphone.
Par malheur, il y a près de Moscou, à Mavrino, une de ces prisons surnommées charachkas où les détenus politiques, pour la plupart ingénieurs et techniciens, sont employés à des travaux de recherche. Ceux de Mavrino s'occupent de mettre au point un téléphone assurant le secret absolu des communications et, accessoirement, d'élaborer un système de codification de la voix analogue à celui des empreintes digitales.
Qui sont ces détenus ? Des mathématiciens, des paysans ou de hauts fonctionnaires qui ont plongé par le hasard d'un caprice ou d'une dénonciation dans l'Enfer de la disgrâce dont la charachka est le premier cercle, le camp de déportation le dernier — épreuves qu'Alexandre Soljénitsyne, pour les avoir vécues, décrit et dénonce avec vigueur dans ce livre bouleversant.

ŒUVRES DE ALEXANDRE SOLJÉNITSYNE

Dans Le Livre de Poche :

LE PAVILLON DES CANCÉREUX.
LE PREMIER CERCLE.
LA MAISON DE MATRIONA.
LA FILLE D'AMOUR ET L'INNOCENT.
L'ERREUR DE L'OCCIDENT.

ALEXANDRE SOLJÉNITSYNE

Le Premier Cercle

Tome I

VERSION DÉFINITIVE
DANS UNE TRADUCTION NOUVELLE

TRADUIT DU RUSSE
PAR LOUIS MARTINEZ

ROBERT LAFFONT

Avertissement de l'auteur
pour l'édition définitive de ses « Œuvres ».

*Des années durant, sous le poids d'une perpétuelle clandestinité ou dans la fièvre d'une lutte imposée, ma vie ne m'a pas laissé le temps de donner à tout ce que j'avais fini une forme achevée. A quoi ne pouvait prétendre rien de ce que je publiai en Union soviétique : les voûtes de la censure étaient écrasantes, trop pesante la nécessité de cacher ceci ou cela pour ne compromettre personne. Le Samizdat offre plus de franchise, mais imparfaite. De plus, il est entaché d'un vice congénital : les reproductions y sont incontrôlées et c'est ainsi que les livres ont gagné l'Occident et y ont été publiés dans des versions altérées. Dans les cas où j'expédiais moi-même mes œuvres à l'Ouest, je n'avais, non plus que mes proches, la possibilité d'en revoir les épreuves. Occasion qui me fut offerte après l'exil. Pour l'*Archipel*, corrections et rajouts n'ont cessé d'affluer, venant modifier la première publication. Je n'avais pas eu le temps de rédiger le résumé primitivement destiné à ce livre. La version authentique du* Cercle*, quelques pièces, quelques scénarii n'ont jamais vu le jour. C'est ici, en Occident, que j'ai vu poindre des années consacrées au seul travail. Ici seulement que s'est déployée toute l'architecture de la* Roue rouge*, en particulier d'*Août 14 *dont la version en cours étoffe le texte antérieur. Le* Chêne et le Veau *est remis à plus tard, car il est trop tôt pour le publier intégralement.*

A la frontière de la soixantaine il n'est que temps, ma foi, de songer à faire un sort aux œuvres décantées. Tel est le sens du Choix *entrepris. Tous les textes, collationnés et confrontés par ma femme avec les archives préservées, sont révisés par nous avec un soin scrupuleux (qu'on ne peut se permettre lorsqu'on est loin de son éditeur), de façon que la composition typographique, quotidiennement, marque la progression de la rédaction définitive. La technique actuelle nous permet de composer les textes par nous-mêmes. Encore un Samizdat, celui de l'exil.*

Vermont, 1978

De nos jours, les livres russes ne surnagent qu'en perdant leurs plumes. Tel est leur destin. On l'a vu il n'y a pas si longtemps avec le *Maître et Marguerite* de Boulgakov : les plumes nous sont revenues après coup, au fil de l'eau. Il en est de même du roman que voici. Pour lui donner une vague apparence de vie, pour le présenter à un éditeur, je l'ai rogné, mutilé de mes propres mains, ou plutôt je l'ai démonté puis rebâti et c'est sous cette forme qu'on l'a connu.

Bien qu'il soit trop tard pour tout rattraper et redresser, le voici dans sa vérité. Je dois dire qu'en le restituant je l'ai çà ou là corrigé : j'avais alors quarante ans, j'en ai maintenant cinquante.

Écrit de 1955 à 1958
Défiguré en 1964
Récrit en 1968

Les notes du traducteur ont été regroupées à la fin du second volume.

A mes amis de
la charachka

CHAPITRE I

Les aiguilles ajourées marquaient quatre heures cinq. Au jour mourant de décembre, le bronze de la pendule, sur l'étagère, était tout sombre.

Les vitres de la haute fenêtre partaient du sol. Elles dévoilaient en contrebas le train fiévreux de la rue Kouznetski Most et le manège assidu des portiers qui, sous les pieds des passants, ratissaient la neige fraîche, déjà alourdie, d'un brun sale.

L'épaule appuyée au chambranle et voyant tout cela sans vraiment tout voir, Innokenti Volodine, conseiller d'État de deuxième classe, sifflotait un air grêle et traînant. Du bout des doigts il feuilletait les pages lustrées et coloriées d'un magazine étranger. Sans y porter aucune attention.

Ce conseiller d'État de deuxième classe qui avait rang de lieutenant-colonel dans le cadre diplomatique, cet homme grand, mince, qui ne portait pas l'uniforme mais un costume souple et soyeux, ce Volodine ressemblait à un jeune oisif fortuné plus qu'à un important fonctionnaire du ministère des Affaires étrangères.

Il était temps d'éclairer le bureau, mais il n'en faisait rien ; ou de rentrer, mais il ne bougeait pas.

Quatre heures passées, ce n'était pas la fin de la journée de travail mais de sa part diurne, la plus brève. Tout le monde irait chez soi manger et faire un somme. Après dix heures, on verrait se rallumer les milliers et milliers de fenêtres des quarante-cinq ministères de l'Union et des vingt ministères de la Fédération de Russie. Il est un homme, un seul, reclus derrière une douzaine de remparts, qui ne dort pas la nuit et qui a dressé tout ce qui gratte du papier dans Moscou à partager sa veille jusqu'à trois ou quatre heures du matin. Sachant les usages nocturnes du Maître, nos six dizaines de ministres sont là, comme des écoliers, l'œil ouvert, dans l'attente d'un appel. Pour lutter contre le sommeil, ils convoquent leurs secrétaires d'État, ceux-ci houspillent leurs chefs de bureaux ; les documentalistes, de toutes leurs échelles, donnent l'assaut aux fichiers, les expéditionnaires foncent dans les couloirs, les sténographistes éreintent leurs crayons.

Même aujourd'hui, en cette veille de la Noël de l'Ouest (voici deux jours que les ambassades occidentales, muettes, ne téléphonent plus), leur ministère passera la nuit sur le qui-vive.

Les *autres*, là, vont maintenant se payer deux semaines de vacances. Les naïfs. Les ânes bâtés.

Les doigts nerveux du jeune homme parcouraient la revue rapidement, machinalement, une sale petite trouille montait en lui, l'échaudait puis refluait, laissant place à un froid.

Innokenti jeta la revue au sol et se mit à arpenter la pièce, la tête dans les épaules.

Téléphoner ou pas ? Faut-il vraiment le faire maintenant ? Ou bien serait-ce trop tard pour *eux* ? Jeudi ou vendredi ?...

Oui, ce serait trop tard...

Il reste si peu de temps pour réfléchir et personne, non personne à qui demander conseil !

Y a-t-il vraiment moyen d'identifier la voix d'un homme qui téléphone d'une cabine ? Si on ne parle que russe ? Si on ne traîne pas en longueur, si on s'empresse de filer ? Peut-on vous reconnaître à votre timbre, aplati par le téléphone ? Techniquement, c'est impossible.

Dans trois ou quatre jours, il ira les voir en personne. Il est plus logique d'attendre. Plus raisonnable d'attendre.

Mais il sera trop tard.

Bon Dieu. Des frissons parcouraient ses épaules, peu

faites aux trop lourds fardeaux. Il aurait mieux valu ne rien apprendre. Je ne sais pas. Pas au courant...

Il rafla tout ce qui s'étalait sur son bureau pour l'enfermer dans son coffre-fort. L'émotion le gagnait, de plus en plus véhémente. Innokenti posa son front contre le métal roussâtre, repeint, du coffre-fort et fit une pause, les yeux fermés.

Soudain, comme s'il avait gaspillé là les tout derniers moments, sans avoir commandé sa voiture par téléphone ni rebouché son encrier, Innokenti s'élança, ferma sa porte, confia la clef au planton de service au fond du couloir, dévala l'escalier quatre à quatre, dépassa le personnel affecté en permanence au ministère et tout chamarré d'or et de passementeries, enfila son manteau à la diable, enfonça son chapeau et bondit dans l'humidité du crépuscule.

La rapidité de ses mouvements l'avait soulagé.

Ses chaussures basses, françaises, qu'en homme à la mode il portait sans snow-boots, s'enfonçaient dans la neige fondante, bourbeuse.

Comme il passait devant la statue de Vorovski [1], dans la petite cour presque fermée du ministère, Innokenti leva les yeux et frissonna. Il découvrit un sens neuf aux bâtiments de la Grande Loubianka [2] qui donnent sur la rue Fourkassovski. Cette masse anthracite de huit étages était celle d'un cuirassé, avec ses dix-huit pilastres qui s'élevaient à tribord comme autant de tourelles munies de canons. Le frêle canot d'Innokenti se laissait happer vers la proue du lourd et rapide vaisseau.

Non, il n'était pas un canot à la dérive mais une torpille fonçant sur le cuirassé !

Mais c'était intenable ! Il se détourna vers la droite et s'engagea dans le Kouznetski Most. Un taxi quittait le trottoir, Innokenti s'en empara, lui fit dévaler la rue pour tourner à gauche vers les réverbères de la rue Petrovka, les premiers allumés dans Moscou.

Il se demandait d'où téléphoner pour n'être pas tenaillé, exaspéré par l'impatience des autres, pour n'être pas épié. Mais chercher une cabine isolée et tranquille, c'était se faire remarquer. Ne valait-il pas mieux aller au plus fort de la presse, si toutefois la cabine était sûre, maçonnée ? Et puis, quelle sottise de vadrouiller en taxi avec un témoin : le chauffeur. Il fouilla dans sa poche à la recherche des quinze kopecks, comptant bien ne pas les trouver. Il ne serait que naturel, alors, de remettre à plus tard.

Devant les feux rouges de l'Okhotny Riad, ses doigts isolèrent et saisirent conjointement deux pièces de quinze kopecks. Il fallait s'incliner.

Cela le rassérénait presque. Danger ou pas, il ne pouvait agir autrement.

Celui qui a peur toujours, constamment, reste-t-il un homme ?

Sans l'avoir prévu, Innokenti longeait maintenant l'ambassade, sur la Mokhovaia. Le destin lui faisait signe. Il se colla à la vitre, se tordit le cou pour voir quelles fenêtres étaient éclairées. Il n'en eut pas le temps.

L'Université défila, Innokenti montra la droite d'un coup de menton. Il tournait, avec sa torpille, comme pour mieux assurer son virage.

Ils filèrent vers l'Arbat, Innokenti paya de deux billets et traversa la place en s'efforçant de discipliner son pas.

La gorge, la bouche sèches, de cette soif qu'aucune boisson ne peut étancher.

L'Arbat était plein de lumières. Devant l'*Artistic*, une grosse foule faisait queue pour voir *Amour de Danseuse*. L'M rouge du métro était un peu voilé de buée grisâtre. Une femme brune, de type méridional, vendait de petites fleurs jaunes.

Le desperado ne voyait plus son cuirassé mais il avait la poitrine dilatée par un désespoir lumineux.

Surtout pas un mot en anglais. Ni surtout en français. Ne laisser ni plume ni poil à cette meute.

Innokenti marchait, le corps droit, sans la moindre hâte. Une fille, le croisant, leva les yeux sur lui.

Puis une autre. Ravissante. Souhaite-moi de m'en sortir.

Le monde est si vaste, si riche de possibilités ! Tu n'as devant toi que cette crevasse, là.

Parmi les cabines de bois alignées dans la rue, il s'en trouvait une vide, mais dont la vitre paraissait cassée. Innokenti passa son chemin, entra dans le métro.

Les quatre cabines, incrustées dans le mur, étaient occupées. Dans celle de gauche, l'entretien s'achevait : un homme plutôt vulgaire, un peu soûl, raccrochait. Il sourit à Innokenti, fit mine de lui parler. Innokenti prit sa place dans la cabine, tira soigneusement à lui la porte de verre épais et garda la main sur la poignée ; de son autre main gantée, tremblante, il glissa sa pièce dans la fente et composa le numéro.

Après quelques longs appels bourdonnants on décrocha.

— Le secrétariat ?

Il s'efforçait de déformer sa voix.

— Oui.

— Je voudrais qu'on me passe l'ambassadeur. C'est urgent.

— L'ambassadeur n'est pas disponible, lui fut-il répondu dans un russe impeccable. De quoi s'agit-il ?

— Dans ce cas, le chargé d'affaires ! Ou l'attaché militaire ! Je vous prie de ne pas perdre de temps !

A l'autre bout du fil, on réfléchissait. Innokenti se promettait, en cas de refus, de se faire une raison, de ne plus revenir à la charge.

— C'est bon, je vous passe l'attaché.

On appela le poste.

Au-delà de la vitre miroitante, un peu à l'écart des cabines, les gens allaient, pressés, se dépassaient. Un homme se détacha du torrent et vint se planter, impatient, devant la cabine d'Innokenti.

Un fort accent, une voix repue, indolente, résonna dans le récepteur.

— J'écoute. Voulez ?

— Monsieur l'attaché militaire ? demanda roidement Innokenti.

— *Yes, aviation,* laissa tomber la voix, à l'autre bout.

Que restait-il à faire ? Mettant sa main en écran,

d'une voix basse mais décidée et persuasive, Innokenti lui dit :

— Monsieur l'attaché ! Prenez note et transmettez d'urgence à l'ambassadeur...

— Attendez moment, lui fut-il répondu sans précipitation. Je fais venir l'interprète.

— Je ne peux pas attendre ! — Innokenti bouillait. Il n'était plus assez maître de lui pour déguiser sa voix.

— Pas question de m'entretenir avec des Soviétiques ! Ne raccrochez pas ! Il s'agit du destin de votre pays. Et pas seulement ! Écoutez-moi. Dans les jours qui viennent, à New York, l'agent soviétique Georges Koval doit prendre livraison, dans un magasin de pièces-radio situé...

— Je vous mal comprends, répondit placidement l'attaché. — Il devait être vautré sur un divan moelleux, personne ne lui courait aux trousses. Des voix de femmes, animées, résonnaient au fond de la pièce.

— Téléphonez Ambassade de Canade. On comprend bien russe là-bas.

Innokenti sentait sous ses pieds brûler le sol de la cabine, le récepteur noir, alourdi d'une grosse chaîne d'acier, lui fondait entre les mains. Mais un seul mot d'une langue étrangère pouvait le perdre !

— Écoutez ! Écoutez ! s'écria-t-il au désespoir. Ces jours-ci, un employé de l'Ambassade soviétique, un nommé Koval, doit se faire remettre dans un magasin de radio des pièces de première importance pour la fabrication d'une bombe atomique...

— Comment ? quelle avenue ? fit l'attaché, surpris, pensif. Comment est-ce que je sais si vous dites le verity ?

— Vous comprenez ce que je risque ? demanda Innokenti, cinglant.

Il crut entendre tambouriner contre la vitre, dans son dos.

L'attaché se taisait, peut-être simplement parce qu'il aspirait une bouffée de tabac.

— La bombe atomique ? répéta-t-il avec défiance. Mais qui êtes-vow ? Donnez votre nom.

Un déclic sourd dans l'appareil, à quoi succéda un silence de coton, sans froissements ni tintements.

La ligne était coupée.

CHAPITRE II

Dans certaines institutions, on bute parfois sur une enseigne lumineuse bordeaux : « privé ». Il en est de plus modernes, dotées de considérables panneaux miroitants : « rigoureusement réservé au personnel de service ». Il arrive qu'un cerbère, siégeant à une petite table, vérifie les laissez-passer. Comme tout interdit, la porte infranchissable laisse imaginer n'importe quoi.

Le couloir, ici, est aussi austère qu'ailleurs, peut-être un peu plus propre. Le sol en est occupé par un flux de ce drap rouge dans quoi notre État a fait son trousseau. Le parquet est raisonnablement frotté. Et jonché de crachoirs raisonnablement espacés.

Mais il s'agit d'un lieu désert. On n'y court point de porte à porte.

Et toutes les portes y sont doublées de noir, d'un cuir noir bouffi de capiton et riveté de blanc, et marqué par l'ovale miroitant des numéros.

Ceux-là mêmes qui travaillent dans ces bureaux en savent moins sur ce qui se passe dans les pièces voisines que sur les mercuriales de Madagascar.

Par cette morne et molle soirée de décembre, deux lieutenants étaient de service au Central téléphonique de Moscou, dans un de ces couloirs confidentiels, dans une de ces pièces inaccessibles, immatriculée sous le nº 194 pour le commandant de la place et sous l'appellation de Poste A 1 à la 11e Section de la 6e Direction du M.G.B. Avouons qu'ils avaient à l'uniforme préféré des vêtements civils, plus convenables pour entrer et sortir du Central téléphonique.

Un des murs était occupé par des tableaux et des voyants, par le noir du plastique et l'éclat métallique du matériel d'écoute téléphonique. Le mur opposé affichait des instructions circonstanciées sur papier gris.

Le tableau prévoyant et prévenant toutes les infractions et les écarts possibles dans l'enregistrement des communications de l'Ambassade américaine établissait que la permanence devait être assurée par deux responsables : l'un devait écouter sans trêve, sans ôter ses écouteurs ; l'autre devait relever son compagnon toutes les demi-heures et ne s'absenter que pour aller aux toilettes.

Il était impossible de faillir si on respectait ces instructions.

Par suite d'une tragique contradiction entre la perfection idéale des établissements d'État et la piteuse imperfection de l'homme, les instructions, ce jour-là, ne furent pas respectées. Non que les officiers de garde fussent des novices, mais bien parce qu'ils avaient pour eux l'expérience et savaient qu'il ne se passe jamais rien. De plus, on était à la veille de la Noël occidentale.

Le lieutenant Tioukine, un gaillard au nez fort, révisait son cours d'instruction politique du lundi suivant où on l'interrogerait sur « les amis du peuple, leur définition et leurs procédés dans la lutte menée contre les sociaux-démocrates ». On lui demanderait de même pourquoi il importait de prendre ses distances au IIe Congrès — c'était la sagesse même — pour en venir au sage amalgame du Ve Congrès et faire derechef bande à part, non moins sagement, à partir du VIe Congrès. Défiant envers sa mémoire, Tioukine ne se serait jamais mis à la tâche un samedi s'il n'avait prévu de descendre quelques bouteilles avec son beau-frère, après sa garde dominicale, et s'il ne s'était dit que le lundi, dans les vapeurs de l'ivresse, il n'arriverait jamais à ingurgiter tout ce fatras. Or le responsable du parti l'avait déjà semoncé et menacé d'une convocation devant le Bureau. L'essentiel n'était pas tant de répondre que de présenter des résumés écrits. De toute la semaine, Tioukine n'avait pas trouvé de temps libre et il avait usé sa journée en atermoiements ; il venait de demander à son camarade de monter une garde continue, s'était installé dans un coin, sous une lampe de bureau, et reportait sur son cahier tel ou tel passage de l'*Abrégé de l'Histoire du Parti.*

On n'avait pas encore allumé les plafonniers. Une lampe éclairait en permanence les magnétophones. Le lieutenant Koulechov, garçon frisoté au menton gras, s'ennuyait, les écouteurs aux oreilles. De bon matin, ç'avaient été des commandes d'achats mais, depuis le déjeuner, l'ambassade avait l'air de dormir, plus un coup de téléphone.

Après une longue immobilité sur son siège, Koulechov s'avisa d'inspecter les pustules de sa jambe gauche. Pour une raison mystérieuse, ces furoncles n'en finissaient pas. On les barbouillait de mercurochrome et d'onguent gris ou de streptocide mais, loin de sécher, ils fleurissaient sous leurs croûtes. Désormais la douleur le gênait pour marcher. A la clinique du M.G.B., on l'avait inscrit à la consultation d'un professeur illustre. Or il venait de se faire attribuer un appartement neuf, sa femme attendait un bébé. Les furoncles venaient gâcher une petite vie bien tranquille.

Koulechov ôta le casque qui lui enserrait la tête et lui écrasait les oreilles, s'avança vers la lumière pour plus de commodité, retroussa la jambe de son pantalon, de son caleçon long, entreprit de palper et de soulever le bord des croûtes. En appuyant, on faisait suinter une sanie brunâtre. La douleur, forte, portait à la tête et absorbait toute son attention. Pour la première fois, il eut la pensée fulgurante, déchirante, que ce n'étaient pas des furoncles mais... Un mot lui vint à l'esprit qu'il avait entendu quelque part : gangrène ?... non, c'était encore un autre mot...

Si bien qu'il ne remarqua pas tout de suite le déclenchement automatique des bobines du magnétophone qui tournaient maintenant en silence. Sa jambe nue toujours calée, Koulechov allongea le bras vers les écouteurs, les approcha d'une oreille et entendit :

— Comment est-ce que je sais si vous dites la vérité ?

— Vous comprenez ce que je risque ?

— La bombe atomique ? Qui êtes-vow ? Donnez votre nom.

La BOMBE ATOMIQUE ! Suivant une impulsion aussi peu consciente que celle qui vous fait, en tombant, agripper le premier objet venu, Koulechov arracha la fiche du standard et coupa la communication. Alors seulement il s'aperçut qu'en dépit des instructions il n'avait pas relevé le numéro du correspondant.

Son premier mouvement fut de se retourner. Tioukine grattait toujours, il n'avait rien vu. C'était un ami, mais Koulechov avait mission de le surveiller et ce devait être réciproque.

Actionnant le retour en arrière des bobines de ses doigts tremblants et branchant le magnétophone de réserve sur le réseau de l'ambassade, Koulechov songea d'abord à effacer la bande et à laisser dans l'ombre sa défaillance. Il se rappela aussitôt que son chef lui avait dit plus d'une fois que les enregistrements du poste étaient systématiquement doublés par un autre poste et il repoussa cette frivole tentation. Bien sûr, tout était enregistré en double et il risquait le poteau pour avoir caché un entretien de cette gravité.

La bande était revenue à son point de départ. Il brancha l'écoute. Le criminel était pressé, ému. D'où pouvait-il bien parler ? Assurément pas d'un appartement. De son lieu de travail ? Douteux. On s'arrange toujours pour téléphoner aux ambassades d'une cabine.

Déployant la liste des cabines publiques, Koulechov, affolé, choisit un numéro, à l'entrée du métro Sokolniki.

— Guenka ! Guenka ! — cria-t-il d'une voix rauque en déroulant la jambe de son pantalon. — Alerte ! Téléphone à la Spéciale ! Il est peut-être encore temps de lui mettre le grappin dessus !

CHAPITRE III

— Des bleus !
— On touche des bleus !
— D'où vous venez, les copains ?
— Amis, d'où venez-vous ?
— Qu'est-ce que vous avez là, sur la poitrine, sur la chapka, ces espèces de taches ?
— C'est là qu'on portait son numéro. Et puis sur le dos, et aux genoux. On nous les a décousus au départ du camp.
— Comment ça, des *numéros* ?
— Messieurs, de grâce, en quel siècle vivons-nous ? Des numéros, sur des êtres humains ! Lev Grigorievitch, souffrez que je vous demande si c'est là un indice de *progrès ?*
— Mon petit Valentin, pas de généralisations hâtives, allez plutôt dîner.
— Je ne peux tout de même pas aller dîner quand il y a des gens qui se promènent avec des numéros sur la tête.
— Les potes ! On distribue des « Belomor », neuf paquets pour la deuxième quinzaine de décembre. Vous avez vos chances. Faut y aller, *au pas de gym* !!!
— Des Java ou des Ducat ?
— Moitié-moitié.
— Les salauds, qui nous asphyxient avec leurs Ducat. Je porterai plainte devant le ministre, parole d'honneur.
— Qu'est-ce que c'est que ces combinaisons que vous

avez sur le dos ? Pourquoi ces tenues de parachutistes ?

— On nous a collé un uniforme. Avant, c'était costume de lainage et manteau de drap, mais ils se sont mis à nous serrer la vis, les cochons.

— Regarde un peu, des bleus.

— On a touché des bleus.

— Oh, les petits ! Vous n'avez jamais vu des zeks en chair et en os ? Y en a un plein couloir !

— Je n'en crois pas mes yeux ! Dof Donskoï ! Où donc étiez-vous, Dof ? En 45 je vous ai cherché dans tout Vienne, mais dans tout Vienne !

— Et ces guenilles, et ces barbes de huit jours ! Vous venez de quel camp, les amis ?

— Ça dépend. Retchlag...

— ... Doubrovlag...

— Il y a neuf ans que je suis au trou, jamais entendu parler.

— C'est des *Osoblag*, des camps récents. Ils sont apparus après 48.

— Juste à l'entrée du Prater, à Vienne, hop ! ratissé et dans le *corbeau* [1].

— Minute, Mitiouk, laisse nous écouter les nouveaux...

— Dehors, promenade, l'air pur ! Lev se chargera d'interviewer les bleus, te bile pas.

— Deuxième service ! Dîner !

— Ozerlag, Louglag, Steplag, Kamychlag...

— C'est à croire qu'il y a au M.V.D. un poète méconnu. Manque d'élan pour le grand poème, trop de pudeur pour la pièce brève, alors il donne aux camps des appellations poétiques.

— Ha, ha ha ! C'est trop drôle, messieurs ! Quel siècle que le nôtre !

— Allons, du calme, mon petit Valentin !

— Excusez-moi, vous vous appelez ?

— Lev Grigorievitch.

— Ingénieur, vous aussi ?

— Pas du tout, je suis littéraire.

— Littéraire ? Il y a donc même des littéraires dans la maison ?

— Demandez plutôt ce qu'on ne trouve pas dans cette boîte. Il y a des mathématiciens, des physiciens, des chimistes, des ingénieurs-radio, des ingénieurs-téléphonistes, des constructeurs, des peintres, des traducteurs, des relieurs, et même un géologue, une erreur d'aiguillage.

— Et qu'est-ce qu'il fabrique ?

— Il se débrouille, il a trouvé une planque au labo de photo. Il y a même un architecte. Et pas rien ! L'architecte personnel de Staline soi-même ! C'est lui qui lui a bâti toutes ses datchas. Entaulé avec nous.

— Lev, tu te fais passer pour un matérialiste mais tu gaves ton monde de nourritures purement spirituelles. Attention, les copains ! On va vous conduire à la cantine. A la dernière table, près de la fenêtre, vous trouverez une trentaine d'assiettes qu'on a mises de côté pour vous. Bouffez tant que vous voudrez, seulement attention aux indigestions !

— Merci beaucoup, mais il ne faut pas vous priver pour nous !

— On n'y a pas de mérite. Par les temps qui courent, on ne fait plus guère honneur aux harengs saurs de Mezen ou à la pâtée de millet. C'est du dernier plouque.

— Vous dites ? Du dernier plouque ? Mais il y a cinq ans que je n'y ai pas goûté !

— C'est sûrement pas du millet, mais cette saleté de magara [1].

— Vous rêvez ! De la magara ? Il ferait beau voir. On la leur...

— On bouffe comment, de nos jours, dans les prisons de transit ?

— A Tcheliabinsk...

— Tcheliabinsk 1 ou 2 ?

— Votre question décèle un expert. Non, à la 2, à la nouvelle...

— C'est toujours comme avant ? On ménage les chiottes des étages, alors les zeks font leurs besoins dans des tinettes et les trimbalent sur deux étages ?

— Toujours pareil.

— Vous avez parlé de *charachka*. Qu'est-ce que ça veut dire, charachka ?

— C'est pas charachka, mais *charaga,* faut mettre un peu les formes, tout de même [1].
— La ration de pain est de combien, ici ?
— Qui n'a pas encore dîné ? Deuxième service !
— 400 grammes de pain blanc et le noir à volonté, sur les tables.
— Comment ça, *sur* les tables ?
— Comme ça, quoi, sur les tables, en tranches, on se sert ou on le laisse.
— Excusez-moi, mais c'est l'Europe ici, non ?
— Non, pourquoi, en Europe c'est le pain blanc qui traîne sur les tables.
— D'accord, mais le beurre et les cigarettes, ça nous vaut de trimer des douze et quatorze heures par jour.
— Tri-mer ? Si vous avez le cul sur une chaise, c'est pas le mot. On trime quand on a une pioche à la main.
— Vingt dieux ! Dans cette charachka, c'est le vrai bled paumé, on est coupé de tout. Vous avez entendu, messieurs ? Il paraît qu'on a serré la vis aux truands et que même à la Krasnaïa Presnia [2], on *fait* plus les passants !
— Le beurre, c'est 40 grammes pour les professeurs, 20 pour les ingénieurs. On demande à chacun tout ce qu'il peut fournir et on lui donne autant qu'il se peut.
— Alors, comme ça, vous avez travaillé au Dnieprostroï ?
— Oui, j'y ai travaillé avec Winter. Et c'est à cause de ce barrage que j'en suis là.
— Comment ça ?
— Ah ben, voyez-vous, je l'ai vendu aux Allemands.
— Le barrage ? Mais il a été dynamité.
— N'empêche, tout dynamité qu'il était, je le leur ai vendu.
— Parole, c'est le vent du large ! Les prisons de transit ! Les wagons-zeks ! Les camps ! Ah ! Partir ! Une virée jusqu'au Pacifique !
— Avec un billet de retour, mon petit Valentin, avec un aller-retour !
— Bien entendu, et vite-vite !
— Vous savez, Lev Grigorievitch, cet afflux d'impressions, ce changement d'atmosphère me tournent la tête.

J'ai vécu jusqu'à cinquante-deux ans, je suis revenu d'une maladie mortelle, je me suis marié deux fois, mes femmes étaient jolies, j'ai eu des fils, je me suis fait éditer en sept langues, j'ai été lauréat de plusieurs académies, mais je n'ai jamais connu le bonheur béat que j'éprouve aujourd'hui. Où suis-je tombé ? On ne me forcera pas demain à patauger dans l'eau glacée ! 40 grammes de beurre ! Du pain noir à volonté ! Les livres sont autorisés ! On peut se raser soi-même ! Les surveillants ne cognent pas sur les zeks ! Quel est ce grand jour ? Quelle est cette cime resplendissante ? Peut-être suis-je mort ? A moins que je ne rêve ? Je crois être au paradis !

— Non, très cher. Vous êtes toujours en enfer, mais vous vous êtes hissé à son cercle supérieur, le premier dans tous les sens du mot. Vous demandez ce qu'est la *charachka* ? Si vous voulez, c'est un phantasme de Dante. Il en crevait, de ne pas savoir où fourrer les sages de l'Antiquité. Son devoir de chrétien lui enjoignait de jeter ces païens en enfer. Mais sa conscience d'homme du Quattrocento ne pouvait se résigner à mélanger ces héros de l'esprit au tout-venant des pécheurs, ou à leur infliger des peines corporelles. Aussi Dante leur a-t-il réservé une retraite dans l'enfer. Permettez, mais ça se présente en gros comme ça :

« Un haut château se dressa devant moi...

... Voyez d'ailleurs ces voûtes antiques !

Ceint par sept fois de murs élevés...
On y pénétrait par sept portes...

...Vous êtes entrés en voiture cellulaire, ce qui explique que vous n'ayez pas remarqué les portes...

Là se trouvaient des hommes au front grave
Dont les yeux n'étaient pas fiévreux
Et dont les traits n'étaient joyeux ni sombres...
Je voyais qu'une troupe illustre
Et noble s'était isolée en ce lieu...

Dis-moi qui sont ces hommes vénérables
Parmi la foule qui les entoure ?... »

— Allons, Lev Grigorievitch, si je devais rendre compte au Herr Professor de ce qu'est une charachka, j'userais de termes bien plus simples. Il faut lire les éditoriaux de la *Pravda* : « Il est établi que la quantité de la production lainière dépend directement de l'alimentation des ovins et des soins qu'ils reçoivent. »

CHAPITRE IV

Le sapin de Noël se réduisait à une branche de pin fichée entre deux ais d'un tabouret. Une guirlande de petites ampoules à faible voltage en faisait deux fois le tour et laissait choir ses fils laiteux de chlorure de vinyle plastifié vers l'accumulateur posé au sol.

Ce tabouret trônait au fond d'un passage entre châlits, un des matelas de la rangée supérieure protégeant tout le recoin et le minuscule sapin de la virulence des plafonniers.

Six hommes, en combinaison moulante de parachutistes, faisaient cercle autour du sapin. Debout, tête baissée, ils écoutaient gravement. L'un d'eux, Max Adam, garçon vif, alerte, leur récitait une oraison protestante de circonstance.

Personne d'autre dans la grande salle encombrée de deux étages de lits aux pieds soudés : après le dîner et une promenade d'une heure, chacun avait regagné son travail du soir.

Max acheva la prière et tous se rassirent. Pour cinq d'entre eux, ç'avait été comme une giclée d'embruns : impression douce-amère du pays. De leur pays robustement bâti, de la douce Allemagne, avec ses toits de tuile sous lesquels la grande fête de l'année était si douce à vivre, si émouvante. Le sixième était un homme robuste à la barbe noire. Il était juif et communiste.

Le destin avait ligoté Lev Roubine à l'Allemagne par

tous les rameaux de la paix, tous les faisceaux de la guerre.

Germaniste, philologue dans le civil, il parlait un irréprochable *hochdeutsch* moderne mais pouvait aussi à l'occasion recourir à l'allemand moyen ou ancien. Il se rappelait comme ses amis personnels, sans le moindre effort, tous les Allemands dont le nom avait jamais figuré dans la presse. Il évoquait les petites villes du Rhin comme s'il avait souvent arpenté leurs ruelles ombreuses, rincées à grande eau.

Or il n'avait connu que la Prusse, au front, comme soldat.

Il avait commandé un bataillon chargé de la « démoralisation des troupes adverses ». Il courait les camps de prisonniers pour y pêcher les Allemands qui ne voulaient plus du barbelé et consentaient à lui prêter leur aide. Il obtenait leur libération et les laissait tranquillement vivoter dans un centre de formation spécial. Il faisait repasser le front à certains d'entre eux qu'on munissait de T.N.T., de faux marks, de fausses permissions, de faux livrets militaires. Ils pouvaient aussi bien faire sauter des ponts que filer chez eux et se donner du bon temps en attendant d'être repris. Avec d'autres il s'entretenait de Goethe et de Schiller et révisait en leur compagnie des textes destinés aux camions « sonorisés », dont la verve persuasive tendait à convaincre les frères d'armes d'hier de retourner leurs fusils contre Hitler. Ceux de ses adjoints les mieux doués pour l'idéologie, les plus virtuoses à sauter du nazisme au communisme, allaient grossir toutes sortes de « Comités de l'Allemagne libre » et s'y tenaient en réserve pour l'Allemagne socialiste de demain. Quant à ceux qui avaient gardé la tripe militaire, Roubine les avait emmenés avec lui, vers la fin de la guerre, pour un ou deux coups de main : passant avec eux la ligne disloquée du front, il avait réussi à s'emparer de places fortes, grâce à la seule éloquence, épargnant ainsi le sang de plusieurs de nos bataillons.

Mais il était impossible de convertir ces Allemands sans se mettre dans leur peau, sans les aimer et, l'Allemagne abattue, sans les plaindre. Ce qui avait jeté Roubine sous les verrous. Ses ennemis de la Direction l'avaient accusé d'avoir ouvertement pris parti, après l'offensive de janvier, contre la devise : « Sang versé pour sang versé, mort pour mort. »

Il y avait du vrai là-dedans, et Roubine n'en disconvenait pas, mais tout était infiniment plus complexe qu'on ne pouvait le dire en charabia de journaliste ou en termes de réquisitoire.

A côté du tabouret et de sa branche de pin illuminée, deux tables de nuit rapprochées formaient une sorte de table. On échangea des friandises : conserves de poisson (car on prélevait sur le pécule des zeks de quoi leur faire des achats dans les magasins de la capitale), un café tiédissant, un gâteau maison. La conversation s'engagea avec une gravité cérémonieuse. Max lui donna un tour pacifique : on évoqua de vieux usages, des histoires attendrissantes sur la nuit de Noël. Alfred, un étudiant viennois binoclard qui n'avait pu achever ses études de physique, faisait chanter l'accent plaisant de son Autriche. Le tout jeune Gustav, membre de la Hitlerjugend, garçon au visage rond et aux oreilles roses et translucides de porcelet, écarquillait les yeux vers les ampoules bariolées, osant à peine se mêler aux propos des aînés — il avait été fait *prisonnier* une semaine après la fin de la guerre.

L'entretien, pourtant, dévia. Quelqu'un se souvint de la Noël 44, cinq ans plus tôt, de l'offensive des Ardennes dont tous les Allemands, unanimes, se targuaient comme d'un exploit digne de l'Antiquité : les vaincus avaient donné la chasse à leurs vainqueurs. On se souvint qu'en cette veille de Noël, l'Allemagne avait écouté Goebbels.

Taquinant une boucle de sa rude barbe noire, Roubine acquiesça. Il se rappelait le discours, et qu'il avait porté. Goebbels avait parlé dans une tension de toute son âme, comme s'il avait eu sur le dos tous les fardeaux accablant l'Allemagne. Il devait pressentir sa fin.

Reinhold Simmel, Obersturmbahnführer des S.S., dont le torse long tenait à peine entre la table de nuit et le châlit, ne prisa guère la subtile courtoisie de Roubine. Il trouvait intolérable la seule pensée qu'un Juif pût formuler un jugement sur Goebbels. Il ne se serait jamais abaissé à partager le même pain s'il avait eu la constance de renoncer à une soirée de Noël en compagnie de ses compatriotes. Mais les autres Allemands tenaient à ce que Roubine fût présent. Pour cette petite colonie qui avait échoué dans la cage dorée de la charachka, au cœur de cette Moscovie barbare et indisciplinée, le seul interlocuteur accessible était ce commandant de l'armée ennemie qui, de toute la guerre, n'avait cessé de semer parmi eux la division et la ruine. Il était le seul qui pût leur expliquer les us et coutumes des indigènes, les conseiller sur la conduite à tenir, leur traduire les dernières nouvelles de l'actualité internationale.

Cherchant à piquer Roubine au vif, Simmel déclara que le Reich regorgeait d'orateurs éblouissants. Pourquoi les bolcheviks se faisaient-ils un devoir de préparer leurs discours et de les lire sans jamais les quitter des yeux ?

La pointe blessa d'autant mieux qu'elle visait juste. On ne pouvait tout de même pas expliquer à cet ennemi, à ce tueur, que nous avions eu nous aussi notre éloquence, et comment, mais qu'elle avait été assassinée par les comités de parti. Roubine n'éprouvait que du dégoût pour Simmel. Il se souvenait de lui à son arrivée à la charachka après de longues années à la prison de Boutyrki : ce blouson de cuir crissant dont la manche laissait deviner les insignes décousus des S.S. civils, la pire espèce. La prison même n'avait pas effacé cette cruauté invétérée sur le visage de Simmel. Si, en se rendant à cette soirée, Roubine avait éprouvé un certain malaise, c'était à cause de Simmel. Les autres avaient beaucoup insisté et il avait eu pitié de ces hommes solitaires et perdus, il n'avait pas voulu assombrir leur fête par un refus.

Réprimant la tentation d'un éclat, Roubine traduisit le conseil de Pouchkine : le cordonnier n'a pas à juger plus haut que ses bottes.

Max, toujours prévenant, coupa court à l'accrochage. Il commençait à déchiffrer Pouchkine sous la férule de Lev. Pourquoi Reinhold n'avait-il pas pris de crème avec son gâteau ? Et Lev, où avait-il passé ce fameux Noël ?

Reinhold se servit un peu de crème et Lev se souvint qu'il était alors sur la tête de pont du Narew, près de Rozany, dans un abri blindé.

Et, un peu comme ces Allemands qui, ce soir, paraient leur Allemagne déchirée et écrasée des couleurs les plus lumineuses, tirées du fond de leur âme, Roubine sentait se raviver les souvenirs du Narew, des forêts mouillées des bords de l'Ilmen.

Les lampes de couleur se reflétaient dans les yeux de ces hommes qui, ce soir, brillaient d'un éclat plus chaud.

On demanda à Roubine quelles étaient les nouvelles. Il éprouva de la gêne à faire un tour d'horizon pour décembre. Il ne pouvait pas se permettre de juger de Sirius, il ne pouvait s'interdire l'espoir de rééduquer ces hommes. De les convertir à sa propre conviction qu'en un siècle difficile, la vérité socialiste emprunte parfois des chemins tortueux ou zigzagants. Aussi convenait-il de choisir pour eux, comme pour l'Histoire — et ce choix, malgré lui, il le faisait également pour lui-même —, les seuls événements qui jalonnaient la grand route dans toute sa rectitude, en négligeant ceux qui filaient par la traverse ou frôlaient dangereusement le marécage.

En ce mois de décembre, justement, à l'exception des pourparlers sino-soviétiques, d'ailleurs un peu longuets et, bien sûr, du soixante-dixième anniversaire du Patron, il ne s'était rien passé de tellement positif. Il aurait eu honte de parler à ces Allemands du procès de Traïtcho Kostov [1], de cette grossière mascarade judiciaire, de la remise tardive aux journalistes des prétendus aveux que Kostov aurait rédigés dans sa cellule de condamné à mort. Cela ne pouvait que nuire à ses desseins pédagogiques.

Aussi, ce soir-là, Roubine préféra-t-il s'attarder sur la victoire historique, à implications universelles, des communistes chinois.

Max, bienveillant, écoutait Roubine en opinant du

bonnet. Ses yeux avaient un regard innocent. Il était attaché à Roubine mais se défiait un peu de lui depuis le blocus de Berlin. A l'insu de Roubine et au péril de sa vie, il utilisait parfois le laboratoire d'ondes ultra-courtes pour monter, écouter puis démonter un récepteur-miniature qui n'avait rien d'un appareil ordinaire. Et désormais il écoutait Cologne, les émissions en allemand de la B.B.C., apprenant ainsi que Kostov avait rétracté en plein procès les aveux extorqués par les enquêteurs, apprenant aussi que les pays atlantiques joignaient leurs forces et que l'Allemagne de l'Ouest prospérait. Il n'avait pas manqué de confier tout cela aux autres Allemands qui ne vivaient plus que dans l'espoir d'être délivrés par Adenauer.

En présence de Roubine, ils acquiesçaient.

Pour Roubine, il était grand temps de partir car, ce soir-là, il n'avait pas été dispensé de son travail de nuit. Il fit compliment du gâteau — le serrurier Hildemut s'inclina, flatté — et pria la compagnie de l'excuser. On le retint un peu, on le remercia d'être venu, il retourna les remerciements. Maintenant les Allemands allaient chanter à mi-voix des cantiques de Noël.

Roubine regagna le couloir comme il était entré : avec un dictionnaire finno-mongol et un petit Hemingway en anglais.

Le couloir était large, plancheyé de bois brut et bourru, dépourvu de fenêtres, éclairé jour et nuit à l'électricité. C'était là qu'une heure plus tôt, Roubine, avec d'autres amateurs de nouvelles, avait mis à profit la pause fiévreuse du dîner pour interviewer les zeks fraîchement arrivés de leurs camps. Sur ce couloir donnait un des escaliers intérieurs de la prison ainsi que les portes des pièces cellulaires. Pièces banales, aux huis sans verrous, cellules pourtant, puisque les panneaux des portes étaient percés d'œilletons de verre. Ces judas ne servaient jamais aux surveillants de l'établissement mais on les avait pratiqués en vertu du règlement intérieur des prisons classiques, du seul fait que la charachka s'appelait sur le papier « Prison Spéciale n° 1 du M.G.B. ».

Par un de ces judas, dans une autre salle, on aurait pu

voir une autre veillée de Noël, celle des Lettons, également dispensés de travail.

Les autres zeks étaient à l'ouvrage, Roubine craignait de se faire arrêter à la sortie, puis conduire chez l'Oper [1] qui l'aurait contraint à faire un compte rendu écrit sur son retard.

A chaque bout, le couloir s'achevait par des portes sans dormants : l'une, à quatre battants et cintrée, donnait sur l'abside de ce qui avait été la chapelle d'un séminaire et n'était plus qu'un dortoir pour prisonniers, l'autre, à deux battants, close, blindée du haut en bas, conduisait vers les lieux de travail et les détenus l'appelaient le « seuil du sanctuaire ».

Roubine s'approcha de la porte blindée et frappa au guichet. Le visage d'un surveillant vint se coller à la vitre.

La clef tourna sans bruit. Le surveillant était du genre placide.

Roubine s'engagea dans l'escalier d'honneur à l'ancienne, à double volée, parcourut le palier de marbre, passa devant deux vieilles appliques en fer forgé, maintenant inutilisées. Sans quitter le premier étage, il pénétra dans le couloir des laboratoires. Poussa une porte :

« LABORATOIRE D'ACOUSTIQUE »

CHAPITRE V

Le laboratoire d'acoustique occupait une pièce aux multiples fenêtres, vaste, haute de plafond, mais encombrée d'instruments de physique disposés sur des rayons de bois blanc ou des montants d'aluminium éblouissant, d'établis pour le montage, de pupitres ou de placards en contre-plaqué fabriqués à Moscou, de confortables bureaux déjà culottés au siège berlinois de la firme Lorenz-Radio.

De grandes lampes en verre dépoli diffusaient une aimable lumière blanche.

Au fin bout de la pièce, une chambre sourde s'élevait, sans toutefois atteindre au plafond. Elle sentait son improvisation : extérieurement, elle était tendue de toile à sac capitonnée de paille. Sa porte, épaisse d'un demi-mètre, mais creuse comme les haltères des clowns, demeurait béante et se drapait, sur le haut, d'un rideau de laine qu'on avait troussé pour laisser passer l'air. A côté, c'était le scintillement cuivré des boîtes de contact et la laque noire du standard.

Tournant le dos à la cabine toute proche, installée à un bureau, une jeune fille, toute menue et chétive, au visage revêche et pâlot, les épaules enveloppées dans un châle d'angora.

Les quelque dix autres occupants de la pièce étaient tous des hommes, et tous vêtus de combinaisons bleues. A la clarté des plafonniers ou des taches lumineuses que projetaient des lampes articulées, de provenance allemande elles aussi, ils s'affairaient, marchaient en tous sens, maniaient le marteau ou la lampe à souder, se penchaient sur leurs établis ou leurs bureaux.

Le jazz se mêlait au piano classique et à des mélodies d'Europe de l'Est, le tout diffusé par trois récepteurs amateurs, sans boîtiers, bricolés avec des plaques d'aluminium.

Roubine regagnait sa place sans hâte, déambulant par le laboratoire, son dictionnaire et son Hemingway à bout de bras ballant. Des miettes de gâteau nichaient dans sa barbe noire et bouclée.

Bien que les combinaisons affectées aux prisonniers fussent taillées sur le même modèle, ils les portaient différemment. Roubine avait perdu un de ses boutons, sa ceinture était lâche et le tissu pendouillait sur son ventre. En chemin, il croisa un jeune détenu, vêtu du même bleu, mais fringant, avec sa ceinture d'étoffe serrée par des boucles autour de sa taille mince et, dans l'échancrure de la combinaison, une chemise bleue, délavée, mais scellée par une cravate éclatante. Le jeune homme occupait toute la largeur de l'allée latérale où devait passer Roubine. De la main droite, il balançait délicatement sa lampe à souder allumée, il avait le pied gauche posé sur une chaise, le coude sur son genou, et dévorait des yeux un schéma de radio illustrant la revue anglaise *Wireless Engineer*, ouverte sur sa table. Il chantonnait :

« Boogie-woogie, boogie-woogie
Samba ! Samba ! »

Le passage étant barré, Roubine resta là un moment avec un visage paterne. Le jeune homme ne semblait pas le voir.

— Mon petit Valentin, pourriez-vous tant soit peu ramener à vous votre membre inférieur ?

L'autre, sans lever les yeux de son schéma, répondit avec une énergie tranchante :

— Lev Grigorievitch ! *Dégagez ! du balai !* Qu'est-ce que vous avez à déambuler comme ça la nuit ?

Qu'est-ce que vous venez faire ici ? — Et il leva sur Roubine ses yeux clairs, étonnés, enfantins. — Et puis, qu'avons-nous à faire de littéraires ? Ha-ha-ha ! — il détachait les syllabes — Car vous n'êtes pas ingénieur, ô honte !

Faisant les gros yeux et allongeant ses lèvres en une moue enfantine, comique, Roubine susurra :

— Mon minet ! Je connais des ingénieurs qui tiennent des débits d'eau gazeuse !

— Pas du tout mon genre ! Je suis ingénieur de première classe, prenez-en note, galopin ! — débita sèchement Valentin, après quoi il posa sa lampe à souder sur un support en fil de fer, se redressa, renvoyant en arrière ses cheveux souples de même couleur que la colophane qu'il avait sur son établi.

Il y avait en lui quelque chose de net, de juvénile, son visage n'était pas labouré par les sillons de la vie, ses gestes étaient ceux d'un enfant. On avait peine à croire qu'il avait fini ses études avant la guerre, qu'il avait connu la captivité en Allemagne, vécu en Europe, et qu'il était emprisonné dans son pays depuis quelque cinq ans.

Roubine soupira.

— Sans certificat établi en bonne et due forme par votre boss, en Belgique, notre administration ne saurait en aucun cas...

— Quels certificats ? — Valentin feignait l'indignation de façon très vraisemblable. — Vous êtes littéralement gâteux. Enfin, songez-y, je suis fou des femmes !

L'austère jeune fille ne put s'empêcher de sourire.

Un autre détenu, près de la fenêtre qu'aurait dû gagner Roubine, laissa là son ouvrage et tendit une oreille attentive aux propos de Valentin.

— En théorie, apparemment... répliqua Roubine avec un geste blasé de ruminant.

— Et puis j'adore jeter l'argent par les fenêtres !

— Pour ce que vous en avez...

— Moi, un ingénieur lambda ?! Songez donc : pour aimer les femmes et en changer tout le temps, il faut beaucoup d'argent ! Pour ça, il faut en gagner beaucoup ! Et pour en gagner beaucoup quand on est ingénieur, il faut être une lumière dans sa spécialité. Ha-ha, il blêmit !

Le visage allongé de Valentin, provocant, s'était levé vers Roubine.

— Aha ! — s'exclama le zek à la fenêtre, dont le bureau jouxtait celui de la fillette. Liovka, je viens de choper ce qui fait le timbre de Valentin. La vraie *clochette* ! Je prends note, compris ? C'est un genre de voix qu'on peut identifier à chaque coup de téléphone, quels que soient les parasites.

Il déploya une grande feuille où s'alignaient des colonnes de noms, des quadrillés, et où s'épanouissait une classification en arbre.

— Fumisterie ! dit Valentin avec un geste dédaigneux. Puis il reprit sa lampe et fit grésiller sa colophane.

Le passage était libre. Roubine, gagnant son fauteuil, se pencha sur la classification des voix.

Les deux hommes la regardèrent en silence.

— Mon petit Gleb, on a fait un bon bout de chemin, dit Roubine. — Tout ça, rajouté au *langage visible,* ça nous fait une arme de choc. A nous deux, on ne tardera pas à comprendre en quoi consiste la voix téléphonique... Qu'est-ce qu'on joue, là ?

Le jazz prenait de l'ampleur dans la pièce mais, sur l'appui de la fenêtre, un récepteur amateur parvenait à s'imposer et égrenait des arpèges de piano. Opiniâtre, la même phrase émergeait, se laissait dériver, revenait, repartait. Gleb répondit :

— La dix-septième sonate de Beethoven. Je me demande pourquoi, jusqu'à présent... Écoute plutôt.

Tous deux s'étaient penchés sur leur poste mais le jazz les gênait.

— Valentaïn ! dit Gleb. Capitulez, pour une fois ! Montrez-vous magnanime !

— Je ne fais que ça, répondit l'autre, hargneux. Je vous ai monté un poste. Suffit que je dessoude une bobine, vous pourrez toujours courir.

La petiote fronça des sourcils sévères et intervint.

— Valentin Martynytch ! C'est vrai que ce n'est pas une vie, ces trois postes à la fois. Éteignez le vôtre, puisqu'on vous le demande.

(Le poste de Valentin jouait un slow et la pauvrette aimait beaucoup cette musique...)

— Serafina Vitalievna ! C'est monstrueux ! — Valentin se jeta sur une chaise inoccupée, l'inclina et se mit à pérorer comme à la tribune. — Un homme normal, un homme sain peut-il ne pas apprécier tout ce qu'il y a de tonique dans le jazz ? On vous abîme l'oreille avec toutes ces vieilleries ! Vraiment, vous n'avez jamais dansé le tango bleu ? Ni assisté aux revues d'Arkadi Raïkine, le chansonnier ? Vous n'avez jamais mis les pieds en Europe ! Comment pouvez-vous savoir ce qu'est la vie ?... Je vous conseille instamment de tomber amoureuse ! — déclara-t-il emphatiquement, par-dessus son dossier, sans voir qu'un pli amer cernait les lèvres de la petite. — N'importe qui. *Ça dépend* * ! L'éclat des lumières, la nuit ! Le froufrou des parures !

— Ça y est. Le voilà de nouveau *déphasé* ! fit Roubine, alarmé. Il faut employer les grands moyens.

Et, dans le dos de Valentin, il fit taire le jazz.

Piqué au vif, celui-ci se retourna.

— Lev Grigorievitch ! Qui vous a autorisé ?

Il s'était renfrogné, il se serait voulu menaçant.

Libérée, la mélodie fluide de la dix-septième sonate coula dans un air limpide, sans autre rivale que la mélodie sommaire qui venait de l'autre bout de la salle.

La silhouette de Roubine était tout abandon, son visage résumé dans ses yeux bruns sans défense et dans sa barbe fleurie de miettes.

— Ingénieur Priantchikov ! Vous avez bien en mémoire la Charte de l'Atlantique ? Vous avez fait votre testament ? A qui léguez-vous vos pantoufles ?

Le visage de Valentin Priantchikov se fit sérieux. Il sonda d'un regard limpide les yeux de Roubine et demanda d'une voix douce :

— Écoutez, c'est pas croyable ! Alors, même en prison, on n'est pas libre ? Où le sera-t-on alors ?

* En français dans le texte.

Un des monteurs le héla et il s'éloigna, accablé.

Roubine s'affaissa sans bruit dans son fauteuil, s'adossa au dossier de Gleb et il était tout oreilles lorsque la phrase aux plongeons rassurants prit fin soudainement, comme un propos interrompu à demi-mot. C'était le finale sans tralala de la sonate.

Roubine jura grossièrement, de façon à n'être entendu que de Nerjine.

— Articule, je n'entends rien, dit celui-ci le dos toujours tourné.

— Je dis que je n'ai pas de veine, reprit Roubine de sa voix rauque, sans se retourner non plus. Par exemple, j'ai raté cette sonate...

— C'est par manque d'organisation, on se tue à te le dire ! grogna son ami. Elle est franchement très bien, cette sonate. Tu as remarqué la fin ? Ni fracas ni murmure. Elle s'interrompt, c'est tout. Comme dans la vie... Où étais-tu ?

— Avec les Allemands. J'ai fêté Noël, dit Roubine avec une moue ironique.

Ils bavardaient sans se voir, la nuque de l'un presque posée sur l'épaule de l'autre.

— Chapeau. — Gleb réfléchit un moment. — J'aime bien ta façon de faire avec eux. Tu passes des heures à apprendre le russe à Max. Tu aurais pourtant de bonnes raisons de les haïr...

— Les haïr ? Non. Mais ma vieille passion pour eux s'est un peu tassée. Même Max, qui est un garçon sans méchanceté, qui n'était pas nazi, est-ce qu'il ne partage pas une certaine responsabilité avec les bourreaux ? Il n'a rien empêché...

— Ni plus ni moins que toi ou moi, en ce moment, qui ne faisons rien contre un Abakoumov ou un Chichkine-Mychkine quelconque...

— Écoute un peu, Gleb. Finalement, je ne suis pas plus juif que russe, n'est-ce pas ? Et plutôt moins russe que citoyen du monde ?

— Bien dit. Citoyens du monde ! Ça rend un son un peu anémié, mais pur.

— Des cosmopolites, autrement dit. On a donc eu raison de nous entauler.

— A coup sûr. Encore que tu t'acharnes à prouver le contraire à la Cour Suprême.

Juché sur l'appui de la fenêtre, le speaker promettait, dans une quinzaine de secondes, les « éphémérides de l'émulation socialiste ».

Dans cet intervalle, Gleb tendit sa main vers le poste, avec une lenteur calculée, comme pour tordre le cou au speaker et, sans lui laisser le temps d'un râle, tourna le bouton. Son visage, jusqu'alors animé, était terreux.

Valentin Priantchikov s'était laissé absorber par un nouveau problème. Tout en réfléchissant au type d'ampli qu'il allait mettre en place, il chantait à voix haute, insouciant :

« Boogie-woogie, boogie-woogie
Samba ! Samba ! »

CHAPITRE VI

Gleb Nerjine avait l'âge de Priantchikov mais il faisait plus vieux. Ses cheveux châtains, qui retombaient mollement de part et d'autre de sa tête, étaient fournis, mais ses yeux et sa bouche étaient cernés de rides, et des sillons lui traversaient tout le front. Son teint, sensible au manque d'air frais, était terne. Ce qui surtout lui faisait paraître plus que son âge, c'était l'économie de ses gestes. Sage épargne, par quoi la nature préserve des forces menacées par la vie des camps. Il est vrai que dans le climat libéral de la charachka, compte tenu d'une nourriture carnée, de l'absence de travaux physiques épuisants, pareille réserve ne s'imposait plus. Pourtant Nerjine, conscient du temps qu'il avait à purger, s'efforçait d'affermir et d'acquérir à jamais un avare contrôle du moindre de ses gestes.

Son grand bureau, en ce moment, était ceinturé de remparts de livres et de dossiers, l'espace intérieur en était jonché de chemises, de textes dactylographiés, de livres, de revues russes et étrangères, le tout ouvert. Un spectateur non averti, passant là par hasard, aurait cru saisir, comme dans un instantané, la recherche scientifique à son paroxysme.

Or tout cela n'était que *bidon.* Le soir, Nerjine *bluffait,* pour le cas où les patrons auraient fait une inspection.

En fait, ses yeux ne voyaient rien de ce qui s'étalait devant lui. Il avait écarté le rideau de soie claire et contemplait les vitres de la fenêtre noire. Par-delà l'épaisseur de l'espace nocturne commençaient les lumières discontinues de Moscou et toute la ville, dissimulée par la colline, braquait une immense colonne blanchâtre et diffuse sur le ciel qu'elle teignait d'un brun rougeâtre.

La chaise au dossier articulé, docile aux moindres mouvements du dos, la table également particulière, munie de glissières comme on n'en fait pas chez nous, la place confortable près d'une fenêtre orientée vers le sud, tout pouvait désigner Nerjine comme un membre fondateur de la charachka de Marfino, pour peu qu'on connût l'historique de cette institution.

La maison tirait son nom de Marfino, jadis village, maintenant inclus dans la grande banlieue. La fondation de la charachka datait d'une soirée de juillet vieille d'environ trois ans. Les bâtiments vétustes d'un séminaire provincial, préalablement ceinturés de barbelés, avaient accueilli ce jour-là une quinzaine de zeks, rappelés de leurs camps. Cette époque, celle du bon Krylov [1], comme on disait maintenant en souvenir du fabuliste, c'était l'âge bucolique. On pouvait alors écouter la BBC sans façons, dans le dortoir de la prison — la technique du brouillage n'était pas encore au point — et, le soir venu, baguenauder dans la *zone* ou se vautrer sous le serein dans une herbe qu'on ne fauchait pas. (Il importe en effet que l'herbe soit fauchée pour que les détenus ne puissent ramper jusqu'au barbelé). On pouvait suivre des yeux les étoiles éternelles ou, moins pérenne et couvert de sueur, l'adjudant-chef Jvakoun, du ministère de l'Intérieur, qui profitait de ses gardes de nuit pour dérober au chantier de réparation des poutres qu'il faisait rouler sous les barbelés et réservait au chauffage de sa maison.

La charachka ignorait encore les tâches scientifiques qui l'attendaient et s'employait à déballer les multiples caisses rapportées d'Allemagne par trois convois de chemin de fer ; à s'emparer de tables ou de sièges allemands du plus grand confort ; à mettre au rebut le matériel téléphonique, acoustique, radiophonique à ondes ultra-courtes lorsqu'il était désuet ou endommagé par le transport ; à constater que le meilleur matériel et la documentation la plus récente avaient été raflés ou anéantis par les Allemands cependant que le capitaine du MVD affecté au transfert de la firme Lorenz — grand connaisseur en meubles mais piètre expert-radio et médiocre germaniste — courait les alentours de Berlin pour y dénicher des mobiliers assortis et les expédier à Moscou où ils devaient orner son appartement et celui de ses supérieurs.

Depuis longtemps l'herbe était coupée, les portes de la promenade ne s'ouvraient qu'au signal d'une sonnerie, la charachka était passée du ressort de Béria à celui d'Abakoumov et elle était désormais vouée aux mystères du téléphone. La mission scientifique aurait dû être expédiée en un an, mais on s'y attardait depuis deux ans déjà, elle s'amplifiait, s'embrouillait, s'étalait sur quantité de questions annexes. Elle exigeait présentement de Roubine et de Nerjine qu'ils établissent une méthode pour identifier une voix au téléphone en décelant ce qu'elle a d'unique.

Personne avant eux ne s'était attelé à pareille tâche. Du moins n'avaient-ils trouvé aucun ouvrage traitant du sujet. On leur avait donné six mois de délai, puis encore autant, mais ils n'avaient guère avancé et se trouvaient maintenant pris de court.

Oppressé par l'urgence du travail, et sans tourner la tête, Roubine se plaignit :

— Je ne sais pas ce que j'ai aujourd'hui, mais je ne suis pas en train...

— Ahurissant, répondit Nerjine, bourru. Je crois bien que tu n'as fait que quatre ans de guerre, que tu es au trou depuis cinq ans au plus. Déjà fatigué ? Tu devrais faire valoir tes droits à un séjour en Crimée.

Un silence.

— Tu es absorbé par tes trucs personnels ? demanda doucement Roubine.

— Mouais.

— Qui donc va travailler sur les voix ?

— Je dois dire que je comptais sur toi.

— Quelle coïncidence. J'en faisais autant.

— Quel être amoral. Quand je pense à ce que tu as pompé comme bouquins à la bibliothèque Lénine sous ce prétexte ! Et les plaidoieries des avocats les plus fameux. Et les mémoires de Koni [1]. Et *Tout pour devenir acteur.* Enfin, passant les bornes de la décence, une étude sur la princesse Turandot. Quel autre zek, dans tout le Goulag, peut se flatter d'avoir une pareille bibliothèque ?

Roubine eut une moue familière qui donnait à son visage une expression de sottise comique.

— Bizarre. Tous ces bouquins, y compris la Turandot, je me demande un peu avec qui je les ai lus, au lieu de travailler. Ce ne serait pas avec toi, des fois ?

— Pour ma part, je serais en mesure de travailler. Oui, aujourd'hui, je pourrais travailler comme un forcené. Mais voilà, deux circonstances me détournent de mon laborieux train-train. Premièrement, je suis torturé par une affaire de planchers.

— De quoi ?

— Oui, barrière de Kalouga, tu sais, la maison du MVD, en demi-cercle, avec une tour. Notre camp était sur ce chantier en 45 et je travaillais sous les ordres d'un poseur de parquets. Je viens d'apprendre aujourd'hui que Reutmann habite cette maison. Et je suis torturé, mettons, par mes scrupules d'artiste ou, si tu préfères, par une question de prestige. Je me demande si mes parquets grincent. S'ils grincent, c'est que les lambourdes ont été posées en dépit du bon sens. Et je suis hors d'état d'y remédier.

— Dis-moi, mais c'est un sujet de drame.

— Dans l'esprit du réalisme socialiste. Ensuite, n'est-ce pas une faute de goût que de travailler un samedi soir quand on se dit que seuls les gens libres pourront profiter de leur dimanche ?

Roubine soupira.

— A l'heure qu'il est, les gens libres se sont égaillés vers les lieux de plaisir. Avoue que c'est du culot de leur part.

— Est-ce que leur choix est vraiment heureux ? Est-ce qu'ils retirent de la vie plus de satisfaction que nous ? C'est encore à voir.

Leur condition de prisonniers les contraignait à parler à voix basse, si bien que Serafina Vitalievna, assise en face de Nerjine, ne devait rien entendre. Ils étaient maintenant de trois quarts : le dos tourné au reste de la salle, les visages tendus vers la fenêtre, vers les ampoules de la zone, vers le mirador qu'on pouvait deviner dans le noir, vers les lumières distinctes des serres éloignées et le halo blafard et trouble que Moscou étalait dans le ciel.

Quoique mathématicien, Nerjine avait des notions de linguistique et, depuis que le matériau sonore du russe faisait l'objet des recherches scientifiques de l'Institut de Marfino, il avait tout le temps pour coéquipier Roubine, l'unique littéraire de l'endroit. Il y avait maintenant deux ans qu'ils restaient douze heures par jour dos à dos. Dès la première minute, ils s'étaient découvert un commun séjour au front ; ils avaient connu en même temps le Front Nord-Ouest, en même temps le Front de Biélorussie ; ils avaient l'un et l'autre reçu des décorations, « le minimum requis pour un monsieur bien ». Le même mois, le même *Smerch* [1] les avait arrêtés au front au titre du très élastique *alinéa 10* [2]. Tous deux, comme tout le monde, en avaient eu pour dix ans. Ils n'avaient entre eux que six ans de différence et un grade, puisque Nerjine était seulement capitaine.

Roubine avait un préjugé favorable envers ce Nerjine qui n'avait pas été arrêté comme ancien prisonnier de guerre et n'avait donc pas été contaminé par l'antisoviétisme de l'étranger : il était des « nôtres », c'était un Soviétique, mais il s'était gavé de lectures dans sa jeunesse et en avait tiré la conclusion que Staline avait défiguré le léninisme. Nerjine n'avait pas plus tôt jeté cette déduction sur le papier qu'on l'arrêtait. Très secoué par la prison et le camp, il n'en restait pas moins « nôtre », aussi Roubine prêtait-il une oreille tolérante aux réflexions futiles, confuses, éphémères de son ami.

Ils scrutèrent un bon moment le noir, là-bas.

Roubine fit claquer ses lèvres.

— Il y a tout de même en toi une certaine indigence intellectuelle. Ça m'inquiète.

— Je n'ai aucune prétention dans ce domaine : ce qui

manque le plus à notre monde n'est pas l'intelligence, c'est le bien.

— Eh bien prends ce livre, c'est un bon bouquin.

— Encore une histoire de pauvres taureaux à qui on fait des misères ?

— Mais non.

— Ou de lions traqués ?

— Mais non, voyons !

— J'ai déjà du mal à m'y retrouver avec les hommes, que veux-tu que je fasse des taureaux ?

— Tu dois lire ce livre.

— Je ne *dois* rien à personne, mets-toi bien ça dans le crâne. Côté dettes, *j'suis en règue,* comme dirait Spiridon.

— Tu me fais pitié ! C'est un des plus beaux livres du XXe siècle !

— Est-ce qu'il pourra vraiment me révéler ce que tout le monde doit savoir ? Le point à partir duquel les hommes ont commencé à s'égarer ?

— L'écrivain est intelligent, il est bon, d'une honnêteté sans bornes, soldat, chasseur, pêcheur, buveur, coureur, méprisant tranquillement, ouvertement, tout ce qui est mensonge, aimant tout ce qui est simple, avec la naïveté du génie...

— Va te faire pendre ! dit Nerjine en riant. Tu nous saoules avec ton charabia. J'ai trouvé moyen de vivre trente ans sans Hemingway, j'arriverai à me passer de lui pour un bon moment encore. Ma vie a été suffisamment écartelée. Laisse-moi me *limiter* ! Choisir ma direction...

Et il se détourna vers sa table.

Roubine soupira. Il n'était toujours pas d'humeur à travailler.

Il regarda la carte de Chine adossée à un casier de son bureau. Il l'avait découpée dans un journal, puis collée sur un carton. Pendant toute l'année qui maintenant touchait à sa fin, il avait jalonné de traits au crayon rouge la progression des troupes communistes. La victoire consommée, il gardait la carte sous les yeux pour se remonter le moral dans ses moments de lassitude et d'abattement.

Aujourd'hui, pourtant, une tristesse lancinante pinçotait le cœur de Roubine et la grosse masse rouge d'une Chine triomphante ne pouvait en venir à bout.

Nerjine, par moments, mordillait pensivement le bout pointu de son stylo puis d'une écriture en pattes de mouche, tracé d'aiguille plus que de plume, prenait des notes sur un feuillet minuscule, invisible sous son camouflage de paperasse avouable :

« Pour un mathématicien, l'histoire de l'année 17 n'offre rien de surprenant. A 90°, la tangente prend son essor vers l'infini pour sombrer dans un infini négatif. De même la Russie, happée vers le haut par une liberté inouïe, s'est aussitôt abîmée dans la pire des tyrannies.

Personne d'ailleurs n'a réussi du premier coup. »

La grande salle du labo d'acoustique vivait sa vie de tous les jours, paisiblement. La génératrice grondait. Des ordres se faisaient entendre : « Contact ! » « Débranche ! » La radio déroulait sa guimauve. Une voix forte exigea une lampe-radio 6 K 7.

Profitant des moments où elle n'était vue de personne, Serafina Vitalievna lançait des regards attentifs à Nerjine qui continuait à couvrir son papier de griffures d'aiguille.

Elle avait reçu du major Chikine, le « responsable opérationnel », la mission de surveiller ce détenu.

CHAPITRE VII

Sérafina Vitalievna était petite, si petite qu'on était infailliblement tenté de la surnommer Simotchka. Lieutenant du MGB, elle était là dans son chemisier orange, blottie sous son fichu de laine.

Tout le personnel « externe » de la maison était constitué d'officiers du MGB.

Aux termes de la Constitution, ce personnel jouissait de droits divers, en particulier du droit au travail. Ce dernier ne s'exerçait toutefois que dans les limites de la journée de huit heures et avec cette réserve qu'il ne consistait point à produire quoi que ce fût, mais à surveiller l'activité des détenus. Ceux-ci, dépourvus de tout autre droit, exerçaient en revanche la prérogative d'un travail quotidien de douze heures. Les employés « externes » utilisaient cette différence d'horaire — de six heures à onze heures du soir, avec la pause du dîner — pour surveiller le travail des zeks.

C'était aujourd'hui le tour de Simotchka. Dans le laboratoire d'acoustique, cette fille menue aux allures d'oiseau incarnait à elle seule le pouvoir et l'autorité.

Les instructions lui enjoignaient de veiller à ce que les détenus travaillassent, sans perdre leur temps, sans utiliser les locaux de travail pour fabriquer des armes ou creuser des sapes, sans abuser d'une foison de pièces-radio pour confectionner des émetteurs d'ondes courtes. A onze heures moins dix, elle devait leur reprendre tous les documents confidentiels pour les replacer dans un coffre-fort, puis elle apposait les scellés à la porte du laboratoire.

Il s'était écoulé moins de six mois depuis que Simotchka, ingénieur fraîchement diplômé des transmissions, avait dû à la pureté cristalline de son « questionnaire confidentiel » de se voir affecter à cet institut de recherches, siglé, codé, secret, que les détenus nommaient charachka avec une impudente familiarité. Dès leur entrée en fonctions, les employés libres se voyaient nommer officiers et recevaient une solde deux fois supérieure à celle d'un ingénieur du commun (étant officiers, ils avaient droit à des frais d'équipement) et l'on n'exigeait d'eux que du dévouement et de la vigilance, connaissances et capacité pouvant être remises à plus tard.

Cela faisait l'affaire de Simotchka. Elle n'était pas la seule à être sortie de son École supérieure sans savoir grand-chose. Pour de multiples raisons. Ces fillettes étaient arrivées du lycée sans rien savoir en mathématiques ou en physique (dans les dernières classes secondaires, elles avaient eu vent que leur directeur, lors des conseils pédagogiques, passait un savon aux professeurs trop sévères et qu'on leur délivrerait leur « attestat » quand bien même elles se croiseraient les bras). Même à l'École supérieure, quand elles en trouvaient le temps et se mettaient au travail, elles s'empêtraient dans les mathématiques ou la technique radio, dans cette jungle infranchissable, impénétrable, qui dépaysait tout leur être. Mais, le plus souvent, elles manquaient de temps. Chaque automne, pour un mois ou plus, les étudiants étaient acheminés vers des kolkhozes pour y ramasser les pommes de terre, ce qui leur valait ensuite des huit et dix heures de cours par jour, et ils n'avaient plus le temps de relire leurs notes. Les lundis, c'était l'instruction politique ; une fois par semaine, une réunion quelconque ; et il fallait bien travailler pour la communauté, éditer des « journaux muraux », monter des soirées de patronage ; et puis aider un peu à la maison, faire les courses, se laver, s'habiller. Et le cinéma ? Et le théâtre ? Les clubs pour jeunes ? Si on ne s'amuse pas, si on ne danse pas quand on est étudiant, quand donc le fera-t-on ? La jeunesse n'est pas faite pour se tuer à la tâche ! Aussi, en prévision des examens, Simotchka et ses compagnes préparaient-elles une foule de petits papiers, les fourraient dans les recoins les plus intimes de leur vêture, les moins accessibles aux hommes, tiraient le bon papier lors de l'épreuve, le défroissaient, le faisaient passer pour un travail de préparation. En posant des questions complémentaires, les examinateurs auraient sûrement pu démasquer l'insuffisance de leurs candidates, mais ils étaient eux aussi surchargés de commissions, de réunions, de corvées planifiées, de comptes à rendre au doyen et au recteur, il leur en coûtait de faire repasser l'examen, sans compter qu'on leur faisait grief de la médiocrité des résultats, comme s'il s'agissait de déchets dans la production industrielle, et cela en vertu d'une citation de Kroupskaia [1], si je ne m'abuse, affirmant qu'il n'est point de mauvais élèves mais seulement de mauvais maîtres. Aussi les examinateurs ne se souciaient-ils guère de prendre les candidats en défaut et s'attachaient-ils à expédier les épreuves sans histoires, à la va-vite.

Vers la fin de leurs études, Simotchka et ses camarades furent atterrées de découvrir qu'elles n'avaient guère de goût pour leur spécialité, qu'elles s'y sentaient mal à l'aise, mais il était trop tard. Et Simotchka frémissait en imaginant son entrée dans la vie active.

Elle échoua à Marfino. Elle fut d'emblée conquise : on ne l'incitait à aucune initiative personnelle. Des êtres plus endurcis que cette gamine auraient eu froid dans le dos en franchissant le no man's land qui ceinturait cette forteresse des environs de Moscou, avec sa garde militaire et son personnel spécial surveillant des criminels d'État de la plus haute volée.

Les dix jeunes recrues diplômées de l'École supérieure des Transmissions avaient reçu leurs instructions de conserve. On leur avait expliqué que c'était là pis qu'à la guerre, qu'elles étaient tombées dans une fosse aux serpents où la moindre étourderie pouvait les perdre. On leur avait conté qu'elles y coudoieraient la lie du genre humain, des êtres indignes de cette langue russe qu'ils se trouvaient malheureusement connaître.

On les avait prévenues qu'ils étaient d'autant plus dangereux qu'ils ne découvraient jamais leurs dents carnassières et portaient constamment un masque d'aménité et de bonne éducation ; que, si on les interrogeait sur leurs crimes (et c'était catégoriquement interdit), ils déploieraient les mensonges les plus retors et se prétendraient d'innocentes victimes. On représenta à ces demoiselles qu'elles devaient bien se garder de manifester toute leur haine à ces reptiles, qu'elles devaient elles aussi leur témoigner une affabilité de surface, sans engager avec eux d'entretiens étrangers au service ni accepter la moindre commission pour le *dehors.* A la moindre infraction, au moindre soupçon d'infraction, elles devaient courir chez le major Chikine, responsable opérationnel.

Ce dernier, petit homme grave et noiraud aux cheveux gris taillés en brosse et dont les petits pieds étaient chaussés de souliers de garçonnet, avait à ce propos dévoilé toute sa pensée : les gens d'expérience, dont il était, perçaient à jour les recès les plus ténébreux de ces reptiles mais, parmi les demoiselles toutes novices qu'on venait d'affecter là, il pouvait s'en trouver une dont le cœur trop humain s'attendrirait et qui se laisserait aller à une infraction quelconque, comme de procurer à un détenu un livre emprunté à une bibliothèque du « dehors ». Inutile de parler de lettre à poster, car il n'est de lettre, à quelque Maria Ivanovna qu'on l'adresse, qui n'ait pour destinataire immanquable un centre d'espionnage américain. Le major Chikine priait instamment toutes celles qui assisteraient à la chute d'une compagne de *la* secourir en venant trouver le major pour tout lui rapporter d'un cœur sincère.

Au terme de sa causerie, le major crut bon de ne pas celer que toute liaison avec un détenu tombait sous le coup du code pénal, que celui-ci, on le savait bien, était élastique, et qu'il prévoyait des peines allant jusqu'à vingt-cinq ans de travaux forcés.

Elles ne pouvaient concevoir sans frissonner l'avenir noir qui s'ouvrait devant elles. Des larmes roulèrent dans quelques yeux. Mais la défiance s'était déjà enracinée dans leurs cœurs. En sortant de la réunion, elles parlèrent de tout, sauf de ce qu'on venait de leur dire.

Simotchka, plus morte que vive, pénétra dans le laboratoire d'acoustique sur les pas du major Reutmann et fut d'abord tentée de plisser les yeux d'horreur.

Depuis, il s'était écoulé six mois et elle avait éprouvé un étrange changement. Non qu'elle fût ébranlée dans ses convictions quant aux menées ténébreuses de l'impérialisme. Elle aurait volontiers admis que les détenus employés dans d'autres locaux pouvaient être de sanglants scélérats. Mais elle coudoyait journellement une douzaine de détenus affectés au labo d'acoustique qui faisaient preuve d'une indifférence lugubre envers la liberté, envers leur destin, envers leurs peines de dix ans ou d'un quart de siècle ; ce docteur ès sciences, ces ingénieurs, ces monteurs étaient pris à longueur de temps par un travail qui ne leur disait rien, ne leur servait à rien, ne leur valait ni un sou ni une once de gloire, et c'est en vain qu'elle cherchait à découvrir en eux ces bandits avérés, d'envergure internationale, que nos spectateurs de cinéma identifient sans peine et que notre contre-espionnage épingle avec la virtuosité que l'on sait.

Ils ne lui inspiraient point de peur. Elle ne pouvait même pas se découvrir de la haine à leur égard. Ils n'éveillaient en elle qu'un respect sans réserve par l'ampleur de leurs connaissances et leur fermeté dans le malheur. Son devoir de komsomol lui claironnait sur tous les tons qu'un amour vrai de la patrie aurait dû l'inciter à dénoncer par le menu les faits et gestes des prisonniers, pourtant — pourquoi ? — elle pensait que ç'aurait été une infamie.

Infamie encore plus impensable s'il s'était agi de son voisin et collaborateur le plus proche, Gleb Nerjine, dont le visage n'était séparé d'elle que par leurs deux tables.

Tous ces derniers temps, Simotchka avait travaillé sous ses ordres pour toutes les expériences touchant à l'*Articulation*. La charachka de Marfino devait constamment évaluer le coefficient d'audibilité de divers canaux téléphoniques. Malgré la perfection de l'équipement, il n'existait pas d'appareil qui pût indiquer cette qualité à l'aide d'une aiguille. La voix seule, débitant les syllabes ou les phrases, et l'ouïe des auditeurs à l'autre bout du canal, pouvaient avancer une estimation, tempérée par un coefficient d'erreurs. Des essais de ce genre étaient qualifiés d'articulatoires.

Nerjine travaillait — ou du moins avait reçu d'en haut mission de travailler — à la formulation mathématique optimale de ces expériences. Elles se déroulaient de façon satisfaisante et Nerjine avait même consacré une monographie en trois volumes à leur méthodologie. Quand le travail s'était accumulé à l'excès sur leurs deux tables, Nerjine envisageait clairement l'ordre des urgences, prenait des initiatives vigoureuses, son visage rajeunissait, et Simotchka, qui n'imaginait la guerre que d'après les films, se le figurait alors en tunique de capitaine, dans la fumée des explosions, ses cheveux châtains flottant au vent, et il criait « Feu ! » à ses artilleurs (séquence entre toutes à l'honneur).

Or cette promptitude n'avait de prix pour Nerjine que parce qu'elle lui permettait d'expédier le travail avouable et de s'adonner pour longtemps à l'ataraxie. Il l'avait d'ailleurs confié à Simotchka : « Je ne suis efficace que parce que je hais l'action. » « Qu'est-ce que vous aimez alors ? », avait-elle demandé timidement. « La méditation. » Et de fait, quand l'ouragan du travail s'apaisait, il passait des heures sans presque bouger, son teint se plombait, son visage vieilli se couvrait de rides. Qu'était devenu son esprit de décision ? Maintenant il était lent, indécis. Il réfléchissait longuement avant de noter quelques phrases d'une écriture infime sur ces feuillets que Simotchka apercevait aujourd'hui distinctement malgré tout un amoncellement de manuels et d'articles techniques. Elle avait même remarqué qu'il les escamotait dans le compartiment gauche de son bureau, sans les glisser dans un tiroir, semblait-il. Simotchka brûlait de savoir ce qu'il écrivait, et pour qui. Nerjine, à son corps défendant, absorbait toute la pitié, toute l'admiration de la jeune fille.

Pour une fille, Simotchka n'avait guère de chance. Elle n'était pas jolie : son visage était gâté par un long nez, ses cheveux étaient clairsemés de nature, peu vigoureux, réunis sur la nuque en un pauvre chignon. Sa taille était petite, trop petite, et sa silhouette faisait songer à une fillette de seconde plus qu'à une femme déjà faite. Revêche de surcroît, peu encline à plaisanter, à s'amuser pour rien, ce qui n'était pas fait pour aguicher les garçons, si bien qu'à vingt-trois ans elle n'avait trouvé personne pour lui faire la cour, la prendre dans ses bras ou l'embrasser.

Environ un mois plus tôt, Nerjine l'avait priée de venir l'aider à dépanner le micro de la cabine. Elle y pénétra, un tournevis à la main. Dans le silence sans air de cette cabine où deux personnes tenaient difficilement, elle se pencha sur le micro que Nerjine examinait et, sans qu'elle eût pensé à mal, leurs joues se frôlèrent. Elle fut glacée de terreur à ce contact. Qu'allait-il se passer ? Elle aurait dû se redresser d'un bond. Or elle continuait à contempler le micro comme une idiote. Cette minute, la plus terrible qu'elle eût vécue, n'en finissait pas. Leurs joues collées étaient brûlantes, et lui ne bougeait pas. Puis il lui avait saisi la tête entre ses mains et l'avait embrassée sur la bouche. Tout le corps de Simotchka avait été envahi par une délicieuse faiblesse. Elle n'avait invoqué ni le komsomol ni la patrie, mais seulement fait remarquer :

— La porte n'est pas fermée !...

Une mouvante portière de tissu bleu les isolait du jour bruyant, de ces gens qui marchaient et bavardaient, qui pouvaient entrer en écartant le rideau. Le prisonnier Nerjine n'y risquait que dix jours de cachot, la petite y risquait de salir son passé, de ruiner sa carrière, de perdre peut-être la liberté, mais elle n'avait pas la force de s'arracher aux deux mains qui tenaient sa tête renversée.

Le premier baiser d'un homme !

La chaîne d'acier, forgée par le plus astucieux des serpents, cédait au maillon façonné dans un cœur de femme.

CHAPITRE VIII

— Quel est ce crâne poli qui vient se frotter à ma tête ?

— Fiston, je suis d'humeur lyrique. Si on parlait un peu ?

— Pour tout dire, je suis occupé.

— Occupé ! A d'autres !... Franchement, je n'ai pas le moral, mon vieux Gleb. J'étais avec les Allemands, là, pour leur arbre de Noël, et j'en suis venu à parler de mon abri blindé, tu vois, la tête de pont, au nord de Pultusk et, tout d'un coup, j'ai été replongé dans la vie du front. Englouti dans la vague ! Il y avait là une telle force, une telle douceur... Dis-moi, il y a beaucoup de bons côtés dans la guerre, non ?

— Avant que tu m'en parles, j'avais lu des choses de ce genre dans des magazines pour troupiers allemands qui nous tombaient parfois entre les mains : la purification de l'âme, la *Soldatentreue*...

— Salaud. Mais, à tout prendre, il y a là-dedans un germe rationnel...

— On n'a pas le droit de s'y laisser prendre. La morale taoïste le dit bien : « L'arme est instrument de malheur et non de générosité. Le sage triomphe à contrecœur. »

— Qu'est-ce que j'entends ? Le sceptique d'hier est devenu taoïste ?

— Rien n'est encore décidé.

— J'ai repensé, d'abord, à mes boches les plus sympathiques. On bricolait ensemble des vignettes pour nos tracts : une mère étreignant ses enfants, une blonde Gretchen éplorée... C'était notre morceau de bravoure, avec un texte en vers.

— Je m'en souviens, j'en ai ramassé des exemplaires.

— Et puis ç'a été un torrent de souvenirs... Je ne t'ai jamais parlé de Milka. Elle avait fait l'Institut des langues étrangères, elle en était sortie en 41 et on l'avait affectée comme interprète à notre Section. Un petit nez en trompette, des mouvements vifs.

— Attends, elle était avec toi quand les Allemands vous ont remis les clefs de Graudenz ?

— Tout juste. C'était une fille terriblement vaniteuse, qui adorait se faire complimenter pour son travail (mais gare à qui lui aurait fait des remontrances !) et qu'on a proposée pour des tas de décorations. Tu te souviens, c'était au front Nord-Ouest, de ce côté-ci de la Lovat', sur la route de Rachlicy, à Nowo Swinuchowo, un peu au sud de Podcepocic, il y avait une forêt...

— C'est plein de forêts, par là. Sur quelle rive de la Redja ?

— De notre côté.

— Ah, je vois.

— Bon, eh bien, on a passé là toute une journée à se balader. C'était le printemps... Le mois de mars, en fait : on pataugeait dans les flaques, avec nos bottes en simili, et on avait déjà la tête moite sous nos chapkas, et puis cette odeur, tu vois, le grand air. Une balade d'amoureux comme au premier amour, ou de jeunes mariés. Pourquoi faut-il, à chaque nouvelle femme, qu'on recommence tout à zéro et qu'on se sente comme dilaté, qu'on revive l'adolescence et que... hein ? La forêt n'en finissait pas. De temps en temps, c'était la fumée d'un abri, une batterie de 76 dans une clairière. On tâchait de les éviter. On a vadrouillé comme ça jusqu'au soir, c'était une soirée humide. Elle m'avait lanterné tout le jour. Voilà qu'un Rama se met à tournoyer au-dessus de nos positions et elle de faire un vœu : « Je voudrais qu'on ne le descende pas, je ne me sens pas de haine envers lui. S'il en réchappe, je veux bien passer la nuit dans la forêt »...

— C'était gagné d'avance ! A-t-on jamais vu notre DCA abattre un Rama ?

— Tu l'as dit... Tout ce qu'il y avait de DCA sur les deux rives de la Lovat' lui a tiré dessus pendant une bonne heure. Bredouilles. Et voilà... On a trouvé un abri inoccupé...

— Un abri en surface ?

— C'est bien ça, tu te souviens ? En un an on en avait construit une tripotée, un peu comme des cabanes à lapins.

— La terre est tellement gorgée d'eau, par là-bas, qu'on ne peut pas creuser.

— Forcément. Dedans, c'était jonché d'aiguilles de pin, les poutres avaient une odeur de résine, on sentait encore la fumée des anciennes flambées : pas de poêle, on allumait des feux à même le sol. Il y avait un trou dans le toit. Pas la moindre lumière, bien sûr... En brûlant, le bois faisait danser des ombres sur les poutres... Ah, mon vieux Gleb, c'était la vraie vie, ça, pas vrai ?

— Dans tous les récits de prison, pour peu qu'il y soit question d'une jeune fille, j'ai remarqué que tous les auditeurs, et moi comme les autres, souhaitent ardemment qu'à la fin du récit elle ne soit plus vierge. Pour les zeks, c'est le clou du récit. Il y a là comme une quête de justice universelle, tu ne trouves pas ? L'aveugle doit s'assurer auprès de ceux qui voient que le ciel est resté bleu, et l'herbe verte. Le zek doit croire qu'il existe encore théoriquement des femmes, des femmes réelles, charmantes, et qui se donnent aux plus chanceux... Quelle soirée tu es allé dénicher ! Avec une petite amie, dans un abri embaumant la résine, et sans coups de feu. Tu t'es refabriqué une bonne guerre !... Ce soir-là, ta femme venait de toucher sa ration de sucre, une *savonnette* de sucre agglutiné, gluant, mélangé à du papier, et elle le débitait mentalement en rations de trente jours pour tes filles...

— Tu peux toujours me faire des reproches, va... Un homme ne peut pas ne connaître qu'une seule femme. Ça reviendrait à ne rien connaître des femmes. C'est une mutilation pour l'esprit.

— Rien de moins ? Quelqu'un a dit, pourtant, que si on connaît bien une seule femme...

— Foutaise.

— Et deux ?

— Deux non plus, ce n'est pas bien gras. Il faut faire plus d'une comparaison pour s'y retrouver. Ce n'est pas vice, ni péché. C'est le dessein même de la nature.

— Pour en revenir à la guerre : à Boutyrki, salle 73...

— ... Au premier, là, un couloir étroit...

— ... Exactement. Il y avait là un jeune historien, un garçon de Moscou, le professeur Razvodovski, qu'on venait d'arrêter, qui n'avait naturellement pas mis les pieds au front et qui employait beaucoup d'esprit, de chaleur, de conviction à démontrer par toutes sortes d'arguments sociaux, historiques et moraux, que la guerre a ses bons côtés. Il y avait dans la piaule une dizaine de gars du front, des types de notre armée comme de chez Vlassov[1], le genre tête brûlée, à ne pas avoir manqué un seul engagement, eh bien ils ont failli faire la peau à ce professeur. Ils étaient comme des bêtes : des bons côtés, mon cul ! Moi j'écoutais en silence. Razvodovski avait des arguments solides et, par moments, je lui donnais raison, ma mémoire me fournissait quelques bons souvenirs, mais je n'ai pas eu le cran de discuter avec les soldats. Ce je ne sais quoi qui me faisait rejoindre ce professeur, ce civil, c'était précisément ce qui séparait un artilleur comme moi d'un simple fantassin. Comprends bien, Lev, tu as connu le front mais, à part la prise de cette forteresse, tu étais le vrai *planqué*, puisque tu n'avais pas à t'accrocher au terrain, et pas question d'en bouger sous peine de mort. Moi aussi, je suis un peu un planqué puisque je n'ai pas mené d'assaut, que je n'ai pas eu à y envoyer mes gars. Notre mémoire triche, elle noie tout ce qu'il y avait d'atroce.

— Mais je ne dis pas...

— ... Il ne reste plus que les bons moments. Mais depuis le jour où de gentils petits Junker, en piqué, ont failli me mettre en pièces du côté d'Oriol, je n'arrive pas à évoquer un seul moment de bonheur. Non, vieux, la guerre c'est beau, mais de loin.

— Je ne prétends pas que ce soit beau, mais on s'en souvient avec plaisir.

— Un jour viendra où nous aurons plaisir à nous souvenir des camps. Et des transits.

— Les prisons de transit ? Gorki ? Kirov ? Tss-tss...

— C'est parce que les garde-chiourme t'ont piqué ta valise et que tu ne veux pas être objectif. Mais il y avait là des types qui étaient de vrais caïds, les fourriers, les préposés aux bains, et qui vivaient maritalement avec leur poufiasse et qui diront à qui voudra les entendre que rien ne vaut une prison de transit. D'ailleurs, le concept même de *bonheur* est une convention, un songe.

— Dans sa sagesse, l'étymologie a imprimé dans le mot lui-même ce qu'il y a de fugace et d'irréel dans l'idée. Le mot russe, *stchastie,* vient de *se-tchasie,* autrement dit : *cette* heure-*ci, ce* moment-*ci* !

— Mille excuses, monsieur le professeur ! Consultez Vladimir Dahl [1]. Le mot vient de *So-tchastie,* c'est-à-dire : à chacun son dû, à chacun sa part, à chacun le morceau qu'il peut arracher à la vie. Dans sa sagesse, l'étymologie nous livre une interprétation fort terre à terre du bonheur.

— Attends, moi aussi, je tire mon explication de Dahl.

— Je n'en reviens pas, moi aussi.

— Il faut étudier la question dans toutes les langues. Je vais en prendre note !

— Obsédé !

— Obsédé toi-même ! Faisons un peu de linguistique comparée !

— Tout dériverait du mot *main* ? La thèse de Marr [2] ?

— Va te faire pendre. Dis-moi, tu as lu le second *Faust* ?

— Demande-moi plutôt si j'ai lu le premier. Tout le monde affirme que c'est génial, mais personne ne l'a lu. Ou bien quand on en parle, on pense à Gounod.

— Il ne faut rien exagérer, la première partie est accessible !

> « Je n'ai rien à dire des soleils et des mondes,
> Je ne vois que la souffrance de l'homme... »

— Ça, je comprends !
— Ou encore :

« Ce qu'il nous faut, nous ne le savons pas,
Ce que nous savons, nous n'en avons que faire. »

— Parfait !
— La deuxième partie, c'est vrai, est indigeste. Mais quelle profondeur dans la pensée ! Tu connais le pacte entre Faust et Méphistophélès : celui-ci n'aura l'âme de Faust que quand il s'écriera : « Instant, arrête-toi, tu es trop beau ! » Quoi que Méphistophélès puisse étaler devant Faust, la jeunesse, qu'il lui rend, et l'amour de Marguerite, et une facile victoire sur son rival, et des richesses inépuisables, et la connaissance des secrets de l'univers, rien ne peut arracher à Faust ce cri du cœur. De longues années s'écoulent, Méphistophélès lui-même n'en peut plus de se traîner sur les traces de cet homme insatiable, il voit qu'on ne peut pas faire le bonheur de l'homme et il est prêt à renoncer à cette entreprise stérile. Redevenu vieux, aveugle, Faust ordonne à Méphistophélès de rassembler des milliers d'hommes qui creuseront des canaux pour drainer des marais. Dans ce cerveau deux fois vieilli, qui n'est plus que ténèbre et folie pour le cynique Méphistophélès, une grande idée vient de luire : faire le bonheur de l'humanité. Un geste de Méphistophélès fait surgir les serviteurs de l'enfer, les Lémures, qui se mettent à creuser la tombe de Faust. Désespérant d'avoir son âme, Méphistophélès ne songe plus qu'à l'enterrer pour se débarrasser de lui. Faust entend le choc de toutes ces bêches. Que se passe-t-il ? Méphistophélès est fidèle à son génie de la dérision. Il peint à Faust le tableau menteur de marais qu'on assèche. Notre critique aime bien interpréter ce passage en termes d'optimisme social : pardi, du moment qu'il se sent utile à l'humanité, Faust connaît la suprême joie et s'écrie :

« Instant, arrête-toi ! »

A mieux y regarder, Goethe ne s'est-il pas gaussé du bonheur humain ? Parce qu'enfin, il n'y a pas dans tout cela le moindre profit, ni même d'hommes pour en bénéficier. La phrase sacramentelle, si longtemps attendue, Faust la prononce à un pas de la tombe, dupé, et peut-être même fou pour de bon. Et les Lémures s'empressent de l'enfouir dans le trou. Alors quoi ? Hymne au bonheur ou sarcasme ?

— Voilà comment je t'aime, mon vieux Lev ! Quand tu raisonnes avec ton cœur, que tu parles avec toute ta sagesse, au lieu de distribuer des étiquettes injurieuses.

— Misérable sectateur de Pyrrhon ! Je savais bien que je te ferais plaisir. Écoute plutôt la suite. Avant guerre, je faisais un cours sur ce fragment du Faust — et pour l'époque c'était d'une audace folle — et je développais l'idée tout élégiaque que le bonheur n'existe pas, qu'il est hors de portée ou illusoire... On me fait alors passer un feuillet à tout petits carreaux, arraché à un bloc-notes minuscule :

« Moi, je suis amoureuse et je suis *heureuse.* Que pouvez-vous dire à cela ? »

— Qu'est-ce que tu as dit ?

— Que veux-tu répondre ?...

CHAPITRE IX

Ils étaient à tel point absorbés qu'ils ne percevaient plus le brouhaha de la salle ni la rengaine de la radio à l'autre bout. Nerjine, pivotant sur son fauteuil mobile, tourna le dos au laboratoire et Roubine se déhancha, croisa ses mains sur le dossier du fauteuil et posa sa barbe par-dessus.

Nerjine parlait du ton d'un homme qui porte au jour des pensées depuis longtemps mûries :

— Autrefois, lorsque j'étais en liberté, j'avais de la peine à comprendre, dans les livres, tous les philosophes qui s'interrogent sur le sens de la vie ou la nature du bonheur. A chacun son dû, bien sûr, et les sages, c'est leur métier de réfléchir. Mais le sens de la vie ? On vit, et c'est ça, le sens de la vie. Le bonheur ? Quand on se sent vraiment bien dans sa peau, c'est ça le bonheur, tout le monde le sait bien... Bénie soit la prison ! Elle m'a donné la possibilité de réfléchir. Pour comprendre la nature du bonheur, tu ne verras pas d'inconvénient, n'est-ce pas, à ce qu'on étudie d'abord la nature de la satiété. Souviens-toi de la Loubianka ou des cellules du contre-espionnage. De cette pauvre purée d'orge ou d'avoine, liquide, aqueuse presque, sans le moindre petit œil de gras ! Peut-on parler de *manger*, de se *nourrir* à propos de ça ! Non, c'était comme le pain consacré de la communion ! On goûtait au saint mystère comme s'il s'était agi du Prana des Yoga. Lentement, du bout de notre cuillère de bois, nous mangions en nous laissant absorber entièrement par le fait même de manger, par l'idée de nourriture, et c'était un nectar qui rayonnait dans tout notre corps, nous tremblions de plaisir à découvrir ces grains de céréales détrempés, flottant dans un liquide trouble. C'est ainsi qu'en ne mangeant *rien* on vit des six mois, des douze mois, aussi bien ! Peut-on comparer cela à la grossière ingestion de quelconques côtelettes ?

Roubine ne savait ni n'aimait écouter longtemps. Dans toute conversation, il aspirait et réussissait le plus souvent à avoir le beau rôle en dispensant à pleines mains à ses amis le butin raflé par un esprit vif et souple. Il aurait bien voulu couper la parole à Nerjine, mais celui-ci enfonça ses cinq doigts dans la combinaison de son ami, lui secoua la poitrine, lui interdisant ainsi de parler :

— C'est donc avec notre pauvre peau, c'est avec le malheur de nos copains que nous comprenons ce qu'est la satiété. Elle ne dépend aucunement de la quantité de ce qui est mangé, mais de la manière dont on mange. Le bonheur, eh bien le bonheur, c'est bien pareil, mon petit vieux, il ne dépend absolument pas du volume de bien-être matériel que nous avons arraché à l'existence. Il ne tient qu'à notre façon de réagir devant ce bien-être ! Les moralistes taoïstes le disaient déjà : « Celui qui sait se satisfaire sera toujours satisfait. »

Roubine ironisa :

— Tu pratiques l'éclectisme et, pour faire une jolie roue, tu piques une plume chatoyante par-ci, une autre par-là.

Nerjine secoua énergiquement la tête et le bras. Ses cheveux retombèrent sur son front. Il se prenait au jeu, décidément : un gamin de dix-huit ans.

— Ne confonds pas, Lev, non, ce n'est pas du tout ça ! Je ne tire pas mon argumentation des philosophes que j'ai lus mais des biographies telles qu'on les raconte en prison. Lorsqu'il me faut ensuite formuler mes arguments à moi, il n'y a pas de raison pour que je reparte découvrir l'Amérique. La philosophie est une planète dont tous les continents sont depuis longtemps découverts ! En feuilletant les sages de l'Antiquité, je retrouve mes pensées les plus récentes. Ne me coupe pas la parole ! Je voulais te citer un exemple : au camp et surtout ici, à la charachka, le miracle se produit parfois et c'est un dimanche sans corvées, bien tranquille, où l'âme prend le temps de se dégeler, de revenir à elle. Même si rien n'a changé en mieux dans notre condition, il suffit que le joug de la prison se fasse un peu moins sentir, qu'on puisse parler à cœur ouvert, ou bien qu'on lise une page qui ne ment pas, pour se retrouver au sommet de la vague ! Il y a longtemps qu'on ne vit plus vraiment mais on n'y pense plus ! C'est un état d'apesanteur, d'envol, on se découvre immatériel ! On reste alors sur son châlit, les yeux fixés sur le plafond tout proche, si mal crépi, et on frissonne du bonheur d'exister, d'un bonheur sans failles ! Et on s'endort sur les ailes de la béatitude ! Il n'est pas de président ni de Premier ministre qui puisse s'endormir aussi heureux que je peux l'être du dimanche qui vient alors de s'écouler.

Roubine montra les dents dans un sourire bienveillant. Il y avait dans son rictus une nuance d'acquiescement mais aussi de condescendance envers les errements de l'ami, du cadet.

— Que nous disent là-dessus les grands livres des Védas ? demanda-t-il en avançant un cul de poule moqueur.

— Les Védas, je ne sais pas, riposta Nerjine avec fermeté, mais les livres Samkhya nous apprennent que « le bonheur de l'homme est conçu comme malheur par ceux qui savent distinguer ».

— Te voilà à belle école ! grogna Roubine dans sa barbe.

— Idéalisme ? Métaphysique ? pourquoi est-ce que tu ne recours pas à tes étiquettes ?

— C'est Mitiaï qui te fait dérailler ?

— Non, Mitiaï est sur une tout autre voie. Une vieille barbe ! Écoute ! Le bonheur de vaincre sans arrêt, de réaliser triomphalement tous ses désirs, le bonheur de la pleine satiété est un *malheur* ! C'est la mort de l'âme, c'est comme une brûlure interne, une aigreur morale. Ce ne sont pas les philosophes du Vedanta ou de l'école Samkhya, c'est moi, personnellement, moi, Gleb Nerjine, cinq ans de cave, qui me suis élevé au niveau de conscience où le mal peut être envisagé aussi comme un bien. Et c'est personnellement que j'ai adopté l'opinion que les hommes sont les premiers à ignorer vers quoi ils doivent tendre. Ils s'échinent à marteler le vide pour une poignée de biens matériels et ils meurent sans avoir connu la richesse de leur âme. Quand Léon Tolstoï rêvait d'être jeté dans une prison, il raisonnait en homme lucide, dont la vie spirituelle était saine.

Roubine s'esclaffa. Cela se produisait dans la discussion lorsqu'il repoussait sans réserves l'opinion de l'adversaire (ce qui lui arrivait souvent en prison).

— Alerte, mon enfant ! On sent chez toi le flou d'une conscience toute juvénile. Tu préfères ton propre acquis à l'acquis collectif de l'humanité. Tu es intoxiqué par les senteurs de tinette de la prison et c'est à travers leurs exhalaisons que tu t'attaches à voir le monde ! Du fait de notre échec personnel, du fait des grimaces de notre destin, nous devrions voir nos convictions changer, se retourner ?

— Parce que tu éprouves de la fierté à persévérer ?

— Oui ! *Hier stehe Ich und kann nicht anders* [1]...

— Quelle tête de mule ! C'est toi le métaphysicien ! Au lieu de tirer parti de la prison, de naître à une vie nouvelle...

— De quelle vie veux-tu parler ? Tu penses à la bile venimeuse de tous les ratés ?

— ... tu t'es fermé les yeux à dessein, tu t'es bouché les oreilles, tu as pris la pose une fois pour toutes — et tu trouves ça intelligent ? L'intelligence, ce serait le refus d'évoluer ? Tu te bats les flancs pour croire au triomphe de votre satané communisme, mais tu n'y crois pas !

— Il ne s'agit pas de foi mais de connaissance scientifique, ballot ! Et d'impartialité.

— Toi ? Impartial ?

— Ab-so-lu-ment ! reprit Roubine avec dignité.

— Mais je n'ai rien rencontré de plus passionné que toi !

— Sache t'élever au-dessus de ta taupinière ! Emprunter une perspective historique ! La *loi historique* ! La loi : inévitable, contraignante ! Tout va où tout doit aller ! Le matérialisme historique ne saurait cesser d'être la vérité du seul fait que nous sommes tous les deux en prison. Inutile de farfouiller du groin pour déterrer un scepticisme vermoulu !

— Lev, comprends-moi ! Ce n'est pas de gaieté de cœur que j'ai renoncé à cette doctrine, c'est avec déchirement ! C'était pour ma jeunesse comme le carillon d'une fête, et ma raison de vivre, au nom de quoi j'avais oublié, j'avais maudit tout le reste ! Je ne suis plus qu'un brin d'herbe, je pousse dans l'entonnoir creusé par une bombe, là où croissait autrefois l'arbre de la foi. Mais, depuis l'époque où je me faisais battre dans toutes nos discussions de prisonnier...

— Parce que tu étais vraiment trop nigaud !

— ... C'est une question d'honnêteté intellectuelle, j'ai dû envoyer dinguer toutes vos fragiles constructions. Et chercher ailleurs. Ce n'est pas si simple. Pour moi, le scepticisme n'est peut-être qu'une grange au bord de la route, en attendant que le temps se remette au beau.

— Tu prends tes désirs pour des réalités. Sceptique ! Tu n'es pas fichu de faire un sceptique convenable ! Le sceptique doit s'abstenir de tout jugement, tandis que tu n'as rien de plus pressé à faire que de condamner ! Le sceptique, c'est l'ataraxie qu'il pratique, son âme est inébranlable. Toi, tu prends le mors aux dents pour un oui ou pour un non !

— C'est vrai ! Tu as raison ! — Gleb se prit la tête entre les mains. — Je rêve de discipline, je voudrais ne cultiver en moi que les pensées les plus... éthérées, mais voilà, les circonstances m'entraînent dans leur tourbillon et je me mets à tourner moi aussi, à mordre, à écumer...

— Des pensées éthérées ! Mais tu serais capable de me planter les dents dans la gorge sous prétexte qu'à Djezkazgan on manquait d'eau potable !

— Salopard ! Un petit séjour là-bas ne te ferait pas de mal ! De nous tous, tu es le seul à considérer que les méthodes du KGB sont nécessaires...

— Exactement ! Aucun État ne peut exister sans un système pénitentiaire qui se tienne !

— C'est bien pourquoi il faudrait t'envoyer à Djezkazgan ! J'aimerais bien t'entendre alors dégoiser tes chansons !

— Tu es bête à manger du foin ! Tu ferais mieux de lire ce que les plus grands esprits ont dit du scepticisme. Un Lénine...

— Voyons ? Qu'est-ce qu'il a dit, Lénine ? — Nerjine s'était calmé.

— Lénine a dit : « Chez les chevaliers de la logorrhée libérale russe, le scepticisme est la forme de transition entre la démocratie et la crasse du libéralisme larbin. »

— Comment — comment ? Tu ne déformes rien ?

— Ce sont ses propres termes. C'est tiré de son *In memoriam Herzen* et il s'agit de...

Nerjine laissa choir sa tête dans ses mains, comme pour marquer qu'il capitulait.

— Hein ? fit Roubine, moins sévère. C'est envoyé ?

— Oui, répondit Nerjine en balançant tout son corps. On ne saurait mieux dire. Et c'était un dieu pour moi !

— Pourquoi...

— Comment, pourquoi ? Est-ce là le langage d'un grand philosophe ? Passer aux insultes quand on est à court d'arguments ? Les « chevaliers de la logorrhée » ! D'avoir ça dans la bouche, on a la nausée. Le libéralisme est amour de la liberté, pourquoi serait-il crasseux, et larbin ? Tandis que les hommes qui applaudissent des deux mains quand on leur en donne l'ordre font un pas de géant dans le domaine de la liberté, n'est-ce pas ?

Dans le feu de la discussion, les amis avaient perdu toute prudence et leurs exclamations parvenaient maintenant à Simotchka. Depuis un bon moment, elle considérait Nerjine d'un œil désapprobateur. Elle était froissée de voir s'écouler sa garde sans qu'il eût tiré profit d'une soirée propice ni même trouvé le loisir de se retourner vers elle. Roubine était au désespoir :

— Non, il faut avouer que tu as le cerveau à l'envers. Essaie de préciser.

— Le bon sens serait peut-être de dire que le scepticisme est une atténuation du fanatisme. C'est une forme de libération pour des esprits victimes du dogmatisme.

— Qui est dogmatique ici ? Moi, n'est-ce pas ? Comment peux-tu penser cela ? — Les grands yeux chaleureux de Roubine n'exprimaient plus que le reproche. — Je suis moi aussi un taulard de la *classe 45.* Quatre ans de front m'ont laissé un éclat d'obus au côté et j'ai, moi aussi, mes cinq ans de cave. Si bien que je ne suis pas plus avantagé que toi. Si j'en venais à la conviction que tout est pourri jusqu'à la moelle, je serais le premier à exiger qu'on édite un nouveau *Kolokol*[1] ! Et à sonner le tocsin ! Et à cogner ! Je n'irais pas me réfugier dans l'abstention de tout jugement comme on se pelotonne dans un coin ! Je n'irais pas m'affubler de la feuille de vigne du scepticisme !... Mais je sais que la pourriture n'est qu'apparente, extérieure, que la racine est saine, le tronc aussi, qu'il faut donc le préserver et non l'abattre !

Le téléphone intérieur se mit à tinter sur la table déserte de l'ingénieur-major Reutmann, directeur du laboratoire d'acoustique. Simotchka se leva et s'en approcha.

— Comprends bien, assimile convenablement la loi de fer de notre siècle. Il y a *deux mondes — deux systèmes.* Et pas de troisième terme ! Et pas de *Kolokol* dont le carillon résonnerait dans les airs ! Car le choix est inéluctable : des deux forces planétaires qui s'affrontent, laquelle as-tu choisie ?

— Va te coucher ! Il n'y a que le Grand Chef qui ait intérêt à raisonner de la sorte ! C'est grâce à ces « deux mondes » qu'il a tout écrasé sous lui.

— Gleb Vikentitch !

— Écoute-moi ! — Maintenant c'était Roubine qui avait empoigné Nerjine par la combinaison d'un geste autoritaire.

— C'est un très grand homme !

— Un abruti, avec l'horizon d'un sanglier !

— Tu comprendras un jour ! Il est à la fois le Robespierre et le Napoléon de notre révolution. C'est un sage ! Réellement ! Son regard va plus loin que nos pauvres yeux de taupes...

— Et il ose, par-dessus le marché, nous prendre pour des crétins ! Et nous faire ingurgiter la pâtée qu'il rumine...

— Gleb Vikentitch !

— Hein ? — Nerjine revint à lui et se détourna de Roubine.

— Vous n'avez pas entendu ? On vient de téléphoner ! — déclara Simotchka, sévère, les sourcils froncés, à ce deuxième rappel. Elle était debout derrière sa table, maintenant de ses bras croisés son fichu d'angora. — Anton Nikolaievitch vous demande d'aller le voir dans son bureau.

— Vraiment ? — Sur le visage de Nerjine, la flamme de la discussion s'était éteinte et les rides, pour un temps disparues, s'étaient remises en place. — C'est bon, je vous remercie, Serafina Vitalievna. Tu as entendu, Lev ? C'est Anton. Que diable peut-il me vouloir ?

Une convocation dans le bureau du directeur sur le coup de dix heures était un événement peu banal. Quoique Simotchka s'astreignît à la froideur qui doit régir les rapports de service, Nerjine voyait bien que son regard exprimait de l'inquiétude.

Et la rage qui avait failli s'emparer des deux hommes disparut sans laisser de traces ! Roubine regardait son ami avec sollicitude. Quand ses yeux n'étaient pas défigurés par la passion partisane, ils avaient une douceur presque féminine.

— Je n'aime guère que les patrons s'intéressent à nous, dit-il.

— Quelle mouche le pique ? fit Nerjine en haussant les épaules. — Notre travail est tellement accessoire, franchement, cette histoire de voix...

— Anton va nous secouer les puces. On nous fera payer cher les souvenirs de Stanislavski et les plaidoiries des lumières de notre barreau, dit Roubine en riant. Peut-être s'agit-il des travaux du N° 7 sur l'articulation ?

— Les conclusions portent notre signature, pas

moyen de reculer. En tout cas, si je ne reviens pas...

— Allons donc !

— Comment ça ? Ce sont des choses qui arrivent dans notre genre de vie. Tu brûleras... tu sais où c'est.

Gleb referma les glissières de son bureau, mit discrètement les clefs dans la main de Roubine et partit de sa démarche flegmatique de prisonnier — cinq ans de cave ! — qui ne se hâte jamais car il s'attend toujours au pire.

CHAPITRE X

Foulant le tapis rouge de l'escalier spacieux et désert à cette heure, avec ses appliques de bronze et son haut plafond sculpté, et affectant une démarche insouciante, Nerjine gagna le deuxième étage, passa devant le planton « externe » qui montait la garde devant le téléphone urbain et frappa à la porte du directeur de l'institut, le colonel de la Sûreté d'État Anton Nikolaievitch Iakonov.

La pièce, large et profonde, couverte de tapis, meublée de fauteuils et de canapés, s'éclairait d'un bleu éclatant en son milieu où une nappe azurée recouvrait la table des commissions. Vers le fond, elle arrondissait les galbes bruns du bureau et du fauteuil où siégeait Iakonov. Nerjine n'avait entrevu tant de splendeurs qu'en de rares occasions, pour des réunions le plus souvent, guère tout seul.

A cinquante ans passés, le colonel-ingénieur Iakonov était encore florissant, sa taille avantageuse, il devait légèrement se poudrer le visage après s'être rasé et portait un lorgnon à monture d'or. Avec cela, un embonpoint distingué qui n'aurait pas déparé un Obolenski ou un Dolgoroukov [1], des gestes d'une assurance intimidante, bref il se distinguait de tous les dignitaires de son ministère.

D'un ample geste il invita Nerjine à s'asseoir, en se rengorgeant imperceptiblement dans son fauteuil trop vaste d'une moitié et en faisant pirouetter son gros stylomine au-dessus du miroir brunâtre de la table.

— Asseyez-vous, Gleb Vikentievitch.

Cette façon d'employer le nom et le patronymique était une marque d'amabilité et de bienveillance qui ne coûtait guère au colonel-ingénieur, car il gardait sous la plaque de verre de son bureau une liste de tous les détenus, avec leur prénom et leur patronyme, et quiconque ignorait ce point s'extasiait sur sa mémoire.

Nerjine s'inclina en silence, sans porter les mains à la couture du pantalon ni pour autant balancer les bras, et s'assit, tout attente, devant une élégante table laquée.

La voix de Iakonov roucoulait avec complaisance. On était tout étonné que ce barine ne fût pas affecté de ce vice de prononciation, distingué entre tous, qu'est le grasseyement.

— Savez-vous, Gleb Vikentievitch, le hasard d'une conversation, il y a une demi-heure, m'a conduit à me demander quel bon vent vous avait poussé au laboratoire d'acoustique, sous les ordres d'un... Reutmann.

Iakonov prononça ce nom avec une désinvolture marquée, sans même — et cela, en présence d'un subordonné de Reutmann — mentionner le grade du major. Les relations entre le directeur de l'Institut et son adjoint s'étaient à ce point gâtées qu'il n'y avait plus de raison d'en faire mystère.

Nerjine se crispa. Il flairait que l'entretien allait prendre une tournure fâcheuse. Quelques jours plus tôt, avec le même pli désinvolte de sa bouche aux lèvres ni trop minces ni trop charnues, Iakonov avait déclaré à Nerjine qu'il était peut-être objectif dans ses conclusions sur l'articulation, mais avait traité l'équipe du N° 7 moins comme un cher disparu que comme on en userait avec le cadavre d'un ivrogne mort dans le ruisseau à Marfino. Le N° 7, c'était le poulain favori de Iakonov, mais il traînait la jambe.

— ... J'apprécie naturellement vos mérites personnels pour ce qui est de la science de l'articulation...

(Il se paie ma tête !)

... je déplore infiniment que votre originale monographie soit un document secret et n'ait eu droit qu'à un tirage confidentiel, ce qui vous interdit la gloire d'être un George Fletcher [1] russe...

(Il se moque ouvertement de moi !)

... toutefois, je souhaiterais que vos activités nous valussent un peu plus de *profit*, comme disent les Anglo-saxons. Je tire mon chapeau à la recherche fondamentale, mais je suis un homme pratique.

Le colonel-ingénieur Iakonov avait atteint une position assez élevée mais encore suffisamment éloignée du Chef des Peuples pour se permettre le luxe de ne point dissimuler son intelligence et de ne pas se priver de jugements personnels.

— Enfin, voyons, si l'on vous demandait crûment ce que vous faites en ce moment à l'Acoustique ?

On ne pouvait imaginer question plus cruelle ! Iakonov ne pouvait être partout à la fois, sans quoi il aurait déjà découvert le pot aux roses.

— Comment diable pouvez-vous vous amuser à ces jeux de perroquet, à ces distinguos entre « styr » et « smyr » ? Vous êtes mathématicien ? Vous avez fait des études supérieures ? Retournez-vous.

Nerjine tourna la tête et se remit debout : ils n'étaient pas deux mais trois dans le bureau ! Il vit se lever d'un divan et s'avancer vers lui un homme d'allure modeste, vêtu d'un costume civil noir. Des lunettes rondes, claires, scintillèrent et, à la lumière généreuse du plafonnier, Nerjine reconnut Piotr Trofimovitch Vereniov, qui, avant-guerre, était chargé de cours dans son université. Toutefois, par l'effet d'une habitude cultivée en prison, Nerjine ne dit rien, ne fit aucun geste, supposant qu'il avait affaire à un détenu et souhaitant ne lui causer aucun tort par une reconnaissance trop prompte. Vereniov souriait mais semblait gêné lui aussi. La voix de Iakonov roucoula, rassurante :

— Il faut bien le dire, la secte des mathématiciens fait preuve d'une réserve qui a quelque chose de rituel. J'ai toujours vu dans les mathématiciens des espèces de Rose-Croix et j'ai toujours regretté de n'être pas initié à leurs mystères. Ne vous gênez pas. Serrez-vous la main et asseyez-vous sans faire de façons. Je vais vous laisser pour une demi-heure : le temps d'évoquer de précieux souvenirs et, pour le professeur Vereniov, de vous informer des missions que nous propose le 6e Bureau.

Iakonov souleva au-dessus du fauteuil un corps pesant et imposant, marqué de galons bleu et argent, et le porta vers la sortie avec une certaine agilité. Quand Vereniov et Nerjine se retrouvèrent dans une poignée de mains, ils étaient seuls.

Cet homme pâle à lunettes fit sur un prisonnier endurci comme Nerjine l'impression d'un vrai fantôme, d'un intrus revenu d'un monde oublié. Entre ce monde et le présent, il y avait eu les forêts du lac Ilmen, les collines et les ravines du pays d'Oriol, les sablières et les étangs de Biélorussie, les grosses fermes de Pologne, les tuiles des bourgades allemandes. Dans cette « zone interdite » s'inséraient aussi les boxes nus comme le jour et les cellules de la Grande Loubianka. La pestilence des grises prisons de transit. Les cages suffocantes des « wagons-zeks ». Le vent coupant de la steppe sur les prisonniers affamés et glacés. Tout cela empêchait que Nerjine revécût le sentiment qu'il éprouvait jadis en étalant par petites lettres les fonctions d'une variable réelle sur le lino docile du tableau.

Tous deux allumèrent une cigarette, Nerjine avec une certaine émotion, et ils s'assirent de part et d'autre de la petite table laquée.

Ce n'était pas la première fois que Vereniov rencontrait d'anciens étudiants des universités de Moscou ou de Rostov où il avait été envoyé avant-guerre, lors de la querelle des écoles de mathématiciens, afin d'y imposer la bonne doctrine. Mais il n'était pas moins que Nerjine désemparé par cette rencontre, par l'isolement de ce « Centre » de banlieue enrobé des fumées du secret le plus rigoureux et ceinturé de plusieurs rangs de barbelés, par cette bizarre combinaison bleue au lieu des vêtements de tout le monde.

Une prérogative insaisissable voulait que ce fût le cadet, le malchanceux, qui posât les questions, la bouche encadrée de plis rigoureux, tandis que l'aîné répondait, timoré et comme honteux d'une vie de savant vraiment sans histoires : l'exode, puis le retour, il avait travaillé trois ans avec K., il avait soutenu une thèse de topologie... Distrait jusqu'à l'impolitesse, Nerjine ne l'interrogea même pas sur le sujet de cette thèse, dans cette discipline aride qui lui avait inspiré des travaux dirigés lorsqu'il était étudiant. Il eut soudain pitié de Vereniov... Ensembles ordonnés, ensembles bien ordonnés, ensembles fermés... La topologie ! La stratosphère de la pensée humaine ! Au XXIVe siècle, peut-être, elle trouverait son utilité... mais en attendant... En attendant,

« Je n'ai rien à dire des soleils et des mondes,
Je ne vois rien que la souffrance de l'homme... »

Comment était-il entré dans ce service ? Pourquoi avait-il quitté l'Université ? Une décision imposée... Et on ne pouvait pas refuser... C'est-à-dire qu'on aurait pu, mais... Double traitement... Des enfants ? Quatre...

Ils énumérèrent les étudiants de la promotion de Nerjine, dont l'ultime examen avait eu lieu le jour de la déclaration de guerre. Les plus brillants avaient été tués ou blessés. Le genre de gars qui foncent, sans se ménager. Ceux dont on attendait le moins achevaient leur thèse d' « aspirants » ou se retrouvaient assistants. Ah ! Et notre fierté, notre Dmitri Dmitrievitch ! Goriainov-Chakhovskoï ?

Goriainov-Chakhovskoï ! Un petit vieillard délabré, peu ragoûtant qui barbouillait de craie sa veste de velours noir ou fourrait dans sa poche, comme un mouchoir, le chiffon du tableau. Une anthologie ambulante de toutes les histoires de profs. Il avait été la gloire de l'Univerté Impériale de Varsovie mais en 1915, la mort dans l'âme, il avait dû s'installer dans cette ville mercantile qu'est Rostov. Un demi-siècle de travaux scientifiques, un plein plateau de télégrammes de congratulations : Milwaukee, Le Cap, Yokohama. Lorsqu'en 1930 l'Université, accommodée à une nouvelle sauce, se mua en École normale industrielle, il fut *épuré* par la commission prolétarienne appropriée, en tant que bourgeois et ennemi de classe. Il aurait été perdu s'il n'avait connu personnellement Kalinine [1] — dont le père, à ce qu'on disait, avait été serf du sien. Quoi qu'il en soit, le professeur avait fait un saut à Moscou et en avait rapporté un mandat d'immunité : « Qu'on ne touche pas à un cheveu de cet homme ! »

Et on ne le toucha pas. Si bien même qu'on prenait peur pour lui : il vous écrivait des travaux de sciences naturelles où il démontrait mathématiquement l'existence de Dieu. Ou bien, à l'occasion d'un cours public sur Newton, son idole, il grondait dans sa moustache jaune :

— On vient de m'envoyer un billet : « Marx a dit que Newton était matérialiste, or vous soutenez qu'il était idéaliste. » Je réponds à cela que Marx en a pris à son aise. Newton croyait en Dieu, comme tous les savants d'envergure.

C'était un supplice que de prendre des notes à ses cours. Les sténographes étaient au désespoir. Comme il tenait mal sur ses faibles jambes, il s'asseyait face au tableau, écrivait de la main droite en effaçant aussitôt de la main gauche, dans un soliloque bredouillant. Il était exclu qu'on pût saisir ses idées pendant son cours. Mais lorsque Nerjine parvenait à se partager la besogne avec un camarade pour arriver à tout noter et qu'ils passaient ensuite une soirée à tout remettre en ordre, ils sentaient dans leur âme le rayonnement du ciel étoilé.

Qu'était-il devenu ?... Le vieux avait été choqué lors du bombardement de Rostov et transporté à demi mort en Kirghizie. Quant à ses fils, qui étaient assistants pendant la guerre, Vereniov ne savait pas au juste, mais on racontait sur eux des histoires gênantes, ils auraient trahi. Le cadet, Stivka, serait devenu docker à New York.

Nerjine regardait fixement Vereniov. Grosses têtes savantes, si prodigues d'espaces multidimensionnels, pourquoi faut-il que vous plaquiez sur la vie, et seulement sur elle, vos maigres cloisonnements ? Quand des trognes bestiales ricanaient d'un penseur, on ne leur reprochait que leur manque de maturité et des excès n'engageant pas l'avenir ; mais que des enfants se fussent souvenus des humiliations infligées à leur père, c'était une immonde trahison. Et puis, savait-on au juste si Stivka était bien docker ? Chez nous, ce sont les

« responsables opérationnels » qui dirigent l'opinion publique...

Mais pourquoi Nerjine était-il *là* ?

Et Nerjine répondit par un petit sourire.

Non, enfin, pourquoi ?

— Pour ma façon de penser, Piotr Trofimovitch. Au Japon, il existe une loi permettant d'envoyer un homme devant les tribunaux pour ses pensées secrètes.

— Au Japon, je ne dis pas, mais nous ne possédons rien de semblable à cette loi.

— C'est ce qui vous trompe : elle existe chez nous, cette loi, et c'est l'article *cinquante-huit/dixième alinéa.*

Et, dès lors, Nerjine tendit une oreille distraite à ce qui avait motivé cette entrevue que Iakonov lui avait ménagée avec Vereniov. Le 6e Bureau avait mandaté Vereniov pour approfondir et systématiser les recherches cryptographiques de l'institut. Il fallait pour cela des mathématiciens, beaucoup de mathématiciens, et Vereniov était ravi de retrouver sur le nombre un ancien étudiant qui, dans le temps, promettait beaucoup.

A demi absent, Nerjine se faisait préciser certains points et Piotr Trofimovitch, se prenant au jeu de l'exaltation professionnelle, exposa la mission, décrivit les expériences à mener, les formules à manipuler. Nerjine, lui, songeait aux feuillets qu'il couvrait de pattes de mouches en toute quiétude sous les œillades prudemment éprises de Simotchka, l'oreille bercée par le ronron bienveillant de Lev. Ces bouts de papier, c'était toute sa maturité d'homme de trente ans.

Passer maître dans sa discipline est un sort enviable, bien sûr. Pourquoi se croyait-il tenu de risquer un regard dans le gouffre dont la seule approche faisait fuir à toutes jambes les historiens de métier qui préféraient de beaucoup la quiétude de siècles déjà vécus ? Pourquoi se sentait-il attiré par le secret de cette gigantesque, macabre baudruche, qui, d'un battement de cils, pouvait faire sauter sa tête ? Comme on dit : *pourquoi voudrais-tu faire mieux que les autres ?* Oui, pourquoi ne t'y casserais-tu pas les dents ?

Fallait-il s'abandonner aux tentacules de la cryptographie ? Quatorze heures par jour, sans pause, il aurait la tête casquée par la théorie de la probabilité, par la théorie des nombres, par la théorie des erreurs... Le cerveau figé, l'âme à sec. Que resterait-il pour la méditation ? Pour apprendre à connaître la vie ?

Oui mais, à ce prix, il restait à la charachka. Pas de camp. De la viande aux repas. Du beurre le matin. Des mains lisses, sans engelures. Pas de doigts gelés. Au lieu de s'affaler comme une solive sur son lit de planches, sans même ôter ses bottes crottées, il se glisserait avec délices sous un drap propre.

Mais à quoi bon vivre alors toute une vie ? Vivre pour vivre ? Ne vivre que pour préserver son bien-être corporel ?

Appréciable bien-être ! Qu'es-tu, quand il n'y a que toi ?

La raison tout entière argumente en faveur de l'acceptation : « C'est d'accord, citoyen chef ! »

Le cœur, lui, tient un autre langage : « Arrière, Satan ! »

— Piotr Trofimovitch ! Vous savez faire des bottes ?

— Vous dites ?

— Je vous demande si vous pourriez m'apprendre à faire des bottes.

— Excusez-moi, mais je ne saisis pas...

— Piotr Trofimovitch ! Vous vivez dans votre coquille ! Quand j'aurai fini mon temps, je devrai aller au fin fond de la taïga, l'exil à vie. Ne sachant rien faire de mes mains, comment pourrai-je vivre alors ? C'est le pays des ours bruns. Pour trois bonnes ères secondaires, les fonctions d'Eiler y seront de peu d'usage.

— Qu'est-ce que vous me racontez, Nerjine ? Si le travail marche, vous aurez droit, comme chiffreur, à une libération anticipée, on blanchira votre casier judiciaire, on vous procurera un appartement à Moscou...

— Ah ! Piotr Trofimovitch, il faut que je vous répète le dicton d'un copain de camp, un brave garçon, un Ukrainien : « Qu'on offre un poisson ou une écrevisse, le merci n'est pas plus gros. » Je n'attends rien de leur gratitude, je ne leur demande pas pardon, et je n'irai pas leur pêcher de poisson.

La porte s'ouvrit sur la prestance imposante du très haut dignitaire au nez surmonté d'un lorgnon cerclé d'or :

— Eh bien, les Rose-Croix ? Vous vous êtes mis d'accord ?

Sans se lever, soutenant le regard de Iakonov, Nerjine répondit :

— C'est à vous de voir, Anton Nikolaievitch, mais j'estime n'avoir pas terminé mon travail au labo d'acoustique.

Iakonov se tenait maintenant devant son bureau, les doigts de ses mains douillettes reposant sur le verre. Il fallait bien le connaître pour déceler de la colère dans ces mots :

— Les mathématiques d'un côté et, de l'autre, des problèmes d'articulation... C'est troquer la nourriture des dieux contre un plat de lentilles. Disposez.

Et de son stylomine à deux couleurs, il nota sur son agenda :

« Nerjine — muté. »

CHAPITRE XI

Depuis des années, guerre et après-guerre, Iakonov occupait en toute quiétude le poste d'ingénieur en chef des Équipements spéciaux du M.G.B. Il faisait honneur aux galons d'argent bordés d'azur que lui avaient valu ses connaissances et ses trois grosses étoiles de colonel-ingénieur. Ce poste lui permettait d'exercer son autorité à distance et dans les grandes lignes, de faire parfois un rapport érudit devant un public de hauts fonctionnaires ou de prodiguer à un ingénieur des remarques fines et fleuries à propos d'un modèle récemment mis au point et, en tout état de cause, de passer pour un homme de l'art, de n'avoir nul compte à rendre et de recevoir mensuellement une quantité raisonnable de billets de mille roubles. Sa fonction permettait à Iakonov de se pencher sur le berceau de tous les programmes techniques de la Section des Équipements spéciaux ; il s'éloignait d'eux lorsqu'ils abordaient l'âge ingrat et les maladies de croissance, mais il revenait honorer de sa présence leur mise en bière dans de noirs cercueils ou le couronnement doré de leurs héros.

Anton Nikolaievitch n'était ni assez jeune ni assez présomptueux pour courir après les scintillations trompeuses de l'Étoile d'Or ou l'insigne de lauréat du prix Staline, ni pour prendre sans gants une mission du ministère ou du Patron en personne. Anton Nikolaievitch était assez expérimenté, assez mûr pour se garder d'un pareil enchevêtrement d'émotion, de grandeurs et de mort.

Fidèle à ses principes, il n'avait connu aucune tribulation jusqu'au mois de janvier de l'an mil neuf cent quarante et huit. En ce mois de janvier, le Père des Peuples de l'Orient et de l'Occident s'était laissé souffler l'idée d'un téléphone spécial, secret, qui eût rendu ses propos hermétiques à toute interception et qui lui eût permis d'appeler Molotov à New York de sa résidence de Kountsevo, et de s'entretenir avec lui. De son augustissime index teinté de nicotine à la racine de l'ongle, le généralissime avait pointé sur la carte le centre de Marfino, jusqu'alors affecté à la mise au point d'émetteurs-récepteurs portatifs pour la police. Ce geste avait été assorti de ces paroles historiques :

— Qu'est-ce que je vais en faire, de ces émetteurs ? La chasse aux cambrioleurs, ou quoi ?

Il fixa janvier 1949 comme date limite. Puis il réfléchit et reprit :

— C'est bon. On ira j'qu'au Premier Mai.

Mission de confiance, mission exceptionnelle, compte tenu de délais aussi exigus. Après cogitation, le ministère chargea Iakonov en personne d'aller reconvertir Marfino. Iakonov tenta vainement de prouver qu'il était surchargé et ne pouvait courir deux lièvres à la fois. Le directeur de la Section, Foma Gourianovitch Oskoloupov, le regarda de ses yeux verts de chat, Iakonov se remémora les taches qui souillaient son casier judiciaire — six ans de prison — et choisit de se taire.

Il y avait presque deux ans que le bureau de l'ingénieur en chef était désert dans l'auguste enceinte du ministère. L'ingénieur en chef passait ses jours comme ses nuits hors les murs dans un ancien séminaire dont le chœur désaffecté était surmonté d'une tour hexagonale.

Au début, il éprouva du goût à jouer les grands patrons, à claquer la portière de sa « Pobieda » d'un geste excédé, à se laisser bercer jusqu'à Marfino, à franchir le portail enguirlandé de barbelés devant un gardien qui rendait les honneurs, à déambuler sous les tilleuls séculaires du bois de Marfino avec toute une escorte de majors et de capitaines. Jusque-là, les supérieurs n'exigeaient que plans, plans, replans et « engagements socialistes ». Moyennant quoi la corne d'abondance du ministère se déversait sur Marfino : équipements achetés en Angleterre et aux États-Unis ou raflés en Allemagne, zeks de notre meilleur crû ratissés dans leurs camps, une bibliothèque spécialisée de quelque vingt mille nouveaux titres, la fleur des brigades d'intervention et des archivistes, un service de sécurité, enfin, admirablement dressé à la Loubianka. On dut restaurer le bâtiment central du séminaire, en élever d'autres pour le personnel de la prison spéciale et pour les ateliers d'expérimentation et, quand les fleurs jaunes des tilleuls géants se mirent à répandre leur parfum, les ombrages résonnèrent des propos languissants de prisonniers allemands en tuniques vert lézard délavées, qui renâclaient devant la besogne. Ces indolents fascistes, qui n'en étaient qu'à leur quatrième année de captivité depuis la fin de la guerre, n'avaient pas le feu sacré. Un œil russe ne pouvait sans horreur les voir décharger leurs camionnées de briques : lentement, avec mille précautions, à croire qu'ils manipulaient du cristal, ils se passaient chaque brique de la main à la main avant d'en édifier un tas. Pour installer les radiateurs sous les fenêtres ou refaire les parquets pourrissants, ces Allemands traînaient leurs bottes dans les locaux archi-interdits, déchiffraient du coin de l'œil des inscriptions en anglais ou en allemand sur les appareils dont le moindre écolier, chez eux, aurait deviné la destination. Tout cela avait fait l'objet d'un rapport que le détenu Roubine avait adressé au colonel-ingénieur, mais qui n'était pas fait pour plaire aux « oper » Chikine et Mychine — familièrement baptisés Chichkine-Mychkine par les détenus — car ces derniers ne savaient plus où donner de la tête : pouvaient-ils rendre compte de cette bévue par la voie hiérarchique ? Le moment était passé, les prisonniers devaient être instamment rapatriés et ceux qui gagneraient l'Allemagne de l'Ouest pourraient décrire à qui de droit l'emplacement de l'institut et de chaque laboratoire. En revanche, lorsque des officiers d'autres bureaux du MGB cherchaient à joindre le colonel-ingénieur, comme il ne devait pas leur livrer l'adresse du Centre, il allait leur parler à la Loubianka afin que le secret demeurât infrangible.

Les Allemands renvoyés dans leurs foyers, on fit appel pour les chantiers de restauration et de construction à des zeks en tout point semblables à ceux de la charachka, à ceci près que leurs vêtements étaient sales et loqueteux et qu'ils n'avaient pas droit au pain blanc. Maintenant les tilleuls retentissaient en toute occasion des bons vieux jurons des camps, comme pour rappeler aux zeks de la charachka quelle était leur vraie patrie et ce que leur destin avait d'inéluctable ; les briques s'envolaient des camions comme sous le souffle d'un ouragan, et il n'en réchappait que des moignons. Une, deux, trois ! les zeks renversaient sur la plate-forme du camion une grande cage de contre-plaqué sous laquelle ils se faufilaient pour faciliter le travail de l'escorte et pour lutiner des filles qui hurlaient des jurons orduriers, puis, la cage bien close, on ramenait les prisonniers pour la nuit dans leur camp à travers les rues de Moscou.

Dans ce château enchanté, isolé de la capitale et de ses habitants profanes par une herse de feu, les lémures en sarrau noir vaquaient à de féeriques métamorphoses : eau courante, chauffage central, égouts et plates- bandes.

Cependant, l'institution fondée sous de pareils auspices ne cessait de croître et d'embellir. Le Centre de Marfino accueillit au grand complet un autre centre de recherches, auparavant affecté à ce genre de travaux. Cet institut avait emménagé avec ses tables, ses chaises, ses placards, ses dossiers-classeurs, son équipement de mois en mois plus suranné et son chef, le major-ingénieur Reutmann, qui était devenu l'adjoint de Iakonov. Le fondateur de l'institut récemment intégré à Marfino, son génie tutélaire, le colonel Iakov Ivanovitch Mamourine, chef des Transmissions spéciales secrètes du MVD, un des ornements de notre État, venait de disparaître dans des circonstances tragiques.

Le Chef de Toute l'Humanité Progressiste, ayant eu un jour à converser avec la région de Yenan, n'apprécia guère les crachotements qui brouillaient l'audition. Il téléphona à Beria et lui dit en géorgien :

— Lavrenti ! A quel imbécile as-tu confié les transmissions ? Fais-le sauter !

Et Mamourine sauta, c'est-à-dire qu'on l'enferma à la Loubianka. On l'avait retiré du circuit mais on ne savait plus trop que faire de lui. Les directives habituelles faisaient défaut. Fallait-il le juger ? Pour quel délit ? Le condamner, mais à quelle peine ? Un homme du commun aurait écopé de ses *vingt-cinq* ans et se serait fait expédier à Norilsk. Mais « ton tour vient aujourd'hui, le mien viendra demain », cet axiome s'imposa aux pontes du MVD qui retinrent Mamourine par les basques. Quand ils eurent acquis l'assurance que Staline l'avait oublié, ils l'envoyèrent sans enquête ni condamnation dans une résidence champêtre.

Par un soir d'été de 1948, en effet, on vit arriver un nouveau détenu à la charachka de Marfino. Tout fut insolite dans cette arrivée. L'homme n'était pas sorti d'un « corbeau » mais d'une voiture de tourisme. Il n'était pas accompagné d'un vulgaire *maton* mais du chef de la Section pénitentiaire du MGB. Enfin, son premier dîner lui fut servi sous une gaze aseptisée, dans le bureau du directeur de la prison spéciale.

On avait entendu — les zeks sont censés ne rien entendre mais ils entendent toujours tout le nouveau venu déclarer qu'il « ne voulait pas de saucisson » (?!), sur quoi le directeur l'avait exhorté à « grignoter un petit quelque chose ». Ces mots, à travers une cloison, étaient parvenus aux oreilles d'un zek qui allait chercher un médicament chez le médecin. Après avoir disserté sur l'extravagante nouvelle, les naturels de la charachka en vinrent à la conclusion que l'arrivant devait être malgré tout un prisonnier et allèrent se coucher fort satisfaits.

Les chroniqueurs de la charachka n'ont pu élucider la question du gîte où le nouveau venu avait passé la nuit. Le lendemain de bon matin, près du perron de marbre dont l'abord fut par la suite interdit aux prisonniers, un zek un peu fruste et balourd, plombier de son état, se heurta nez à nez avec le nouveau.

— Alors, fiston ? fit-il en lui donnant une bourrade dans la poitrine, tu sors d'où ? Pourquoi tu t'es fait piquer ? Assieds-toi, va, on va en griller une.

L'inconnu, plein d'horreur et de dégoût, fit un saut en arrière. Son visage citron pâle était défiguré. Le plombier considéra ces yeux blancs, ce crâne déplumé et déclara hargneusement :

— Visez-moi ce ténia sorti de son bocal ! Te bile pas, mon con, après l'extinction on t'enfermera avec nous et il faudra bien que tu causes !

Mais le ténia sorti d'un bocal ne fut pas cloîtré dans la prison commune. On lui dénicha au deuxième étage, dans le couloir des laboratoires, une chambrette naguère réservée au développement des photos, on y entassa un lit, une table, une armoire, un pot de fleurs, un radiateur électrique et on arracha le carton qui masquait la fenêtre grillagée donnant non sur le plein ciel mais sur le palier d'un escalier de service orienté au nord, si bien que le jour luisait à peine dans la cellule de ce prisonnier de marque. On aurait pu ôter le grillage de la fenêtre, mais les autorités pénitentiaires, après quelques hésitations, décidèrent de le laisser. Elles n'arrivaient pas elles-mêmes à percer le fond de l'énigme et ne savaient trop quelle conduite adopter.

C'est alors que le nouveau venu reçut le surnom de Masque de Fer. On devait longtemps ignorer son nom. Nul ne pouvait lui adresser un seul mot : on le voyait par la fenêtre, assis, renfrogné, tout seul dans sa cellule, et parfois il errait comme une ombre translucide sous les tilleuls aux heures où la promenade était interdite aux vulgaires détenus. Le Masque de Fer était aussi jaune et décharné qu'un zek à l'article de la mort après deux ans d'une instruction particulièrement« soignée », mais le refus inconsidéré du saucisson démentait cette interprétation.

Bien plus tard, lorsque le Masque de Fer fréquenta l'équipe du No 7 pour y travailler, les zeks apprirent d' « externes » qu'il n'était autre que ce colonel Mamourine qui, dans sa section spéciale, interdisait la marche sur les talons. Il n'autorisait que la pointe des pieds. Au moindre bruit, il traversait le bureau de ses secrétaires, surgissait dans le couloir, furieux, et clamait :

— Tu sais devant quel bureau tu tapes des pieds, voyou ? Comment que tu t'appelles ?

Plus tard encore, il s'avéra que la racine des souffrances de Mamourine était morale. Le monde « normal » l'avait écarté et il répugnait à rejoindre celui des réprouvés. Au début de sa réclusion, il lisait sans répit : *La Lutte pour la Paix*, *Le Cavalier à l'Étoile d'Or*, *Allons enfants de la Russie !* [1], puis ce furent des vers de Prokofiev, de Gribatchov [2] et, miracle ! il fit des vers à son tour. Il est connu que les poètes doivent tout au malheur et aux tourments de l'âme, et les souffrances de Mamourine avaient une acuité ignorée des autres zeks. Après bientôt deux ans de détention sans instruction ni jugement, il ne se connaissait toujours pas d'autre raison d'être que les toutes dernières directives du Parti et il continuait à idolâtrer le Chef et Sage entre les sages. Mamourine confiait à Roubine que ce qui lui pesait le plus, ce n'était pas tant la lavasse des prisons — au demeurant, on lui faisait une cuisine spéciale — ni de ne plus revoir sa famille — une fois par mois, en grand secret, on le ramenait pour la nuit dans son appartement —, bref, ce n'étaient pas tant les besoins primitifs, animaux, qui le tourmentaient, mais bien d'avoir perdu la confiance de Iossif Vissarionovitch. Il souffrait de savoir qu'il n'était plus colonel, qu'il était limogé, disqualifié. Et c'est pourquoi des communistes comme Roubine et lui avaient bien plus de peine à endurer la détention que la racaille sans foi ni loi qui les entourait.

Roubine était communiste. Toutefois, quand il eut recueilli les confidences de ce frère spirituel, loin de se réjouir de l'aubaine, il évita Mamourine avec horreur, se cacha à sa vue et partagea tout son temps avec des hommes qui le prenaient injustement à partie mais qui avaient même destin que lui.

Mamourine était tenaillé par le dessein, lancinant comme une rage de dents, de se blanchir aux yeux du Parti et du gouvernement. Hélas ! La familiarité de ce chef des transmissions avec le mystère du téléphone se bornait à savoir empoigner un récepteur. Aussi ne pouvait-il pas *travailler* au sens trivial du mot, mais seulement commander. Et encore : la direction d'une entreprise visiblement vouée à l'échec ne pouvait lui faire reconquérir l'estime du Meilleur Ami des Transmissionnistes. Il fallait prendre la tête d'une affaire de tout repos.

Vers ce temps-là, l'institut de Marfino voyait germer deux projets prometteurs : le Vocoder et le programme du No 7.

Par une impulsion issue des profondeurs et bravant toutes les barrières de la logique, les gens, dès le premier regard, s'entendent ou ne s'entendent pas. Iakonov et son adjoint Reutmann ne firent pas bon ménage. De mois en mois, ils avaient plus de mal à se supporter et, comme une main pesante les avait attelés au même char, chacun tirait tout simplement de son côté, sans pouvoir quitter le harnais. Quand le téléphone secret eut pris tournure, après une suite d'expériences menées parallèlement en ateliers, Reutmann embaucha à tour de bras pour la mise au point de son programme « Vocoder » — de l'anglais *voice coder* — baptisé dans notre langue « Appareillage pour voix artificielle », sans que cette traduction pût jamais s'imposer. Par riposte, Iakonov écréma tous les autres groupes : il truffa son laboratoire No 7 des ingénieurs les plus astucieux, des équipements étrangers les plus coûteux. Les maigres surgeons des autres programmes périrent dans un combat trop inégal.

Mamourine avait jeté son dévolu sur le No 7 parce qu'il ne pouvait se mettre sous les ordres d'un ancien subordonné comme Reutmann, mais aussi parce que le ministère jugeait opportun qu'un œil vigilant, qu'un œil de feu fût constamment dardé sur Iakonov qui n'était pas du Parti et avait un passé douteux.

Dès lors, Iakonov aurait pu découcher à sa guise. Le colonel en disgrâce du MVD, faisant taire sa passion de la rime pour la gloire des progrès techniques de la patrie, le prisonnier aux yeux blancs et fiévreux, aux joues hideusement creuses, négligeant de manger et de dormir, se consumait en responsabilités suprêmes. Il avait imposé au No 7 un travail quotidien de quinze heures. Pareil horaire n'était concevable qu'au N° 7, car on n'avait pas à faire surveiller un Mamourine par des employés civils, ni à le soumettre au contrôle des gardes de nuit.

C'est au N° 7 que Iakonov s'était rendu lorsqu'il avait laissé tête à tête Nerjine et Vereniov.

CHAPITRE XII

Les simples soldats, bien qu'on ne leur communique jamais les dispositions du GQG, savent toujours quand ils participent à une attaque décisive. De même façon, les trois cents détenus de Marfino comprirent intuitivement que le Nº 7 serait désormais le fer de lance de la charachka.

Chacun, dans l'Institut, connaissait l'appellation officielle de ce « Laboratoire de langage clippé », mais nul n'était censé en rien savoir. Le mot *clippé*, emprunté à l'anglais, signifie « tondu ». Langage tondu. Tous les ingénieurs et tous les traducteurs de l'Institut, tous les monteurs, tourneurs et fraiseurs et sans doute même le menuisier, qui était dur d'oreille et un peu sot, savaient que le programme de ce laboratoire s'inspirait de modèles américains, mais il était constant que l'entreprise ne devait rien à l'étranger. Aussi les revues de radio américaines, avec leurs croquis et leurs articles sur la théorie du « clippage », qui s'étalaient chez tous les marchands de journaux de New York, se trouvaient ici numérotées, enliassées, estampillées comme documents secrets, et enfermées dans des coffres-forts inaccessibles aux espions américains.

Ce « clippage », ce « damping », ces compressions d'amplitude, cette différenciation puis cette intégration étaient une méchante brimade imposée par des ingénieurs au libre langage humain : autant débiter Novy Afon ou Gourzouf [1] en menus cubes de matière qu'on encastrerait dans des millions de boîtes d'allumettes, qu'on entasserait en vrac, qu'on transporterait à Nertchinsk [1], qu'on classerait et remonterait sur le lieu d'arrivée dans l'espoir de reconstruire le paysage — à s'y méprendre —, avec son climat subtropical, le bruit du ressac, l'haleine du midi, le clair de lune.

Tel est le sort qui attendait ici le langage : débité en menues portions par l'impulsographe, il devait être ultérieurement reconstitué et derechef identifié pour permettre au Patron de savoir à qui il parlait.

Les charachka, établissements douillets où ne parvenaient plus les grincements de dents de déportés acharnés à survivre, étaient depuis leur origine régies par une sage disposition du commandement : en cas de réussite du programme, les zeks qui y avaient eu la part la plus active gagnaient tout : la liberté, un « passeport » sans tache [2], un appartement à Moscou. Les autres n'avaient rien : pas un jour de réduction de peine, pas même un carafon de vodka pour arroser la victoire.

Pas de milieu.

Aussi ceux des prisonniers qui avaient le mieux acquis cette vitalité griffue, propre au déporté, et qui lui permet quasiment de s'agripper des ongles à un miroir vertical, aussi les plus accrocheurs faisaient-ils l'impossible pour entrer au N° 7, d'où ils pourraient « gicler » vers la liberté.

C'est ainsi que le laboratoire avait accueilli, entre autres hommes de même trempe, le redoutable ingénieur Markouchev, dont le visage boutonneux respirait la ferme détermination de mourir pour les idées du colonel-ingénieur Iakonov.

Mais le sagace Iakonov recrutait également pour le N° 7 des collaborateurs qui n'avaient rien demandé. Par exemple, l'ingénieur Amantaï Boulatov, Tatar de Kazan aux lunettes cerclées d'écaille, garçon franc au rire tonitruant, qui avait été condamné à dix ans pour captivité et rapports avec l'ennemi du peuple Moussa Djalil [3] (les plaisantins voyaient en lui le doyen de la *Firme* car, ayant achevé ses études de radio en juin 1941, et précipité dans le pétrin de Smolensk lors de l'attaque allemande, il avait été tiré de son camp de prisonniers en tant que Tatar et avait fait ses premières armes de technicien dans les ateliers de ladite maison Lorenz en un temps où ses administrateurs signaient encore « Heil Hitler ! »). Ou encore Andréi Andréiévitch Potapov, spécialiste non des courants faibles, mais des hautes tensions et de l'installation des barrages. Il avait échoué à la charachka parce qu'un rond-de-cuir s'était trompé en triant les fichiers du Goulag. Ingénieur de vocation et travailleur forcené, il s'était vite révélé à Marfino et s'était rendu irremplaçable dans le maniement des appareils de mesure les plus délicats et les plus complexes.

L'équipe comprenait aussi un certain Khorobrov, ingénieur et grand expert en radio. Il avait été affecté au N° 7 lorsqu'il s'agissait encore d'un simple groupe de travail. Ces derniers temps, le N° 7 lui pesait, il n'arrivait plus à suivre un rythme aussi frénétique et Mamourine voyait en lui un poids mort.

La poigne fouilleuse et prompte d'une « Escorte exceptionnelle » était allée chercher à Salekhard, pour l'installer à Marfino et au N° 7, Alexandre Bobynine, prisonnier lugubre et ingénieur de génie, qui avait aussitôt pris la tête de toute l'équipe. On l'avait arraché à la gueule de la mort. En cas de succès, il était le candidat numéro un à la libération. Aussi travaillait-il dur, parfois même au-delà de minuit, mais il faisait preuve d'une dignité si hautaine que Mamourine le craignait et lui faisait grâce, miraculeusement, de ses remontrances.

Le N° 7 occupait une pièce semblable à l'Acoustique, située toutefois à l'étage supérieur. Il était également bourré d'instruments et de meubles dépareillés, mais aucun de ses recoins n'abritait de catafalque comparable à la chambre sourde.

Iakonov visitait le N° 7 plusieurs fois par jour, aussi sa venue n'y avait-elle plus rien d'une inspection générale. Lorsqu'il entra ce soir-là, Markouchev et quelques autres lécheurs se mirent en vedette et manifestèrent un joyeux empressement tandis que Potapov, afin de réduire la visibilité, installait un indicateur de fréquences dans la seule brèche ouverte parmi les instruments qui couvraient les rayonnages et l'isolaient du reste du laboratoire. Il faisait son travail sans affolement, s'estimant quitte envers toutes les obligations possibles. En ce moment, il fignolait paisiblement un porte-cigarettes en plastique rouge dont il devait faire cadeau à un ami le lendemain matin.

Mamourine s'était levé pour saluer Iakonov d'égal à égal. Au lieu de la combinaison bleue des vulgaires détenus, il portait un riche costume de laine, mais ces élégances ne parvenaient pas à flatter son visage émacié ni sa silhouette osseuse.

L'expression de son front citron et de ses lèvres exsangues de condamné en sursis pouvait par convention figurer une sorte de joie, et Iakonov ne se méprit pas sur le sens de cette mimique.

— Anton Nikolaiévitch ! On a opté pour l'intervalle régulier de 16 impulsions et c'est infiniment mieux. Écoutez plutôt, je vais lire.

« Lecture » et « audition » étaient le test habituel révélant la qualité d'un canal téléphonique : celle-ci était modifiée plusieurs fois chaque jour, par ajout, suppression ou substitution de tel ou tel segment et, à chaque phase de travail, la « reconstruction articulatoire » engendrait des conflits car sa mise au point se laissait distancer par les initiatives novatrices des ingénieurs. Et puis, il n'y avait pas grand-chose à tirer des données arithmétiques grossières de cette « articulation », discipline scientifique suspecte dont Nerjine, le poulain de Reutmann, avait fait son domaine.

Tous deux obsédés par une seule et même préoccupation, ils n'eurent à échanger ni questions ni explications : Mamourine gagna un coin éloigné de la pièce, se détourna, porta le récepteur à sa joue osseuse et se mit à lire le journal, tandis que Iakonov, près d'un pupitre, prenait les écouteurs à l'autre bout de la ligne et écoutait. Le casque débitait une atroce cacophonie : les sons étaient déchirés par des craquements, des tonnerres, des glapissements. Mais toute mère contemple avec attendrissement les tares d'un enfant chéri et Iakonov, loin d'arracher le téléphone à ses oreilles suppliciées, y adhérait de toute son ouïe et trouvait que cette abomination valait mieux que celle du matin. Ce que Mamourine énonçait n'avait rien du parler vivant. Sa lecture était délibérément posée, nette, et comme, de surcroît, il ânonnait un article sur l'impudence des garde-frontières yougoslaves et l'insolence de Rankovič [1], sanglant bourreau qui avait transformé en geôle un pays épris de liberté, Iakonov devinait sans peine ce qu'il n'entendait pas. Il s'en rendait bien compte, mais, oubliant ce qu'il devait à la pure conjecture, il se persuadait que l'audibilité s'était améliorée depuis le déjeuner.

Il eut envie d'échanger ses impressions avec Bobynine, installé dans les parages. Massif, carré d'épaules, la tête rasée à zéro par point d'honneur, bien que la charachka autorisât n'importe quelle coupe de cheveux, celui-ci ne s'était pas détourné à l'entrée de Iakonov. Penché sur le long ruban d'un oscillogramme, il y reportait les pointes de son mesureur.

Ce Bobynine était un ciron dans l'univers, un détenu infime, un représentant de la dernière des castes, encore plus désarmé devant la loi qu'un kolkhozien. Iakonov, lui, était un grand de ce monde.

Or Iakonov, malgré qu'il en eût, n'osait interrompre Bobynine.

On peut élever l'Empire State Building. Mettre sur pied l'armée prussienne. Ériger la hiérarchie de l'État totalitaire plus haut que le trône du Très-Haut.

Il est impossible de triompher de la supériorité spirituelle de certains hommes.

Il est des soldats que craignent leurs capitaines. Des manœuvres qui intimident leurs contremaîtres. Des inculpés qui font trembler les magistrats instructeurs.

Bobynine ne l'ignorait pas et c'est en toute conscience qu'il avait choisi son attitude devant les chefs. Chaque fois qu'il lui adressait la parole, Iakonov découvrait en soi le désir craintif de complaire à ce détenu, de ne pas l'indisposer. Il se reprochait furieusement ce sentiment, mais remarquait que tout le monde en usait ainsi avec Bobynine.

Ôtant ses écouteurs, Iakonov interrompit Mamourine.

— Ça va mieux, Iakov Ivanovitch, franchement mieux ! J'aimerais faire écouter ça à Roubine, il a de l'oreille.

On ne sait qui, ni quand, avait eu à se féliciter d'une réaction de Roubine et décrété qu'il « avait de l'oreille ». Le jugement avait été machinalement repris et on y avait cru. Roubine devait au hasard son arrivée à la charachka où il se maintenait tant bien que mal à coups de traductions. Comme tout le monde il avait sa mauvaise oreille, et la bonne avait été amoindrie par un choc subi au front, mais, complimenté sur son ouïe, il préféra n'en rien dire. La bonne réputation de son oreille lui avait assuré une place de tout repos à la charachka avant qu'il n'eût assuré ses arrières, définitivement, par son travail fondamental sur *L'analyse audio-synthétique et électroacoustique du russe parlé.*

On téléphona à l'Acoustique pour en faire venir Roubine. En l'attendant, et pour une dixième fois, on se remit à l'écoute. Markouchev, les sourcils durement soudés, l'œil fixe, posa son oreille contre l'écouteur et déclara catégoriquement que l'audition était meilleure, bien meilleure (l'idée d'un intervalle de 16 impulsions lui revenait et, avant même qu'on n'en fît l'essai, il était convaincu de l'avantage de son procédé). Boulatov hurla à travers tout le laboratoire qu'il fallait s'entendre avec les chiffreurs et tout refaire avec 32 impulsions. Deux monteurs électriciens complaisants, Lioubimitchev et Siromakha, se disputèrent les écouteurs, y collèrent chacun une oreille et, rayonnants de joie, proclamèrent que l'audition était effectivement plus nette.

Bobynine continuait à reporter ses mesures sur son oscillogramme.

L'aiguille noire de la grande pendule électrique fit un bond : dix heures trente. Dans tous les autres laboratoires, le travail allait prendre fin, on remettrait les revues confidentielles dans leur coffre-fort, les zeks iraient au lit et les « externes » courraient vers l'arrêt où les autobus se faisaient rares à cette heure.

Par le fond du laboratoire, loin de l'œil des maîtres, Ilia Terentiévitch Khorobrov se glissa pesamment derrière les rayonnages qui abritaient Potapov. Khorobrov était originaire de Viatka, ou plus exactement de Kaï, le paradis des ours, frontière de cet empire du Goulag qui sur des milliers de kilomètres, plusieurs fois la France, déploie ses forêts et ses marécages. Il avait vu et compris plus de choses que bien d'autres et éprouvait parfois une si chaude impatience que l'envie le prenait de se cogner la tête contre les haut-parleurs [1] de la rue. L'obligation de cacher constamment ses pensées et de refouler son instinct de justice avait voûté sa silhouette, rendu son regard malveillant, encadré ses lèvres de rudes sillons. Enfin, à l'occasion des élections qui suivirent la guerre, sa rage se fit jour et il biffa sur son bulletin le nom du candidat pour le remplacer par un mot ordurier. A l'époque, la main-d'œuvre manquait pour rebâtir les maisons ou pour ensemencer les champs. Néanmoins, quelques brutes mouchardes passèrent un bon mois à cribler l'écriture de tout le canton, et Khorobrov fut arrêté. Il gagna son camp avec la joie naïve de l'homme qui va enfin parler à cœur ouvert. Mais le camp non plus n'était pas la république de la liberté ! Là encore, dénoncé par des moutons, Khorobrov dut se taire.

Le bon sens le contraignait maintenant à se mêler à la bousculade laborieuse du Nº 7 et à s'assurer, à défaut d'une libération anticipée, une existence sans orages. Mais l'injustice, même lorsqu'elle ne l'atteignait pas, suscitait en lui cette haute nausée qui ôte le goût de vivre.

Il se coula dans la cachette de Potapov, se pencha sur sa table et lui proposa de partir.

— Allez, Andréitch, on se tire, c'est samedi.

Potapov était en train d'ajuster un fermoir rose pâle à son porte-cigarettes d'un rouge translucide.

— Ça va, pour la couleur?

Aucune approbation ni critique ne venant en retour, Potapov lança à Khorobrov un regard de grand-mère par-dessus ses lunettes grossièrement cerclées de fer :

— Pourquoi taquiner le dragon ? Lisez les éditoriaux de la *Pravda* : le temps travaille pour nous. Une fois Anton parti, on s'envole, aus-si sec !

Il avait l'habitude de détacher les syllabes et de souligner d'une mimique les mots importants de la phrase.

Là-dessus, Roubine était arrivé. Onze heures approchaient et Roubine, d'humeur déjà peu laborieuse, avait hâte de rejoindre les locaux disciplinaires pour y dévorer son Hemingway. Il affecta toutefois un intérêt profond pour la qualité du nouveau test proposé par le No 7 et demanda que le texte fût confié à Markouchev dont la voix aiguë, tournant autour des 160 Hertz, devait moins bien passer. Cette exigence décelait l'homme de l'art. Écouteurs à l'oreille, Roubine enjoignit plusieurs fois à Markouchev de lire, plus haut, plus bas, de répéter : « *Jirnye sazany ouchli pod paloubou* », puis « *Vopomnil, sprygnoul, pobedil* », phrases familières à toute la charachka qu'il avait fabriquées pour l'étude de certains groupes phonétiques. Puis il émit son verdict : nette tendance à l'amélioration, les voyelles étaient parfaites, les dentales sourdes laissaient à désirer, le phonème « j » lui donnait du souci, le groupe « vsp », tellement slave, ne lui disait rien qui vaille, il fallait donc se remettre à l'ouvrage.

Ce fut un chœur joyeux : la séquence s'améliorait. Bobynine leva les yeux de son oscillogramme et commenta ironiquement de sa grosse voix de basse :

— Fumisterie ! Un coup à droite, un coup à gauche. Il ne faut pas y aller comme ça, à tâtons, il faut chercher la méthode.

Tous se turent sous ce regard qui ne cillait pas.

Derrière ses rayonnages, Potapov collait son fermoir à l'essence de poire. Il avait passé ses trois années de captivité dans un camp de concentration allemand. Il s'en était tiré grâce à son habileté à transformer des déchets en briquets, boîtes à cigares, fume-cigarettes affriolants, et cela sans outils.

Personne n'était pressé de quitter le travail. A la veille d'un dimanche qu'on allait leur voler !

Khorobrov se redressa. Posant ses dossiers confidentiels sur la table de Potapov d'où ils rejoindraient leur coffre-fort, il sortit du réduit et gagna sans hâte la porte, évitant de se mêler à la foule massée autour du pupitre de « clippage ».

Derrière lui, Mamourine rosit de rage. Il l'interpella :

— Ilia Terentievitch ! Pourquoi ne venez-vous pas écouter ? D'ailleurs, où allez-vous ?

Khorobrov se retourna, toujours aussi lentement et, avec son sourire grimaçant, articula :

— J'aurais préféré ne pas le crier sur les toits. Mais vous insistez, alors voilà : je me rends de ce pas aux toilettes, aux cabinets, je veux dire. Et si tout s'y passe selon mes vœux, je gagnerai ensuite les locaux disciplinaires pour me mettre au lit.

Il se fit un silence atterré et Bobynine, qu'on n'avait jamais entendu rire, s'esclaffa d'une voix caverneuse.

Une mutinerie à bord d'un vaisseau de guerre ! Comme pour frapper Khorobrov, Mamourine fit un pas vers lui et glapit :

— Comment ça, dormir ? Tout le monde travaille, ici, et vous iriez dormir ?

— *Dormir,* tout bonnement. J'ai travaillé mes douze heures, je suis en règle avec la Constitution — suffit !

Sur le point d'exploser, il allait ajouter un mot irréparable quand la porte s'ouvrit à deux battants sur le planton de l'Institut qui clama :

— Anton Nikolaïévitch ! Téléphone extérieur ! Urgence !

Iakonov se leva rapidement et sortit avant Khorobrov.

Potapov ne tarda pas à éteindre à son tour sa lampe de bureau, replaça ses dossiers et ceux de Potapov sur la table de Boulatov et, d'un pas mesuré de boiteux, indifférent à tout, se dirigea vers la porte. Il traînait la jambe depuis un accident de motocyclette antérieur à la guerre.

Iakonov avait été appelé par le ministre, par Selivanovski en personne, qui lui avait donné rendez-vous à minuit à la Loubianka.

Était-ce une vie ?

Iakonov rejoignit dans son bureau Vereniov et Nerjine, congédia ce dernier, offrit au premier de le raccompagner dans sa voiture, enfila son manteau et, déjà ganté, retourna à sa table et, sous la notation « Nerjine — muté », ajouta :

« Khorobrov — *id.* ».

CHAPITRE XIII

Conscient de l'irréparable, mais n'en mesurant pas encore du cœur toute la portée, Nerjine retourna à l'Acoustique. Roubine avait disparu. Les autres étaient toujours là. Valentin, dans une des rangées, s'affairait devant un panneau hérissé de lampes radio. Il leva vers Nerjine ses yeux brillants de vie :

— Doucement, gamin ! et il retint Nerjine d'un lancer de sa main ouverte, comme pour arrêter une voiture. Pourquoi ma troisième cascade n'arrive-t-elle pas à chauffer, vous ne sauriez pas ? — Puis, revenant sur un passé récent : A propos, pourquoi vous a-t-on convoqué ? *Qu'est-ce qu'est passé* * ?

— Pas de grossièretés gratuites, Valentaïn, répondit Nerjine, évasif et morose. Il ne pouvait avouer à cet autre pupille de la Mathématique qu'il venait de renoncer à la science.

— Si vous avez des ennuis, suivez mon conseil et mettez de la musique de danse ! Pourquoi s'en faire ? Vous avez lu machin, là... comment s'appelle-t-il déjà ? Vous voyez, la cigarette au bec, il en fume un tiers, jette le reste, pas le genre à se salir les mains avec une pelle mais incitant les autres à travailler... enfin, voyons :

« Police aimée,
veille sur moi !
Dans la zone interdite
on est comme des rois ![1] »

* En français approximatif dans le texte.

Aussitôt sollicité par une nouvelle pensée, Valentin lança un ordre :

— Vadim ! Branche donc l'oscillographe !

Nerjine rejoignit sa table et resta là un moment, debout. Il s'aperçut que Simotchka était bouleversée. Elle regardait Gleb droit au visage et ses fins sourcils frissonnaient.

— Où est le Barbu, Serafima Vitalievna ?

— Anton Nikolaiévitch l'a également convoqué, mais au No 7, répondit Simotchka à voix haute. Puis, s'approchant du standard, elle lui demanda encore plus haut, à la cantonade : Gleb Vikentiévitch ! Vous devriez contrôler ma façon de lire les tableaux. Nous avons une demi-heure devant nous.

Simotchka faisait entre autres office de lecteur, pour les expériences d'articulation. On devait veiller à ce que les lecteurs eussent tous une élocution claire.

— Comment pourrai-je faire ce contrôle dans un pareil vacarme ?

— Dans ce cas, euh... allons dans la cabine. Elle regarda Nerjine d'un air entendu, prit les tableaux tracés à l'encre de Chine sur papier Whatman et passa dans la cabine.

Nerjine l'y suivit. Il referma d'abord sur lui l'épaisse porte creuse, se faufila tant bien que mal par une autre porte plus étroite et il n'avait pas encore fait retomber le rideau que Simotchka s'accrochait à son cou, dressée sur la pointe des pieds, et l'embrassait sur la bouche.

Il la prit dans ses bras, toute légère — le réduit était si exigu qu'elle alla donner de la pointe de ses chaussures contre la paroi —, s'assit sur l'unique chaise devant un micro pour spectacle de variétés et la fit redescendre sur ses genoux.

— Pourquoi Anton vous a-t-il convoqué ? Qu'est-ce qui ne va pas ?

— L'ampli n'est pas branché ! On n'arrivera donc jamais à se mettre d'accord sur cette histoire de transmission électrodynamique ?

— ... Qu'est-ce qui n'allait pas ?

— Mais qu'est-ce qui te dit que ça ne va pas ?

— Je l'ai tout de suite senti, dès qu'on vous a demandé au téléphone. Et je le vois bien sur vous.

— Quand donc finiras-tu par me tutoyer ?

— Pour l'instant, il vaut mieux pas... Qu'est-ce qui n'allait pas ?

La chaleur de ce corps inconnu gagnait ses genoux, ses bras, l'envahissait. Corps inconnu, totale énigme : car, pour un soldat emprisonné, tout était mystère au bout de tant d'années. Et tout le monde ne possède pas de riches souvenirs de jeunesse.

Simotchka était étonnamment légère. Ses os étaient-ils soufflés ? L'avait-on façonnée dans la cire ? Elle semblait impondérable : un oiseau aux plumes hérissées.

— Oui, petite caille... Je crois bien que je vais bientôt partir.

Elle se tortilla entre ses bras, laissa le châle glisser de ses épaules et l'étreignit aussi fort qu'elle le pouvait.

— Où ça ? Où ? Où ?

— Comment où ? Nous sommes enfants de l'abime. Nous redisparaissons dans le gouffre d'où nous avons émergé : le camp, expliqua Nerjine, sentencieux.

— Mais pourquoi ? — C'était moins une parole qu'un gémissement qui lui avait échappé.

Gleb regardait de près, avec une sorte d'embarras, les yeux de cette fille laide dont il avait conquis l'amour, contre toute attente et à peu de frais. Elle s'était laissé prendre à ce destin de prisonnier plus sérieusement que lui-même.

— J'aurais pu rester, mais dans un autre labo. De toute façon, nous aurions été séparés.

(Il venait de proférer ces mots comme si c'était là le vrai motif de son refus dans le bureau d'Anton. Cette suite de sons était sortie machinalement, comme lorsqu'il enregistrait pour le Vocoder. En fait, les prisonniers étaient à une telle extrémité qu'en changeant de laboratoire, Nerjine aurait tout fait pour arriver à ses fins avec la femme qui aurait travaillé à ses côtés ou bien, restant à l'Acoustique, avec n'importe quelle femme, jolie ou non, qui aurait remplacé Simotchka à la table voisine.)

De tout son petit corps elle se serrait contre lui, elle l'embrassait.

Au cours des dernières semaines, à la suite du premier baiser, il n'avait pas vu de raison d'épargner Simotchka ni de s'attendrir sur le spectre du bonheur qu'elle eût pu attendre de l'avenir. Il était douteux qu'elle trouvât un fiancé, elle finirait de toute façon par se donner au premier venu. Elle avait pris les devants, et leur cœur à tous deux battait avec un tel affolement... Avant de replonger dans les camps où l'on pouvait jurer que pareille chance ne se retrouverait pas...

— Je regretterai d'être parti comme ça... J'aimerais emporter le souvenir de ton... de ta... enfin, te laisser... un enfant...

D'un geste violent, elle baissa son visage marqué par la honte et résista aux doigts qui essayaient de lui redresser la tête.

— La caille... voyons, ne te cache pas... Relève la tête. Pourquoi ce silence ? Tu veux bien, toi aussi ?

Elle releva le front et dit d'une voix qui partait de très profond :

— Je vous attendrai ! Vous en avez encore pour cinq ans ? Je vous attendrai cinq ans. Quand vous serez libéré, vous me reviendrez ?

Il ne lui avait jamais rien promis. Elle faisait toujours comme s'il n'avait pas de femme. Pauvre fillette au long nez, qui voulait à tout prix un mari !

La femme de Gleb vivait là, tout près, dans Moscou. Dans une maison de Moscou, mais elle aurait pu aussi bien se trouver sur Mars.

Il y avait Simotchka, sur ses genoux, il y avait sa femme, sur Mars, et puis il y avait, enfouis dans son bureau, ses essais sur la révolution russe. Première approche formulée.

On ne laissait pas sortir de la charachka le moindre bout de papier. Lors des fouilles, aux transits, il risquait d'écoper d'une nouvelle peine.

Il fallait donc mentir ! Mentir et promettre, comme on fait toujours. A ce prix, il pouvait sans risque laisser ses écrits à Simotchka au moment du départ.

Mais cette pensée même ne lui inspirait pas assez de

force pour mentir à ces yeux qui le regardaient avec espoir.

Fuyant ce regard, fuyant cette demande, il se mit à embrasser les épaules menues, sans rondeur, que ses mains venaient de dégager du chemisier.

— Tu m'as demandé un jour ce que j'avais tout le temps à écrire, dit-il en prenant sur lui-même.

— C'est vrai ! Qu'est-ce que tu écris ? demanda-t-elle avec curiosité.

Si elle ne l'avait pas interrompu par cette question avide, il aurait peut-être parlé. Mais il y avait trop de hâte dans cette interrogation et il se tint sur ses gardes. Il avait passé tant d'années dans un monde cousu de fils invisibles, perfides : fils-pièges, détonateurs.

Ces yeux confiants, aimants, pouvaient fort bien être à la solde de l'oper.

Comment tout avait-il commencé ? Ce n'était pas lui qui avait avancé sa joue le premier, c'était elle. Cela pouvait être un coup monté !...

— Des pensées sur l'histoire, reprit-il. En gros, c'est de l'histoire, oui, l'époque de Pierre... Mais j'y tiens. Tant qu'on ne m'aura pas vidé, je continuerai à écrire. Où pourrai-je planquer tout ça en partant ?

Et ses yeux, soupçonneux, sondèrent les yeux de la petite.

Simotchka avait un sourire tranquille.

— Comment ça ? Chez moi. C'est moi qui garderai tout. Continue à écrire, mon amour. Puis, guettant son expression : Dis-moi, ta femme est très belle ?

Le téléphone de campagne à induction qui reliait la cabine au laboratoire tinta. Sima prit le récepteur, appuya sur le clapet qui laissait sa voix résonner à l'autre bout du fil, mais garda l'appareil à distance de sa bouche et, toute cramoisie et débraillée, détailla d'une voix régulière, impassible, son tableau de groupes articulatoires :

— ... dier... fskop... chtap... Oui, j'écoute... Vous dites, Valentin Martinovitch ? Une double diode-triode... On n'a pas de 6 G 7 mais je crois qu'on a des 6 G 2. J'en finis avec mon tableau et j'arrive... gven... jan...

Elle remit en place le clapet. Frotta encore sa tête contre la poitrine de Gleb.

— Il faut y aller, on va se faire remarquer. Laissez-moi repartir...

Sa voix manquait de fermeté.

Il resserra très fort son étreinte, la colla très fort contre lui, tout entière, des pieds à la tête.

— Non ! J'ai eu tort, jusqu'ici, de te laisser partir. Maintenant je saurai tenir bon !

— Vous êtes fou, on m'attend ! Je dois fermer le laboratoire !

— Maintenant ! Ici ! exigea-t-il.

Et il l'embrassa.

— Pas aujourd'hui ! répliqua-t-elle, déjà résignée.

— Quand, alors ?

— Lundi... C'est encore moi qui prendrai le tour de garde de Lira... Venez pendant la pause de midi... Nous aurons toute une heure à passer ensemble... Si ce fou de Valentin ne vient pas...

Le temps pour Gleb d'ouvrir une porte, de fermer l'autre, elle était rajustée, repeignée. Elle sortit la première, froide, inabordable.

CHAPITRE XIV

— Un de ces jours, je balancerai ma botte sur cette ampoule bleue, comme ça elle ne nous embêtera plus.

— Tu la rateras.

— A cinq mètres ? Il faudrait le faire exprès. On parie la compote de fruits secs de demain ?

— Comme tu te déchausses sur le lit du bas, il faut rajouter un mètre.

— Mettons six mètres. Faut voir, les salauds, ce qu'ils ne vont pas inventer pour le seul plaisir de nous empoisonner. Toute la nuit on a ce truc-là qui nous tape dans les yeux.

— La lumière bleue ?

— Bien sûr. C'est la « pression lumineuse ». Une découverte de Lebedev. Aristippe Ivanovitch, vous ne dormez pas ? Soyez assez aimable pour me passer une de mes bottes.

— Je peux vous rendre ce service, Viatcheslav Petrovitch, mais dites-moi d'abord ce que vous reprochez à la lumière bleue.

— Ne serait-ce que le fait qu'elle suppose des ondes courtes et que les quanta y sont de ce fait importants. Et ce sont ces quanta qui nous massacrent les yeux.

— La lumière en est douce et me rappelle, à moi, la veilleuse bleue que maman allumait pour la nuit.

— Notre maman, ici, est galonnée de bleu. Voilà un exemple typique. La démocratie est-elle vraiment un cadeau à faire aux hommes ? J'ai eu l'occasion d'observer ça dans toutes les cellules, et à tout propos, qu'il s'agisse de récurer les gamelles ou de balayer : on voit se manifester toutes les nuances d'opinion possibles. La liberté serait fatale. Il n'y a que la matraque pour montrer aux gens où est la vérité.

— Remarquez qu'une veilleuse n'aurait rien de choquant, ici. C'était autrefois le chœur d'une église.

— Pas vraiment le chœur, mais la coupole qui le surmontait. On a construit un étage à mi-hauteur.

— ... Dmitri Alexandrovitch ! Que faites-vous ? Vous ouvrez la fenêtre, en plein décembre ? Il serait temps de renoncer à cette manie.

— Messieurs, c'est l'oxygène qui rend le zek immortel. Il y a vingt-quatre hommes dans la pièce, il ne gèle pas, il n'y a pas de vent. J'ouvre d'un Ehrenbourg.

— Voire d'un Ehrenbourg et demi ! On suffoque, en haut !

— A votre sens, Ehrenbourg fait combien en largeur ?

— Non, messieurs, il faut le prendre dans le sens de la longueur, ce qui nous mène jusqu'au montant.

— On croit rêver ! Où est mon caban de bagnard ?

— Moi, tous ces oxygénistes, je les enverrais à Oï-Miakon [1], aux travaux forcés. Avec 60° au-dessous de zéro, après leur journée de travail, ils seraient trop heureux de ramper à quatre pattes jusqu'au réduit des chèvres, histoire d'avoir chaud !

— En principe, je n'ai rien contre l'oxygène, mais pourquoi faut-il toujours qu'il soit froid ? Je serais assez pour l'oxygène réchauffé.

— ... Qu'est-ce qui se passe encore ? Pourquoi ce noir ? Pourquoi éteignent-ils si tôt la lumière normale ?

— Mon petit Valentin, vous êtes un benêt ! Vous seriez capable de vous balader comme ça jusqu'à une heure ! Comment voudriez-vous qu'on laisse allumé un éclairage normal après minuit ?

— Et vous, vous êtes un rigolo...

Tout vêtu de bleu,
c'est un rigolo.
Au milieu des camps
il fait toujours beau !

Encore cette fumée ! Pourquoi faut-il que vous fumiez

tous ? C'est une saloperie... Ah ! et puis la bouilloire qui est refroidie.

— Petit Valentin, où est Lev ?

— Pourquoi, il n'est pas dans son lit ?

— Il y a une vingtaine de livres là-dessus, mais lui n'est pas là.

— Il doit être à côté des toilettes.

— Pourquoi à côté ?

— Parce qu'il s'y trouve maintenant une ampoule blanche et que le mur est chauffé par les cuisines. Il doit bouquiner. Moi je vais me laver. Quelle commission faut-il lui faire ?

— ... ouais... alors, elle me fait mon lit par terre et elle va s'installer pour la nuit dans le sien. Un vrai bonbon fondant, la bonne femme...

— Les amis, je vous en prie, parlez de tout sauf de femmes. A la charachka, avec toute la viande qu'on mange, c'est un sujet de conversation dangereux pour la collectivité.

— Ah, et puis ça suffit, les enfants ! On a sonné le coucher.

— Largement. Je crois bien entendre au loin l'hymne soviétique.

— Si tu as vraiment sommeil, tu finiras par t'endormir, n'aie crainte.

— Aucun sens de l'humour : voilà cinq bonnes minutes qu'ils le ressassent, leur hymne. On en a les tripes à l'envers. Ils en ont encore pour longtemps ? Ils pourraient pas se contenter d'une strophe ?

— Et l'indicatif, donc ? Pour un pays comme la Russie ! Quels goûts de concierge !

— ... moi j'étais en Afrique, chez Rommel. Ce qu'y avait de moche ? La chaleur, le manque d'eau.

— Il y a dans l'océan Glacial une île qui porte le nom de Makhotkine. Un aviateur, pionnier de l'Arctique, il a été entaulé pour propagande antisoviétique...

— ... Mikhaïl Kouzmitch, qu'est-ce que vous avez à vous retourner comme ça, sans arrêt ?

— Je peux changer de côté, oui ?

— Certainement, mais dites-vous bien que le moindre

de vos mouvements acquiert à la hauteur où je suis une amplitude colossale.

— Vous n'avez pas connu les camps, Ivan Ivanytch, avec leurs châlits à quatre étages. Quand un homme bouge, les trois autres ont le mal de mer. Parfois, sur le lit du bas, un type se fait un écran avec des chiffons de toutes les couleurs, il y installe sa bergère et il la besogne. Force 12 ! Vous en faites pas, on dort quand même !

— ... Grigori Borissovitch, quand êtes-vous arrivé ici pour la première fois ?

— Moi je dirais un penthode et un petit rhéostat de rien du tout.

— ... c'était le gars indépendant, soigneux. La nuit, il laissait pas traîner ses bottes par terre, il se les fourrait sous la tête.

— ... à l'époque, on ne se risquait pas à les laisser par terre !

— ... c'est que j'y étais, à Auschwitz ! L'atroce, là-bas, c'est qu'on vous menait de la gare au four en musique.

— ... la pêche par là-bas, c'est une merveille, et c'est pas tout : il y a la chasse. En automne, au bout d'une heure de marche, on revient tout harnaché de faisans. Si on s'enfonce dans les roseaux, ce sont les sangliers et dans les champs c'est les lapins...

— ... toutes ces charachka remontent à 1930, quand on s'est mis à ratisser les ingénieurs par paquets de douze. La première se trouvait rue Fourkassovski, on y préparait le futur canal de la mer Blanche. Ensuite, ç'a été celle de Ramzine [1]. L'expérience avait plu. Dans la vie normale, il est impossible de mettre dans le même bureau d'études deux grands ingénieurs, deux grands savants. C'est la bagarre pour le prestige, pour la gloire, pour le Prix Staline. Immanquablement, il y en a un qui a la peau de l'autre. Aussi, dans la vie normale, tous les bureaux d'études ne sont que des ramassis de minus autour d'une grosse tête. Tandis qu'ici ! Personne ne se mettra en quatre pour l'argent ou pour la gloire. Nicolas Nikolaiévitch touchera son demi-pot de crème fraîche, ni plus ni moins que Piotr Petrovitch. Une douzaine d'ours peuvent vivre en paix dans la même tanière du moment qu'ils n'ont pas d'autre logis. Ils jouent aux échecs — soit ! Ils fument — bon ! Mais ça finit par les raser. Alors, si on inventait un procédé ? Chiche ! Beaucoup de nos créations, en science, sortent de là ! Voilà la grande raison d'être des charachka.

— ... Les amis ! Une nouvelle ! On a emmené Bobynine, destination inconnue !

— Valia, cesse de couiner ou je t'envoie un oreiller à travers la gueule !

— Pour quel endroit, Valentin ?

— Comment ça s'est passé ?

— Le sous-lieut' est arrivé, lui a dit de mettre son manteau, sa chapka.

— Et de prendre son paquetage ?

— Non.

— C'est sûrement pour voir de grosses légumes.

— Foma ?

— Foma se serait dérangé pour venir. Non, il faut viser plus haut !

— Le thé est froid, c'est du dernier mauvais goût !...

— Valentin, il faut toujours que vous fassiez tinter votre cuiller contre votre verre après le coucher, si vous saviez comme j'en ai marre !

— Calmez-vous. D'ailleurs, comment faire fondre le sucre autrement ?

— Silencieusement.

— Ça ne se produit, ça, que dans les catastrophes cosmiques, parce que le son ne traverse pas le vide interstellaire. Si une nova nous pétait derrière le dos, nous n'entendrions rien. Rouska, ta couverture se débine, pourquoi la laisses-tu pendre comme ça ? Tu ne dors pas ? Tu sais que notre soleil est une nova et que notre terre est condamnée à très court terme ?

— Je n'arrive pas à y croire. Je suis jeune, je tiens à la vie.

— Ha-ha ! Le vrai primate... Glacé, ce thé... *C'est le mot* * ! Il tient à la vie !

— Valia ! Où a-t-on emmené Bobynine ?

— Comment le saurais-je ? Peut-être chez Staline.

— Qu'est-ce que vous feriez, Valentin, si on vous convoquait devant Staline ?

— Moi ? Ho-ho, mon minet ! Je lui dégoiserais une protestation en bonne et due forme, point par point.

— Sur quoi, par exemple ?

— Tout y passerait, tout, tout, tout. *Par exemple* * : pourquoi faut-il que nous vivions sans femmes ? C'est une entrave à nos facultés créatrices.

— Priantchikov ! Ta gueule ! Tout le monde dort depuis longtemps, qu'est-ce que tu as encore à brailler ?

— Et si je n'ai pas sommeil ?

— Les fumeurs, là, planquez vos braises, voilà le sous-lieut'.

— Quelle mouche le pique, ce fumier ?... Prenez garde, citoyen sous-lieutenant, vous pourriez trébucher. On se casse le nez comme un rien.

— Priantchikov !

— Hein ?

— Où êtes-vous ? Vous ne dormez pas encore ?

— Si, je viens de prendre le sommeil.

— Allez vite, habillez-vous. Votre manteau, votre chapka.

— Paquetage ?

— Non. Une voiture vous attend. Vite.

— Qu'est-ce qui se passe ? Je pars avec Bobynine ?

— Il est déjà parti, lui. Non, il y a une autre voiture pour vous.

— Quel genre, lieutenant ? Cellulaire ?

— Allez, grouillez, une Pobiéda.

— Qui me convoque ?

— Voyons, Priantchikov, je n'ai pas à vous donner d'explications détaillées. Je n'en sais rien, moi. Vite.

— Valentin, sors-leur ton paquet, là-bas !

— Parle des visites ! Pourquoi l'article 58 n'a droit qu'à une visite par an ?

— Et les promenades ?

— Et les lettres ?

— Et l'habillement ?

— *Rot Front* **, les gars ! Ha-ha ! *Adieu* *** *!*

* En français dans le texte.

** En allemand dans le texte. « Front Rouge ! » Salut des communistes allemands.

*** En français dans le texte.

— Mais enfin, lieutenant, où est ce Priantchikov ?
— Tout de suite, camarade major ! Il arrive !
— Déballe-leur tout, Valia, te gêne pas !...
— Ah, les salauds, c'te panique en pleine nuit !
— Qu'est-ce qui s'est passé ?
— On a jamais vu ça !...
— C'est peut-être la guerre et ils vont être fusillés ?
— Allons donc, crétin ! Tu penses comme on viendrait nous chercher l'un après l'autre ! Quand la guerre éclatera, on nous tuera en vrac ou bien on nous refilera un microbe dans nos rations, comme faisaient les Allemands dans leurs camps en 45...
— C'est bon, au dodo, les petits ! On saura tout demain.
— ... ça, c'est des choses qui arrivaient en 30, en 40, quand Beria faisait venir Boris Sergueiévitch Stetchkine de sa charachka. En voilà un qui ne revenait pas les mains vides : tantôt il faisait valser le directeur de la prison, tantôt on avait une rallonge de promenade... Stetchkine pouvait pas sentir tout ce système de corruption, ces différences de rations alimentaires, crème fraîche et œufs pour les académiciens, quarante grammes de beurre pour les professeurs, et vingt seulement pour les bourrins... Un type bien, ce Boris Sergueiévitch, paix à son âme...
— Pourquoi, il est mort ?
— Non, ils l'ont libéré. Il a décroché le Prix Staline.

CHAPITRE XV

La voix mesurée et lasse d'Abramson — *récidiviste* qui avait fréquenté les charachka lors de sa première condamnation — se tut à son tour. Deux murmures achevaient des confidences. Un ronflement, puissant et irritant, frôlait parfois le paroxysme d'une explosion.

La pâle veilleuse bleue, au-dessus des quatre panneaux sertis dans l'embrasure arrondie, éclairait une demi-douzaine de châlits écarquillés en éventail dans la vaste pièce en demi-lune. Cette chambre, sans doute unique dans tout Moscou, avait douze bons pas de diamètre. Elle était coiffée d'une large coupole dont les trompes allaient se souder à la base d'une tour octogonale. Son arrondi était percé de gracieuses fenêtres cintrées. Ces ouvertures étaient grillagées mais n'avaient point de *muselières*[1]. De jour, elles béaient sur un parc vierge comme une forêt ; de nuit, elles laissaient passer les chansons lancinantes des filles sans mari de ce faubourg de Moscou.

Étendu sur son lit du haut près de la fenêtre centrale, Nerjine ne dormait pas, n'essayait même pas de prendre le sommeil. L'ingénieur Potapov dormait au-dessous, du sommeil tranquille d'un homme qui, le jour, abat de la besogne. En hauteur, sur la gauche, le voisin de Nerjine était le « pompiste » Zemelia, gaillard au visage de lune qui respirait bruyamment, vautré dans une pose confiante. Sous lui, le lit de Priantchikov restait vide. A droite, sur un lit dont la tête était contiguë au chevet de Nerjine, Rouska Doronine s'agitait, cherchant vainement le sommeil. C'était un des plus jeunes détenus de la charachka.

Prenant du recul sur son entretien avec Iakonov, Nerjine comprenait de plus en plus clairement que son refus d'entrer dans le groupe de cryptographie n'était pas un simple incident de travail, mais qu'il engageait toute sa vie. Ce refus lui vaudrait, bientôt peut-être, la longue et dure route de la Sibérie ou du Grand Nord. Le mènerait à la mort, ou à la victoire sur la mort.

Il voulait réfléchir à cette rupture de sa vie. Qu'avait il fait en ces trois ans de répit à la charachka ? Était-il assez trempé moralement pour affronter le trou ?

Le hasard avait voulu que l'événement arrivât la veille de son trente et unième anniversaire. Bien sûr, il n'était pas d'humeur à rappeler cette date à ses amis. Était-ce la moitié de sa vie ? Presque la fin ? Ou seulement le début ?

Mais ses pensées s'embrouillaient. Il n'arrivait pas à accommoder sa vision à une perspective éternelle. Tantôt il était sur le point de céder : il était encore temps de se rattraper, d'accepter ce travail de chiffrage. Tantôt il remâchait l'humiliation de s'être vu refuser depuis onze mois une entrevue avec sa femme et il doutait qu'on lui en accordât une avant le départ.

Enfin, comme un ressort se déroule, un autre homme s'éveillait en lui, pas Nerjine, mais l'autre, l'égoïste brutal et profiteur, l'héritier légitime du gamin timoré, perdu dans les queues devant les boulangeries du premier plan quinquennal, cet autre lui-même qui avait fait son chemin et s'était endurci au contact de la vie, surtout dans l'atmosphère des camps. Cette part cachée et tenace de son être imaginait déjà avec une sorte d'alacrité les fouilles qui l'attendaient à la sortie de Marfino, à l'écrou de Boutyrki ou de Krasnaïa Presnia ; la cachette, au fond de sa veste molletonnée, où il enfouirait des bris de crayon d'ardoise ; le moyen de faire sortir de la charachka une vieille combinaison de travail (car, au camp, les trimards ne crachent pas sur une pelure supplémentaire) ; les arguments à utiliser pour prouver que la petite cuiller d'aluminium qui ne le quittait pas depuis sa condamnation était bien à lui, qu'il ne l'avait pas volée à la charachka où les cuillers sont pourtant à peu près semblables.

Et il était démangé par la tentation de s'y mettre sans tarder, à la lumière de la veilleuse bleue, de se lever pour tout préparer, tout recacher, tout engloutir.

Cependant, à chaque instant, Rouska Doronine changeait de position : il se jetait à plat-ventre, s'enfonçait jusqu'aux épaules dans son oreiller, tirant la couverture sur sa tête et découvrant ses pieds, puis se jetait de nouveau sur le dos, rejetait la couverture, dévoilant le drap blanc de dessus, le drap brunâtre de dessous (à chaque bain on changeait un drap sur deux mais on était en décembre, la prison spéciale avait consommé son allocation annuelle de savon et la séance de bains s'en trouvait retardée). Soudain il s'assit sur son lit, s'accula avec son oreiller contre le dosseret métallique et ouvrit, sur un coin de matelas, un tome obèse de l'*Histoire de la Rome Antique* de Mommsen. Remarquant que Nerjine restait éveillé, les yeux fixés sur la veilleuse, il lui demanda dans un souffle rauque :

— Gleb, file-moi une cigarette si tu en as une sous la main !

Ordinairement, Rouska ne fumait pas. Nerjine allongea la main vers la poche de sa combinaison accrochée au dos du lit et en tira deux cigarettes qu'ils allumèrent.

Rouska fumait d'un air absorbé, sans se retourner vers Nerjine. Il avait un visage perpétuellement mobile, qui passait d'une candeur puérile à une roublardise inspirée et qui, sous l'énorme et unique mèche soufflée de ses cheveux blonds, demeurait séduisant malgré la lumière livide de la veilleuse bleue.

— Tu n'as qu'à te servir de ça, lui dit Nerjine en lui tendant un paquet vide de Belomor en guise de cendrier.

Ils y laissèrent tomber leur cendre.

Rouska était à la charachka depuis l'été. Dès le premier regard, il avait plu à Nerjine et réveillé en lui un besoin de protéger.

Il s'avéra que Rouska, qui n'avait que vingt-trois ans (et vingt-cinq à tirer dans un camp), n'avait nul besoin de protection : son caractère comme sa philosophie avaient mûri au cours d'une vie brève mais tumultueuse, carrousel d'impressions et d'événements. Deux semaines d'études à l'Université de Moscou et deux autres à l'Université de Leningrad lui avaient moins appris que deux années de clandestinité et de faux papiers avec les Recherches Criminelles de l'Union à ses trousses (confidence faite à Gleb sous le sceau du secret absolu) et deux années de détention. Avec un génie foudroyant de l'adaptation, il avait adopté à la seconde même la morale de loup du Goulag, restait toujours sur ses gardes, ne s'ouvrait qu'à peu de confidents et réservait à tous les autres une spontanéité enfantine de façade. Encore tout bouillant, il s'efforçait de faire le plus de choses possible dans le temps le plus court, et la lecture était une de ses occupations dévorantes.

Gleb, à cette heure, s'en voulait de tant de pensées mesquines et confuses, se sentait peu disposé au sommeil et devinait que Rouska l'était encore moins. Il murmura dans la chambrée maintenant muette :

— Alors, cette théorie des cycles ?

Ils en avaient débattu récemment et Rouska s'était fait fort d'en trouver une confirmation chez Mommsen.

Le chuchotement fit tourner la tête à Rouska qui adressa à Nerjine un regard interloqué. La peau de son visage, de son front surtout, se plissait, trahissant l'effort pour imaginer la question posée.

— Je te demande ce qu'il en est de cette théorie des retours cycliques.

Rouska soupira et, avec son soupir, la tension et l'inquiétude disparurent de son visage. Le torse penché, coincé par son coude, il jeta sa cigarette éteinte dans le paquet vide que son ami lui tendait et maugréa :

— Tout me rase, les livres comme les théories.

Ils se turent. Nerjine allait se retourner lorsque Rouska, avec un sourire en coin, se mit à murmurer et sa voix se laissa entraîner à la passion, et son débit se précipita :

— L'histoire est tellement monotone que sa lecture donne la nausée. C'est comme la *Pravda*. Plus un homme est noble et pur, plus il est persécuté par ses voyous de contemporains. Spurius Cassius voulait trouver des terres pour les petites gens, et ce sont les petites gens qui l'ont mis à mort. Spurius Melius voulait donner du pain aux affamés et on l'a mis à mort sous prétexte qu'il convoitait le pouvoir. Marcus Manlius, qui s'est éveillé, alerté par les cancanements des oies — souviens-toi des « morceaux choisis » — et qui a sauvé le Capitole, a été mis à mort pour haute trahison. Hein ?

— Voyons, voyons !

— A force de lire l'histoire, on aimerait devenir à son tour un salaud, parce que c'est la solution la plus avantageuse ! Ce grand Hannibal, sans qui Carthage n'existerait pas pour nous, a été banni par sa dérisoire patrie qui lui a confisqué ses biens et abattu sa demeure ! Tout a déjà eu lieu... On a mis aux fers Gneius Naevius pour lui faire passer l'envie d'écrire des pièces trop hardies. Bien avant nous, les Étoliens ont promulgué une amnistie fictive pour rameuter les émigrés et les mettre à mort. Les Romains avaient déjà mis au jour cette grande vérité, ignorée du Goulag, qu'il n'est pas rentable d'affamer un esclave et qu'il convient de le nourrir. L'histoire entière est une... phagie ! La foire d'empoigne. Ni vérité, ni erreurs, ni évolution. Et on ne sait trop à quoi on pourrait bien convier les hommes.

Dans cet éclairage lugubre, la moue sceptique de ces lèvres si jeunes était une plaie béante, provocante.

Pour une part, ces réflexions avaient été patronnées par Nerjine mais, formulées par Rouska, elles suscitaient une velléité de protestation. Parmi ses compagnons plus âgés, Nerjine avait pris le pli de tout contester, mais il se sentait responsable en présence d'un prisonnier aussi jeune.

— Je voudrais te mettre en garde, observa-t-il très doucement, presque penché sur l'oreille de son voisin. Pour intelligents et rigoureux qu'ils soient, les systèmes sceptiques, ou agnostiques, les systèmes pessimistes, eh bien, dis-toi qu'ils sont voués à la passivité. Ils ne sauraient inspirer l'activité humaine, car les hommes ne peuvent s'arrêter et ils ne peuvent donc résister aux systèmes positifs qui leur proposent quelque chose...

— Au prix d'un plongeon dans le bourbier ? L'essentiel étant de foncer ? rétorqua l'autre hargneusement.

— Peut-être bien... Sait-on jamais ? — Gleb était hésitant. — Comprends-moi bien, je suis le premier à juger que le scepticisme nous fait le plus grand bien. Il a le mérite de faire éclater nos caboches de pierre, de rester en travers de nos goulées de fanatiques. Et plus particulièrement chez nous, en Russie, quoiqu'il ait du mal à s'enraciner. Mais il ne peut pas offrir d'assiette, de terrain ferme sous le pied. Or il faut bien avoir les pieds sur terre.

— Donne-moi une autre cigarette, demanda Rouska. Il l'alluma nerveusement. Écoute, c'est un bonheur que le M.G.B. m'ait empêché de faire des études. Bon, j'aurais derrière moi des années d'université, je serais peut-être même assistant, ce qui ne prouve pas grand-chose. Allons jusqu'à admettre que je sois devenu un grand savant, et même que je sois resté propre, hypothèse bien hasardeuse. J'aurais donc écrit un gros bouquin. J'aurais proposé un huit cent troisième point de vue sur les *piatiny*[1] de Novgorod ou sur la guerre de César contre les Helvètes. Il y a tellement de civilisations sur notre terre, tellement de langues, tellement de pays ! Et d'intelligences, dans chaque pays, et surtout de bons livres ! Quel abruti pourrait se fourrer tout ça dans le crâne ? Comment disais-tu, déjà ? « Ce que les hommes de l'art découvrent au prix de grands efforts paraît futile à plus expert qu'eux-mêmes. » C'est bien ça ?

— Tu vois bien, dit Nerjine d'un ton de reproche, tu perds tout point d'appui, tout but. On peut, on doit douter. Mais ne doit-on pas aussi aimer ?

— Bien sûr, aimer ! reprit Rouska, triomphant, dans un souffle enroué. Aimer ! Mais pas l'histoire, pas les théories, aimer une fille !

Il se pencha vers le lit de Nerjine et lui saisit le coude :

— Que crois-tu qu'on nous ait enlevé ? Le droit d'aller aux réunions ? Aux cours d'instruction politique ? Ou de souscrire à l'emprunt ? La seule façon pour le Patron de nous faire du mal, c'était de nous priver de femmes. Il l'a fait. Pour vingt-cinq ans ! Le chien ! Qui peut imaginer ce qu'est la femme pour un prisonnier ? dit-il en se battant la poitrine du poing.

— Ne... pousse tout de même pas jusqu'à la folie ! lui répondit Nerjine pour se défendre lui-même, mais une vague brûlante avait déferlé sur lui à la pensée de Simotchka, de cette promesse pour le lundi soir... Débarrasse-toi de cette pensée ! Autrement c'est le naufrage de l'intelligence. (Oui, mais lundi ! Les gens mariés ne connaissant pas le prix de cette rage bestiale, frissonnante, qui s'empare du prisonnier torturé !) Complexe freudien, ou simplex, je ne sais plus trop — reprit-il d'une voix troublée, fléchissante —, bref, il faut sublimer ! Dévie ton énergie vers d'autres domaines ! Fais de la philosophie, qui se passe de pain et d'eau comme des caresses d'une femme.

(Or il frémissait en imaginant avec précision ce qui devait arriver le surlendemain et cette pensée, douce jusqu'à l'horreur, lui ôtait la parole, et il aurait voulu laisser tomber l'entretien).

— C'est qu'elle a bel et bien naufragé, mon intelligence ! Je ne m'endormirai pas d'ici demain matin. Une fille ! Chaque homme doit avoir la sienne ! Pour la prendre dans ses bras et qu'elle... pour que... Ah, et puis non !...

Sans y penser, Rouska avait laissé tomber sa cigarette allumée, s'était brusquement détourné, jeté sur le ventre et avait ramené la couverture sur sa tête.

Nerjine saisit au vol la cigarette qui allait tomber sur le lit de Potapov et l'éteignit.

Il désignait à Rouska le refuge de la philosophie mais lui-même hurlait à la mort, et depuis longtemps, dans ce refuge. Rouska avait été traqué par les Recherches Criminelles, la prison l'avait écorché vif. Mais à quoi avait pu s'accrocher Gleb lorsqu'il avait dix-sept ou dix-neuf ans et qu'il subissait ces bourrasques chaudes, aveuglantes, qui lui ravissaient la raison ? Il se raidissait alors, il refoulait la tentation, allait fouiller de son groin de porcelet la trop fameuse dialectique, il allait la humer en grognant, craignant toujours de manquer de temps. Dans les cellules des prisons, son souvenir le plus amer avait été celui des années précédant son mariage, celui d'une jeunesse à jamais perdue, gaspillée. Il avait été désarmé, adolescent, devant les offensives de la nuit : il ne savait pas les mots qui font tomber les barrières, il ne savait pas employer le ton qui fait céder. Il était entravé par la peur anachronique de souiller une virginité. Il ne s'était pas trouvé de femme plus avertie et plus sage, pour lui poser doucement la main sur l'épaule. Une femme, pourtant, lui avait fait des avances et il n'avait rien compris ! Il avait fallu qu'il sentît sous ses pieds le plancher de la prison pour ruminer tous ses souvenirs et comprendre. Cette occasion perdue, toutes ces années gâchées, ce monde entier disparu, c'étaient autant de clous incandescents.

Peu importait : moins de deux jours à attendre avant lundi soir.

Gleb se pencha vers l'oreille de son voisin :

— Rouska ! Tu as quelque chose ? Je veux dire quelqu'un ?

— Oui ! murmura douloureusement Rostislav, raidi, crispé sur son oreiller. Il soufflait sur la taie et l'oreiller lui renvoyait sa chaleur, avec toute l'ardeur d'une jeunesse menacée par la flétrissure stérile, cruelle, de la prison. Tout concourait à faire brûler ce corps jeune, pris au piège, qui cherchait à s'évader, mais comment ? Il avait répondu « oui ». Il aurait bien voulu croire qu'il avait une fille. Mais tout demeurait impalpable : pas de baiser, pas même de promesse, simplement une jeune fille l'avait écouté avec un regard admiratif et compatissant tandis qu'il parlait de lui-même. Dans ce regard, pour la première fois, Rouska s'était découvert héroïque, riche d'une vie extraordinaire. Rien ne s'était encore passé entre eux et pourtant un événement s'était produit qui l'autorisait à dire qu'il y avait quelqu'un dans sa vie. Gleb insista :

— Qui ?

Soulevant à peine sa couverture, Rostislav répondit dans le noir :

— Chchchchutt !... Clara...

— Clara ? La fille du procureur ? !

CHAPITRE XVI

Le chef de la Section de la Mort achevait son rapport au ministre Abakoumov. Il s'agissait d'établir le calendrier des suppressions physiques pour l'exercice 1950 ; dans son principe, le plan des assassinats politiques avait été approuvé par Staline en personne avant son départ en vacances.

Grand, encore grandi par des talons hauts, les cheveux noirs collés au crâne, arborant ses galons de commissaire général de deuxième classe, Abakoumov carrait des coudes de triomphateur sur son considérable bureau. Il était robuste sans être épais, appréciait la sveltesse et, à l'occasion, jouait au tennis. Ses yeux n'étaient pas sots et leur mobilité trahissait un esprit soupçonneux et agile. Au besoin, il reprenait le chef de la Section de la Mort et celui-ci notait hâtivement les corrections à apporter.

Le bureau d'Abakoumov était moins qu'une salle d'apparat mais plus qu'une pièce ordinaire. Il n'y manquait ni la cheminée de marbre inutilisée, avec sa grande glace, ni le plafond haut, sculpté, avec son lustre et sa fresque de cupidons et de nymphes jouant à cache-cache. Le ministre avait donné l'ordre de ne toucher à rien sauf aux murs qu'il avait fait repeindre parce qu'il exécrait le vert. La porte-fenêtre donnant sur le balcon était aussi rigoureusement condamnée en été qu'en hiver, les deux grandes fenêtres tournées vers la place ne s'ouvraient jamais. La pièce logeait une horloge qui se recommandait par son boîtier, une pendule de cheminée qui sonnait les heures et une pendule de gare, électrique, fixée au mur. Ces cadrans indiquaient des heures, il est vrai, différentes, mais Abakoumov, pour s'y retrouver, portait deux montres en or : une à son poignet velu, l'autre, à répétition, au fond d'un gousset.

Dans cette demeure, les bureaux se dilataient au gré de la hiérarchie. Comme croissaient les tables de travail. Et les tables de commissions couvertes de drap bleu, cramoisi ou framboise. Mais ce qui grandissait de façon effrénée, c'étaient les portraits de l'Inspirateur et Organisateur des Victoires. Dans les bureaux des simples magistrats instructeurs, il était déjà plus grand que nature. Dans celui d'Abakoumov, le Guide de l'Humanité se dressait sur cinq mètres. Un kremlinographe méticuleux l'avait représenté en pied, des bottes à la casquette de maréchal, chamarré de toutes les décorations qu'il ne portait jamais et qu'il s'était pour une bonne part octroyées, le reste lui ayant été offert par d'autres souverains ou présidents. Les croix yougoslaves avaient été recouvertes de peinture et se confondaient désormais avec le drap de la tunique.

Comme si cette colossale image ne lui suffisait pas et qu'il éprouvât le besoin de contempler l'inspirant visage du Meilleur Ami des Agents du Contre-espionnage lorsqu'il devait garder les yeux fixés sur sa table, Abakoumov avait posé sur celle-ci un bas-relief vertical de Staline en rhodonite.

Un des murs s'ornait également du vaste portrait carré d'un homme à lorgnon, aux traits suaves, qui était le supérieur immédiat d'Abakoumov [1].

Quand le chef de la Section de la Mort fut reparti, la porte s'ouvrit et, sur le mitan fleuri du tapis, à la queue-leu-leu, s'avancèrent le secrétaire d'État Selivanovski, le général de division Oskoloupov, chef du Département des Équipements Spéciaux, et Iakonov, ingénieur en chef du même service. Respectueux de la hiérarchie et, plus particulièrement, de l'homme siégeant dans ce cabinet, ils allaient en droite ligne sans quitter le motif central du tapis, à la manière des oies ou des Indiens, s'emboîtant le pas avec tant de rigueur que seul Selivanovski faisait quelque bruit en ouvrant la marche.

Celui-ci, vieillard maigre aux cheveux poivre et sel taillés en brosse, vêtu d'un costume ardoise d'une coupe peu martiale, occupait parmi les dix secrétaires d'État une position particulière. Son statut était exceptionnel : il ne présidait pas aux instructions, ne maniait pas les groupes d'intervention de la Tchéka, mais avait la charge des transmissions et gérait un équipement technique délicat. Aussi, lors des réunions de commissions ou à l'occasion d'ordres du jour, était-il moins menacé que d'autres par les foudres du ministre et son maintien était-il moins raide : il s'assit aussitôt dans un grand fauteuil-club face à la table d'Abakoumov.

Quand il se fut assis, Oskoloupov se trouva en tête, suivi de Iakonov qui semblait vouloir cacher derrière lui sa silhouette empâtée.

Abakoumov dévisagea Oskoloupov qui s'offrait à son regard. Il avait dû le rencontrer trois fois en tout et pour tout. Il lui trouva un air sympathique. Oskoloupov avait tendance à l'embonpoint. Son cou débordait du col de sa tunique et son menton, obséquieusement ravalé, reposait sur un petit fanon. Ce visage de bois, encore plus grêlé que celui du Chef, respirait l'honnête simplicité de l'exécutant, sans ombre de prétention ou d'ambition intellectuelle.

Clignant de l'œil, Abakoumov demanda à Iakonov, par-dessus l'épaule d'Oskoloupov :

— Qui es-tu ?

— Moi ? fit Oskoloupov en se penchant, navré de n'être pas reconnu.

— Moi ? fit Iakonov en se dégageant imperceptiblement. Il ravala de son mieux son ventre mou, provocant, qui s'arrondissait malgré tous ses efforts, et se présenta en interdisant toute expression à ses yeux bleus.

— Oui, toi, confirma la ministre dans un reniflement. Le Centre de Marfino, c'est bien toi ? C'est bon, asseyez-vous.

Ils s'assirent.

Le ministre empoigna un coupe-papier en plexiglas rubis, s'en gratta le derrière de l'oreille et poursuivit :

— Bon, quoi, ça fait combien de temps que vous me menez en bateau ? Deux ans ? Et le plan prévoyait quinze mois ? Quand ils seront prêts, ces deux appareils ?

Puis, menaçant :

— Et puis pas de salades, j'aime pas ça !

Apprenant qu'on les convoquait, nos trois hauts menteurs s'étaient préparés à entendre cette question. Oskoloupov débita la réponse qu'ils avaient concoctée. Les épaules rejetées en arrière, comme brûlant de sortir de lui-même, un regard extatique planté droit dans les yeux du tout-puissant ministre, il proféra :

— Camarade ministre ! Camarade général d'armée ! (Abakoumov préférait ce titre à celui de commissaire général). Permettez-moi de vous assurer que le personnel du Département ne reculera devant aucun effort...

Le visage d'Abakoumov manifesta de l'étonnement :

— Où vous croyez-vous ? A une réunion politique ? Qu'est-ce que j'en ai à foutre, de vos efforts ? M'en tamponner le train, ou quoi ? Je vous demande une date.

Il prit son stylo à plume d'or et l'approcha de son calendrier hebdomadaire.

Alors, et comme convenu, Iakonov prit la parole. Son ton même, le registre discret de sa voix marquaient que ce n'était plus l'administrateur qui parlait, mais le spécialiste.

— Camarade ministre ! Pour une zone de fréquence allant jusqu'à 2 400 Hertz, compte tenu d'un niveau moyen de transmission de 0,9 Neper...

— Hertz ! Hertz ! Zéro virgule mon cul ! C'est tout ce qu'il y a à gratter, avec vous ! Qu' j'en ai à foutre de ton zéro virgule ? Il me faut deux appareils, entiers, sans virgule ! Pour quand, hein ?

Et il les toisa tous les trois. C'était maintenant le tour de Selivanovski. Lentement, caressant sa brosse poivre et sel :

— Pourrait-on savoir ce que vous désirez au juste, Victor Semionovitch ? Les entretiens téléphoniques bilatéraux ne sont pas encore dotés d'un chiffrage absolument hermétique.

— Tu te payes ma tête ? Comment ça, pas de chiffrage ? lui demanda le ministre avec un brusque regard perçant.

Quinze ans plus tôt, Abakoumov n'était pas encore ministre et rien ne laissait prévoir son ascension. Courrier du N.K.V.D., comme il sied à un gaillard robuste et avide, longues jambes et main prompte, il pouvait se satisfaire de ses quatre années d'école primaire. Il ne se souciait d'être à la page que dans le domaine du jiu-jitsu et ne connaissait d'autre entraînement que celui des salles du club Dynamo [1].

Le moment vint d'élargir et de renouveler les cadres de l'instruction judiciaire. Il était clair qu'Abakoumov savait mener une enquête, que ses mains savaient administrer de brillants upercuts en pleine gueule. Ce fut le début de sa carrière : en sept ans, il devint chef du Smerch, le service de contre-espionnage, et enfin ministre, mais, au cours de cette longue ascension, il n'eut jamais à se reprocher une instruction par trop rudimentaire. Même au poste élevé qu'il occupait, il possédait assez de savoir-faire pour n'être pas berné par des subordonnés.

En ce moment, Abakoumov voyait rouge, il avait brandi au-dessus de la table son poing aux contours de pavé, lorsqu'une porte s'ouvrit sans toc-toc sur Mikhaïl Dmitrievitch Rioumine, angelot tassé et potelé, aux joues gentiment colorées, que le ministère entier surnommait *Mimine*, mais quand il avait le dos tourné.

Il marchait du pas silencieux d'un chaton. Il s'approcha, parcourut l'assemblée d'un regard bleu, candide, serra la main à Selivanovski (qui se leva), poussa jusqu'au bureau du ministre, pencha la tête et, caressant de ses paumes dodues le rebord biseauté de la table, ronronna rêveusement :

— Voyez-vous, Victor Semionovitch, c'est à mon sens une affaire du ressort de Selivanovski. Le Département des Équipements Spéciaux devrait nous en donner pour notre argent. Vraiment, ils n'arrivent pas à identifier une voix sur bande magnétique ? Dans ce cas, il n'y a plus qu'à les congédier.

Il accompagna ces mots d'un sourire suave comme s'il offrait un chocolat à une fillette. Son regard tendre embrassa les trois représentants du Département.

Des années durant, inaperçu de tous, Rioumine avait géré la comptabilité d'une coopérative de consommateurs dans un canton de la province d'Arkhangelsk. Rose, bouffi, la moue offensée, il exaspérait tous ses comptables par des réflexions perfides, et il s'y entendait, suçotait des bonbons, en régalait son chef d'expédition, se montrait diplomate avec les chauffeurs, dédaigneux envers les charretiers, et déposait fort scrupuleusement ses bilans sur la table du président.

Pendant la guerre, il fut mobilisé dans la marine et versé, comme enquêteur, à la Section Spéciale. Il trouva dès lors sa voie. (Était-ce pour faire ce grand saut qu'il s'était ramassé, une vie durant, un œil mi-clos ?) Toujours est-il qu'il acquit l'art de *monter un procès* avec autant de succès que de zèle. Zèle excessif, parfois : il usa de si grosses ficelles pour faire mettre en accusation un correspondant de guerre de la Flotte du Nord que la procurature, pourtant toute dévouée aux Organes de la Sûreté, estima qu'il passait la mesure, se refusa à classer le dossier et s'enhardit jusqu'à faire un rapport à Abakoumov. Le petit enquêteur du Smerch de la Flotte du Nord fut mandé chez le ministre dont il devait encourir les foudres. Il entra dans le bureau, craintif, car il y allait de sa tête. L'huis se referma. Quand il se rouvrit, une heure plus tard, Rioumine ressortit d'un air important ; instructeur titulaire affecté aux affaires spéciales de l'appareil central du Smerch. Depuis lors, son étoile n'avait cessé de monter (elle devait être funeste à Abakoumov, mais ni l'un ni l'autre n'en savaient encore rien).

— Je les mettrai de toute façon à la porte, Mikhaïl Dmitrich, tu peux me faire confiance. Et ils y laisseront des plumes ! répondit Abakoumov en foudroyant du regard les trois hommes.

Ceux-ci, pris en faute, baissèrent les paupières.

— Mais je ne vois pas non plus où tu veux en venir, toi. Comment peut-on reconnaître une voix au téléphone, hein ? Quand c'est un inconnu ? Comment s'y prendre ? Comment le pincer ?

— Je leur donnerai la bande avec la communication enregistrée. Ils n'auront qu'à la faire passer et à comparer.

— Mais tu as déjà fait arrêter quelqu'un ?

— Je pense bien, dit Rioumine avec son sourire suave. On en a coffré quatre, au métro Sokolniki.

Une ombre passa sur ses traits. Dans son for intérieur, il se disait qu'on les avait arrêtés trop tard pour qu'ils fussent les vrais coupables. Mais ils étaient pris et on ne pouvait songer à les libérer. Peut-être même pouvait-on impliquer l'un des quatre dans cette affaire, histoire d'ouvrir le dossier. L'agacement fit légèrement grincer sa voix cauteleuse :

— Je peux leur coller la moitié du ministère sur bande magnétique, qu'à cela ne tienne. Mais à quoi bon ? Restent en piste cinq à sept personnes qui, dans tout le ministère, avaient des chances d'être au courant.

— Fais-les tous arrêter, ces salauds, inutile de se casser la tête ! s'exclama Abakoumov indigné. Sept hommes ! Le pays est grand, il peut se permettre ça !

— Impossible, Victor Semionovitch, reprit Rioumine d'un ton pondéré. S'il ne s'agissait que du ministère des Industries Alimentaires ! Tandis que là, on risque de perdre toutes les pistes et de voir des employés du service consulaire rester à l'étranger. Il faut trouver le coupable. Au plus vite.

— Hmm... Abakoumov était pensif. Qu'est-ce qu'il s'agit de comparer, je ne vois pas...

— Deux bandes.

— Deux bandes ?... Oui, il faudrait quand même finir par maîtriser ce problème technique. Sélivanovski, vous pourriez vous en charger ?

— C'est que je ne sais pas encore de quoi il retourne, Victor Semionovitch.

— Il n'y a pas à se casser la tête, c'est tout simple : une ordure, un fumier, sûrement un diplomate, sans ça il ne serait pas au courant, a téléphoné dans la soirée à l'ambassade américaine d'une cabine publique, et il a « donné » nos agents de *là-bas.* Il s'agit de la bombe atomique. Si tu le découvres, tu es un gars bien.

Négligeant Oskoloupov, Selivanovski fixa les yeux sur Iakonov. Celui-ci sentit ce regard et haussa les sourcils légèrement, en les arrondissant. Ce geste voulait dire qu'on lui parlait d'un domaine inconnu dont il ignorait les méthodes, dont il n'avait aucune expérience, alors qu'ils avaient déjà bien assez de souci. Inutile, donc, de s'atteler à cette affaire. Selivanovski était assez fin pour interpréter ce haussement de sourcils et comprendre la situation. Et il s'apprêtait à noyer le poisson.

Cependant, Foma Gourianovitch Oskoloupov faisait à sa façon travailler ses méninges. Il n'entendait pas jouer les soliveaux à son poste de chef de Département. Depuis qu'on l'avait désigné pour cette fonction, il s'était imbu de sa dignité, s'était convaincu que toutes les difficultés n'étaient qu'un jeu pour lui, et puis on ne l'aurait pas nommé là s'il n'avait pas eu les qualités requises. Et, bien qu'il n'eût pas terminé ses sept années d'études, il n'admettait pas qu'un subordonné prétendît à plus de compétence que lui-même, sauf bien sûr pour les détails d'intendance ou les projets concrets. Peu de temps auparavant, séjournant en civil dans une maison de repos de première classe, il s'était fait passer pour professeur d'électronique. Il avait fait la connaissance d'un écrivain fameux. Celui-ci ne l'avait plus quitté des yeux, avait bourré son calepin et lui avait déclaré qu'il s'inspirerait de lui pour camper le portrait du savant contemporain. Depuis ce séjour, Foma se sentait l'étoffe d'un homme de science.

Il sonda la question d'un coup d'œil et fonça tête baissée :

— Camarade ministre ! Nous en faisons notre affaire !

Sélivanovski, surpris, se retourna vers lui.

— Où ça ? Dans quel centre ? Quel laboratoire ?

— Au Centre de Recherches Téléphoniques de Marfino. Il s'agit bien d'une communication téléphonique, voyons.

— Mais Marfino a sur les bras une mission plus importante !

— Fait rien ! On trouvera le personnel pour ça ! Sur trois cents hommes, ce serait bien le diable !

Et il lança au ministre une œillade brûlante de zèle.

Sans vraiment sourire, Abakoumov exprima quelque sympathie au général. Aux débuts de sa propre carrière il avait été de la même trempe que ce subordonné : il aurait haché menu la victime désignée. On éprouve toujours une tendresse envers les cadets en qui on se reconnaît.

— Bravo ! approuva-t-il. Voilà qui est raisonné. D'abord l'intérêt de l'État, ensuite on avisera. Pas vrai ?

— Parfaitement, camarade ministre ! Parfaitement, camarade général !

Rioumine ne manifesta aucune surprise et ne parut pas apprécier le zèle désintéressé du général grêlé. Il adressa un coup d'œil distrait à Sélivanovski :

— Je vous enverrai le nécessaire demain matin.

Il échangea un regard avec Abakoumov et s'éloigna de son pas silencieux.

Le ministre promena son doigt entre ses dents où le dîner avait laissé des fibres de viande.

— Bon, alors c'est pour quand ? Vous m'avez lanterné : d'abord c'était pour le premier août, ensuite ç'a été pour les fêtes d'octobre, et puis pour le nouvel an, finalement c'est pour quand ?

Il fixa son regard sur Iakonov, le contraignant ainsi à répondre.

Iakonov semblait éprouver comme un torticolis. Il tendit le cou à droite, puis à gauche, leva vers le ministre ses yeux bleus et froids, les baissa.

Iakonov se connaissait des talents supérieurs à la moyenne. Il n'ignorait pas que des hommes encore plus doués que lui, entièrement absorbés par le travail intellectuel, passaient quelque quatorze heures par jour, sans une seule journée de congé dans l'année, à mettre au point ce maudit programme. Les Américains, prodigues et peu soupçonneux, y collaboraient aussi en publiant leurs découvertes dans des revues accessibles à tous. Iakonov savait combien de difficultés avaient été résolues, combien d'autres apparaîtraient, parmi lesquelles les ingénieurs allaient louvoyer. Oui, dans deux semaines s'achevait le tout dernier délai qu'ils avaient pu arracher à cette pièce de viande cousue dans une tunique. S'il lui avait fallu mendier, puis imposer des délais grotesques, c'est parce qu'au départ le Coryphée des Sciences avait prescrit un terme d'un an pour des travaux qui en exigeaient dix.

Dans le bureau de Sélivanovski, tous trois étaient convenus qu'ils demanderaient une rallonge de dix jours. Et qu'ils promettraient pour le 10 janvier dix spécimens de leur téléphone expérimental. C'était la ferme intention du secrétaire d'État. Et celle d'Oskoloupov. Ils avaient le dessein de présenter un appareil inachevé mais peint de frais. Personne, et pour cause, n'irait vérifier si le chiffrage était ou non hermétique. Pour l'instant, on expérimenterait la qualité globale. Avant d'en venir à la production en série et à l'expédition des appareils dans nos ambassades à l'étranger, il s'écoulerait bien six mois au cours desquels le codage et la sonorité s'amélioreraient.

Mais Iakonov savait que les choses inanimées ne veulent rien entendre des délais fixés par l'homme et que, le 10 janvier, les appareils ne recracheraient qu'une bouillie. Le destin de Mamourine, inflexiblement, viendrait à son tour frapper Iakonov. Le Patron convoquerait Béria et lui demanderait quel crétin avait pu fabriquer pareille machine. A dégager ! Dans le meilleur des cas, Iakonov jouerait les masques de fer, sinon il redeviendrait simple détenu.

Sous les yeux du ministre, il se sentit le cou pris dans un nœud coulant impossible à défaire, mais il eut raison de sa misérable peur et, inconscient de ce qu'il disait, exhala :

— Encore un mois ! Encore un mois ! Jusqu'au 1er février !

Et il regarda Abakoumov d'un œil mendiant, presque comme aurait fait un chien.

Les gens doués sont parfois injustes envers les médiocres. Abakoumov était plus intelligent qu'il ne paraissait à Iakonov mais, peu exercée, l'intelligence du ministre avait fini par lui être inutile. Toute sa carrière s'était ainsi déroulée que la pensée lui avait toujours nui tandis que le zèle administratif lui réussissait. Et Abakoumov ménageait son cerveau.

Il était en mesure de comprendre intuitivement que six jours, qu'un mois même seraient d'un piètre secours là où deux ans n'avaient pas suffi. A ses yeux, la faute en revenait à ce trio d'imposteurs. A Sélivanovski, Oskoloupov et Iakonov. Si la tâche était tellement ardue, pourquoi, en acceptant la mission vingt-trois mois plus tôt, s'étaient-ils accommodés d'un délai d'un an ? Pourquoi n'en avaient-ils pas demandé trois ? (Il oubliait qu'à l'époque, il les avait pressés d'en finir avec une rigueur aussi inflexible.) S'ils avaient tenu bon devant lui, lui-même aurait tenu bon devant Staline : en marchandant, on pouvait gagner deux ans, puis, sur la lancée, tirer une troisième année.

Si grande est la peur engendrée par des années de soumission qu'aucun d'eux, ni alors ni maintenant, n'aurait eu le courage d'affronter un supérieur.

Estimant, avec le bon sens populaire, qu'il vaut mieux être trop vêtu que d'avoir le cul nu, Abakoumov, quand il était en présence de Staline, s'assurait toujours une marge de deux mois. C'était maintenant le cas : on avait promis à Yossif Vissarionovitch qu'il aurait son appareil pour le *1er mars*. A l'extrême rigueur, Abakoumov pouvait leur octroyer un mois — à condition que ce fût vraiment un mois. Reprenant son stylo, il demanda d'un ton tout à fait neutre :

— Un mois, entendons-nous : c'est du sérieux ou c'est encore de la frime ?

— C'est sûr et certain ! C'est sûr et certain ! — Oskoloupov rayonnait, ravi d'un changement d'humeur d'aussi bon augure. On aurait juré qu'il allait, aussitôt sorti du bureau, se ruer à Marfino pour y empoigner incontinent la lampe à souder.

D'une encre grasse, Abakoumov barbouilla son calendrier de bureau.

— Soit. Ce sera pour l'anniversaire de la mort de Lénine. Vous serez tous lauréats du Prix Staline. Sélivanovski, on peut compter sur vous ?

— Certainement.

— Oskoloupov ! Vous me répondrez sur votre tête si jamais... Ce sera fait ?

— C'est à peine, camarade ministre, s'il nous reste à...

Demeurant bravement sur ses positions, Iakonov insista :

— Un mois. Le 1er février.

— Et si ce n'est pas prêt pour le premier ? Colonel, pèse bien tes mots, tu es en train de me raconter des histoires.

Iakonov mentait trop évidemment. Il aurait naturellement dû demander deux mois. Mais les jeux étaient faits.

— Ce sera fait, camarade ministre, promit-il d'un ton chagrin.

— Attention, hein ? Je ne vous ai pas forcé la main ! Je pardonnerai tout, sauf qu'on me trompe ! Disposez.

Soulagés, toujours en file indienne et s'emboîtant le pas, ils sortirent, non sans baisser les yeux devant l'auguste effigie de Staline.

Leur joie était prématurée. Ils ignoraient que le ministre leur avait tendu un piège.

On ne les avait pas plus tôt congédiés qu'une voix annonçait :

— Ingénieur Priantchikov !

CHAPITRE XVII

Cette nuit-là, Abakoumov avait d'abord donné l'ordre à Sélivanovski de lui amener Iakonov, puis, à l'insu de ces derniers, avait fait expédier au Centre de Marfino deux téléphonogrammes, à un quart d'heure d'intervalle, convoquant au ministère le détenu Bobynine et le détenu Priantchikov. Conduits à destination dans des voitures différentes, ils avaient été installés dans des salles d'attente séparées et ne purent donc se concerter.

Aucun accord préalable n'aurait d'ailleurs pu imposer silence à Priantchikov, dont la spontanéité sans exemple passait pour une anomalie aux yeux de bien des enfants du siècle. On évoquait à ce propos, dans toute la charachka, les « déphasages du petit Valentin ».

A cette heure, il était moins que jamais susceptible de complot ou de préméditation. Il avait l'âme retournée par les visions lumineuses de Moscou qui venaient pointiller les vitres de la « Pobiéda ». Le no man's land ténébreux qui ceinturait Marfino ne rendait que plus saisissants la large route illuminée, le tohu-bohu joyeux de la Place des trois Gares, les néons de la Sretenka. Pour Priantchikov, le chauffeur et les hommes d'escorte en civil n'existaient plus, l'air qui entrait et sortait de ses poumons s'était mué en flamme. Il ne pouvait détacher ses yeux de la vitre. Il n'avait jamais eu la chance d'être convoyé de jour à travers Moscou et, depuis que la charachka existait, aucun détenu n'avait été régalé de la vue d'un Moscou nocturne.

A la Porte de la Visitation, la voiture ralentit, freinée

par la foule sortant d'un cinéma, puis arrêtée par un feu rouge.

Ils étaient des millions, ces prisonniers, des millions à croire que la vie s'était arrêtée, qu'il ne se trouvait plus de mâles à l'air libre et que les femmes languissaient accablées par le fardeau d'un amour que nul ne pouvait partager, dont nul n'avait que faire. Or il voyait glisser la foule de la capitale, bien nourrie, animée, il y distinguait des petits chapeaux, des voilettes, des renards. Ses sens, exaspérés, étaient fouettés par les parfums de ces passantes qu'il percevait à travers la voiture hermétiquement close comme à travers une chape de froid. Il saisissait des rires, des propos confus, des lambeaux de phrases, il était tenté de faire éclater cette paroi de plastique transparent et rigide pour crier à ces femmes qu'il était jeune, et qu'il mourait de tristesse, qu'on l'avait emprisonné injustement. Après l'isolement monacal de la charachka, c'était une féerie, un morceau de cette vie de beauté qu'il n'avait jamais pu vivre : étudiant, parce qu'il avait des ressources trop maigres, ensuite parce qu'il avait été captif chez l'ennemi, puis prisonnier dans son propre pays.

Un peu plus tard, dans une quelconque salle d'attente, il ne remarqua même pas les tables et les chaises qui la meublaient : les sentiments, les impressions qui l'avaient submergé ne pouvaient lâcher prise.

Un jeune et fringant lieutenant-colonel vint le chercher. Priantchikov, avec son cou délicat, ses frêles poignets, ses épaules étroites, ses jambes grêles, parut encore plus fragile lorsqu'il entra dans le vaste bureau. Son guide s'était éclipsé sur le seuil.

La pièce était si grande que Priantchikov ne comprit pas que c'était un bureau, de même qu'il n'identifia pas le maître de ces lieux dans la paire d'épaulettes dorées, au fond, là-bas. Il ne prit pas garde au Staline qui déployait ses cinq mètres dans son dos. Ses yeux étaient encore pleins de femmes défilant dans la nuit de Moscou. Il était comme ivre. Il ne pouvait vraiment comprendre où il se trouvait, ni pourquoi. Il n'aurait pas été surpris de voir entrer des femmes qui se seraient laissé inviter à danser. Il se rappelait, comme un rêve absurde, la pièce en demi-lune, éclairée d'une veilleuse — bleue, alors que la guerre était finie depuis cinq ans — où traînaillaient des hommes en chemise et où l'attendait un verre de thé froid.

Ses pieds avançaient sur le tapis prodigué sur tout le sol. Tapis souple, de haute laine, où l'on aurait aimé se rouler. De hautes fenêtres se succédaient sur sa droite. A gauche, une immense glace s'élevait de la plinthe au plafond.

Les « civils » ne connaissent pas leur bonheur ! Quelle fête pour un zek de se voir en pied, lui pour qui un simple miroir de poche est déjà un luxe !

Fasciné, il s'arrêta devant la glace. S'en approcha à la toucher, contempla son visage net et frais. Il rajusta sa cravate et le col de sa chemise bleue. Puis s'éloigna, sans cesser de se mirer, de face, de trois-quarts, de profil. Il fit un tour, esquissa un pas de danse. Revint à la glace pour s'y examiner à bout portant. Se trouvant la taille élancée, l'allure distinguée malgré sa combinaison bleue, il reprit son chemin dans les meilleures dispositions d'esprit, moins pour affronter un entretien sérieux que pour pousser plus loin l'examen de la pièce.

L'homme qui pouvait faire emprisonner les hommes à sa guise dans une moitié du monde et assassiner qui bon lui semblait dans l'autre, le ministre tout-puissant devant qui blêmissaient généraux et maréchaux, observait d'un regard curieux le fragile prisonnier de bleu vêtu. Lui qui avait ordonné l'arrestation et l'emprisonnement de millions d'hommes, il y avait longtemps qu'il n'avait vu un détenu d'aussi près.

Du pas désinvolte d'un élégant à la promenade, Priantchikov s'approcha du ministre et lui décocha un regard interrogateur, comme s'il était surpris de le trouver là.

— Vous êtes bien l'ingénieur — Abakoumov consulta son pense-bête — ... Priantchikov ?

— Oui, confirma distraitement Valentin. Oui.

— Vous êtes bien ingénieur en chef dans l'équipe — un autre coup d'œil au feuillet — de Recherches sur le Langage Artificiel ?

— Langage Artificiel, mais non, voyons ! fit Priantchikov avec un geste de dédain. Ça ne tient pas debout. Chez nous, personne n'appelle ça de ce nom-là. Le programme a été baptisé de la sorte au temps de la lutte contre l'admiration béate de l'étranger. En fait, il s'agit du Vo-co-der. *Voice coder.*

— Mais vous y êtes bien ingénieur en chef ?

— Pour tout dire, oui. Mais quel rapport ? demanda Priantchikov aux aguets.

— Asseyez-vous.

Et Priantchikov s'assit de bonne grâce, en veillant naturellement à ne pas casser les plis impeccables de sa combinaison.

— Je vous demande de parler à cœur ouvert, sans craindre les moindres représailles de vos supérieurs immédiats. Ce Vocoder, quand sera-t-il terminé ? Ne trichez pas. Dans un mois ? Parlez sans peur. Ou bien faudra-t-il deux mois ?

— Terminé ! Le Vocoder ? Ha, ha, ha ! — C'était la première fois que ces voûtes retentissaient d'un rire frais d'adolescent. Priantchikov se renversa sur son moelleux dossier de cuir et joignit les mains. — Qu'est-ce que vous dites ? Mais qu'est-ce que vous dites ? ! ! Vous ne comprenez donc pas ce que c'est que le Vocoder. Je vais vous expliquer.

D'un bond de chat, il quitta son siège élastique et gagna la table d'Abakoumov.

— Vous n'auriez pas un bout de papier ? Mais oui ! — Il arracha une feuille à un bloc-notes intact, s'empara du stylo rouge viande du ministre et se mit à tracer hâtivement un nœud tremblotant de sinusoïdes.

Abakoumov n'éprouva aucune peur. Il sentait une telle sincérité enfantine, une telle spontanéité dans la voix et les gestes de cet étrange technicien qu'il passa sur cette foucade et observa Priantchikov d'un œil attentif, sans pour autant l'écouter.

— Il faut vous dire que la voix humaine est composée de plusieurs harmoniques.

Priantchikov suffoquait presque, tenaillé par son désir de tout dire et au plus vite :

— Le principe du Vocoder, c'est une reconstitution artificielle de la voix humaine... Zut ! Comment faites-vous pour écrire avec cette saleté de plume ?... Une reproduction, donc, par addition, non de la totalité, mais des harmoniques essentiels, chacun de ceux-ci pouvant être produit par un émetteur d'impulsions distinct. Vous connaissez naturellement les coordonnées orthogonales de Descartes, c'est à la portée d'un écolier, de même que les séries de Fourier...

— Attendez, lui dit Abakoumov, comme s'il s'éveillait d'un rêve. Dites-moi seulement quand ce sera terminé. A quand la fin ?

— Terminé ? Hmm... Je ne m'étais pas posé la question.

A l'obsession des impressions glanées dans Moscou ce soir-là succédait l'entropie du travail qu'il avait à cœur, et Priantchikov ne pouvait plus s'arrêter :

— Ce qu'il y a de curieux, c'est que la tâche est facilitée si l'on passe sur l'appauvrissement du timbre. Dans ce cas, le nombre des composantes...

— Je veux bien, mais l'un dans l'autre, ce sera pour quelle date ? Hein ? Le 1er mars ? Le 1er avril ?

— Pensez-vous ! En avril ?... Sans tenir compte des chiffreurs, nous aurons fini dans, mettons, cinq ou six mois au plus tôt. On ne sait pas ce que nous réservent le chiffrage et le déchiffrage des impulsions. La qualité ne pourra qu'en souffrir. A quoi bon faire des plans ? reprit-il, persuasif, en tiraillant Abakoumov par la manche... Je vais tout vous expliquer. Vous serez le premier à comprendre, à admettre que, dans l'intérêt même du travail, il convient de ne pas se presser !...

Cependant Abakoumov, les yeux englués dans les courbes indéchiffrables du croquis, avait déjà pressé un invisible bouton.

Le fringant lieutenant-colonel reparut et pria l'ingénieur de le suivre.

Priantchikov obtempéra, désemparé, la bouche entrouverte. Il enrageait de n'avoir pu dire toute sa pensée. Puis, tandis qu'il gagnait la porte, il se contracta en pensant à l'homme à qui il venait de parler. Il était presque sur le seuil quand il se ressouvint que les copains l'avaient chargé de leurs doléances, de leurs revendications... Il fit volte-face et revint sur ses pas.

— C'est vrai ! Écoutez ! J'avais complètement oublié...

Le lieutenant-colonel lui barra la route et le renvoya vers la porte. Le grand manitou, derrière son bureau, n'écoutait plus. En cet instant si bref et si déconcertant, la mémoire de Priantchikov, depuis longtemps encombrée de diagrammes techniques, avait laissé fuir, comme par un fait exprès, tout ce qu'il y avait d'entorses à la justice et de gabegie dans la vie pénitentiaire. Un seul souvenir lui arracha un cri alors qu'il quittait la pièce :

— L'eau bouillante, tenez ! On rentre tard du travail, plus d'eau chaude ! Plus question de boire du thé !

— L'eau bouillante ? répéta l'officier aux allures de général. Soit. On prend bonne note.

CHAPITRE XVIII

Bobynine fit son entrée, massif, robuste, avec sa tête rasée de bagnard, et vêtu lui aussi d'une combinaison bleue.

Il ne témoigna pas plus de curiosité pour le décor que s'il avait cent fois par jour l'occasion de pénétrer dans ce bureau, avança sans le moindre temps d'arrêt et prit un siège sans même esquisser un salut. Installé dans un confortable fauteuil proche de la table ministérielle, il se moucha posément dans le mouchoir douteux qu'il avait lavé de ses mains lors de la dernière séance de bains.

Abakoumov, un peu déconcerté par Priantchikov dont il n'avait guère pris au sérieux la juvénile étourderie, considérait avec satisfaction l'imposante stature de Bobynine. Il ne lui cria pas de se lever. Supposant que son hôte n'était pas très expert en galons, qu'il était encore ébaubi par toute une enfilade de vestibules et qu'il ignorait où il se trouvait, il lui demanda, presque conciliant :

— Pourquoi vous êtes-vous assis sans y être invité ?

Bobynine décocha un bref regard au ministre en achevant de se récurer le nez et répondit avec simplicité :

— Voyez-vous, si on en croit le proverbe chinois, il vaut mieux être debout que de marcher, assis que debout et couché qu'assis.

— Imaginez-vous seulement *qui* je peux être ?

Carré dans le fauteuil qu'il avait choisi, Bobynine

contempla Abakoumov et formula indolemment une hypothèse :

— Ma foi, quelqu'un dans le genre du Maréchal Goering.

— De *qui* ?

— Du maréchal Goering. Un jour, il est venu visiter l'usine d'aviation, du côté de Halle, où j'étais obligé de travailler comme constructeur dans un bureau d'études. Les généraux de l'usine marchaient sur la pointe des pieds, je n'ai même pas détourné la tête pour le regarder. Il m'a longuement examiné, puis il est passé dans la pièce voisine.

Le visage d'Abakoumov fut parcouru d'une risée qui ressemblait vaguement à un sourire, mais ses yeux s'assombrirent en dévisageant ce prisonnier indiciblement effronté. Les paupières frémissantes, tendu, il lui demanda :

— Eh bien quoi ? Vous ne voyez pas de différence entre nous ?

— Entre *vous* ? Ou entre *nous* deux ? — La voix de Bobynine résonnait comme une paroi de fonte qui vibre. Entre *nous* deux, j'en vois une, qui est de taille : vous avez besoin de moi, moi je n'ai pas besoin de vous.

Abakoumov avait lui aussi son registre orageux, dont il savait se servir pour faire peur. Mais il sentait bien que des cris seraient inutiles et lui feraient perdre de sa dignité. Il comprit que ce prisonnier était coriace. Il se borna à un avertissement :

— Écoutez-moi, détenu. J'emploie la manière douce avec vous, mais ce n'est pas une raison pour vous oublier...

— Si vous étiez grossier envers moi, je ne vous adresserais même pas la parole. Vous pouvez crier à votre aise après vos colonels et vos généraux, ils ont tout à perdre.

— Le cas échéant, on saura bien vous mettre au pas.

— C'est ce qui vous trompe, citoyen ministre ! — Le regard ferme de Bobynine étincela d'une haine sans voiles. — Je n'ai rien, vous comprenez, *rien*. Ma femme et mon enfant sont hors de votre atteinte. Une bombe les a emportés. Mes parents sont morts. Tout ce que je possède sur terre appartient en fait à l'État : un mouchoir, une combinaison et ce linge, qui n'a plus de boutons (joignant le geste à la parole, il dénuda sa poitrine). Il y a beau temps que vous m'avez pris la liberté et il n'est pas en votre pouvoir de me la rendre, car vous en êtes vous-même dépourvu. J'ai quarante-deux ans, vous m'avez gratifié de vingt-cinq ans ferme, j'ai connu le bagne, le numéro matricule, les menottes, les chiens policiers, la brigade disciplinaire... de quoi pourriez-vous bien me priver ? De mon travail d'ingénieur ? C'est vous qui seriez perdants. Je désire fumer.

Abakoumov ouvrit un paquet de Troïka — premier choix, réservé au Kremlin — et le poussa vers Bobynine.

— Servez-vous.

— Merci, je m'en tiens à la même marque. A cause de la toux. — Et il tira une « Belomor » du porte-cigarettes qu'il s'était fabriqué. — Vous devriez comprendre et faire savoir à qui de droit, là-haut, que vous n'êtes forts que dans la mesure où vous ne prenez pas *tout.* L'homme à qui vous avez *tout* pris n'est plus sous votre coupe, il se retrouve libre.

Bobynine fut tout au plaisir de fumer. Il y avait de la volupté à asticoter un ministre tout en restant vautré dans un fauteuil confortable. Il regrettait seulement d'avoir sacrifié des cigarettes de luxe à la gloriole.

Le ministre consulta son bout de papier :

— Ingénieur Bobynine ! Vous êtes bien le responsable du programme de « Langage clippé ».

— Oui.

— Je vous prie de me dire avec la plus grande précision quand ce programme entrera en service.

Bobynine releva ses gros sourcils sombres.

— Qu'est-ce que c'est encore que ces histoires ? Il n'y a personne de plus élevé que moi, hiérarchiquement, pour répondre à cette question ?

— C'est votre réponse à vous qui m'importe. Ce sera réglé en février ?

— Février ? Vous voulez rire ! S'il ne s'agit que de truquer des papiers, de bâcler le travail, quitte à s'en mordre longtemps les doigts, on pourrait torcher quelque chose d'ici six mois. Mais le chiffrage absolu ? Je n'en ai pas idée. Une année peut-être.

Abakoumov était ahuri. Il se rappela le frémissement d'impatience et de rage qui agitait les moustaches du Patron et il fut atterré de lui avoir fait des promesses sur la foi d'un Sélivanovski. Il éprouva comme un affaissement de tout l'être : ce que ressentirait un malade venu consulter le médecin pour un rhume de cerveau et qui apprendrait qu'il a un cancer de l'arrière-gorge.

Le ministre se prit la tête entre les mains et dit d'une voix détimbrée :

— Bobynine, je vous en prie, pesez vos mots et dites-moi ce qu'il y aurait à faire pour arriver plus tôt au but.

— Plus tôt ? Inutile d'essayer.

— Mais les raisons ? Quelles sont les raisons ? Qui est responsable ? Parlez sans crainte. Nommez-moi le coupable, sans regarder aux galons. Je le ferai dégrader !

Bobynine renversa la tête et regarda les nymphes qui s'ébattaient au plafond de la ci-devant compagnie d'assurance *La Russie*.

— C'est que ça va déjà chercher dans les deux ans et demi-trois ans ! disait le ministre indigné. Et vous aviez un délai d'un an !

Bobynine éclata :

— Qu'est-ce que ça signifie, un délai d'un an ? Quelle idée vous faites-vous de la science ? Sésame, ouvre-toi ! Il me faut un palais dès demain, et dès lendemain le palais sera là ? Et si le problème a été mal posé ? Et si des phénomènes imprévisibles se produisent ? Un délai ! Vous ne vous êtes pas dit qu'il ne suffisait pas de donner des ordres ? Que les gens devaient manger à leur faim, être tranquilles, libres ? Ne pas mariner dans la suspicion ! Par exemple, nous avons dû déplacer un tour, je ne me souviens plus si c'est en cours de transport ou après, toujours est-il que le bâti s'est fissuré. Allez savoir pourquoi ! Pour le ressouder, il a fallu une heure de travail. Et parlons-en, de ce tour, une merde, vieille de cent cinquante ans, un tour à main, avec une poulie actionnée par une courroie apparente ! Bon, eh bien, à cause de cette fissure, le major Chikine, responsable opérationnel, enquiquine tout le monde depuis deux semaines, et c'est des interrogatoires, et c'est des enquêtes, pour refiler au responsable un supplément de peine pour sabotage. Ce qui fait qu'on a un *oper* au travail qui se roule les pouces et encore un autre dans les locaux disciplinaires, aussi inutile, tout juste capable de vous rendre fou avec tous ses procès-verbaux et ses enfilages de mouches. Ça vous avance à quoi, tout cet... *opéra* ? Tout le monde raconte qu'on met au point un système de téléphonie secrète à l'usage de Staline. Vous avez Staline sur les reins et, malgré l'importance du projet, vous n'êtes pas fichus de vous procurer l'équipement technique indispensable. Tantôt ce sont les condensateurs qui manquent, tantôt les lampes radio qui ne conviennent pas, tantôt on reste en panne d'oscillographes électroniques. Quelle indigence ! C'est une honte ! « A qui la faute ? » Avez-vous simplement pensé aux hommes ? Ils vous abattent des douze heures, quand ce n'est pas des seize heures de travail quotidien et vous ne donnez de la viande qu'aux ingénieurs en chef, les autres doivent se contenter des os ! Pourquoi l'Article 58 n'a-t-il jamais droit aux visites familiales ? Le règlement prévoit une visite par mois et vous n'en accordez qu'une par an. Croyez-vous que ce soit bon pour le moral ? Les paniers à salade manquent pour convoyer les prisonniers ? Ou bien on lésine sur les primes à payer aux surveillants quand ils font des extra ? Le régime pénitentiaire ! Vous ne pensez qu'à ça ! Vous finirez par y perdre la raison ! Autrefois, on baguenaudait tout le dimanche. Fini. Pourquoi ? Pour améliorer le rendement ? Vous voudriez que la merde tourne en crème ? Crever du manque d'air n'a jamais fait travailler plus vite. Et puis tenez : pourquoi m'a-t-on fait venir ici en pleine nuit ? Le jour n'y suffit pas ? Moi, demain, je travaille. J'ai besoin de dormir.

Bobynine se redressa de toute sa haute taille, de toute sa colère.

Abakoumov soufflait comme un phoque, avachi sur le rebord de la table.

Il était une heure vingt-cinq du matin. A deux heures

et demie, il devait présenter son rapport à Staline en sa résidence de Kountsevo.

Si cet ingénieur dit vrai, comment Abakoumov pourra-t-il se tirer d'affaire ?

Or Staline ne pardonne pas...

En congédiant Bobynine, il se rappela le trio d'imposteurs du Département des Équipement spéciaux. Une rage noire lui brûla les yeux.

Il les fit rappeler par téléphone.

CHAPITRE XIX

Ni grande ni haute de plafond, la chambre avait deux portes et peut-être une fenêtre, mais si hermétiquement dissimulée par un store qu'elle se fondait avec le mur. L'air y était pourtant agréablement renouvelé (un spécialiste était chargé d'en surveiller la circulation et la salubrité).

Le meuble le plus important était une ottomane à coussins fleuris surmontée d'une double applique dont la lumière était tamisée par deux petits abat-jour.

Sur l'ottomane gisait l'homme dont l'effigie fut tant de fois reproduite dans la pierre, à l'huile, à l'aquarelle, à la gouache, à la sépia, dessinée au fusain, à la craie, à la brique pilée, recomposée en galets, en coquillages, en carreaux de céramique, en grains de blé ou de soja, taillée dans l'ivoire, modelée dans du gazon, inscrite dans la trame des tapis ou dans le ciel par des escadrilles d'avions, gravée sur pellicule cinématographique, plus qu'aucune image, jamais, au cours des trois milliards d'années que compte l'écorce terrestre.

Il était là tout bonnement étendu, les genoux à peine repliés, les jambes dans des bottes caucasiennes souples, moulantes comme des bas. Il portait une tunique à quatre poches, deux sur la poitrine, deux sur les côtés, vieux vêtement familier pris dans l'assortiment de ces tuniques grises, camouflées, noires ou blanches qu'un peu à l'instar de Napoléon il se piquait de porter depuis la guerre civile et qu'il n'avait troquées pour l'uniforme de maréchal qu'après Stalingrad.

Le nom de cet homme était décliné par tous les journaux du globe, murmuré par des milliers de speakers en des centaines de langues, clamé par des rapporteurs à longueur de comptes rendus, chanté par les voix frêles des pionniers, cité par des évêques au Memento des vivants. Ce nom empâtait la bouche engourdie des prisonniers de guerre et les gencives gonflées des prisonniers politiques. Ce nom avait servi à baptiser une multitude de villes, de places, de rues, d'avenues, de palais, d'universités, d'écoles, de maisons de repos, de chaînes de montagnes, de canaux de mer à mer, d'usines, de mines, de sovkhozes, de kolkhozes, de cuirassés, de brise-glaces, de chalutiers, d'ateliers de cordonniers, de crèches, et un groupe de journalistes moscovites avait proposé qu'on rebaptisât de ce nom la Volga et la Lune.

Ce n'était qu'un petit vieillard aux yeux jaunes, aux cheveux roussâtres et clairsemés — mais fournis et d'un noir de jais sur les portraits —, dont le visage gris avait été criblé de menues dépressions par la petite vérole et dont le cou s'ornait d'une poche de peau ratatinée — détails que négligeaient ses images. Ses dents, inégales et noircies, étaient en partie inclinées vers l'intérieur de la bouche dont l'haleine sentait le meilleur tabac. Ses doigts, gras et humides, laissaient leur empreinte sur les papiers et les livres.

Ce soir, de plus, il n'était pas dans son assiette : las, l'estomac lourd depuis toutes ces festivités jubilaires, une pesanteur de pierre dans le ventre, des renvois d'œuf pourri, irréductibles au salol et à la belladone qu'il prenait à l'exclusion de tout laxatif. Il n'avait pas déjeuné ce jour-là et s'était allongé assez tôt, vers minuit. Malgré la tiédeur de l'air, il se sentait comme un froid au dos et aux épaules qu'il avait couverts d'un plaid en poil de chameau.

Un silence sourd-muet imprégnait la demeure, la cour, le monde.

Ce silence rendait presque imperceptible le glissement frissonnant du temps, de ce temps qu'il fallait bien prendre comme une maladie, comme une faiblesse, et combattre chaque nuit en s'inventant une occupation ou un divertissement. Il n'était pas bien difficile de se soustraire à l'espace du monde, en se tenant coi. Impossible de se dérober au temps.

Il feuilletait un petit livre relié de marron rigide. Il avait plaisir à contempler les photos, relisait parfois le texte qu'il connaissait presque par cœur, puis se reprenait à parcourir les pages. Commode, l'ouvrage pouvait sans se plier garnir la poche d'un manteau et suivre un homme tout au long de sa vie. Un quart de millier de pages, en caractères gros, espacés, qui ne causaient de fatigue ni à l'œil peu lettré ni à celui du vieillard. La couverture portait un titre en creux, doré : *Iossif Vissarionovitch Staline. Courte Biographie.*

Purs et dénués d'apprêts, les mots du livre s'imprimaient dans les cœurs avec la tranquille fermeté de l'inoubliable. Stratège de génie. Sagesse et perspicacité. Puissante volonté. Volonté de fer. Dès 1919, il avait été *de facto* le bras droit de Lénine. (C'est bien ça.) Ce connétable de la révolution trouva le front désorganisé et démoralisé. Les directives de Staline dictèrent à Frounzé ses plans d'opérations (exact). C'est une chance pour nous d'avoir eu à notre tête, dans les rudes années de la Grande Guerre patriotique, tant de sagesse et d'expérience en la personne du grand Staline. (Oui, le peuple a eu bien de la chance.) Chacun connaît la puissance foudroyante de la logique stalinienne, la cristalline clarté de cette belle intelligence. (Sans fausse modestie, tout cela est juste.) Son amour pour le peuple. Son sens de l'humain. Son refus des fanfares et du décorum. Sa saisissante modestie. (Ah, oui.)

Une connaissance infaillible du cœur humain avait permis à l'heureux septuagénaire de recruter une excellente équipe d'écrivains pour rédiger sa biographie. Mais, pour zélés qu'ils fussent, et prêts à tout, aucun d'eux n'aurait pu évoquer aussi finement, aussi tendrement, aussi véridiquement que lui-même ses œuvres, sa manière de commander, ses vertus. Aussi avait-il dû quelquefois convoquer tel de ces écrivains, s'entretenir longuement avec lui, examiner son manuscrit, désigner d'un doigt indulgent un passage laissant à désirer, suggérer quelque formule.

Le livre jouissait maintenant d'un beau succès. La deuxième édition avait été tirée à cinq millions d'exemplaires. Pour un pays de cette envergure, c'était encore maigre. Il fallait, pour la troisième, prévoir un tirage de dix ou vingt millions. Mettre le livre en vente dans les usines, les écoles, les kolkhozes. Le diffuser en épluchant les listes du personnel.

Nul mieux que Staline ne savait quel grand besoin le peuple avait de ce livre. Ce peuple ne peut se passer de mises au point constantes et exactes. Il prend mal qu'on l'abandonne à l'incertitude. La révolution a fait de lui un orphelin, un sans-Dieu, ce qui est dangereux. Voici maintenant vingt ans que Staline fait de son mieux pour remédier à cette situation. D'où les millions de portraits qui inondent le pays (et dont Staline n'a que faire, car il est modeste). D'où la répétition à haute voix de son nom glorieux. D'où la mention de sa personne dans le moindre article de journal. Tout cela comptait peu pour le Maître qui n'en ressentait même plus de joie tant il était blasé, mais c'était une nécessité pour les sujets, pour l'homme soviétique de la rue. Le plus de portraits possible, le plus de mentions de ce nom, mais il importait que sa personne se montrât rarement et parlât peu, comme si elle n'avait pas pour unique demeure notre terre, avec sa foule, mais une autre résidence mystérieuse. Point de limite, alors, à l'admiration et à la vénération.

Ce n'était pas la nausée mais une sorte de houle pesante dans l'estomac. Il prit un feijoa dans une coupe remplie de fruits pelés.

Trois jours plus tôt s'étaient assoupis les grondements solennels du soixante-dixième anniversaire.

Soixante-dix ans, au Caucase, c'est la force de l'âge où l'on ne se refuse ni la montagne, ni les chevaux, ni les femmes. Lui se porte encore fort bien et il doit vivre encore vingt ans : il le souhaite, son œuvre l'exige. Il est vrai qu'un médecin lui a laissé entendre... (mais il a été fusillé par la suite). Pas de troubles graves. Pas de piqûres, pas de traitement. Il s'y connaît en médicaments et choisit lui-même ceux qui lui conviennent. « Beaucoup de fruits ! » Ce n'est pas à un Caucasien qu'il faut faire l'article sur ce point.

La paupière un peu plissée, il suçotait la pulpe et une saveur iodée se répandait sur sa langue.

Il se porte à ravir mais les années, malgré tout, font leur ouvrage. La table ne lui procure plus les jouissances de sa jeunesse : les sensations sont moins vives, son palais s'est blasé. Il n'éprouve plus la même excitation à assortir ou mélanger les vins. Et sa griserie tourne en migraine. S'il lui arrive toujours de passer la moitié d'une nuit à manger en compagnie de sa petite cour, ce n'est plus par gourmandise mais parce qu'il faut bien tuer le temps, vide, interminable...

Les femmes mêmes, avec qui il avait tant aimé festoyer après la mort de Nadia, le tentaient peu, rarement, ne le faisaient plus trembler de désir, elles lui laissaient un sentiment de malaise. Son sommeil n'était plus réparateur comme dans sa jeunesse, il s'éveillait avec une impression de faiblesse, la tête dans un étau, et n'avait plus envie de se lever.

S'étant imposé de vivre jusqu'à quatre-vingt-dix ans, Staline songeait avec amertume que ces années ne lui offriraient aucune joie, il devait simplement tirer son boulet, jusqu'au bout, pour instaurer l'harmonie entre tous les hommes.

Son anniversaire s'était déroulé ainsi : le 20 au soir, Traïtcho Kostov était mort sous les coups. Quand les yeux de ce chien étaient devenus vitreux, la fête avait pu commencer pour de bon. Le 21 avait eu lieu la cérémonie officielle au Théâtre Bolchoï, avec des discours de Mao, de Dolores Ibarruri et d'autres camarades. Puis ç'avait été le grand banquet. Ensuite une autre ripaille en petit comité. On y avait bu de vieux vins que les Espagnols avaient envoyés par caves entières contre de l'armement. Puis, tête à tête avec Béria, il avait bu du vin de Kakhétie et entonné des chansons géorgiennes. Le 22, grande réception du corps diplomatique. Le 23, on lui avait projeté les films dont il était le héros : le deuxième épisode de la *Bataille de Stalingrad* et l'*Inoubliable année 19*.

Ces œuvres lui avaient paru éprouvantes mais belles. On voyait s'y dessiner avec une vérité et une rigueur accrues son rôle non seulement dans la dernière guerre, mais aussi pendant la guerre civile. On montrait quel grand homme il était déjà. L'écran comme la scène publiaient désormais les avertissements ou les remontrances sérieuses qu'il avait prodigués à cet écervelé, à ce chien fou de Lénine. Vichnievski [1] avait mis à son crédit cette noble maxime : « Tout travailleur a le droit d'exprimer ses pensées. » Virta avait eu la main heureuse en fabriquant cette entrevue nocturne avec l'Ami [2]. Grand ami, ami dévoué, comme Staline n'avait pu en garder, tant les humains sont faux et sournois — comme il n'en avait jamais eu de toute sa vie, quelle qu'en eût été la raison — et, devant l'écran, il avait ressenti comme un attendrissement au fond de la gorge (ce que c'est que l'art, tout de même !). Il aurait bien aimé avoir un Ami, désintéressé, sincère, à qui il aurait confié à haute voix ce qu'il remuait dans sa tête au cours de ses nuits.

Impossible ami, car il aurait fallu que ce fût un très grand homme, lui aussi. Où aurait-il pu vivre ? A quoi aurait-il passé son temps ?

Les autres, là, de Viatcheslav-cul-de-plomb à Nikita-le Baladin, étaient-ce vraiment des hommes ? Ennuyeux à crever, à table, pas un pour proposer une farce un peu drôle, acquiesçant comme un seul homme à tout ce qu'on leur suggère. Il avait bien aimé, dans le temps, Vorochilov, en souvenir de Tsaritsyne, de la Pologne, grâce aussi à la grotte de Kislovodsk (c'est lui qui avait dénoncé la conférence des trois traîtres, Kamenev, Zinoviev et Frounzé). Mais ce n'était pas un homme. Tout au plus un mannequin : une casquette, des décorations.

Sa mémoire ne recelait aucun ami. Personne dont il pût penser plus de bien que de mal.

Pas d'amis, il ne pouvait pas en avoir. En revanche, le petit peuple aimait son chef et lui était dévoué corps et âme. Les journaux en étaient la preuve, et le cinéma, et cette exposition des présents qu'on lui avait offerts. L'anniversaire du Chef était devenu la fête de tout un peuple et c'était une pensée bien douce. Que de congratulations ! Institutions, organisations, usines et particuliers avaient envoyé leurs compliments. La *Pravda* avait sollicité l'autorisation de ne pas les publier d'un seul coup, mais à raison de deux colonnes par numéro. Cela prendrait quelques années, ma foi, ce n'était pas si mal.

Au musée de la Révolution, les présents entassés débordaient de dix salles. Pour ne point gêner les Moscovites dans leur pèlerinage diurne, Staline avait visité le musée nuitamment. Devant ses yeux se dressaient ou s'étalaient le labeur de milliers d'artisans, les plus riches dons de la terre. Et, là encore, il n'avait pas tardé à connaître la même indifférence, le même émoussement de la curiosité. A quoi bon tous ces présents ? Il s'en était vite lassé. Un souvenir déplaisant avait émergé à sa conscience tandis qu'il se trouvait au musée, mais — cela se produisait ces derniers temps — cette pensée n'était pas parvenue à une pleine clarté et s'était dissipée en lui laissant un goût désagréable. Staline avait parcouru trois salles, n'avait choisi aucun objet particulier et avait fait une courte station devant un téléviseur géant, exemplaire unique fabriqué à Marfino et portant une plaque gravée : « Au Grand Staline, les Tchékistes », puis il avait tourné les talons et était reparti.

Dans l'ensemble, cet anniversaire avait été un bel événement. Quelle fierté ! Que de victoires ! Combien de succès, dont aucun homme politique au monde ne pouvait se flatter ! Quelque chose pourtant manquait au triomphe.

Il avait au cœur comme la barre cuisante d'un dépit.

Il mordit dans un fruit, en suçota la pulpe.

Le peuple l'aimait à coup sûr mais il était pourri de défauts, ce peuple, il ne valait pas grand-chose, ce peuple. Il n'était que d'y repenser : qui avait déclenché cette panique, en 1941, qui avait détalé si ce n'est le peuple ?

Aussi l'heure n'était pas encore aux festivités ni au répit. Il fallait se mettre à la tâche. Penser.

Penser était son devoir. Et sa fatalité. Et son supplice. Penser. Pendant deux décennies encore, comme un bagnard attelé pour vingt ans à son boulet, il devrait vivre sans dormir plus de huit heures par jour, ce qui est déjà raisonnable. Le reste du temps, il devrait traîner au long des heures, comme sur des pierres coupantes, un corps vieilli et vulnérable.

Ce qu'il endurait le plus difficilement, c'était le matin, le milieu de la journée. Aussi longtemps que le soleil montait, rayonnait, se haussait au zénith, Staline dormait dans le noir, aveuglé par des stores tendus, enfermé, verrouillé. Il s'éveillait au déclin du soleil quand celui-ci modérait son ardeur et touchait à la fin de sa courte vie journalière. Staline prenait son petit déjeuner vers les trois heures et ne revivait qu'au crépuscule. Pendant ces longues heures d'éveil, son cerveau se mettait en train dans la défiance et la morosité et toutes ses décisions étaient de refus ou d'interdiction. Passé dix heures, c'était le déjeuner où l'on priait les intimes du Politbureau ou de partis communistes étrangers. La succession des plats, des verres, des bonnes histoires, des bavardages, permettait de tuer raisonnablement quatre ou cinq heures et, par secousses additionnées, fournissait l'élan qui se déploierait en conceptions créatrices et en lois pendant l'autre moitié de la nuit. Les grands oukases qui, jusqu'ici, régissaient l'énorme État avaient tous fleuri dans la tête de Staline entre deux heures du matin et le point du jour.

L'heure approchait. L'oukase avait presque mûri dont l'absence jusque-là avait été sensible. Dans ce pays, presque toute chose avait été fixée pour l'éternité, tous les mouvements avaient été freinés, tous les torrents endigués et ces deux cents millions d'hommes connaissaient tous leur place. Mais les jeunes gens désertaient les kolkhozes. C'était d'autant plus étrange que les kolkhozes marchaient à ravir, comme on le voyait dans les films et les romans, et comme Staline avait pu s'en persuader en devisant avec des kolkhoziens siégeant au présidium d'assemblées ou de congrès. Toutefois, homme d'État perspicace et enclin à se critiquer constamment, il se contraignait à dépasser les apparences. Un secrétaire de comité de région (apparemment fusillé par la suite) s'était risqué à lui dévoiler un aspect peu flatteur de la vie kolkhozienne : les seuls à travailler sans rechigner étaient les vieux et les vieilles immatriculés dans les kolkhozes avant 1930 ; une part de la jeunesse, dénuée de maturité politique, faisait l'impossible en quittant l'école pour décrocher un passeport et filer à la ville. A ces mots, une érosion intérieure avait commencé à travailler Staline.

L'instruction !... Quelle pagaïe, avec ces sept années, puis ces dix années d'enseignement obligatoire, avec ces enfants de cuisinières qui envahissaient les grandes écoles ! Lénine avait tout gâché, l'écervelé ! En voilà un qui n'avait pas été avare de promesses, et celles-ci pesaient maintenant sur le dos de Staline comme une difformité inguérissable, comme une bosse. La dernière cuisinière doit pouvoir gouverner l'État ! Concrètement, comment se représentait-il la chose ? Campos tous les vendredis pour aller siéger au Comité Exécutif régional ? La cuisinière a pour raison d'être de faire la cuisine. Le gouvernement des humains est un grand art, qu'on ne peut confier qu'à des cadres spéciaux, triés sur le volet, trempés, disciplinés. Et la direction de ces cadres ne peut incomber qu'à la poigne unique et avertie du Chef.

Prévoir, donc, un règlement sur les ateliers agricoles. De même que la terre est laissée aux kolkhozes en jouissance perpétuelle, chaque citoyen serait automatiquement immatriculé dans son village natal. Présenter cela comme un privilège honorifique. Lancer sans retard une campagne de propagande : « Encore un pas vers le communisme ! » ... « Les futurs héritiers du froment kolkhozien ! » — les écrivains se feraient forts de trouver la formule la plus juste.

Oui, mais nos sympathisants à l'ouest ?

Et qui, finalement, devrait labourer la terre ?

Non. Ce soir, sa pensée avait du mal à travailler. Il n'était pas dans son assiette.

Il entendit quatre coups discrets, ou plutôt quatre frottements amicaux pareils à ceux d'un chien grattant à une porte.

Staline actionna la manette qui, de son chevet, lui

permettait d'ouvrir à distance le verrou : la sûreté claqua, la porte s'entrebâilla. Elle n'était masquée par aucune portière, Staline répudiant les rideaux, les replis, bref tout ce qui offre une possible cachette. Le vantail nu s'ouvrit d'une largeur de chien et une tête se montra, vers le haut de la porte, il est vrai, tête encore jeune mais déjà chauve, empreinte de dévouement candide et de zèle parfait. C'était Poskriobychev.

Soucieux pour son maître, il le regarda, couché, à demi drapé d'un plaid, mais ne l'interrogea pas sur sa santé car Staline n'aimait pas qu'on lui en parlât et, chuchotant :

— Iossarionytch ! Vous aviez donné rendez-vous à Abakoumov pour deux heures et demie. Vous le recevrez ? Non ?

Iossif Vissarionovitch souleva le rabat d'une de ses poches de poitrine, en tira une montre au bout de sa chaîne (car, né au bon vieux temps, il ne voulait rien savoir des bracelets-montres).

Il n'était pas encore deux heures du matin.

Une grosse boule à l'estomac. Aucune envie de se lever, de se changer. Mais il ne fallait pas que les autres en prissent à leur aise. Lâchez tant soit peu la bride, la monture s'en aperçoit.

— On verra, répondit-il d'un air las en clignant de l'œil. Je ne sais pas.

— Il peut toujours venir et puis attendre, acquiesça Poskriobychev, hochant la tête au moins trois fois. Puis il se figea, fixa attentivement le Patron : Y a-t-il d'autres consignes, Iossarionytch ?

Staline considéra Poskriobychev d'un regard languide, presque absent, vide de toute injonction. Mais la demande avait arraché à sa mémoire une étincelle. Il avait sur la langue une question qu'il oubliait toujours de poser :

— Dis-moi, et ces cyprès, en Crimée, on les abat ?

— Je pense bien ! dit Poskriobychev avec un énergique mouvement de tête. A croire qu'il n'attendait que ces mots ou qu'il venait de téléphoner en Crimée pour s'en informer : Autour de Massandra, de Livadia, on en a pas mal scié déjà, Iossarionytch.

— Demande-leur tout de même des précisions. Des chiffres. Savoir si on ne fait pas de sabotage.

Les yeux jaunes et malades du Tout-Puissant étaient soucieux.

Cette année-là, un médecin lui avait déclaré que les cyprès lui étaient néfastes, qu'il lui fallait un air saturé d'eucalyptus. Staline avait donc ordonné d'abattre les cyprès de Crimée et commandé des plants d'eucalyptus en Australie.

Poskriobychev promit d'enthousiasme et s'engagea aussi à demander comment se portaient les eucalyptus.

— C'est bon, proféra Staline satisfait. Tu peux disposer, Sacha.

Poskriobychev hocha la tête, s'éloigna à reculons et, avec un dernier hochement, déroba sa tête et referma la porte. Iossif Vissarionovitch fit jouer la manette et, maintenant son plaid sur ses épaules, se recoucha sur l'autre côté.

Il se remit à feuilleter sa Biographie.

Amoindri par la position couchée, par les frissons, par l'indigestion, il céda bien malgré lui à une humeur morose. Il ne voyait plus se déployer l'éblouissant triomphe de sa politique. Non. Mais sa malchance, la foule d'embûches, la foule d'ennemis que le destin avait injustement jetés dans ses jambes.

CHAPITRE XX

Deux tiers de siècle, lointain bleuâtre : au-delà de cette brume, les rêves les plus hardis n'avaient point de limites. Vu d'ici, le passé ne saurait renaître, on ne peut même plus y croire.

Nul espoir au début de cette vie. Un bâtard dont le père présumé est un savetier alcoolique et sans le sou. Une mère illettrée. Le petit Sosso se barbouillait de boue dans les flaques, à longueur de journée, sous la colline de la Reine Tamara. Sans parler de régir le monde, comment cet enfant aurait-il seulement pu s'arracher à la plus basse, à la plus vile condition ?

A force d'insistance, l'auteur de ses jours obtint une dispense de l'autorité ecclésiastique : l'enfant, quoique de famille laïque, entra dans une école religieuse, puis au séminaire.

Du haut d'un iconostase noirci, le Dieu des Anges adressa son appel rigoureux au novice gisant sur les dalles froides. Avec quel zèle l'enfant se mit à servir Dieu ! Quelle foi il eut en Lui ! En six années d'études, il rumina l'Ancien et le Nouveau Testament, la Vie des Saints, l'histoire de l'Église, et servit consciencieusement la messe.

On trouve dans la « Biographie », justement, une photo de Djougachvili à sa sortie de l'école religieuse : une blouse grise à col rond, un visage d'adolescent, ovale, mat, comme épuisé par les oraisons ; les cheveux, longs déjà pour la prêtrise, sont partagés par une raie austère, lissés à l'huile de lampe et coiffant les oreilles.

Seuls les yeux, seul le froncement des sourcils laissent entendre que ce novice a l'étoffe d'un métropolite.

Dieu le berna... L'odieuse ville, assoupie entre ses vertes collines et les méandres de la Medjouda et de la Liakhva, était en retard sur le siècle. Il y avait beau temps que, dans le brouhaha de Tiflis, les esprits forts se gaussaient du bon Dieu. L'échelle à laquelle s'était agrippé Sosso ne menait pas à Dieu mais au grenier.

L'âge bouillonnant des bagarres voulait qu'il agît ! Or le temps passait et il n'avait rien fait. Il n'avait pas d'argent pour entrer à l'université ou au service de l'État, ni pour se lancer dans le commerce. Mais il y avait, ouvert à tous, le socialisme, grand embaucheur de séminaristes. Il n'avait de penchant particulier pour aucun art, pour aucune science, ni de talent marqué pour aucun métier, même celui de voleur, il désespérait de devenir l'amant d'une femme riche... mais, les bras ouverts, s'adressant à tous, accueillant chacun et lui promettant sa place, il y avait la Révolution.

Il avait suggéré qu'on plaçât dans la « Biographie » une photo de l'époque, son cliché préféré : presque de profil. Point de barbe, de moustaches ni de favoris, son choix n'est pas encore arrêté. Mal rasé, son visage viril, artiste, est ombré d'un poil dur. Il est tout élan, mais cet élan n'est pas encore dirigé. Sympathique garçon ! Un visage franc, intelligent, énergique, plus rien du novice sectaire. Lavés de leur huile, les cheveux se sont redressés, leurs ondulations flattent cette tête et en masquent l'unique imperfection : le front bas et fuyant. Le jeune homme est pauvre, il porte un misérable veston acheté d'occasion, une écharpe à carreaux s'enroule autour de son cou avec une désinvolture bohême, cachant une poitrine osseuse de malade, sans chemise. Ce plébéien de Tiflis n'est-il pas guetté par la tuberculose ?

Chaque fois qu'il revoit cette photo, Staline se sent le cœur déborder de pitié, car il n'est pas d'âme totalement fermée à la compassion. Que la vie est dure, hostile à ce merveilleux adolescent qui gîte, sans bourse délier, dans un réduit glacé de l'observatoire et qu'on vient chasser du séminaire ! (Il entendait ne pas mettre ses œufs dans le même panier et, pendant quatre ans, avait fréquenté les cercles sociaux-démocrates sans pour autant cesser de prier ou de disserter sur la loi divine. On avait fini par le renvoyer.)

Onze années de prosternations et de prières envolées en pure perte... Il ne mit que plus d'ardeur à engager toute sa jeunesse au service de la Révolution !

Elle aussi le berna... Parlons-en, de cette Révolution ! Tiflis, ses enchères de la vanité et de la hâblerie dans des débits de vins souterrains ! Termitière de médiocrités ! Aucun avancement progressif et légitime, aucune considération pour les services rendus ou l'ancienneté, rien d'autre qu'une surenchère triomphale de parlottes. L'ancien séminariste exécrait tous ces fanfarons, bien pires que les gouverneurs ou les policiers. (Ceux-ci, on ne pouvait leur en vouloir : ils faisaient honnêtement le métier pour lequel on les appointait, il fallait bien qu'ils se défendent. Mais les arrivistes n'avaient aucune excuse.) La Révolution ? Parmi ces boutiquiers géorgiens ? Jamais elle ne réussirait. Or il avait quitté le séminaire, sa vie était déboussolée.

Et puis, que lui importait la révolution avec tous ces va-nu-pieds, tous ces ouvriers buvant leur paye, ces vieilles femmes cacochymes, ces revendications de quatre sous ? Pourquoi aurait-il aimé ces gens plus que lui-même, qui était jeune, intelligent, beau, et qui n'avait pas reçu son dû ?

Ce ne fut qu'à Batoum, où il traîna derrière lui une foule de deux cents personnes, y compris les badauds, que Koba — son dernier nom de guerre — perçut comme la germination et toute la fascination du pouvoir. Des hommes avaient suivi ses pas ! Il avait connu là une saveur inoubliable. Telle est la seule vie qui lui convienne et qu'il puisse apprécier : un mot, et les autres l'exécutent ; un geste, et les autres marchent. Il n'est rien de plus haut. Cela vaut mieux que la richesse.

Au bout d'un mois de tergiversations, la police se décida à l'arrêter. Les arrestations, en ce temps-là, n'avaient rien de bien redoutable. Deux mois d'emprisonnement. Une fois libéré, on passait pour un martyr.

Dans sa cellule, Koba fit preuve de dignité et incita ses compagnons à ne marquer que du mépris aux geôliers.

Pourtant on lui chercha noise. Alors que tous ses camarades avaient cédé la place à d'autres prisonniers, il restait seul sous les verrous. Mais qu'avait-il donc fait ? Jamais on n'avait sévi aussi durement contre l'organisateur d'une pauvre petite manifestation.

Une année passa. Il fut transféré à la prison de Koutaïssi, mis au secret dans un cachot humide. Il perdit courage. Le temps fuyait. Loin de s'élever, Koba tombait de plus en plus bas. L'humidité de sa cellule lui valut une toux déchirante. Il ne fut que plus fondé à haïr les braillards de métier, les enfants gâtés de la vie : pourquoi la révolution leur réussissait-elle si bien ? Pourquoi les gardait-on si peu en prison ?

La prison de Koutaïssi reçut plus d'une visite d'un officier de gendarmerie que Koba connaissait depuis Batoum... Vous avez pris le temps de réfléchir, Djougachvili ?... Ce n'est qu'un commencement, Djougachvili. Nous vous garderons ici jusqu'à ce que la tuberculose vous ait dévoré ou que vous changiez d'attitude. Nous voulons vous sauver, sauver votre âme. Vous avez failli devenir prêtre, père Joseph ! Pourquoi vous être compromis avec cette meute ? Vous êtes un intrus parmi eux. Dites que vous vous en repentez.

De fait, il regrettait. Son deuxième printemps de prison tirait à sa fin, puis ce fut le deuxième été. Pourquoi avait-il renoncé à la modeste carrière ecclésiastique ? Pourquoi avoir brusqué les choses ?... L'imagination la plus déréglée ne pouvait guère rêver de révolution en Russie avant cinquante ans. Iossif aurait alors soixante-treize ans... A quoi bon, alors, la Révolution ?

Ce n'était pas la seule raison. Iossif s'était étudié et connaissait bien sa haine de toute précipitation, son caractère posé, son goût du solide, de l'ordre. Le sérieux, la pondération, la solidité, l'ordre étaient les piliers de l'Empire russe. Fallait-il les ébranler ?

L'officier aux moustaches de blé mûr revint à la charge. Cette impeccable tunique de gendarme, ces belles épaulettes, ces boutons nets, ces passepoils, ces boucles, toute cette stricte élégance n'étaient pas pour déplaire à Iossif.

— Ce que je vous propose, en fin de compte, c'est de vous mettre au service de l'État.

Iossif était disposé à vouer toute sa vie à l'État mais il était personnellement compromis, à Tiflis comme à Batoum.

— Vous serez appointé par nous. Les premiers temps, vous nous *rendrez des services* au milieu des révolutionnaires. Vous opterez pour la tendance la plus extrémiste. Vous y ferez votre chemin. Nous serons très prudents dans nos rapports avec vous. Vous nous communiquerez vos renseignements de façon à échapper à tout soupçon. Quel nom de guerre allons-nous choisir ?... Pour ne pas vous faire perdre votre prestige de conspirateur, nous vous enverrons sous bonne garde en exil, très loin. De là, vous vous évaderez sans tarder, comme tout le monde.

Et Djougachvili se décida. C'est sur la police secrète qu'il fit la troisième mise de sa jeunesse.

En novembre, on le relégua dans la province d'Irkoutsk. Dans un cercle d'exilés, il lut une lettre d'un certain Lénine dont le nom était lié à l'*Iskra*. Ce Lénine avait rompu avec le centre, occupait les positions les plus avancées et multipliait ses lettres circulaires dans l'espoir de se faire des partisans. Il fallait évidemment le rejoindre.

Pour Noël, Iossif quitta les horribles froids d'Irkoutsk et, avant que la guerre n'éclatât avec le Japon, il avait retrouvé le soleil de son Caucase.

Alors commença une longue période d'impunité. Il rencontrait des clandestins, rédigeait des tracts, présidait des meetings : on arrêtait les autres, surtout s'ils lui étaient antipathiques, mais il n'était lui-même ni reconnu ni poursuivi. Il échappa à la mobilisation.

Et soudain, contre toute attente, alors que personne ne *l*'avait préparée ou organisée, *Elle* fut là !... Des foules parcoururent Pétersbourg avec des pétitions politiques, on tua des grands ducs, des princes, Ivanovo-Vosnessensk en grève, Lodz révolté, une mutinerie à bord du *Potemkine*. Le tsar, pris à la gorge, avait vite dû cracher son manifeste mais on continuait à tirailler sur la Presnia [1] et les voies ferrées étaient paralysées.

Koba fut ahuri et abattu. S'était-il encore fait rouler ? Pourquoi ne prévoyait-il jamais rien ?

L'Okhranka l'avait elle aussi berné !... Sa troisième mise était elle aussi perdue . Ah ! si seulement on lui avait rendu son âme libre de révolutionnaire ! Le terrible cercle se refermait. Secouer la Russie jusqu'à la faire enfanter d'une révolution pour voir, dès le lendemain, éventrer les archives de l'Okhranka et s'éparpiller au vent des rapports secrets signés Koba !

Sa volonté n'était pas encore *d'acier* et s'était entièrement dédoublée. Il avait perdu son identité et ne savait où trouver une issue.

Cela dit, après quelques fusillades, un peu de bruit, quelques pendaisons, la Révolution avait disparu comme par enchantement, sans laisser la moindre trace.

A l'époque, les Bolcheviks mettaient au point l'excellente technique révolutionnaire des *ex*, comme ils disaient, c'est-à-dire des « expropriations [2] ». Il n'était pas de gros négociant arménien à qui une lettre anonyme n'enjoignît de remettre à un endroit convenu dix, quinze ou vingt mille roubles. Et le riche payait, pour ne pas voir massacrer ses enfants ou voler sa boutique en éclats. Voilà qui bottait Koba ! Pour ça ! Ce n'était pas de la littérature, ça, ce n'étaient plus les tracts ni les manifestations, mais une vraie action révolutionnaire ! Les mencheviks, en petites filles modèles, ronchonnaient : le pillage et la terreur sont contraires à l'esprit du marxisme. Comme Koba se moquait d'eux ! Il les traquait comme on fait la guerre aux cafards, ce qui lui valut d'être surnommé par Lénine le « merveilleux Géorgien ». Du pillage, les « ex » ? Et la Révolution, ce n'est pas du pillage, peut-être ? Les nigauds, gantés de blanc ! Où donc aurait-on pris de l'argent pour le Parti ? Et pour les révolutionnaires eux-mêmes ? Un « tiens » vaut mieux que deux « tu l'auras »...

Pour Koba, les « ex » furent ce qu'il y avait de mieux

dans la révolution. Il n'avait pas son pareil pour recruter des adjoints sûrs, dans le genre de Kamo, capables de lui obéir, de jouer du pistolet, de rafler un sac d'or et de venir le lui remettre sans rechigner dans une rue voisine. Le hold up où ils firent main basse sur 340 000 roubles-or dans une banque de Tiflis, c'était, sur une petite échelle, une vraie révolution prolétarienne. La Grande Révolution, seuls les imbéciles pouvaient encore l'attendre.

Ces activités de Koba échappaient à la police, lui fournissant ainsi un terrain agréablement neutre, à mi-distance des révolutionnaires et des argousins. Et il ne manquait jamais d'argent.

La Révolution lui donna l'occasion de parcourir l'Europe en train et les mers en steamer, fit défiler sous ses yeux des îles, des canaux, des châteaux du Moyen Age. On était loin de la cellule pestilentielle de Koutaïssi. A Stockholm, à Tammerfors, à Londres, Koba eut loisir d'observer les bolcheviks, avec ce forcené de Lénine. Par la suite, à Bakou, il fleura les relents du liquide emprisonné sous la terre, de cette fureur noire et bouillonnante.

L'autorité le ménageait. Plus il montait dans la hiérarchie du Parti et s'y faisait connaître, plus proches étaient ses lieux d'exil. Solvytchegodsk succéda au Baïkal, pour deux ans au lieu de trois. Entre ses assignations à résidence, on ne l'empêchait pas de jouer à la révolution. Enfin, après trois évasions de Sibérie et de l'Oural, ce rebelle acharné, indomptable, fut expédié à Vologda, où il logeait chez un policier et d'où le train pouvait le conduire en une nuit à Pétersbourg.

Un soir de février 1912, il reçut à Vologda la visite d'un ancien camarade de Bakou, Ordjonikidzé. Celui-ci arrivait de Prague. Il secoua son ami par les épaules : « Sosso ! On vient de proposer ton nom au Comité central ! »

Par cette nuit de lune, dans les volutes d'une brume glacée, Koba, emmitouflé dans sa longue pelisse, arpenta longuement la cour. Il avait trente-deux ans. De nouveau il était à la croisée des chemins. Membre du Comité central ! Un Malinovski, tenez, il est à la fois au

Comité central et député à la Douma. C'est un des favoris de Lénine, soit. Mais nous sommes en régime tsariste. Une fois la Révolution faite, tout membre du Comité central se retrouvera ministre. Il est vrai qu'elle n'est pas pour demain, que nous ne la verrons pas de nos yeux. Mais même sans révolution, un membre du Comité central représente une forme de pouvoir. Que gagnera-t-il s'il continue à émarger à la Secrète ? Il ne sera jamais qu'un pauvre rabatteur. Il faut quitter la gendarmerie. Le fantôme colossal d'Azef [1] plane sur chaque nuit, sur chaque jour de sa vie.

Au matin ils se rendirent à la gare pour prendre le train de Pétersbourg et on les y arrêta. Ce bec-jaune d'Ordjonikidzé fut condamé à trois ans de forteresse à Schlüsselbourg [2], suivis de déportation. Staline, comme de juste, ne fut condamné qu'à l'exil, et pour trois ans. Il est vrai qu'on l'expédia assez loin, dans le Narymski Kraï. C'était un avertissement. Mais les communications avec le reste de l'Empire étaient bonnes et, vers la fin de l'été, Staline rentrait à Pétersbourg le plus facilement du monde.

Il consacra toute son énergie au travail dans les rangs du Parti. Il alla rendre visite à Lénine qui séjournait alors à Cracovie, car un exilé politique pouvait sans peine franchir la frontière. Puis ce fut une imprimerie, puis un 1er Mai clandestin, enfin il se fit coincer au cours d'une réunion secrète à la Bourse de Kalachnikov. C'était Malinovski qui avait vendu la mèche, mais on ne le sut que plus tard. La Secrète se fâcha tout rouge et, cette fois, ce fut l'exil pour de bon : au-delà du Cercle Polaire, au poste de Kouréika. Comme le régime tsariste n'y allait pas de main morte, Staline écopa de quatre ans. Horreur !

De nouveau il s'interrogea. Pour qui, pour quoi avait-il tourné le dos à une vie modeste mais tranquille, à la protection de l'autorité, pourquoi avait-il échoué dans ce trou perdu ? « Membre du Comité central ! », le titre n'était bon qu'à appâter un imbécile. Il y avait à Kouréika quelques centaines d'exilés de toutes les nuances politiques. Un tour d'horizon suffit à Staline. Il les prit en horreur : vilaine engeance que ces révolutionnaires de métier, lâcheurs de pétards, râleurs, si peu originaux, si inconsistants. Ce qui répugnait le plus au Caucasien, c'était moins le Cercle Polaire que d'avoir à coudoyer ces êtres futiles, inconstants, irresponsables, irréalistes. Il leur aurait préféré la société des ours et, pour se distinguer d'eux et couper les ponts, il épousa une indigène piaillante, taillée en mammouth. Il préférait ses petits rires suraigus et sa cuisine grasse et nauséabonde à toutes ces réunions politiques, à ces controverses, à ces escarmouches verbales, à ces tribunaux de camarades. Staline leur fit comprendre qu'ils ne lui étaient rien, il trancha à la hache entre lui et eux, entre lui et la révolution aussi bien. Assez ! A trente-cinq ans, il était encore temps de se racheter une conduite, il fallait en finir avec cette vie d'errance, poches béantes. Et il se méprisait d'avoir gaspillé tant d'années dans la compagnie de ces sauteurs.

Il vivait à l'écart, vouant au diable bolcheviks et anarchistes. Il ne rêvait plus d'évasion, entendait purger scrupuleusement sa peine. Et puis la guerre avait commencé, et seul l'exil pouvait lui éviter un risque de mort. Il restait calfeutré auprès de sa femme. Ils eurent un fils. La guerre n'en finissait pas. Il fallait tout mettre en œuvre pour obtenir une autre année d'exil. Pauvre tsar, pauvre baderne qui ne savait même pas dispenser des peines dignes de ce nom !

Non, cette guerre n'en finissait pas. La direction de la police, pour qui il n'était pas un inconnu, transmit son dossier, et la charge de son âme, à un officier peu familier des sociaux-démocrates et de leur Comité central, si bien que Djougachvili Joseph, date de naissance 1879, service sous les drapeaux : néant, se trouva mobilisé comme soldat de deuxième classe dans l'armée impériale russe. C'est ainsi que le futur grand maréchal entama sa carrière militaire. Il avait servi trois causes. Il était temps d'en connaître une quatrième.

Un traîneau somnolent lui fit descendre l'Iénisséi jusqu'à Krasnoïarsk d'où il gagna les casernements d'Atchinsk. A trente-sept ans sonnés, il n'était rien : un Géorgien mobilisé, recroquevillé dans sa capote, souffleté par le froid sibérien, et qu'on allait conduire au front pour en faire de la chair à canon. Cette vie, grandiose, prendrait fin devant une ferme de Biélorussie ou une bourgade juive de l'Ouest.

Il n'avait pas encore appris à rouler correctement sa capote ou à charger un fusil — pratiques que le futur commissaire aux armées et futur maréchal devaient ignorer, mais sur lesquelles sa pudeur lui interdisait de demander des lumières — que de longs rubans télégraphiques arrivèrent de Pétrograd. Des gens qui ne se connaissaient pas s'embrassèrent en pleine rue, dans la buée glacée, en criant : « Christ est ressuscité ! » Le tsar avait abdiqué. L'Empire n'était plus.

Comment ? Pourquoi ? On n'y comptait plus, on en avait perdu jusqu'à l'espérance. Ce n'est pas sans raison qu'on avait enseigné au petit Iossif que les voies du Seigneur sont impénétrables.

On ne se souvenait pas que le peuple russe eût connu une jubilation aussi unanime, sans égard à la nuance politique.

Mais pour que Staline connût une joie sans ombre, il fallait encore un télégramme, faute de quoi le fantôme d'Azef, comme celui d'un pendu, continuerait à se balancer au-dessus de lui.

Deux jours plus tard, la dépêche arrivait : la Secrète avait été mise à sac et incendiée, les archives de la Sûreté étaient anéanties.

Les révolutionnaires savaient fort bien ce qu'il convenait de brûler au plus vite et Staline se douta qu'ils étaient nombreux dans son cas...

(La Secrète était en cendres, pourtant, tout au long de sa vie, Staline devait garder l'œil soupçonneux, la tête prompte à se retourner. Il dépouilla de ses mains des dizaines de milliers de feuillets d'archives, en jeta au feu de pleines liasses sans les avoir épluchées. Quelque chose cependant dut lui échapper, comme on faillit le révéler en 1937. Chaque communiste livré à un tribunal, Staline l'accusait de double jeu : il savait que la chair est faible et ne pouvait admettre que d'autres n'eussent pas pris les mêmes précautions que lui.)

Par la suite, Staline refusa l'épithète de « grande » à

la révolution de février. Il avait oublié ses transports, ses chants, son départ d'Atchinsk, à tire d'ailes — il pouvait déserter si le cœur lui en disait — et ses espiègleries et le guichet d'une poste perdue d'où il avait télégraphié en Suisse, à Lénine.

Arrivé à Pétrograd, il se rallia sans hésiter à Kamenev. Leur rêve de hors la loi se réalisait. La Révolution avait eu lieu, il fallait consolider l'acquis. L'heure était au réalisme (surtout si l'on était membre du Comité central). On devait tout mettre en œuvre pour soutenir le gouvernement provisoire !

Tout était si clair jusqu'à l'arrivée de cet aventurier qui ne connaissait rien à la Russie, qui n'avait aucune expérience positive et cohérente et qui, se saoulant de mots, agité, grasseyant, devait finalement imposer ses thèses d'avril et tout mettre sens dessus-dessous ! Et qui parvint à ensorceler le Parti, et à l'entraîner dans le coup de force de juillet. L'aventure tourna mal, Staline l'avait prédit, et le Parti manqua succomber. Qu'était devenu le héros fanfaronnant ? Pour sauver sa peau, il était allé se cacher à Razliv tandis qu'on traînait les bolcheviks dans la boue. La liberté de Lénine avait-elle donc plus de prix que l'autorité du Parti ? Staline devait ressortir ces griefs au VIe Congrès sans arriver à souder une majorité.

Cette année 1917 fut bien déplaisante. L'un dans l'autre, ça faisait beaucoup de meetings. Les menteurs les plus habiles se faisaient porter en triomphe et Trotski était la grande vedette de ce cirque. D'où sortaient-ils, tous ces beaux parleurs, accourus comme à la curée ? On ne les avait jamais vus en exil, ni à l'œuvre pendant les « ex », ils avaient roulé leur bosse à l'étranger et n'étaient venus que pour s'égosiller et plastronner sur le devant de la scène. Et puis tranchant de tout, ces sauteurs, fébriles comme des puces. Alors que la réalité n'avait pas encore formulé de questions, ils connaissaient déjà les réponses. Et ils riaient méchamment de lui, sans la moindre gêne. Certes, il ne se mêlait pas à leurs discussions, il ne se hissait pas sur la tribune, il préférait pour l'instant le silence. Il ne connaissait ni ne prisait cette course aux grands mots.

Ce n'était pas là sa révolution. Pour lui, la révolution, c'était prendre les postes clefs et ne pas rester les bras croisés.

Tous ces barbichus qui se gaussaient de lui ne s'étaient-ils pas donné le mot pour lui réserver les tâches les plus ardues, les plus ingrates ? Ils riaient de lui mais n'avaient-ils pas eu la colique, tous, au palais de la Kseszynska [1] ? N'était-ce pas lui qu'on avait mandaté pour se rendre à Saint-Pierre et Saint-Paul [2] convaincre les marins qu'ils devaient livrer la citadelle à Kerenski sans coup férir, puis regagner la base de Kronstadt ? Un Grichka Zinoviev se serait fait écharper par les marins ! C'est qu'il faut savoir parler au peuple russe.

Le coup d'État d'octobre fut encore une aventure. Qui tourna pour le mieux, il faut le reconnaître. Soit. Ça a marché. 20 sur 20 pour Lénine. De quoi demain sera fait, on l'ignore. Pour l'instant, ça va. Commissaire du peuple aux nationalités ? Soit. Rédiger une Constitution ? D'accord. Staline se faisait la main.

Chose étrange, au bout d'un an, la Révolution semblait avoir réussi. Réussite inespérée. Et ce clown de Trotski, entiché de Révolution mondiale, qui ne voulait pas de la paix de Brest Litovsk ! Et Lénine qui croyait aux mêmes chimères ! Ah ! ces cuistres, avec leur imagination galopante ! Il faut être un âne pour croire à la révolution européenne ! Ils ont pourtant vécu en Europe ! Mais non, ils n'y ont rien compris. Il a suffi à Staline d'un seul voyage pour tout voir. Si la révolution russe a si bien marché, il faut remercier le bon Dieu. Rester bien tranquille. Et réfléchir.

Staline jetait alentour des regards lucides, dénués de prévention. Et réfléchissait. Il comprit clairement que tous ces phraseurs tueraient la révolution, qui n'était pourtant pas un mince événement. Seul Staline pourrait la remettre sur le bon chemin. En tout honneur, en toute conscience, sans parti pris, il était le seul chef. En se comparant à tous ces pitres, à ces funambules, il ne pouvait se méprendre sur sa supériorité réelle, sur leur inconsistance, sur sa solidité. Ce qui le rendait différent d'eux, c'est qu'il *connaissait les hommes*. Qu'il connaissait en eux ce point d'attache à la terre, cette *base*, ce contact avec le sol sans quoi ils ne tiendraient pas debout et ne pourraient résister à rien. Ce qui se trouve au-dessus, ce qu'on affecte d'être et dont on fait coquettement étalage, c'est la *superstructure*, ce n'est pas l'essentiel.

C'est vrai, Lénine avait l'envergure d'un aigle, il lui arrivait d'être stupéfiant. Une nuit lui avait suffi : « La terre aux paysans ! », ensuite on aviscra. En unc journée, il avait troussé sa paix de Brest-Litovsk. Sans parler des Russes, un Géorgien même aurait eu scrupule à brader la moitié de l'Empire. Lui ? Pensez donc ! Pour ne rien dire de la NEP, sa plus fine réussite, une ruse tactique qu'il ne faut pas avoir honte de reproduire à l'occasion.

Chez Lénine, la grande force, l'admirable prodige, c'est qu'il tenait le pouvoir réel, de toute son énergie et entre ses seules mains. Les mots d'ordre changeaient selon les sujets de discussion théorique, selon les alliés et les adversaires, mais le pouvoir restait là, entre ses mains et seulement entre elles.

Ce qui manquait à cet homme, c'était la stabilité. Avec sa nature il s'exposait à bien des ennuis de gestion, aux pires imbroglios. Staline avait deviné sa fragilité, ses papillonnements, et pour finir une connaissance médiocre, sinon nulle, des hommes. Il en avait fait l'expérience : Lénine ne voyait jamais que la face que Staline voulait bien lui montrer de sa propre personne. Pour le sombre corps à corps qu'est la vie politique, cet homme ne valait rien. Staline se sentait plus solide et ferme que lui dans l'exacte mesure où les 66° de latitude de Touroukhansk sont chose plus sérieuse que les 54° de Chouchenskoïe [1]. Que connaissait-il de la vie, ce théoricien, ce livresque ? Il ne savait pas ce qu'était le bas de l'échelle sociale, il ignorait les humiliations, la misère, la vraie faim. Un noble, quoique de très petite volée. Il ne s'était jamais évadé de ses lieux d'exil. Quel enfant sage ! Ni n'avait mis les pieds dans une vraie prison. Il ignorait tout de la Russie réelle, ayant passé quatorze ans en émigration, çà et là. Quant à ses écrits, Staline n'en avait guère lu plus de la moitié, car il se doutait bien que les conseils pertinents n'y fourmillaient pas. (Il employait parfois des formules heureuses. Ainsi sa définition de la dictature : « Un gouvernement illimité qui n'est restreint par aucune loi », en marge de laquelle Staline avait noté : « Bien ! ») Si Lénine avait été doté d'une véritable lucidité, il se serait assuré d'emblée la collaboration étroite de Staline. Il lui aurait dit : « Viens m'aider ! Je m'y entends en politique, en classes sociales, mais je n'entends rien aux hommes tels qu'ils sont. » Or il n'avait rien trouvé de mieux à faire que d'envoyer Staline, muni de pleins pouvoirs, dans un coin perdu de Russie, pour des histoires de blé. L'homme qui pouvait lui être le plus utile à Moscou, il l'avait envoyé à Tsaritsyne.

Pendant toute la guerre civile, Lénine s'était débrouillé pour rester au Kremlin, il s'était ménagé. Staline avait dû rouler trois ans à travers le pays, sautillant sur sa belle selle ou cahoté sur sa « tatchanka [2] », transi de froid, se réchauffant à des feux de camp. Il s'aimait bien, toutefois, tel qu'il était alors : un jeune général, ou du moins l'équivalent, sanglé dans un uniforme élégant. Une casquette de cuir avec une étoile, une capote croisée d'officier, souple, de coupe cavalière, toujours ouverte, des bottes de simili, sur mesures, un visage intelligent, juvénile, rasé de frais, des moustaches d'acier bruni, quelle femme aurait pu lui résister ? (Il en était à sa troisième épouse, une beauté.)

Bien sûr, il ne jouait pas du sabre, ne courait pas au-devant des balles et, n'étant pas un rustre à la Boudionny, il se ménageait pour l'amour de la Révolution. Partout où il se montrait — à Tsaritsyne, à Perm, à Pétrograd — il restait d'abord silencieux puis posait des questions, en lissant sa moustache. Une liste ? Soit. « A fusiller. » Une autre liste ? « A fusiller. » A ce prix, on se fait respecter.

La vérité oblige à dire qu'il s'était avéré un grand soldat, et l'organisateur de la victoire.

Cette clique ! Tous ceux qui voulaient s'élever, qui faisaient le siège de Lénine, qui se battaient pour le pouvoir et qui se croyaient tous très malins, très fins, très complexes. Cette complexité même faisait leur fierté.

Quand deux et deux font quatre, il fallait qu'ils rajoutent en chœur une virgule et des dixièmes. Le pire, le plus répugnant, c'était Trotski. De sa vie Staline n'avait rien rencontré de plus dégoûtant. Une vanité hystérique, des prétentions à l'éloquence, incapable de loyauté dans la discussion, jamais un « oui » ou un « non » tranchés mais toujours : « ceci et cela » ou « ni ceci ni cela ». Ne pas faire la paix, sans pour autant faire la guerre ! Quel homme de bon sens pouvait s'y retrouver ? Et puant ! Il parcourait le front en wagon-salon, comme le tsar en personne. Pourquoi jouer les commandants en chef lorsqu'on n'a pas la fibre d'un stratège ?

Ce Trotski lui échauffait la bile à tel point que, dans sa lutte contre lui, Staline commença par se trahir, méconnaissant cette grande règle de toute politique : dissimuler sa haine à l'ennemi et ne jamais montrer sa mauvaise humeur. Il lui désobéit ouvertement, l'insulta par lettres et de vive voix, ne manqua pas une occasion de se plaindre de lui à Lénine. Aussitôt qu'on l'informait d'une idée ou d'une décision de Trotski, il militait pour l'hypothèse contraire. Ce n'est pas la bonne façon pour vaincre. Et Trotski lui avait prodigué les crocs en jambe, l'avait évincé de Tsaritsyne et d'Ukraine. Un jour, Staline reçut une cruelle leçon et apprit chèrement que tous les coups ne sont pas bons. Zinoviev et lui s'étaient plaints au Politbureau des exécutions arbitraires de Trotski. Sur quoi Lénine, en leur présence, avait pris quelques formulaires en blanc, avait écrit au bas : « Approuvé d'avance », et avait confié à Trotski le soin de les remplir de noms.

C'était bien fait ! Il y avait de quoi rougir ! De quoi s'étaient-ils plaints ? La rivalité la plus acharnée ne pouvait excuser pareil appel à la clémence. Lénine avait eu raison. Et même Trotski, pour une fois. Si on s'interdit de fusiller sans jugement, il faut renoncer à agir sur l'Histoire.

Nous sommes tous des hommes et le sentiment nous pousse, plus que la raison. Chaque homme pour nous a son odeur et c'est notre flair qui nous incite à agir, avant que nous ayons pris conseil de notre raison. Bien sûr, Staline avait eu tort de trop tôt jeter le masque devant Trotski et il ne devait plus commettre pareille erreur. Les sentiments devaient être néanmoins ses guides les plus sûrs dans sa tactique envers Lénine. Prendre le conseil de sa raison, c'eût été chercher à complaire à Lénine, s'exclamer : « Comme c'est vrai ! Moi aussi, je suis *pour* ! » Le flair infaillible de Staline lui avait indiqué un tout autre chemin : faire preuve de la brutalité la plus raide et d'un entêtement de bourrique... Je suis inculte, mal dégrossi, un sauvage ou peu s'en faut, mais c'est à prendre ou à laisser... Parfois, c'était, plus que de la grossièreté, la pire des goujateries (« Je peux tenir encore deux semaines au front, ensuite, mettez-moi au repos ! » Lénine pouvait-il passer à qui que ce fût des phrases de ce genre ?) Or c'est cet homme intraitable et inflexible qui devait finalement conquérir son estime. Lénine comprit que le *merveilleux Géorgien* était quelqu'un, un homme comme il en fallait, comme il en faudrait surtout à l'avenir. Lénine prêtait l'oreille à Trotski mais ne négligeait pas d'écouter Staline. S'il brimait l'un, il brimait également l'autre. L'un s'était fait prendre en faute à Tsaritsyne, l'autre à Astrakhan. Il les exhortait à collaborer mais se faisait une raison de leurs désaccords. Trotski vint se plaindre à Lénine que Staline vidait au Kremlin l'ancienne cave de l'Empereur, alors que toute la République de Russie était soumise à la prohibition. Si les soldats du front venaient à l'apprendre... Staline en fut quitte pour une plaisanterie, Lénine rit aux éclats, Trotski repartit la barbe basse. Évincé d'Ukraine, Staline devait se retrouver à la tête d'un nouveau commissariat du peuple, le RKI [1].

On était en mars 1919. Staline allait sur ses quarante ans. Tout autre aurait fait du RKI une inspection miteuse, Staline éleva cette instance au rang d'un « Commissariat » de la plus haute importance (et c'est ce que Lénine voulait, car il savait que Staline était ferme, inflexible, incorruptible). C'est à Staline qu'il confia la haute main sur la justice dans toute la république, c'est lui qu'il chargea de surveiller l'intégrité des membres du Parti, sans excepter les plus haut placés. Ce travail, bien conçu, exécuté par un homme dévoué corps et âme, devait permettre à Staline de réunir de la façon la plus légale des documents accablants sur tous les responsables du Parti, de dépêcher ses contrôleurs partout et de collationner les dénonciations qui déboucheraient sur les *purges*. Il fallait pour cela édifier un « appareil », recruter dans tout le pays des auxiliaires aussi dévoués, aussi inflexibles — à son image —, et qui fussent capables de travailler dans l'ombre sans rémunération palpable. Œuvre de longue haleine, minutieuse, patiente, à la mesure d'un Staline.

On a raison de dire qu'on n'est mûr qu'à quarante ans. Ce n'est qu'à cet âge qu'on apprend à vivre, à se conduire. C'est à cet âge que Staline comprit ce qui faisait sa force : il mesura la puissance d'une décision qu'on garde pour soi. Prendre son parti dans son for intérieur, mais, quelle que soit la tête visée, celle-ci n'en saura rien avant l'heure (quand elle roulera au sol, il sera temps de le lui apprendre). Autre atout : ne jamais croire personne sur parole et n'accorder aucune importance à ce qu'on a dit soi-même. Il ne faut pas dire ce qu'on fera (car on l'ignore peut-être encore, on avisera par la suite), mais ce qui peut rassurer l'interlocuteur. Troisièmement : ne jamais pardonner à qui vous a trahi ; ne jamais relâcher celui qu'on tient dans ses crocs, quand même le soleil ferait volte-face et le ciel s'étoilerait de prodiges. Dernier atout : ne point se soucier de théories, qui n'ont jamais servi à rien (il sera toujours temps d'en formuler une), mais se préoccuper constamment de savoir quel compagnon choisir pour sa route, et jusqu'à quel tournant.

Ainsi, peu à peu, il redressa la situation et eut raison de Trotski, d'abord en s'appuyant sur Zinoviev, puis sur Kamenev. (Il entretint des relations cordiales avec les deux hommes.) Staline finit par y voir clair : il avait eu tort de se laisser inquiéter par Trotski. Il est inutile de pousser dans le trou les gens de cette espèce. Sautillant de droite et de gauche, ils y tombent d'eux-mêmes. Staline connaissait son affaire, il travaillait sans bruit. Il choisissait ses cadres avec lenteur, mettait son monde à l'épreuve, gravait dans sa mémoire le nom de ceux qui promettaient d'être sûrs, attendait l'occasion de les faire muter ou promouvoir. L'heure vint et, en effet,

Trotski tomba tout seul, à l'occasion d'un débat sur les syndicats. Ses balivernes et ses pirouettes mirent Lénine en fureur — cet homme n'a donc aucun respect pour le Parti ! — Et Staline tenait en réserve une équipe toute prête pour remplacer celle de Trotski. Zinoviev succéda à Krestinski, Molotov à Préobrajenski, Iaroslavski à Serebriakov. Dans la même fournée, le Comité central absorba Vorochilov et Ordjonikidzé, tous deux fort sûrs. Et l'illustre commandant en chef chancela sur ses pattes d'échassier. Lénine se dit alors que seul Staline pouvait défendre comme un roc l'unité du Parti sans rien vouloir ni demander pour lui-même.

Candide, sympathique Géorgien qui se conciliait toutes les têtes du Parti. Jamais pressé de grimper sur la tribune, il ne courait ni après la popularité ni après la publicité qui fascinaient tous les autres chefs. Il ne se targuait pas de connaître Marx à fond, ne semait pas à tous vents les citations ronflantes, mais travaillait modestement à recruter les cadres de l'appareil. Il était isolé, ce camarade, si ferme, si honnête, si dévoué, si appliqué, un peu mal élevé, c'est vrai, et brutal, et borné... Quand Lénine tomba malade, Staline fut élu secrétaire général comme, dans le temps, ce bon Michel Romanov avait reçu la couronne : parce qu'il ne faisait peur à personne.

On était en mai 1922. Un autre se serait estimé heureux, se serait réjoui. Pas un Staline. Un autre aurait lu le *Capital*, y aurait pris des notes. Staline, la narine frémissante, flaira l'air du temps : l'époque était critique, les conquêtes de la révolution en danger, il n'y avait pas une minute à perdre. Lénine ne pouvait pas garder le pouvoir ni le confier à des mains sûres. Sa santé était ébranlée, c'était peut-être un bien. S'il s'attardait à la barre, on ne pouvait répondre de rien, aucune mise n'était sûre. Ultra-sensible, irritable, désormais malade, il se faisait de plus en plus nerveux, il empêchait même les autres de travailler. Il gênait tout le monde. Pour un rien il vous injuriait, vous rappelait à l'ordre, vous retirait un poste auquel vous aviez été légalement élu.

La première idée de Staline fut d'envoyer Lénine se refaire une santé dans le Caucase, où l'air est salubre, où il se trouve des coins perdus sans liaison téléphonique avec Moscou et où les télégrammes parviennent avec retard. Les nerfs de l'homme d'État y connaîtraient le repos, loin des affaires. On pourrait confier la surveillance du malade à quelque camarade sûr, comme le monte-en-l'air Kamo, ancien spécialiste des « expropriations ». Lénine acquiesça, on entama des négociations avec Tiflis, mais les choses traînèrent en longueur. Sur ces entrefaites, Kamo, qui jasait trop volontiers sur ses cambriolages à main armée, fut écrasé par une automobile.

Soucieux de l'état de santé du chef, Staline fit alors pression sur le commissariat du peuple à la Santé et les grands patrons de la chirurgie et suggéra une nouvelle opération : la balle qui l'avait blessé continuait à empoisonner l'organisme de Lénine, il fallait l'extraire. Il réussit à convaincre les médecins. Tout le monde répétait qu'il fallait se décider, Lénine même y était résolu, mais, là encore, on perdit beaucoup de temps. Et Lénine alla prendre du repos à Gorki.

« Il faut se montrer ferme pour tout ce qui touche à Lénine », écrivit Staline à Kamenev. Celui-ci et Zinoviev — ses grands amis du moment — se rallièrent sans réserve à son avis. Fermeté, oui, fermeté, tant pour le traitement que pour le régime, et veiller fermement à ce que Lénine soit tenu à l'écart des affaires dans l'intérêt même de sa précieuse santé. Tenu à l'écart de Trotski, avec la plus grande fermeté. Et puis il fallait aussi tenir la bride courte à la Kroupskaia, qui n'était qu'une camarade parmi d'autres, un simple membre du parti. Staline fut nommé responsable de la santé de Lénine et ne cracha pas sur cette ingrate corvée. Il devait rester en contact direct avec les médecins traitants et même les infirmières, leur suggérer le régime le plus approprié : tout lui interdire ! tout ! quand même le malade en serait vivement contrarié. Même tactique en politique. Lénine était hostile au projet sur l'Armée Rouge, il fallait donc faire passer cette loi. De même en ce qui concernait le V.TS.I.K.[1]. Ne céder à aucun prix. Ce malade ne pouvait savoir quelle était la meilleure solution. S'il insistait pour faire prendre telle ou telle mesure, il convenait d'étudier son projet à loisir et d'en retarder l'exécution. En l'occurrence, on pouvait se permettre de lui répondre avec rudesse ou même brutalité : c'était pure franchise de la part de Staline. On ne se refait pas.

Toutefois, malgré tous les efforts de Staline, Lénine n'arrivait pas à se remettre et il resta mal portant jusqu'à l'automne. La querelle sur la transformation du TS.I.K. en V.TS.I.K. prit de l'acuité et le cher Ilitch ne put quitter son lit que pour un bref intermède. Il ne se releva, en décembre 1922, que pour renouer son entente cordiale avec Trotski : Staline, bien sûr, en faisait les frais. A ce compte-là, mieux vaut le remettre au lit. Surveillance médicale renforcée. Interdiction de lire, d'écrire, de se tenir au courant des affaires : on va manger sa semoule au lait comme un grand ! Le cher Ilitch se piqua de rédiger un testament politique dans le dos et au détriment du secrétaire général. Il disposa de cinq minutes par jour pour dicter ses volontés. On lui interdit d'y consacrer plus de temps (consigne inspirée par Staline). Le secrétaire général riait dans ses moustaches quand la sténographe, courant à pas menus sur ses talons, venait lui remettre le double de rigueur. Là-dessus, il fallut encore rappeler à l'ordre la Kroupskaia, qui ne l'avait pas volé. Le cher Ilitch monta sur ses grands chevaux et eut sa troisième attaque ! Tous les efforts pour sauver sa vie étaient donc voués à l'échec !

Il mourut au meilleur moment : Trotski se trouvait justement dans le Caucase, Staline lui fit tenir une information erronée sur la date des funérailles, car il ne tenait guère à l'y voir. Il était préférable, il était essentiel que le serment de fidélité fût prêté par le secrétaire général.

Restait le testament. Il pouvait donner lieu à discussions ou à malentendus entre communistes. Il y était même question de retirer à Staline son poste de secrétaire général. C'est alors que celui-ci se rapprocha encore plus sensiblement de Zinoviev, à qui il proposa la direction du parti comme une possibilité à envisager sérieusement. Zinoviev n'avait qu'à présenter le rapport du Comité Central au XIIIe Congrès en qualité de chef virtuel, Staline resterait modestement secrétaire général, il n'en demandait guère plus. Zinoviev parada sur la tribune, présenta son rapport (dont l'essentiel concernait la fonction à laquelle on pourrait bien l'élire, car le poste de « chef du parti » était inexistant). Ce rapport obtint l'adhésion du Comité Central : inutile donc de donner lecture au Congrès du Testament de Lénine et de révoquer un Staline qui s'était amendé.

Tous les membres du Politbureau étaient alors fortement unis et très hostiles à Trotski : ils repoussaient de leur mieux ses propositions et destituaient ses partisans. Un autre secrétaire général en fût resté là. L'infatigable et vigilant Staline savait que le moment n'était pas encore venu de dételer.

Convenait-il que Kamenev conservât la place de Lénine à la tête du Conseil des Commissaires du Peuple ? (Après sa visite à Lénine en compagnie de Kamenev, Staline avait déjà cru bon de se dédouaner dans la *Pravda* en assurant qu'il s'était rendu seul chez le Chef. A tout hasard. Kamenev n'était pas éternel.) Rykov y serait peut-être plus à sa place ? Kamenev fut le premier à se ranger à cet avis, bientôt suivi de Zinoviev. Ce que c'était que de bien s'entendre !

Tant d'amitié devait bientôt subir une rude épreuve. Il apparut que Zinoviev-Kamenev jouaient un double jeu sournois, n'aspiraient qu'au pouvoir et ne prenaient pas à cœur les idées de Lénine. Il fallut les dégommer. Ils constituèrent donc la « nouvelle opposition » dont les rangs accueillirent également cette perruche de Kroupskaia, et Trotski, battu à plates coutures, se tint coi. La conjoncture était des plus favorables. C'est alors qu'avec le plus grand à propos Staline se sentit de l'amitié pour le gentil Boukharine, grand théoricien du parti. Le cher garçon faisait des déclarations, produisait tous les arguments théoriques requis (comme les autres mettent en avant « l'offensive contre les koulaks », Boukharine et moi-même patronnons « l'alliance de la ville et de la campagne »). Pour lui, Staline ne briguait ni les honneurs ni le pouvoir, il se contentait de garder un œil sur les votes et les nominations. De nombreux camarades politiquement sûrs occupaient déjà les postes convenables et votaient convenablement. Zinoviev fut radié du Komintern et Leningrad échappa à ces messieurs.

Ils auraient pu se faire une raison, mais non : ils se rallièrent à Trotski. Ce faiseur se ressaisit une dernière fois et lança le mot d'ordre de « l'industrialisation ». Boukharine et moi, nous étions pour « l'unité du parti ». Tous devaient s'incliner devant cette unité. Et Trotski fut banni, et on rabattit leur caquet à Zinoviev et Kamenev.

Staline devait une fière chandelle à la nouvelle vague, à la *génération léninienne* : la majorité du parti était désormais composée d'hommes exempts de toute cuistrerie, ignorant tout des vieilles chamailleries de la clandestinité et de l'émigration, d'hommes qui ne voulaient considérer que l'attitude présente des leaders, sans aucun souci de leur ancien prestige au sein du parti. La base secrétait des hommes sûrs, dévoués, qui s'emparaient des places. Staline n'avait jamais douté qu'il finirait par mettre la main sur des hommes de cette trempe, qu'à cette condition il maintiendrait les conquêtes de la révolution.

Fatale surprise : Boukharine, Tomski et Rykov n'étaient que des comédiens, eux aussi, qui menaçaient l'unité du parti ! Loin d'être le théoricien qu'on croyait, Boukharine n'était qu'un maître embobineur. Son subtil mot d'ordre sur « l'alliance de la ville et de la campagne » recelait une arrière-pensée thermidorienne, un recul devant les koulaks, un coup fourré contre l'industrialisation !... Les vrais mots d'ordre finirent par s'imposer, tels que Staline les formula : sus aux koulaks ! Priorité à l'industrialisation ! Avec l'unité du parti, parbleu ! Un coup de balai écarta des commandes la répugnante faction des « droitiers ».

Dans sa fatuité, le gentil Boukharine avait un jour cité un philosophe qui prétendait que les esprits inférieurs étaient les plus aptes au commandement. Tu t'es mis le doigt dans l'œil, Nikolaï Ivanovitch ! Ton philosophe aussi : il ne s'agit pas d'infériorité mais bien de *santé* intellectuelle. De bon sens.

Votre envergure intellectuelle, vous l'avez déployée

au cours des procès... Staline se tenait dans une tribune dissimulée et les regardait à travers une toile métallique en se frottant les mains : eux qui, dans le temps, avaient la langue si bien pendue ! Qu'on aurait crus si forts ! Qu'est-ce qu'il restait d'eux ? Ils avaient joliment molli.

Le grand atout de Staline avait toujours été sa connaissance de la nature humaine, sa lucidité. Il comprenait les hommes qu'il voyait agir. Et aussi bien ceux qui échappaient à son regard. Lors de la grande crise de 1931-1932 — rien à se mettre sur le dos, rien à manger, une chiquenaude, semblait-il, pouvait tout jeter à bas — le parti cria au danger d'intervention étrangère. Branle-bas de combat ! Staline n'y crut pas une seconde. Il imaginait d'avance comment réagiraient ces tartarins d'Occidentaux.

Qui ferait jamais le compte de la force, de la santé, de l'endurance qu'il avait dépensées pour parvenir à épurer le parti de ses ennemis, à nettoyer le pays, à purger le léninisme, doctrine infaillible qu'il n'avait jamais trahie ! Il avait réalisé point par point ce que Lénine avait projeté, avec plus de doigté que lui, simplement et sans affolement.

Que d'efforts ! Jamais pourtant n'était venue l'heure du vrai repos. Toujours quelqu'un pour lui mettre des bâtons dans les roues. Tantôt c'était ce morveux de Toukhatchevski, avec sa bouche d'hémiplégique, qui venait raconter que Staline l'avait empêché de prendre Varsovie. Tantôt c'était l'affaire Frounzé qui avait fait très mauvais effet, tantôt on représentait Staline comme un cadavre juché sur une montagne, et les censeurs avaient laissé passer cela, les imbéciles ! Ou bien l'Ukraine qui laissait pourrir son froment, ou le Kouban, avec ses partisans armés de fusils de chasse, ou Ivanovo avec ses grèves.

Staline, toutefois, ne refit plus la faute qu'il avait commise avec Trotski et sut toujours garder la tête froide. Il savait que les meules de l'histoire sont lentes à moudre leur grain, mais qu'elles n'en tournent pas moins. Les malintentionnés, les envieux disparaîtraient sans tambours ni trompettes, périraient, seraient réduits en fumier. Quelque couleuvre que lui eussent fait avaler les Pilniak ou les Platonov, il ne se vengea pas d'eux *à cette occasion,* c'eût été une façon d'agir trop peu édifiante. Il attendit son heure, l'occasion ne manque jamais.

Et de fait : tous les officiers qui, durant la guerre civile, avaient commandé ne fût-ce qu'un bataillon, ne fût-ce qu'une compagnie dans des unités qui ne lui étaient pas inféodées, disparurent. Tout comme disparurent les délégués aux XIIe, XIIIe, XIVe, XVe, XVIe et XVIIe Congrès qui, par listes entières, allèrent se perdre en un lieu où l'on ne vote plus, où l'on ne fait plus de discours. Leningrad, ville malpensante et dangereuse, fut par deux fois épurée. Il fallut même se résoudre à sacrifier des amis comme Sergo Ordjonikidzé. Voire des auxiliaires aussi appliqués qu'un Iagoda ou un Iejov qui, mission accomplie, furent retirés de la circulation. On finit par mettre la main sur Trotski et on lui défonça le crâne.

Son pire ennemi ayant quitté ce monde, Staline aurait dû goûter un repos mérité ! Mais c'était maintenant la Finlande qui l'empoisonnait. Ce sur-place infâmant dans l'isthme de Carélie lui faisait honte devant Hitler qui s'était baladé à travers la France une badine à la main. Quelle tache ineffaçable sur son génie de stratège ! Ah ! ces Finnois, cette graine de bourgeois, ces ennemis nés, il aurait fallu les expédier par pleins convois dans le désert de Karakoum, enfants compris. Staline se serait fait un plaisir de pointer, le téléphone à l'oreille : combien de fusillés, combien d'enterrés, restent combien ?

Une pluie de calamités. Hitler l'attaqua traîtreusement, ruinant à l'étourdie une alliance rêvée. C'est alors que, les lèvres tremblantes, Staline laissa tomber dans le micro le fameux « Frères et sœurs ! » qu'on ne pourrait plus rayer de l'histoire. Frères et sœurs détalaient comme des lapins, personne ne voulait résister jusqu'à la mort, comme l'ordre exprès en avait été donné. Pourquoi n'avaient-ils pas tenu bon ? Du moins au début ?... Quelle humiliation !

Puis cette fuite à Kouïbychev, au fond d'abris antiaériens désertés... Lui qui avait conquis tant de positions adverses sans jamais plier, fallait-il qu'il cédât à la panique, sans raison ? Il passa une semaine entière à arpenter son nouveau logis et à téléphoner. Moscou s'était-elle rendue ? C'était fini ? Non, la ville tenait bon ! Arrêter les Allemands paraissait incroyable, c'est pourtant ce qui fut fait ! Bravo les gars, bien sûr ! Bravo les gars. Il fallut tout de même en mettre un certain nombre sur la touche : la victoire ne serait pas complète si le bruit se répandait que le commandant en chef avait quitté Moscou pour un temps. C'est pour la même raison qu'une photographie immortalisa la revue-croupion du 7 novembre.

Et radio Berlin qui mettait au jour tout le linge sale, les meurtres de Lénine, de Frounzé, de Dzerjinski, de Kouibychev, de Gorki, excusez du peu ! Et ce gros Churchill, l'ennemi de toujours, ce porc mûr pour le saloir, qui était accouru en avion à Moscou pour s'y frotter les mains de joie méchante et griller un ou deux cigares au Kremlin ! Et les Ukrainiens qui le trahissaient ! (En 1944, Staline songea à les déporter massivement en Sibérie, mais ils étaient trop nombreux pour qu'on pût les remplacer.) Traîtres aussi les Lituaniens, les Estoniens, les Tatares, les Cosaques, les Calmouques, les Tchétchènes, les Ingouches, les Lettons. Même les Lettons, le fer de lance de la révolution ! Et ses frères, les Géorgiens, il y a des chances qu'ils aient attendu la venue d'Hitler, eux à qui on avait épargné toutes les mobilisations ! Les seuls fidèles au Père furent les Juifs et les Russes.

Jusqu'au problème des nationalités qui lui jouait un méchant tour pendant ces années terribles...

Grâce à Dieu, ces malheurs n'eurent qu'un temps. Staline rafistola bien des choses en roulant le gros Churchill et cette sainte-nitouche de Roosevelt. Depuis les années 20, Staline n'avait remporté aucun succès comparable à sa victoire sur ces deux benêts. Il riait franchement d'eux en répondant à leurs lettres ou en regagnant sa chambre, à Yalta. Ces hommes d'État, si persuadés de leur intelligence, n'avaient pas plus de jugeote que des marmots. Ils ne se souciaient que de ce qui se passerait *après* la guerre. Envoyez donc, en attendant, vos avions et vos conserves, on verra... Il lui suffisait de proférer un mot, une banalité, pour que les autres, extasiés, en prissent note. De jouer les grands cœurs attendris, pour qu'ils redoublent de veulerie. Il se fit livrer par eux — sans un clou en contrepartie — la Pologne, la Saxe, la Thuringe, les hommes de Vlassov, de Krasnov, les îles Kouriles, Sakhaline, Port-Arthur, une moitié de Corée, et les embobina sur le Danube comme dans les Balkans. Vainqueurs aux élections, les leaders « agrariens » furent aussitôt mis à l'ombre. Mikolayczyk fut vivement dégommé, Beneš comme Masaryk eurent des ennuis cardiaques, le cardinal Mindszenty fit l'aveu de ses forfaits et Dimitrov, à la clinique cardiologique du Kremlin, désavoua sa lubie de Fédération Balkanique.

Les camps de concentration s'ouvrirent à tous les Soviétiques qui avaient tâté de la vie européenne. Comme ils se rouvrirent pour une nouvelle tournée de dix ans à tous ceux qui y avaient déjà fait un premier séjour.

Les choses prenaient bonne tournure, et pour longtemps !

La taïga ne se serait pas risquée à chuchoter qu'il peut exister d'autre socialisme quand, sortant de sa tanière, ce dragon fuligineux de Tito était venu s'étaler en travers de toutes les voies.

Héros de légende, Staline s'épuisait à trancher les têtes renaissantes de l'hydre !...

Comment avait-il pu se méprendre sur cette âme de scorpion ? Lui, si grand connaisseur du cœur humain ! Dire qu'on le tenait à la gorge en 36, ce Tito, et qu'on l'avait laissé échapper ! Ah, la-la !

Staline, avec un gémissement, laissa ses jambes glisser du canapé et prit entre ses mains sa tête déjà dégarnie. Il ressentait les élancements d'un dépit irrémédiable. Lui qui avait fait la conquête de montagnes, il avait bronché sur ce petit tas de fumier.

Un Joseph avait fait trébucher un autre Joseph...

Kerenski, qui achevait son existence Dieu sait où, ne portait pas ombrage à Staline. Quand bien même Nicolas II ou Koltchak seraient ressortis de leur tombe, Staline ne leur en aurait pas voulu personnellement. C'étaient des ennemis déclarés, qui ne se seraient pas mis martel en tête pour vous offrir un socialisme de leur crû, tout neuf, de meilleur aloi.

Un autre socialisme, préférable au sien ! Différent de celui de Staline ! Morveux ! Le socialisme *sans* Staline, mais c'était du fascisme tout cuit !

Non que ce Tito pût donner grand-chose. Non, il se casserait le nez, fatalement. Staline le regardait tout comme un vieil équarrisseur, fort de tous les chevaux qu'il a étripés ou dépecés dans des appentis enfumés, peut considérer une petite étudiante en médecine bien proprette.

Oui, mais Tito agitait les hochets oubliés qui séduisent tellement les imbéciles : l' « autogestion », la « terre aux paysans », toutes les bulles chatoyantes des premiers ans de la révolution.

On en était à la troisième mouture des œuvres complètes de Lénine, à la deuxième des Fondateurs du matérialisme scientifique. Ils s'étaient endormis depuis longtemps, les hommes qui avaient eu des idées à eux, qui figuraient dans les index et qui avaient rêvé d'édifier un *autre* socialisme. Il était désormais évident qu'il n'y avait pas d'autre voie et que le socialisme, peut-être même le communisme, auraient dû être édifiés depuis longtemps, n'étaient...

... ces bonzes bouffis d'orgueil ; ces statistiques menteuses et ces bureaucrates-robots ; ce manque d'intérêt pour la chose publique ; toutes ces déficiences dans l'organisation et l'information des masses ; cette inertie dans la formation politique ; ce rythme engourdi de la construction ;

... n'étaient le laissez-aller et la gabegie dans l'économie, la qualité médiocre des produits fabriqués, la mauvaise planification, l'indifférence envers toute technique nouvelle, l'incurie des instituts de recherche scientifique, la préparation insuffisante des jeunes spécialistes, le refus de la jeunesse de partir travailler dans des bleds perdus, le sabotage des détenus, le gaspillage des céréales sur les lieux de culture, les malversations des comptables, les rapines dans les entrepôts, la filouterie des gérants et directeurs de magasins, la bestiale cupidité des chauffeurs ;

... l'empressement des autorités locales à se décerner des satisfecit ; le libéralisme et la corruption de la « milice » ! les abus dans l'attribution des logements ! les spéculations éhontées ! les maîtresses de maison voraces ! les enfants pourris ! les bavardages de tramways ! l'esprit mal tourné des hommes de lettres ! les pitreries des cinéastes !

... bref, alors qu'il apparaissait à l'évidence que le communisme était sur une bonne voie et ne tarderait pas à prendre corps, Tito avait montré le bout du nez, avec son talmudiste de Kardelj, et déclaré que le socialisme doit être instauré d'une autre façon !

Staline remarqua alors qu'il parlait à voix haute, en hachant l'air du bras, que son cœur battait trop vite, qu'il y voyait trouble, que tous ses membres étaient secoués d'un désagréable picotement nerveux.

Il reprit son souffle. Passa la main sur son visage, sur ses moustaches. Souffla derechef. Il ne fallait pas se laisser aller.

Oui, il fallait recevoir Abakoumov.

Il était sur le point de se lever quand ses yeux, recouvrant une vue claire, avisèrent sur la table du téléphone un petit livre noir et rouge, bon marché, à très gros tirage. Il tendit le bras avec plaisir pour s'en emparer, se fit un dossier de coussins et se recoucha pour quelques minutes.

C'était la première épreuve d'une édition à plusieurs millions d'exemplaires qui devait paraître en dix langues européennes. *L'internationale des traîtres,* de Renaud de Jouvenel (par bonheur, l'auteur était étranger à la querelle, c'était un Français sans parti pris et riche d'une particule, ce qui ne gâtait rien). Staline avait lu l'ouvrage de près quelques jours plus tôt. (Et en avait éclairé la rédaction par ses conseils). Combien de millions d'hommes auraient les yeux dessillés sur ce tyran vaniteux, complaisant, sadique, lâche, méprisable, hypocrite et vil ! Sur ce traître répugnant ! Sur cet incurable crétin ! Car à l'ouest les communistes eux-mêmes étaient désorientés, pris entre deux feux. Ce vieil abruti d'André Marty ! Il faudrait lui aussi l'exclure du parti pour s'être déclaré en faveur de Tito.

Il feuilleta le livre. Ah ! Voilà ! Qu'on ne se presse pas trop de couronner le héros de lauriers ! Par deux fois, le lâche faillit se rendre aux Allemands et c'est son chef d'état-major, Arso Jovanović, qui le *contraignit* à garder le commandement en chef. Noble Arso. Tué ! Et Petriśević ? « Tué pour le seul fait d'avoir aimé Staline. » Noble Petriśević ! Il se trouve toujours quelqu'un pour tuer les braves gens, si bien que Staline n'a plus qu'à liquider les méchants.

Tout est dit dans ce livre, tout : que Tito a certainement travaillé pour l'Intelligence service, qu'il s'est vanté de porter des caleçons ornés d'une couronne royale, qu'il est physiquement hideux, qu'il ressemble à Goering, qu'il a les doigts couverts de bagues de diamant, qu'il est tout harnaché de médailles et de décorations. Quelle méprisable gloriole chez un être dépourvu de tout génie stratégique !

Livre objectif, livre moral. Tito ne souffrirait-il pas, en outre, de quelque perversion sexuelle ? Il serait bon d'en toucher un mot.

Le « parti communiste yougoslave à la merci de meurtriers et d'espions ». « Tito ne put prendre les commandes que parce qu'il avait la caution d'un Béla Kun et d'un Traïtcho Kostov. »

Kostov. Staline ressentit une morsure. La rage lui monta à la tête, il rua d'une botte sur la gueule de Traïtcho, sur sa gueule ensanglantée ! Ses paupières grises frémirent de satisfaction : justice était faite.

Maudit Kostov ! Immonde salaud !

Surprenant, comme on découvre après coup les perfides menées de ces coquins ! Ils avaient tous été trotskistes mais ils avaient bien caché leur jeu ! Kun, au moins, on avait eu sa peau en 37, tandis que Kostov, moins de dix jours plus tôt, traînait dans la boue un tribunal socialiste. Combien de bons procès Staline n'avait-il pas menés à bien ? Combien d'ennemis n'avait-il pas contraints à se salir eux-mêmes ! Pour en venir à ce sale coup au procès de Kostov ! Un scandale international ! Quelle infâme versatilité ! Tromper des juges d'instruction éprouvés, ramper à leurs pieds pour tout désavouer en séance plénière ! Devant les journalistes étrangers ! Et la tenue, alors ? Et la conscience communiste ? Et la solidarité prolétarienne ? Aller jusqu'à se plaindre devant des impérialistes ! Tu n'es pas coupable, je ne dis pas non, mais sache au moins mourir pour le bien de la cause communiste !

Staline rejeta le bouquin. Non, il ne pouvait rester sur son lit ! La lutte l'appelait.

Il se leva. Redressa de son mieux son échine. Ouvrit et referma derrière lui une autre porte que celle où Poskriobychev avait gratté. Traînant légèrement ses bottes par un couloir bas de plafond, étroit et tortueux, dépourvu d'ouvertures, il dépassa la trappe qui, par un passage secret, menait à une route souterraine, et s'arrêta devant la glace sans tain qui permettait d'observer l'antichambre. Il regarda.

Abakoumov était déjà là, assis, un grand bloc-notes à la main, dans l'expectative.

D'un pas de plus en plus ferme, sans traîner les pieds, Staline gagna sa chambre à coucher, basse de plafond, exiguë, sans ouverture, à air pulsé. Les lambris de chêne des murs étaient doublés de plaques blindées qui revêtaient la maçonnerie.

A l'aide d'une petite clef qu'il portait à la ceinture, il ouvrit le bouchon métallique d'une carafe, se versa un verre de son cordial favori, l'avala, verrouilla de nouveau la carafe.

Il s'approcha de son miroir. Ses yeux avaient cette sévérité intransigeante, cette clarté qui intimidaient les premiers ministres occidentaux. L'allure était, austère et simple, celle d'un soldat.

Il téléphona à son ordonnance — un Géorgien — de venir l'habiller.

Même pour un familier, il se mettait en frais comme pour affronter l'Histoire.

Volonté de fer... Inflexible volonté.

Être constamment, mais constamment, l'aigle des montagnes.

CHAPITRE XXI

Même dans son dos, même dans le plus secret monologue, bien peu de gens se seraient risqués à le nommer familièrement Sacha. Cet homme ne pouvait être nommé qu'Alexandre Nikolaievitch. « Poskriobychev a téléphoné » revenait à dire : «*Il* a téléphoné. » Poskriobychev se maintenait à la tête du secrétariat personnel de Staline depuis plus de quinze ans. C'était un bail, et ceux qui le connaissaient superficiellement pouvaient s'étonner qu'il eût encore la tête sur les épaules. Son secret était sans malice : il avait une âme d'ordonnance, c'est pourquoi son assiette était aussi ferme. On eut beau le faire général de division, membre du Comité Central, chef de la Section Spéciale chargée de surveiller les autres membres du Comité Central, il resta pénétré de son néant devant le Patron. En compagnie de celui-ci, il trinquait volontiers, avec un petit rire avantageux, à la prospérité de son village natal de Sopliaki. Jamais les narines infaillibles de Staline ne décelèrent en Poskriobychev le moindre fumet de doute ou de contestation. Il méritait bien son nom : la pâte avait manqué pour pétrir cet homme qui n'avait que des rogatons de caractère et d'intelligence [1].

Lorsqu'il se retournait vers ses subordonnés, le courtisan chauve revêtait une importance démesurée. Quand il téléphonait à des inférieurs, c'est à peine s'il articulait un son, l'interlocuteur devait visser son crâne au récepteur pour saisir un mot. On pouvait, à l'occasion, plaisanter avec lui de sujets futiles, mais personne n'aurait eu le front de l'interroger sur la santé ou l'humeur de qui vous savez.

Poskriobychev venait de déclarer à Abakoumov :

— Iossif Vissarionovitch travaille. Il est possible qu'il ne vous reçoive pas. Il vous fait dire d'attendre.

Il lui prit sa serviette — tout visiteur devait s'en défaire avant de pénétrer chez Lui —, le fit passer dans une antichambre et s'éloigna.

Abakoumov n'avait pu prendre sur lui de l'interroger sur ce qui le préoccupait le plus : l'humeur présente du Patron. Il demeura dans l'antichambre, seul, le cœur battant à gros coups sourds.

Cet homme massif, puissant, énergique, chaque fois qu'il arrivait ici, éprouvait la même terreur paralysante qu'un simple particulier, la nuit, au fort des arrestations, lorsqu'un pas retentit dans l'escalier. Sous l'effet de la peur, ses oreilles commençaient par se glacer puis se ranimaient et se gonflaient de braise. A toutes les terreurs d'Abakoumov s'ajoutait celle d'éveiller la suspicion du Patron par ce flamboiement opiniâtre des oreilles. L'esprit soupçonneux de Staline s'accrochait à la moindre vétille. Ainsi, il n'aimait guère voir ses interlocuteurs porter la main à une poche intérieure. Abakoumov avait donc soin de faire passer les deux stylos destinés à prendre des notes de l'intérieur de sa veste à sa poche de poitrine.

De jour en jour, Béria renforçait sa mainmise sur la Sûreté de l'État et c'est lui qui dispensait à Abakoumov la plupart des directives. Une fois par mois, cependant, l'Autocrate tenait à rencontrer personnellement l'homme sur les soins duquel reposait l'ordre public le plus perfectionné du monde.

Ces entrevues d'une heure étaient le redoutable prix dont Abakoumov devait payer tout son pouvoir, toute sa puissance. Il n'en jouissait, il ne vivait vraiment qu'entre deux visites. Quand l'heure était venue, tout son être s'engourdissait, ses oreilles se glaçaient. Il remettait sa serviette en se demandant s'il aurait à la reprendre et inclinait sa nuque de taureau à la porte de ce Cabinet, sans savoir s'il pourrait la redresser une heure plus tard.

Ce qui rendait Staline effrayant, c'est que le premier faux pas sous ses yeux avait la même gravité irréparable que la faute unique d'un homme qui manipule un détonateur. C'est qu'il ne prêtait pas l'oreille aux justifications, qu'il dédaignait même d'accuser. La pointe d'une de ses moustaches frémissait, il rendait son verdict dans son for intérieur et le condamné qui n'en savait rien, repartait tranquillement ; on l'arrêtait dans la nuit, on l'abattait au matin d'une balle dans la tête.

Le pire, c'était le silence de Staline et les conjectures torturantes qui en résultaient. Quand il vous envoyait au nez un objet lourd ou pointu, qu'il vous écrasait le pied sous sa botte, qu'il vous crachait au visage ou vous soufflait aux yeux les braises de sa pipe, son courroux n'était pas définitif, c'était une colère sans lendemains ! Lorsqu'il était brutal et grossier, ordurier même, Abakoumov s'en réjouissait : Staline jugeait son ministre perfectible et entendait le garder encore pour collaborateur.

Abakoumov comprenait maintenant que son zèle l'avait précipité trop haut : plus bas, il eût été plus en sûreté, Staline avait pour ceux qui étaient *éloignés* de lui des paroles amènes. Mais on ne pouvait plus sortir de la société de ses *proches.*

Il n'y avait d'autre issue pour Abakoumov que la mort. La sienne propre. Ou celle de... mais le mot ne pouvait être prononcé.

Les choses s'emmanchaient toujours de telle manière qu'Abakoumov craignait de voir s'éventer quelque secret.

Il tremblait déjà à la seule pensée qu'on découvrît comment il s'était enrichi en Allemagne.

... A la fin de la guerre, Abakoumov commandait le *Smerch* à l'échelle de l'Union Soviétique et les services de contre-espionnage de tous les fronts, de toute l'armée active étaient entièrement à sa botte. Ce fut un temps sans pareil, quoique bref, où l'on put faire fortune sans avoir de comptes à rendre. Pour mieux porter à l'Allemagne le dernier coup, Staline avait emprunté à

Hitler le principe des colis expédiés du front vers l'arrière : l'honneur de la patrie, c'est bien beau, la gloire de Staline de même, mais, pour engager un soldat à se faufiler derrière des barbelés au pire moment, alors que la guerre touchait à sa fin, n'était-il pas opportun de l'intéresser matériellement à la victoire en lui permettant d'expédier chaque mois chez lui cinq kilos de butin ? Et dix quand il s'agissait d'un officier ? Et seize pour un général ? (Équitable distinction, car la musette du soldat ne doit point entraver sa marche tandis qu'un général dispose toujours d'une voiture.) Les services de contre-espionnage du Smerch avaient un statut infiniment plus enviable que la piétaille. Hors d'atteinte des obus ennemis et des bombardements, ils avaient leurs quartiers dans cette zone marginale du front qui n'est plus sous le feu et où les inspecteurs du Trésor ne sont pas encore arrivés. Leurs officiers étaient nimbés de mystère. Nul ne s'aventurait à contrôler les wagons où ils avaient apposé les scellés, ni les convois vidant une propriété mise sous séquestre, ni les lieux qu'ils faisaient ceinturer par leurs factionnaires. Camions, trains, avions convoyaient la fortune des officiers du Smerch. Les lieutenants emportaient pour des milliers de roubles, les colonels pour des centaines de milliers, Abakoumov faisait main basse sur des millions.

Au vrai, il n'imaginait guère quel curieux concours de circonstances le déposséderait de son ministère, renverserait l'ordre dont il était l'ange gardien et lui donnerait l'occasion de sauver sa peau grâce à son or, à supposer que celui-ci reposât en sécurité dans une banque suisse. Il était trop évident qu'aucun trésor ne pourrait plus rien pour sa tête une fois posée sur le billot. Mais c'était plus fort que lui. Voir des subordonnés s'enrichir sans rien prendre ! Pareille abnégation passait les forces d'un homme de chair et de sang. Il n'avait de cesse que de nouveaux commandos ne fussent repartis en quête de butin. Il ne dédaigna pas de s'approprier deux valises bourrées de bretelles. Il pillait avec l'ahurissement de l'hypnose.

Toutefois, ce trésor des Niebelungen ne lui procura

pas la liberté dans la richesse, mais lui inspira la crainte perpétuelle d'être démasqué. Aucun initié n'aurait osé dénoncer le tout-puissant ministre, mais un simple hasard pouvait révéler un seul détail et faire sauter sa tête. Tant de rapine ne servait à rien — mais il n'était plus temps d'aller faire sa déclaration au ministre des Finances !...

... Il était arrivé à deux heures et demie. A trois heures dix il déambulait encore dans l'antichambre, son grand bloc-notes à la main, accablé, intérieurement vidé par la crainte, tandis que ses oreilles s'embrasaient traîtreusement. Il se serait réjoui que Staline, absorbé par son travail, ne le reçût pas cette fois-ci : il redoutait un châtiment brutal pour s'être mal dépêtré de sa téléphonie secrète. Et il ne savait plus quels bobards inventer.

La lourde porte s'entrouvrit sur un Poskriobychev muet qui, sans articuler un son, presque sur la pointe des pieds, l'invita du geste. Abakoumov avança, évitant d'adhérer au sol de toute la plante de ses pieds de rustaud. Il poussa sa masse charnue dans l'entrebâillement de la porte suivante, se gardant de l'ouvrir plus largement, la retenant même par sa poignée de bronze. Sur le seuil, il dit :

— Bonsoir, camarade Staline ! Vous permettez ?

Il avait eu l'étourderie de ne pas se racler la gorge en temps voulu et sa voix avait émis des sons rauques, dont le loyalisme laissait à désirer.

Staline portait une tunique à boutons dorés, plusieurs rangées de décorations, point d'épaulettes. Il écrivait à son bureau. Ce n'est que la phrase achevée qu'il releva la tête pour jeter au visiteur un sinistre regard d'oiseau de nuit.

Pas un mot.

Très mauvais signe ! Il n'avait pas proféré un mot...

Il se remit à écrire.

Abakoumov referma la porte mais n'osa pas avancer sans qu'on l'y eût invité d'un hochement de tête ou d'un geste. Il restait là, ses longs bras collés aux hanches, légèrement voûté, ses lèvres charnues esquissant un sourire de congratulation dévote, les oreilles en feu.

Le ministre de la Sûreté connaissait évidemment, pour l'avoir beaucoup pratiqué, ce b-a ba de toute instruction judiciaire qui consiste à accueillir l'inculpé par un silence malveillant. Malgré tout son métier, Abakoumov, lorsqu'il était ainsi traité par Staline, subissait comme une avalanche de terreur.

Dans ce petit cabinet nocturne tassé contre le sol, nul tableau, nul ornement ; les fenêtres étaient petites, les murs bas lambrissés de chêne sculpté, l'un d'eux garni de petits rayonnages. A courte distance du mur, la table de travail. Dans un coin, il y avait encore un radiola et, à proximité, un porte-disques : la nuit, Staline aimait bien réécouter ses anciens discours enregistrés.

Abakoumov s'inclina encore plus ostensiblement, quémandeur, et attendit.

Oui, il était tout entier entre les mains du Chef, mais il avait également prise sur Lui. Comme il arrive au front lorsqu'un des adversaires avance trop, que les lignes sont disloquées et qu'on ne sait plus trop qui encercle l'autre, Staline s'était emprisonné, et avec lui tout le Comité Central, dans le système du M.G.B. Tout ce qu'il mettait sur lui, tout ce qu'il mangeait et buvait, ses sièges comme sa couche, tout lui était fourni par des hommes du M.G.B. qui constituaient le corps de garde exclusivement chargé de surveiller l'ensemble, si bien que, par un renversement ironique, Staline se trouvait prisonnier d'Abakoumov. Mais il était douteux que celui-ci trouvât l'occasion d'exercer le premier son pouvoir.

Le dos cassé, toujours debout, le corpulent ministre attendait. Staline écrivait. Toujours assis, toujours à écrire, à chaque visite d'Abakoumov. A croire qu'il ne dormait pas, qu'il ne quittait jamais son siège, qu'il passait tout son temps à écrire avec l'intimidante gravité d'un homme dont chaque mot, à peine tombé de la plume, va s'inscrire dans l'Histoire. La lampe de bureau éclairait ses papiers et d'invisibles plafonniers rayonnaient avec parcimonie. Non, Staline ne passait pas tout son temps à gratter de la plume, il s'accordait parfois quelque répit, guignait le sol ou décochait à Abakoumov des regards sans aménité, l'oreille aux aguets bien qu'aucun bruit ne retentît dans la pièce.

D'où provenait ce style de commandement, cette gravité du moindre mouvement ? Le jeune Koba n'avait-il pas exactement les mêmes gestes des mains, les mêmes jeux de doigts, de sourcils ? Les mêmes regards ? Personne, alors, n'en était effrayé, personne ne distinguait le sens inquiétant de ces gestes. Il avait fallu un certain nombre de nuques trouées pour que les gens pussent deviner dans le plus imperceptible clignement une allusion, un avertissement, une menace, un ordre. Sensible à la réaction du public, Staline avait pris soin de ses propres attitudes, y avait découvert et désormais cultivé avec un succès croissant toute une mimique qui avait agi de plus en plus efficacement sur son entourage.

Staline, enfin, jeta sur Abakoumov un regard d'une grande sévérité et, pointant sa pipe dans l'espace, lui désigna ce qui serait son siège, ce soir-là.

Abakoumov fut secoué d'un allègre frisson, s'élança avec légèreté et s'assit, mais du bout des fesses. Attitude incommode mais qui lui permettait, à l'occasion, de se redresser aisément.

— Alors ? grogna Staline, l'œil sur ses papiers.

Le moment était venu ! Ne pas perdre l'avantage ! Abakoumov toussota et, d'une voix éclaircie, d'un ton à la fois extatique et précipité, parla. (Par la suite, il se maudissait toujours d'avoir été si loquace, si complaisant dans le cabinet de Staline, et si prodigue de promesses, mais cela se reproduisait chaque fois, comme par un fait exprès : plus le Patron se montrait malveillant, plus Abakoumov se faisait prodigue de bonnes paroles et se laissait entraîner de promesse en promesse.)

L'ornement le plus assidu des rapports nocturnes d'Abakoumov et ce qui en faisait tout le prix aux yeux de Staline, c'était l'immanquable découverte d'une faction hostile, très substantielle, très ramifiée. Le ministre ne savait pas présenter de rapport qui ne mentionnât quelque nouveau complot crapuleux, qu'il avait réussi à neutraliser. Pour ce soir, il avait imaginé une conspiration lovée dans l'Académie Frounzé et pouvait débiter des précisions à n'en plus finir.

Il entreprit d'abord d'exposer les préparatifs louables d'un attentat contre Tito, dont il ne savait même plus lui-même s'il était réel ou fictif. Il assurait qu'une bombe à retardement serait déposée à bord du yacht de celui-ci avant son départ pour Brioni.

Staline releva la tête, remit sa pipe éteinte dans sa bouche, la fit siffler par deux fois. Pas un geste, pas un signe d'intérêt, mais Abakoumov qui, malgré tout, lisait dans les pensées du Patron, sentit qu'il était tombé dans le mille.

— Et... Rankovitch ? lui demanda Staline.

Oui, oui ! Il fallait attendre le bon moment pour que Rankovitch, et Kardelj, et Moché Piade, et toute la clique saute en l'air de conserve ! Les prévisions tablaient sur le printemps, sur l'été au plus tard. (L'explosion devait entraîner la mort de tout l'équipage, mais le ministre n'aborda pas ce point de détail et son interlocuteur ne lui demanda aucune précision là-dessus.)

A quoi donc pensait-il, soufflant dans sa pipe éteinte et considérant son ministre d'un œil vide, par-dessus son tarin grêlé ?

Sûrement pas aux origines du parti qu'il se trouvait régenter et qui avait d'emblée condamné le terrorisme individuel. Ni au fait que la terreur avait été son propre cheval de bataille. Tout en ramonant sa pipe et en observant ce gaillard repu, aux joues rubicondes, aux oreilles vermeilles, il remuait les pensées qui venaient toujours l'assaillir à la vue de ses subordonnés si zélés, si empressés, si obséquieux. Il s'agissait d'ailleurs moins de pensée que d'un mouvement du cœur : dans quelle mesure peut-on aujourd'hui faire confiance à cet homme ? Avec ce corollaire sentimental : l'heure n'a-t-elle pas sonné de le sacrifier ?

Staline savait pertinemment qu'Abakoumov s'était scandaleusement enrichi en 45, mais il ne se pressait pas de le châtier. Il aimait bien que le ministre fût ce qu'il était. On mène plus facilement les hommes de cette sorte. Ce dont Staline s'était méfié toute sa vie, c'était les gens à idées, dans le style de Boukharine. Ce sont les simulateurs les plus retors, les plus difficiles à percer.

Mais on ne pouvait guère se fier au transparent Abakoumov, non plus qu'à personne en ce monde.

Il s'était défié de sa mère. Et de Dieu. Et des révolutionnaires. Et des paysans, dont il doutait qu'ils pussent semer et récolter sans y être contraints. Et des ouvriers, incapables de travailler si on ne leur assigne pas de « normes ». Et plus encore des ingénieurs. Il s'était défié des soldats et des généraux qui ne sauraient se battre sans bataillons disciplinaires ni détachements de barrage [1]. Défié de ses familiers. De ses femmes et de ses maîtresses. Et de ses enfants. Et il avait eu raison !

Il n'avait fait confiance qu'à un homme au cours d'une vie de défiance sans faille. Cet homme, dont le monde savait combien il était entier dans l'amitié comme dans la haine, avait fait soudain volte-face : ennemi de la veille, il lui avait tendu amicalement la main. Ce n'était pas un bavard, c'était un homme d'action.

Et Staline avait cru en lui.

Cet homme était Adolf Hitler.

D'un œil approbateur, sarcastique, Staline l'avait regardé culbuter Polonais, Français et Belges, puis couvrir d'avions le ciel anglais. Molotov était rentré de Berlin épouvanté. Ses informateurs assuraient que Hitler déplaçait des troupes vers l'est. Hess avait gagné l'Angleterre. Churchill avait averti Staline d'une attaque. Sur tous les trembles de Russie Blanche, sur tous les peupliers de Galicie, les corneilles criaient à la guerre. Sur tous les marchés de Russie, les commères prédisaient une guerre imminente. Staline restait imperturbable. Il expédiait en Allemagne de pleins convois de matières premières, négligeait de fortifier ses frontières par crainte d'indisposer son comparse.

Il avait foi en Hitler !...

Cette confiance faillit lui coûter la tête.

Aussi se défiait-il maintenant, et à tout jamais, de tous.

A cette écrasante défiance Abakoumov aurait pu

riposter par d'amers reproches qu'il ne pouvait pourtant formuler. Staline n'aurait pas dû s'amuser à des vétilles, ni convoquer cette nouille de Popivod pour méditer en sa compagnie les factums dirigés contre Tito. Ni rejeter, au vu d'un livret confidentiel douteux, ces gars en or à qui Abakoumov entendait confier la tâche d'abattre la bête, qui connaissaient la langue et les usages du pays (mais, du moment qu'ils avaient vécu à l'étranger, ils n'étaient plus vraiment des *nôtres*) Il aurait fallu les laisser agir, leur faire confiance. Maintenant, bien sûr, on ne savait trop ce que donnerait cet attentat. Abakoumov était le premier à s'indigner de pareilles balourdises.

Mais il connaissait son Maître ! Il fallait le servir, mais d'une seule main, sans jamais s'engager tout entier. Staline ne pouvait tolérer un manquement ouvert à la discipline mais il détestait qu'on accomplît trop bien ses missions : il voyait là une manœuvre sournoise dirigée contre son unicité. Seul il devait savoir, connaître, agir sans erreur possible !

Et Abakoumov — comme les quarante-quatre autres ministres — feignait de bander toutes ses forces sous son harnais ministériel mais ne tirait que d'une épaule, en mettant les choses au mieux.

A l'instar du roi Midas qui transformait en or tout ce qu'il touchait, Staline muait en médiocrité tout ce qui l'approchait.

Ce soir-là, tout de même, le visage de Staline s'éclaira à mesure qu'Abakoumov avançait dans son compte rendu. Après avoir exposé par le menu l'attentat projeté, le ministre annonça des arrestations au sein de l'École de Théologie, insista particulièrement sur l'Académie Frounzé, puis sur les renseignements concernant les ports de Corée du Sud, puis...

Le devoir et le bon sens auraient dû l'inciter à rendre compte du coup de téléphone donné dans l'après-midi à l'ambassade des États-Unis. Mais il pouvait également n'en rien dire : il était loisible de penser que Béria ou Vychinski avaient déjà fait leur rapport. Mieux encore : il pouvait ne pas en avoir été informé. Staline, dans son universelle défiance, avait instauré des cloisonnements parallèles si bien que chacune de ses bêtes de trait pouvait ne tirer qu'à moitié. Mieux valait pour l'instant réfréner sa pétulance et ne point s'engager à mettre la main sur le criminel en mobilisant des perfectionnements techniques spéciaux. Toute mention du *téléphone* lui était redoutable à deux titres, car il ne fallait pas non plus que le Patron se ressouvînt de sa téléphonie secrète. Si bien qu'Abakoumov évitait de poser l'œil sur le récepteur, afin de ne pas réveiller la mémoire du Guide.

Or, justement, Staline interrogeait sa mémoire ! Il s'agissait de tout autre chose que de téléphonie secrète ! Son front s'était couvert de rides profondes, le cartilage de son gros nez s'était arrondi. Il posa un regard insistant sur le visage du ministre (qui affecta toute la candide franchise dont il était capable) mais rien ne lui revenait ! La pensée, à peine esquissée, avait sombré dans un gouffre de sa mémoire. Les rides, piteusement, se détendirent sur ce front gris.

Staline soupira, bourra sa pipe, l'alluma :

— Ah oui ! — avec la première bouffée bleue, un souvenir lui était revenu, accidentel, accessoire. Et Gomulka, on l'a arrêté ?

Gomulka venait d'être destitué de toutes ses fonctions et roulait sans freins vers l'abîme.

— Je pense bien ! répondit Abakoumov, soulagé, en se soulevant légèrement sur son siège. (Staline en avait déjà été informé.)

Staline appuya sur un bouton dissimulé dans sa table de travail et la lumière, passant du plafonnier aux lampes murales, éclaira largement la pièce. Il se leva, se mit à déambuler en tirant sur sa pipe. Abakoumov comprit que son rapport était terminé et qu'on allait lui dicter des instructions. Il déploya son gros bloc-notes sur ses genoux, prit son stylo, prêt à tout prendre en note. (Le Patron aimait qu'on inscrivît ses paroles sur-le-champ.)

Or Staline se dirigeait vers le radiola, revenait, tirait sur sa pipe, sans un mot, à croire qu'il avait oublié Abakoumov. Son visage grêlé, terreux, était froncé par un douloureux effort de mémoire. Lorsque son profil passait devant Abakoumov, le ministre pouvait voir ces épaules déjà arrondies, cette échine voûtée qui rapetissaient encore l'homme. Abakoumov paria intérieurement (à l'ordinaire, en ces lieux, il s'interdisait ce genre de réflexions, de crainte que le Suprême ne les devinât) que le bon Papa n'en avait pas pour dix ans, qu'il crèverait avant. L'envie, peut-être déraisonnable le prenait que la chose se produisît au plus tôt : tous les familiers du Chef verraient alors s'ouvrir devant eux une vie toute d'aises et de liberté.

Staline était douloureusement obsédé par un nouveau trou de mémoire : sa tête se refusait à fonctionner ! En revenant de sa chambre à coucher, il pensait plus spécialement à certaine question qu'il devait poser à Abakoumov et qu'il avait oubliée. Désemparé, il se demandait quelle portion de son épiderme il devait froncer pour faire ressurgir le souvenir.

Soudain, renversant la tête, il regarda le haut du mur opposé et une image lui revint : ce n'était pas le souvenir qu'il poursuivait mais un autre, qui s'était dérobé à lui deux nuits auparavant, au Musée de la Révolution, lui laissant une sale impression.

... 1937. Pour le vingtième anniversaire d'octobre 1917 — dont l'interprétation avait sensiblement évolué — il avait décidé de visiter l'exposition organisée au Musée consacré à la Révolution afin de s'assurer qu'on n'y décelait aucune extravagance. A l'entrée d'une des salles où trônait maintenant le téléviseur géant, il avait découvert avec une lucidité toute nouvelle les grands portraits de Jeliabov et Perovskaïa [1] accrochés en haut du mur opposé.

Leurs visages étaient francs, intrépides, leurs regards indomptables criaient à chaque visiteur : « Mort au tyran ! »

Percé à la gorge par la double flèche de ces regards de terroristes, il avait reculé et, secoué par une toux rauque, avait brandillé du doigt en direction des portraits.

On les fit disparaître sur l'heure.

Comme disparut, au musée Russe de Léningrad, la

plus ancienne relique de la révolution : les débris du carrosse d'Alexandre II.

A dater de ce jour, Staline se fit construire un peu partout des abris, des quartiers retranchés, quitte à forer des montagnes entières, comme ce fut le cas à Kholodnaia Retchka. N'éprouvant plus guère de plaisir à vivre au cœur d'une ville surpeuplée, il jeta son dévolu sur cette résidence de banlieue, sur ce cabinet bas de plafond où il se tenait chaque nuit, à portée de la salle où veillaient ses gardes du corps.

Plus il avait tué, plus il s'était accroché à la vie, tenaillé par l'angoisse. Son cerveau imaginait de multiples et précieuses améliorations dans l'agencement du service de sécurité veillant sur lui : c'est ainsi que la composition du corps de garde n'était connue qu'une heure avant la prise de consignes, chaque unité étant composée de soldats provenant de casernes différentes et éloignées les unes des autres. En se retrouvant de garde ensemble, ces hommes se voyaient pour la première fois, pour un délai n'excédant pas vingt-quatre heures, et n'avaient aucune possibilité de comploter. Sa résidence tenait de la souricière et du labyrinthe, avec son triple rang de clôtures aux portails en chicane. Il s'était fait aménager plusieurs chambres à coucher et désignait à la dernière minute celle où il convenait de faire son lit pour la nuit.

Tant de précautions n'étaient pas lâcheté mais raison. Sa personne était sans prix pour l'histoire de l'humanité. D'autres que lui pouvaient s'y méprendre. Afin de ne pas se distinguer, il enjoignit aux satrapes de moindre volée de l'imiter, dans la capitale comme en province : il leur interdit d'aller faire leurs besoins sans escorte et leur ordonna de faire accompagner leur voiture de deux autres voitures rigoureusement identiques.

... Ce soir encore, fortement impressionné par les portraits des deux terroristes, il s'arrêta au beau milieu de la pièce, se retourna vers Abakoumov et secoua légèrement sa pipe dans les airs :

— Qu'est-ce que tu envisages comme mesures pour la sécurité des cadres du parti ?

Son regard se fit aussitôt sinistre, malveillant, et il pencha la tête de côté.

Abakoumov, à l'appel du Guide, décolla son postérieur de la chaise (sans se relever franchement car il savait bien que Staline préférait des interlocuteurs immobiles) et, brièvement (le Patron flairait de l'imposture dans les trop longues explications) mais avec la plus grande diligence, débita des phrases qu'il n'avait pas préparées (un empressement sans faille était la première qualité requise, Staline interprétant la moindre hésitation comme l'indice inexorable d'une préméditation criminelle).

— Camarade Staline ! — La voix d'Abakoumov frémissait d'amour-propre blessé. De tout son cœur il eût aimé l'appeler, plus cordialement, Iossif Vissarionovitch, mais il n'était pas convenable d'en user ainsi, c'était trahir un désir de se rapprocher du Chef jusqu'à se mettre sur le même pied. — Quelle raison d'être pourrions-nous avoir, nous autres *organes*, avec tout notre ministère, si ce n'est de permettre au Camarade Staline de travailler et de penser tranquillement, de guider le pays !

(Staline avait parlé des « cadres du parti » mais entendait qu'on ne parlât que de lui-même, Abakoumov ne s'y était pas mépris !)

— Il ne se passe pas de jour où je ne fasse des contrôles, où je ne déclenche des arrestations, où je n'épluche des dossiers...

La tête toujours penchée à la manière des corbeaux, Staline le scrutait sans relâche.

— Dis-moi, fit-il, perdu dans ses réflexions. Dis-moi un peu. Il y a des *affaires* en train pour délit de terrorisme ? Il n'y a pas de rémission ?

Abakoumov soupira amèrement.

— Je ne demanderais pas mieux que de vous dire qu'il n'y a *plus* de dossiers en cours d'instruction pour délit de terrorisme. Mais il y en a. Il arrive qu'on mette hors d'état de nuire les... enfin les gens les plus inattendus.

Staline ferma un œil. Celui qui restait ouvert manifestait de la satisfaction.

— C'est bien ! dit-il en hochant la tête. Ça prouve que vous travaillez.

— Qui plus est, Camarade Staline ! — Abakoumov ne pouvait rester assis devant son Chef qui se tenait debout et il se redressa sans toutefois raidir entièrement ses jarrets (il se serait bien gardé de venir ici juché sur des talons hauts). — Nous ne laissons pas ces projets mûrir jusqu'au stade de la simple préparation. Nous les étouffons au niveau de la velléité ! De l'intention ! Grâce à l'article 12 !

— C'est bien, c'est bien ! — D'un geste apaisant, Staline fit rasseoir Abakoumov (il ne tenait pas à se sentir dominé par cette pyramide de chair !). — Tu estimes donc qu'il y a toujours des mécontents dans le peuple ?

Abakoumov poussa un nouveau soupir :

— Oui, camarade Staline. Un certain pourcentage...

(Il aurait fait beau voir qu'il affirmât le contraire. A quoi dès lors aurait servi sa boutique ?)

— Tu parles d'or, lui dit Staline d'un ton chaleureux. — Dans sa voix, les sons rauques et chuintants l'emportaient sur les timbres plus clairs. — Ça prouve que tu es capable de travailler à la Sûreté. On vient me raconter que tout le monde est content, que tous les électeurs sont *pour*. Tous contents, hein ? (Staline eut un sourire malicieux.) Aveuglement politique ! L'ennemi se tient à carreaux, il vote *pour* mais il est mécontent ! Ça va chercher dans les cinq pour cent, non ? Si ce n'est dans les huit pour cent ?

(Cette acuité de jugement, ce manque de complaisance envers soi dont aucun encens ne pouvait venir à bout, étaient de toutes ses qualités celles que Staline prisait le plus).

— Oui, camarade Staline, confirma Abakoumov d'un air convaincu. C'est bien ça. Environ cinq pour cent. Mettons sept.

Staline reprit sa promenade à travers le cabinet, fit le tour de sa table de travail.

— C'est mon grand défaut, camarade Staline, déclara Abakoumov qui s'enhardissait et dont les oreilles s'étaient refroidies. Je suis incapable de me bercer d'illusions.

Staline fit tinter sa pipe contre le cendrier.

— Et l'état d'esprit des jeunes ?

Les questions se succédaient, acérées comme des lames, chacune dangereusement coupante. Dire qu'ils avaient bon esprit, c'était de l'aveuglement politique. Mauvais esprit ? C'était douter de l'avenir.

Abakoumov écarta les doigts, s'abstenant pour le moment de proférer un seul mot.

Sans attendre la réponse, Staline déclara d'un air grave en tapotant sa pipe :

— Il faut encore plus s'occuper de la jeunesse. Il faut se montrer encore plus sévère à l'égard de ses vices !

Abakoumov se ressaisit et jeta des notes sur son papier.

Staline se laissait griser par sa propre pensée, son œil flamboyait comme celui des tigres. Il bourra sa pipe, l'alluma, reprit sa marche d'un pas sensiblement plus gaillard.

— Il faut surveiller de plus belle la mentalité étudiante ! Extirper le mal, et pas par coups isolés, mais par pleines fournées ! Et recourir au maximum de peine prévu par la loi : vingt-cinq ans, et pas dix ! Dix ans, c'est bon pour l'école, pas pour la prison ! Pour des écoliers, dix ans, ça va encore. Mais dès qu'on a du duvet sur la lèvre, il faut y aller de vingt-cinq ans ! A cet âge, on a la vie devant soi !

Abakoumov grattait de la plume. Les premiers engrenages d'une longue chaîne s'étaient mis en branle.

— Et mettre fin à la vie de château dans les prisons politiques.

— Ce sera fait ! On prendra toutes mesures ! s'exclama Abakoumov d'une voix dolente, sans cesser d'écrire. — C'est notre faute, camarade Staline, excusez-nous !

(Quel pas de clerc, en effet ! Il aurait pu s'en aviser tout seul !)

Staline s'arrêta devant Abakoumov, jambes écartées.

— Combien de fois faudra-t-il vous le redire ? Faut quand même vous mettre ça dans le crâne...

Il parlait sans haine. Ses yeux, moins sévères, disaient toute sa confiance en un Abakoumov qui saurait se mettre à la page, qui saurait comprendre. Le ministre ne se souvenait pas que Staline lui eût jamais adressé la parole avec autant de bienveillante simplicité. La sensation de peur l'avait quitté, il travaillait comme un homme normal dans des conditions normales. Mais il était un point qui, dans son travail, le gênait comme une arête en travers du gosier, et dont il put alors s'ouvrir librement. Son visage s'anima :

— Nous comprenons bien, camarade Staline ! Nous comprenons (il parlait au nom de tout le ministère) : la lutte des classes va s'aggraver ! Dans ce cas, camarade Staline, mettez-vous à notre place et comprenez à quel point nous sommes gênés dans notre tâche par l'abolition de la peine de mort ! Voilà deux ans et demi que nous nous battons les flancs : pas moyen de coucher nos fusillés sur le papier. Il faut donc rédiger les verdicts en partie double. Ensuite, il y a les *exécuteurs* dont on ne peut pas comptabiliser les primes, ce qui nous embrouille au moment du bilan. Et puis, dans les camps, c'est un moyen d'intimidation qui nous manque. Comme nous en aurions besoin, de la peine de mort ! Camarade Staline ! *Rendez-nous la peine de mort !* suppliait Abakoumov de tout son cœur, de toute son affection, sa grosse patte sur sa poitrine, ses yeux remplis d'espoir tournés vers le sombre visage du Chef.

Staline eut un vague sourire. Le frémissement de ses moustaches raides avait quelque chose de conciliant.

— Je sais, je sais, fit-il d'une voix basse, d'un air entendu. J'y ai songé.

Surprenant ! Il savait tout ! Il pensait à tout ! Avant même qu'on lui eût rien demandé. Planant comme la divinité, il anticipait les pensées humaines.

— Dans les jours qui viennent, je vous rendrai la peine de mort, dit-il, pensif, les yeux perdus au fond d'années encore lointaines. Ce sera une mesure d'éducation morale.

Il y pensait, à cette mesure, et comment ! Plus qu'eux

tous il souffrait depuis trois ans d'avoir cédé à la tentation de se rengorger devant l'Occident. Il s'était abusé lui-même, il avait cru que les hommes n'étaient pas foncièrement mauvais.

Or c'est précisément ce qui avait toujours donné un cachet très personnel à sa carrière d'homme d'État : ni la destitution, ni l'hallali, ni l'asile d'aliénés, ni la prison à vie, ni l'exil ne lui semblaient des mesures suffisantes pour un ennemi estimé dangereux. *La mort seule* était la vraie solution.

Seule la mort du perturbateur peut vous confirmer dans la pleine et réelle jouissance du pouvoir.

Lorsque le bout de sa moustache frémissait d'indignation, le verdict rendu devait toujours être : la mort.

Son échelle ignorait d'autres gradations.

Du lointain lumineux qu'il venait de percer, Staline ramena ses yeux sur Abakoumov. Plissant ses paupières inférieures, il lui demanda :

— Tu n'as donc pas peur d'aller le premier au poteau ?

Il escamota le dernier mot, le murmura sur le registre descendant, comme on ferait d'une finale délicate et qu'on peut aisément deviner à demi-mot.

Le mot dévala, glacé, dans l'âme d'Abakoumov. L'Ami, l'Aimé, à portée du poing tendu d'Abakoumov, guettait sur le visage du ministre la première réaction à sa boutade.

N'osant ni se lever ni rester assis, Abakoumov se souleva à peine, cuisses raidies, genoux tremblants :

— Camarade Staline !... Si je le mérite... Si c'est nécessaire !

Le regard de Staline était clairvoyance et sagesse. En ce moment, il repassait en silence son deuxième grand axiome concernant ses proches. Hélas ! Il ne connaissait que trop cette humaine nécessité qui veut qu'on se sépare, au bout d'un certain temps, des collaborateurs les plus zélés et qu'on les tienne à l'écart, car ils se compromettent.

— Exact ! dit Staline avec un sourire indulgent, comme pour complimenter le ministre d'avoir l'esprit aussi juste. Quand tu l'auras mérité, on te fusillera.

D'un geste du bras, il invita Abakoumov à se rasseoir, oui, à se rasseoir. Et l'autre se rassit.

Staline s'absorba dans ses pensées et reprit son discours avec une mansuétude que le ministre de la Sûreté n'avait jamais perçue dans sa voix.

— Bientôt vous aurez du pain sur la planche, Abakoumov. Nous allons reprendre les mesures de 37. Le monde entier est contre nous. La guerre est depuis longtemps inévitable. Depuis 44. Or, à la veille d'une grande guerre, il faut une grande purge.

— Mais, camarade Staline, se permit d'objecter Abakoumov, est-ce à dire que nous n'emprisonnons personne en ce moment ?

— Est-ce que c'est du sérieux ?... rétorqua Staline avec un petit sourire placide. Quand on s'y mettra vraiment, tu m'en diras des nouvelles ! Au cours de cette guerre, pendant notre avance, nous devrons entauler l'Europe ! Renforce les *organes !* Renforce les organes ! Personnel comme traitements, je ne te refuserai rien.

Il le congédia sur cette bonne parole :

— Tu peux disposer pour l'instant.

Abakoumov se sentait des ailes lorsqu'il traversa l'antichambre pour reprendre sa serviette des mains de Poskriobychev. Non seulement il avait un mois de vraie vie devant lui, mais il se pouvait qu'une ère nouvelle s'ouvrît dans ses rapports avec le Patron.

On l'avait, il est vrai, menacé du poteau. Mais c'était pour rire.

CHAPITRE XXII

Cependant le potentat, l'esprit lourd de vastes desseins, arpentait à grands pas son cabinet nocturne. Une symphonie intérieure se faisait jour en lui, énorme orchestre qui, de tous ses cuivres, entonnait une musique martiale.

Des mécontents ? Soit. Il y en a toujours eu, il y en aura toujours.

Staline, qui avait digéré l'histoire universelle sous une forme assez frugale, savait bien qu'avec le temps les hommes pardonneraient tout le mal accompli, qu'ils en viendraient à l'oublier, qu'ils se le rappelleraient comme un bien. Des peuples entiers sont pareils à la Reine Anne du *Richard III* de Shakespeare : courroux sans lendemain, volonté vacillante, mémoire débile, ils seront toujours trop heureux de se donner au plus fort.

Les masses sont comme la matière de l'Histoire (Nota bene !). En prendre d'un côté, c'est en remettre d'un autre. Aussi est-il oiseux de les ménager.

S'il doit vivre jusqu'à quatre-vingt-dix ans, c'est que le combat dure encore, que l'édifice est encore en chantier, que les temps sont incertains, et qu'il n'est personne pour le remplacer.

Faire, donc, et gagner une dernière guerre mondiale. Exterminer comme des rats tous les sociaux-démocrates d'Occident et tout ce qu'il pourrait survivre d'ennemis de par le monde. Ensuite, bien sûr, élever le rendement du travail. Résoudre tous les trucs, là, tous les problèmes économiques. Bref, comme on dit, édifier le communisme.

A ce sujet, l'opinion la plus répandue était erronée. Staline y avait fortement réfléchi ces derniers temps et avait fini par s'y retrouver. Les naïfs, les myopes s'imaginent le communisme comme le règne de la satiété, affranchi des contraintes de la nécessité. Or ce serait une société impossible, la foire d'empoigne généralisée, pareil communisme serait pire que l'anarchie bourgeoise ! La première et principale caractéristique d'un communisme authentique devait être la discipline, la stricte soumission aux chefs, l'exécution de toutes leurs directives. (Les intellectuels devaient être mis au pas avec une particulière sévérité.) Deuxième trait : la satiété doit être modérée, incomplète même, car les gens vraiment repus se laissent aller aux dissensions idéologiques, comme on peut le voir en Occident. L'homme qui n'a plus souci de sa nourriture s'affranchit de la dynamique matérielle de l'Histoire, l'existence cesse alors de déterminer la conscience et tout se retrouve cul par-dessus tête.

Aussi, à mieux y regarder, Staline a *déjà* édifié le communisme authentique.

Il ne saurait toutefois être question de le proclamer car, alors, il n'y aurait plus rien à faire. Où aller, en effet ? Le temps marche, tout marche ici-bas. Marchons donc.

Déclarer le communisme déjà accompli, c'était la chose à ne pas faire, la grande erreur de méthode.

Un gars fort s'il en fut, ce Bonaparte. Il n'a pas craint ces roquets de Jacobins, il s'est proclamé empereur et l'affaire était dans le sac.

Il n'y a rien de préjudiciable dans ce nom d' « empereur », imperator, homme qui commande, chef. Cela ne jure aucunement avec le communisme mondial.

Cela sonnerait agréablement. Empereur de la Planète. Empereur de la Terre.

(Il marchait, marchait au fracas des fanfares.)

Peut-être qu'alors on aurait trouvé le moyen, le médicament qui le rendrait immortel, lui, personnellement... Non, le temps manquerait pour cela.

Comment abandonner l'humanité ? Aux mains de qui ? Quel gâchis ! Que d'erreurs en perspective !

Et puis tant pis. Il fallait se faire ériger des monuments. Toujours plus, toujours plus grands. La technique finirait par rejoindre. Une statue sur le Kazbek, une autre sur l'Elbrouz. Et de façon que la tête dépasse toujours les nuages. Alors oui, il pourrait mourir : sublime entre tous les grands, inégalé, inégalable dans l'histoire de la Terre.

Il s'arrêta soudain.

Mais... et là-haut ? Il n'avait pas de rivaux, c'est bien certain, mais là-haut, en levant les yeux, hein ?

Il reprit sa marche à pas plus lents.

Cette question, la seule qu'il n'eût pas résolue, le tenaillait parfois sournoisement.

Depuis longtemps on avait prouvé tout ce qu'il convenait de prouver et réfuté tout ce qui pouvait gêner.

Demeurait, toutefois, une trouble incertitude.

Surtout pour un homme dont l'enfance entière s'était écoulée entre les murs d'une église. Le regard rivé aux yeux des icônes. A chanter dans un chœur. Et qui était encore capable de psalmodier sans erreur le cantique de Siméon : *Nunc dimittis...*

Ces derniers temps, pareils souvenirs assaillaient de plus belle l'esprit de Iossif.

Sa mère, en mourant, l'avait bien dit : « Dommage que tu ne sois pas devenu prêtre. » Lui, chef du prolétariat mondial, rassembleur des terres slaves, sa mère ne voyait en lui qu'un fruit sec...

A tout hasard, Staline ne s'était jamais prononcé contre Dieu, il y avait bien assez de beaux parleurs pour s'en charger. Lénine crachait sur la croix, la foulait aux pieds, Boukharine et Trotski la tournaient en dérision. Staline, lui, laissait dire.

Abakadzé, l'inspecteur diocésain qui avait chassé Djougachvili du séminaire, avait été épargné sur ordre de Staline. On l'avait laissé mourir de sa bonne mort.

Ce n'était pas par hasard que le 3 juillet 1941, la gorge

serrée, les yeux embués — non par la peur mais par la grande pitié qu'il avait de soi-même —, il avait proféré les mots de « frères et sœurs ». Ce n'est pas un Lénine ni personne d'autre qui aurait laissé échapper semblables paroles.

Ses lèvres avaient redit les mots familiers à sa jeunesse.

Personne ne l'avait surpris, personne n'en avait rien su et il n'en avait rien dit à personne mais, ces jours-là, reclus dans sa chambre, il avait prié, réellement prié, tourné vers un coin sans icônes, agenouillé, oui, prié. Rien dans sa vie ne lui avait pesé comme ces mois-là.

Il en avait fait le vœu devant Dieu : si le danger était écarté, s'il gardait son poste, il rétablirait l'Église de Russie, interdirait persécutions et emprisonnements (dont on aurait dû se garder depuis longtemps, c'était un mauvais pli pris sous Lénine). Après Stalingrad, le danger évanoui, Staline fut en tout point fidèle à son vœu.

Si Dieu existe, Il est seul à savoir.

Seulement il est douteux qu'Il existe. Ce serait un être un peu trop gentil, et comme apathique. Un pareil pouvoir et tout tolérer ? Sans jamais se mêler des affaires terrestres ? Allons, allons, c'est impossible !... A l'exception de ce miracle salvateur de 41, Staline n'avait jamais remarqué qu'un autre que lui eût pris quelque initiative. Jamais le moindre coup de coude, jamais le moindre effleurement.

Mais si malgré tout Dieu existe, s'Il a le gouvernement des âmes, Staline doit se réconcilier avec lui tant qu'il est temps. Malgré sa grandeur, à cause d'elle, même. Car il est cerné par le vide, personne à ses côtés, personne auprès de lui, l'humanité tout entière est on ne sait trop où, beaucoup trop bas. Le plus proche, c'était peut-être bien Dieu. Encore un grand solitaire.

Depuis quelques années, Staline éprouvait un franc plaisir à s'entendre proclamer par l'Église « Chef Élu de Dieu ». Aussi faisait-il ravitailler la Laure de Saint-Serge sur le même pied que le Kremlin. Jamais il n'avait réservé au premier ministre d'une puissance étrangère un accueil aussi flatteur qu'à son patriarche docile et décati : il était venu de loin à sa rencontre et l'avait conduit à table en lui soutenant le bras. Il se demandait même s'il ne devait pas dénicher quelque domaine, quelque résidence pour en faire présent au patriarche. A la façon des donations pieuses du bon vieux temps.

Staline avait entendu dire qu'un écrivain cachait qu'il était fils de prêtre. « Tu es orthodoxe ? » lui avait-il demandé entre quatre yeux. L'autre avait pâli, tout penaud. « Tu sais faire ton signe de croix ? Vas-y. » L'écrivain, croyant sa dernière heure venue, s'était signé. « Bravo ! » lui avait dit Staline en lui tapotant l'épaule.

Tout de même, au cours de sa longue et pénible lutte, Staline s'était livré à quelques excès. Il aurait bien aimé qu'un chœur, rassemblé sur sa tombe, entonnât le cantique de Siméon : Voici que Tu congédies Ton serviteur...

L'orthodoxie n'était pas l'unique objet des bizarres sympathies de Staline : en deux ou trois occasions, il s'était senti comme tiraillé vers l'ancien monde, dont il était sorti et qu'il s'était employé à détruire au cours de quarante années passées au service du bolchévisme.

Dans les années 30, par pure politique, il avait relancé le vieux mot de *patrie,* inusité depuis plus de quinze ans et quasi malsonnant. Avec le temps, il avait éprouvé un réel plaisir à prononcer ces mots de *patrie,* de *Russie.* Ils conféraient à son pouvoir une sorte de fermeté mieux assise. De sainteté.

Autrefois, il avait expédié les affaires du parti sans trop se préoccuper de savoir combien de Russes y laissaient la peau. Progressivement, le peuple russe s'imposa à son attention, à son affection — ce peuple qui ne l'avait jamais trahi, qui avait eu faim aussi longtemps qu'il avait fallu, qui s'était tranquillement fait tuer à la guerre comme dans les camps, qui avait affronté les pires épreuves sans jamais se rebeller. Dévoué, sans façons. Comme Poskriobychev. Après la victoire, Staline avait été parfaitement sincère lorsqu'il avait déclaré que le peuple russe se recommandait par son esprit lucide, sa fermeté de caractère et sa patience.

Le temps fit que Staline en vint à souhaiter de passer pour russe.

Il éprouvait de l'agrément dans le jeu même des mots évoquant l'ancien monde : les « proviseurs » succédèrent aux « directeurs d'établissement d'enseignement » et les « officiers » au « personnel de commandement », comme le « Soviet Suprême » au « Comité exécutif central de l'Union » (ce mot de Suprême était franchement bien trouvé). Et puis il fallut bien que les officiers eussent des ordonnances ; et que les lycéennes, séparées des lycéens, dussent porter pèlerine et payer pour leurs études ; chaque administration civile eut son uniforme et ses insignes propres ; les citoyens soviétiques se reposèrent le dimanche, comme tous les chrétiens, et non à certains jours arbitraires, décolorés ; seul le mariage légal fut reconnu — quoiqu'il eût eu lui-même à en pâtir en son temps, et quoi qu'en pût penser l'ombre d'Engels dans les abysses ; on eût beau lui conseiller de faire fusiller Boulgakov et brûler ses *Tourbine*[1], une force mystérieuse le poussa à écrire : « Spectacle autorisé sur une des scènes de Moscou. »

C'est dans ce même bureau, nuitamment, qu'il avait essayé devant la glace l'effet que faisaient, sur sa tunique, des épaulettes à l'ancienne : c'était un effet plaisant.

Finalement la couronne, signe distinctif suprême, n'avait rien de choquant. Ce monde solide, éprouvé, qui avait duré trois siècles, on pouvait peut-être lui emprunter ce qu'il avait de meilleur ?

Quoiqu'à l'époque la reddition de Port Arthur eût presque réjoui un Staline révolutionnaire, exilé, évadé de la province d'Irkoutsk, il n'eut pas à se forcer pour déclarer, quand le Japon fut écrasé, que cette capitulation avait pendant quarante ans sali sa fierté, comme celle d'autres vieux Russes.

Parfaitement, de vieux Russes ! Staline songeait parfois que ce n'était point hasard s'il était imposé à ce pays dont il avait conquis le cœur, plutôt que tous ces illustres braillards, que tous ces talmudistes barbichus, sans lignée, sans racines, sans poids.

Ils se tenaient tous là, sur les étagères, brochés à la

mode de 1920 — les étouffés, les fusillés, les empoisonnés, les brûlés, ou broyés dans des accidents d'auto, ou suicidés ! A l'enfer de toutes les bibliothèques, excommuniés, apocryphes, ils étaient là au garde à vous, au grand complet. Chaque nuit ils lui tendaient leurs pages, secouant leurs barbiches, se tordant les mains, lui crachant au visage, râlant, criant du haut des rayons : « Nous l'avions bien dit ! Il fallait agir autrement ! » Les conseilleurs ne sont pas les payeurs ! Si Staline les avait ainsi rassemblés, c'était pour se fouetter la bile, la nuit, lorsqu'il avait une décision à prendre (une fatalité voulait que ces adversaires exterminés eussent toujours raison sur un point ou sur un autre : Staline tendait une oreille prudente à la voix de ces spectres malintentionnés et leur empruntait parfois un petit quelque chose).

Le vainqueur en uniforme de généralissime, avec son front bas et fuyant de pithécanthrope, traînait maintenant ses pas indécis au long des rayonnages, ses doigts griffus empoignaient, agrippaient, palpaient les ennemis l'un après l'autre.

L'orchestre intérieur qui avait guidé sa marche, désaccordé, venait de se taire.

Ses jambes endolories allaient se dérober sous lui. De lourdes vagues déferlaient dans sa tête, le lien de ses pensées se relâchait, s'effilochait, il avait oublié pourquoi il s'était approché de ces livres, à quoi il pensait un instant plus tôt.

Il se laissa tomber sur une chaise toute proche, se couvrit le visage de ses mains.

Vieillesse de chien... Sans amis. Sans amour. Sans foi. Sans désirs.

Même sa fille, sa préférée, lui était une étrangère, désormais, dont il pouvait se passer.

A se sentir la mémoire éclopée, la raison faiblissante, et coupé du reste des vivants, il était empli d'une horreur sans recours. D'un regard brouillé, il parcourut la chambre sans se rendre compte si les murs en étaient lointains ou proches.

Sur une petite table se trouvait une autre carafe fermée à clef. Staline porta la main à la clef qu'un long cordon rattachait à sa ceinture (pris de malaise, il pouvait la laisser échapper et perdre beaucoup de temps à la chercher), ouvrit la carafe, se versa et avala un verre de cordial.

Il resta là, assis, les yeux clos. Son corps allait mieux, bien mieux, bien.

Ses yeux, dessillés, tombèrent sur le téléphone et le souvenir qui l'avait fui toute la soirée cingla sa mémoire d'un coup de queue de serpent.

Il fallait demander à Abakoumov... si on avait bien arrêté Gomulka... Non...

Ah, voilà ! Il se leva, traîna doucement les pieds sur le tapis, atteignit son bureau, prit son stylo et nota sur son agenda : *téléphone secret.*

Tous les rapports faisaient état du rassemblement des plus grands talents, d'une base matérielle assurée, d'enthousiasme, d'engagements solennels — pourquoi, à ce compte, n'était-ce pas encore terminé ? Et cet Abakoumov qui avait eu le front de passer ici une heure d'horloge, le salaud, sans lui en toucher mot !

Tous les mêmes, dans tous les domaines — chacun essayant de berner le Chef ! Comment peut-on se fier à eux ? Comment pourrait-on renoncer à travailler la nuit ?

Il restait encore plus de dix heures avant le petit déjeuner.

Il sonna, demanda qu'on vînt le changer, lui passer sa robe de chambre.

Le pays, insouciant, pouvait dormir, son Père n'en avait pas le droit !

CHAPITRE XXIII

Apparemment, il avait tout fait pour être immortel.

Ses contemporains, s'ils l'appelaient Sage entre les Sages, ne l'admiraient cependant pas autant qu'il le méritait. Ils demeuraient superficiels dans leurs transports, ils n'avaient pas sondé toute la vastitude de son génie.

Ces derniers temps, il était rongé par une obsession : gagner la troisième guerre mondiale, c'est bien beau, mais il fallait de surcroît accomplir un exploit scientifique, apporter une contribution brillante à d'autres disciplines que l'histoire et la philosophie.

Il aurait pu s'en acquitter en biologie, mais en ce domaine il avait passé la main à Lyssenko, homme probe et volontaire, vrai fils du peuple. Les mathématiques et la physique avaient plus d'attrait pour Staline. Tous les fondateurs du matérialisme scientifique s'y étaient essayés avec intrépidité. On ne pouvait sans jalousie relire les pages enlevées qu'Engels avait consacrées à zéro ou moins un au carré. Staline admirait de même le bel aplomb de Lénine, juriste de formation, qui s'était aventuré dans la jungle de la physique pour y remoucher les savants et établir que la matière ne saurait se transformer en énergie.

Staline avait beau feuilleter l'*Algèbre* de Kisseliov et la *Physique* de Sokolov à l'usage des grandes classes, il ne parvenait pas à y découvrir le déclic fécondant.

Une heureuse intuition lui vint, il est vrai dans un autre domaine, celui de la linguistique, à l'occasion de la récente affaire Tchikobava. Staline se souvenait vaguement de lui, comme il se souvenait de tous ses compatriotes tant soit peu remarquables : il avait dans le temps fréquenté la maison d'Ignatochvili junior, l'avocat de Tiflis, le menchévik, et c'était un esprit frondeur comme on n'en trouve guère qu'en Géorgie.

Ce Tchikobava, qui avait atteint un âge assez respectable et acquis assez de scepticisme pour se détacher des contingences terrestres, venait de publier un article où il se risquait à exposer la peccamineuse doctrine selon laquelle la langue, en dépit du marxisme, ne serait pas une *superstructure* mais ce qu'elle est, c'est-à-dire langue, ni plus ni moins. Elle ne serait donc ni bourgeoise ni prolétarienne, mais tout simplement nationale. Et il avait osé attenter au renom de Marr lui-même.

Celui-ci était également caucasien et sa réponse ne se fit pas attendre : il riposta dans les Annales de l'Université de Tiflis dont un exemplaire broché, grisâtre, étalait sous les yeux de Staline les arabesques de l'alphabet géorgien. Quelques linguistes marro-marxistes tombaient à bras raccourcis sur l'impudent, l'accusant de forfaits tels qu'il pouvait désormais s'attendre à une visite nocturne du M.G.B. On laissait déjà entendre que ce Tchikobava était un agent de l'impérialisme américain.

Rien n'aurait pu le sauver si Staline n'avait empoigné le téléphone pour qu'on l'épargnât. Il le fit grâcier et décida d'exposer les idées un peu frustes de ce provincial en les développant avec génie, leur conférant ainsi l'immortalité.

Il eût à coup sûr fait plus de bruit en réfutant la théorie contre-révolutionnaire de la relativité ou la mécanique ondulatoire. Les affaires de l'État ne lui en laissaient vraiment pas le loisir. La linguistique, tout de même, s'apparente à la grammaire et celle-ci, aux yeux de Staline, rivalisait d'aridité avec les mathématiques.

Il y avait là matière à un ouvrage brillant et coloré (il était désormais à sa table, la plume à la main) : « Quelle que soit la langue des nations soviétiques que nous envisagions, russe, ukrainien, biélorusse, ouzbek, kazakh, géorgien, arménien, estonien, letton, lituanien, moldave, tatare, azerbaïdjanais, bachkir, turkmène (bon Dieu, plus il vieillissait plus il éprouvait de peine à s'arrêter dans les énumérations. Était-ce d'ailleurs souhaitable ? La répétition permettait de mieux inculquer ses idées au lecteur et de lui faire passer le goût des objections)... chacun comprendra à l'évidence... » Ajouter ici quelque grosse évidence.

Comprendre à l'évidence, mais quoi ? Rien n'était clair... L'économie, c'est la base, les phénomènes sociaux relèvent de la superstructure. Comme il se doit en bonne doctrine marxiste, il n'y a pas de moyen terme.

Or l'expérience de toute une vie avait démontré à Staline qu'on ne saurait avancer sans moyen terme. C'est ainsi qu'on trouve des pays neutres (auxquels nous réglerons leur compte plus tard) et des partis neutres (ailleurs que chez nous, bien entendu). Quiconque, du temps de Lénine, aurait décrété : « Qui n'est pas avec nous n'est pas nécessairement contre nous », se serait fait « vider » sur-le-champ.

Or c'était pourtant bien le cas... La dialectique, quoi.

L'exemple venait de se reproduire. Staline se pencha sur l'article de Tchikobava, frappé par une pensée qui ne lui était encore jamais venue : si la langue est superstructure, pourquoi ne change-t-elle pas à chaque époque ? Si elle *n'*est *pas* superstructure, qu'est-elle donc ? Base ? Mode de production ?

En fait, le mode de production résulte des forces et des rapports de production. Nommer la langue *rapport* est apparemment impossible. La langue serait donc une force productive ? Mais voilà, les forces productives se ramènent aux instruments et moyens de production et aux hommes. Bon sang, on ne s'en sort pas.

L'honnêteté serait de convenir que la langue est un instrument de production au même titre que les machines-outils, les chemins de fer, la poste. Elle sert en effet de lien. Lénine n'avait-il pas dit : « Point de socialisme sans poste » ? Sans langue non plus, apparemment...

Mais si on posait pour principe, aussi sec, que la langue est instrument de production, ce serait un concert de ricanements. Pas chez nous, bien sûr.

Et personne pour le conseiller : il était le seul philosophe sur terre. S'il existait encore ne serait-ce qu'un Kant...

A moins de procéder en douceur : « Sous ce rapport, la langue, fondamentalement distincte de la superstructure, ne se distingue pas pour autant des instruments de production, à la façon des machines qui, comme elle, sont indifférentes à l'existence des classes. »

« Indifférentes à l'existence des classes. » Voilà des choses qu'il ne faisait pas bon dire il n'y a pas si longtemps...

Il mit un point à sa phrase. Se croisa les mains sur la nuque, bâilla, s'étira. Il n'y avait guère longtemps qu'il méditait, mais il se sentait déjà fatigué.

Staline se leva et fit un tour dans son bureau. Il s'approcha d'une petite fenêtre dont les vitres étaient remplacées par deux parois blindées, translucides, jaunâtres, entre lesquelles une pompe maintenait une pression élevée. Au-delà, clôturé, un jardinet où le jardinier passait chaque matin sous bonne garde et où personne n'allait de jour ni de nuit.

Derrière les parois incassables, le jardin était dans la brume. On ne voyait rien du pays, ni de la terre, ni du monde.

Au cours de ces heures nocturnes, sans un bruit, sans âme qui vive, rien ne pouvait assurer à Staline que son pays existait réellement.

Lors de ses voyages dans le sud après la guerre, il n'avait vu qu'un espace béant, comme mort, rien qui rappelât une Russie vivante, bien qu'il eût parcouru des milliers de kilomètres (il ne confiait pas sa personne aux avions). Quand il roulait en auto, la chaussée s'étalait, vide, avec son bas-côté désert. Quand il prenait le train, les gares, successivement, agonisaient à sa vue et chaque arrêt ne lui montrait que sa suite personnelle et des cheminots de tout repos, tchékistes de toute évidence. Le sentiment s'imposait de plus en plus fortement à son esprit qu'il était seul non seulement dans cette résidence de Kountsevo, mais dans toute la Russie, et que celle-ci n'était qu'un spectre. (Bizarrement, les étrangers croyaient à son existence.) Par chance, ce grand espace mort fournissait sans défaillance à l'État tout le blé, les légumes, le lait, le charbon et la fonte requis, et dans les délais prescrits. Le même espace fournissait de fort bons soldats. (Ces régiments, Staline ne les avait jamais vus, mais, à en juger par les villes conquises — qu'il n'avait pas vues davantage —, ils devaient bien exister.)

Staline était solitaire au point que personne ne pouvait lui servir d'étalon ni de référence.

D'ailleurs, la moitié de l'univers tenait dans son cœur, toute d'harmonie et de lumière. L'autre moitié — la réalité objective — grimaçait dans le brouillard cosmique.

Mais ici, dans ce cabinet fortifié et protégé, Staline ne redoutait nullement cette autre moitié, il se faisait fort de la malmener à sa guise. En revanche, lorsqu'il devait mettre les pieds dans cette fameuse réalité objective, se rendre par exemple à un grand banquet dans la Salle aux Colonnes, franchir sur ses deux jambes l'espace angoissant entre la portière de sa voiture et l'entrée, traîner les pieds dans l'escalier, traverser ce foyer trop vaste entre une haie de convives extatiques, dévots, certes, mais tout de même bien nombreux, il éprouvait un malaise et se demandait que faire de ses mains, depuis longtemps impropres à toute défense efficace. Il les croisait sur son ventre, en souriant. Les convives voyaient là un sourire de mansuétude sur la face du Tout-Puissant, mais c'était la marque du désarroi.

L'espace, il l'avait lui-même qualifié de condition sine qua non de la matière. Mais une fois son emprise assurée sur le sixième des terres émergées, il avait pris peur. L'avantage de son cabinet nocturne, c'était que l'*espace* n'y existait pas.

Staline rabaissa le store métallique et retourna à sa table d'un pas traînant. Avala un cachet, se rassit.

Il n'avait jamais eu la chance pour lui, mais il devait tout de même travailler. La postérité lui en saurait gré.

Pourquoi cette terreur toute militaire en linguistique ? Nul n'osait articuler un mot contre Marr. Les gens sont drôles ! Timorés ! On se tue à leur enseigner la démocratie, on leur mâche tout, on leur met tout dans la bouche, rien à faire !

Il devait tout prendre en charge. La linguistique comme le reste.

Se prenant au jeu, il nota quelques phrases :

« La superstructure est sécrétée par la base *afin de...* »

« La langue *est créée pour...* »

Dans son application calligraphique, il approcha du papier son visage d'un brun terne et son gros nez de tapir.

Ce Lafargue, quel piètre théoricien ! « La brusque révolution linguistique survenue entre 1789 et 1794 ! » (A moins qu'il n'ait mijoté ça avec son beau-père ?)

Quelle révolution ? Il y avait une langue française et elle est restée la langue française.

Assez parlé comme ça de révolutions !

« Il faut, généralement parlant, rappeler à l'attention de nos camarades épris de ruptures que la loi du passage d'une qualité ancienne à une qualité nouvelle par rupture est inapplicable à l'évolution de la langue. Bien plus, il est même rare qu'elle puisse trouver son application dans d'autres domaines de la vie sociale. »

Staline écarta le visage de son papier, se relut. C'était bien tourné. Il fallait que les propagandistes expliquent soigneusement ce passage : à partir d'un certain moment, les révolutions prennent fin et le développement n'est plus qu'évolutif. Et peut-être même que la quantité cesse de se muer en qualité. On reviendra plus tard sur ce point.

« Il est même rare » ... Non, c'était encore prématuré.

Staline biffa ces mots, leur substitua : « Il n'est pas toujours vrai. »

Un petit exemple serait le bienvenu.

« Nous sommes passés de la structure bourgeoise de la propriété paysanne individuelle au kolkhoze socialiste. »

Après avoir mis un point final, comme n'importe

qui, il réfléchit encore et corrigea : « Passés... à une structure kolkhozienne socialiste. » C'était son style : encore un coup assené sur un clou déjà bien enfoncé. La répétition de tous les mots lui rendait chaque phrase plus claire. Dans son élan, sa plume poursuivit :

« Toutefois, ce radical changement ne s'est pas opéré par rupture, c'est-à-dire par renversement du pouvoir établi (passage que les commentateurs se doivent de commenter plus particulièrement !) ni par création d'un nouveau type de pouvoir (qu'on n'ait garde d'y songer !)... »

Sur la lancée du frivole Lénine, la science historique soviétique ne veut entendre parler que de révolutions venues d'*en bas*, la révolution par *en haut* leur paraît une demi-mesure, un hybride d'un goût douteux. Il s'agit désormais d'appeler les choses par leur nom :

« Une telle réalisation fut possible parce qu'il s'agissait d'une révolution par *en haut*, que ce renversement fut opéré sur une initiative du pouvoir établi... »

Staline se renversa sur son dossier, bâilla, perdit le fil de sa pensée, de toutes les pensées qu'il venait d'avoir. La fièvre de la découverte, à peine allumée en lui, venait de s'éteindre.

Les épaules fortement voûtées, les pieds empêtrés dans les longs pans de sa robe de chambre, le maître d'une moitié du monde se traîna jusqu'à une seconde porte, confondue avec le mur, puis, par son petit labyrinthe étroit et tordu, regagna sa chambre au plafond bas, sa chambre aveugle aux murs de béton armé.

Se mettant au lit tout en geignant, il essayait de se réconforter en dévidant son raisonnement familier : ni Napoléon ni Hitler n'avaient pu conquérir la Grande-Bretagne parce qu'ils avaient un autre ennemi sur le continent.

Lui n'en aurait pas. De l'Elbe à la Manche, en droite ligne ! La France s'effondre, vermoulue (avec l'aide des communistes français), on emporte les Pyrénées dans la lancée. Le Blitzkrieg, c'est risqué, évidemment. Mais on ne peut s'en sortir que par une guerre-éclair.

On pourra commencer dès qu'on aura une bonne provision de bombes atomiques et que les arrières auront été bien comme il faut récurés.

Une joue enfoncée dans l'oreiller, il égrena ses dernières pensées incohérentes : guerre-éclair, de même, en Corée ; avec nos tanks, notre artillerie, notre aviation, on pourra peut-être faire l'économie d'un Octobre planétaire.

La voie la plus simple pour arriver au communisme mondial passe par une Troisième Guerre Mondiale : d'abord l'unification du monde, ensuite on instaure le communisme. Autrement, c'est trop compliqué.

Plus besoin de révolutions ! Du passé, tout ça ! Il n'y en aura plus une seule à l'avenir.

Et il sombra dans le sommeil.

CHAPITRE XXIV

Le colonel ingénieur Iakonov sortit du ministère par l'entrée d'honneur latérale, rue Dzerjinski, contourna la proue de marbre noir de l'édifice, s'engagea sous les pilastres de la rue Fourkassovski, ne reconnut pas sa « Pobiéda », porta la main à la poignée d'une autre voiture et ne se ravisa qu'au moment de s'y installer.

La nuit, jusque-là, avait été un brouillard épais. La neige qui menaçait depuis la veille au soir était tombée, fondante, puis avait cessé. Le matin approchait, une brume collait au sol et l'eau de fonte se couvrait d'une pellicule de glace.

Il faisait plus froid maintenant.

Il serait bientôt cinq heures. Au ciel, la nuit noire des réverbères. Un étudiant de première année passa. Il était resté toute la nuit avec sa bien-aimée dans l'entrée d'honneur. Il jeta un regard envieux à Iakonov qui prenait place dans sa voiture et se demanda s'il en posséderait jamais une. Promener une fille dans une voiture de tourisme ? Il n'en était pas question : des camions mêmes il n'avait connu que les plates-formes, à l'occasion de corvées agricoles dans les kolkhozes.

Il ignorait qui était l'objet de son envie...

Le chauffeur demanda à Iakonov :

— Vous rentrez à la maison ?

Iakonov le regarda d'un œil égaré.

— Hein ? Non.

— Marfino ? fit le chauffeur étonné. Il avait attendu là, blotti dans sa pelisse courte, emmitouflé dans de grosses capes de laine brute, mais il était transi et somnolent.

— Non, reprit le colonel-ingénieur, la main plaquée un peu au-dessus du cœur.

Le chauffeur scrutait le visage de son chef dans la tache trouble que le réverbère collait sur le pare-brise [1].

Ce n'était plus Iakonov. Les lèvres, naguère molles, et qui parfois se crispaient dédaigneusement, tremblaient maintenant, pitoyables.

Et il tenait toujours sa montre dans sa main, et il ne comprenait pas.

Bien que le chauffeur eût attendu depuis minuit, furieux contre le colonel, soufflant des jurons dans son col en peau de mouton et dévidant tous les griefs amassés contre lui depuis deux années, il ne lui posa pas d'autre question et partit au petit bonheur. Sa mauvaise humeur était retombée.

Il était si tard, si tôt. Rares les automobiles qu'on croisait dans les rues désertes. Plus de police, ni de passants à dévaliser, ni de cambrioleurs. Les trolleys allaient se remettre en marche.

Le chauffeur tourna plus d'une fois les yeux vers le colonel : il fallait bien prendre une décision. Il avait foncé vers la Porte Miasnitski, suivi les boulevards jusqu'à la place Troubnaia, enfilé la Neglinka. On ne pouvait pas rouler ainsi jusqu'au matin !

Iakonov braquait un regard fixe et vide devant lui, dans le néant.

Il habitait la Bolchaia Serpoukhovka. Présumant que la vue de maisons proches de la sienne donnerait envie à l'ingénieur de rentrer chez lui, le chauffeur prit la direction du Zamoskvoretchié. Tournant le dos à l'Okhotny Riad, il décrivit une boucle et s'engagea sur l'austère espace nu de la place Rouge.

Les créneaux du rempart et les cimes des sapins étaient glacés de givre. Le pavé particulièrement glissant. La brume s'écrasait sous les roues, adhérant au pavé.

A deux cents mètres, au-delà de murs que les poètes ne qualifiaient jamais que de sacrés, ceinturé de vestibules, de guets, de gardes, de cordons de sentinelles, de patrouilles, de soldats tapis en embuscade, demeurait l'homme que les mêmes poètes célébraient comme Celui qui toujours veille et qui, à cette heure, devait achever sa nuit solitaire.

Ils passèrent sans lui accorder une pensée.

Quand ils eurent descendu la pente après Saint-Basile et tourné à gauche en direction du pont, le chauffeur ralentit et redemanda :

— Je vous ramène chez vous, non, camarade colonel ?

C'est bien ce qu'il aurait dû faire. Les nuits à passer sous son toit, le colonel pouvait sans doute les compter sur les doigts de la main. Mais comme un chien va crever dans la solitude, Iakonov voulait aller ailleurs.

Soulevant les pans de son manteau de cuir, il sortit de la Pobieda et dit au chauffeur :

— Rentre donc te coucher, vieux, je rentre à pied.

Il lui arrivait d'appeler *vieux* son chauffeur. Mais sa voix, aujourd'hui, avait vibré de la noire tristesse d'un adieu.

La Moskova, de rive à rive, s'enveloppait d'un voile mouvant de brouillard.

Sans boutonner son manteau, sa grosse toque de colonel un peu penchée sur l'oreille, Iakonov emprunta le quai glissant d'un pas mal assuré.

Le chauffeur voulut le rappeler, le suivre, mais, considérant qu'un gradé de cette volée n'est pas homme à se noyer, il fit marche arrière et repartit.

Iakonov marchait au long du quai en surplomb qu'aucune voie ne croise : une palissade basse, interminable, sur la gauche, le fleuve à droite. Il marchait en plein asphalte et fixait sans ciller les lointains réverbères.

Après quelques pas, il sentit que cette funèbre promenade, en toute solitude, lui procurait un plaisir naïf, depuis longtemps oublié.

Le ministre les avait fait revenir et l'irréparable s'était produit. Iakonov avait senti que tous les plafonds protégeant son repos coutumier s'étaient effondrés. Un Abakoumov écumant. Marchant droit sur eux, les faisant reculer d'un bout à l'autre de son cabinet, jurant comme un charretier, les effleurant de ses crachats. Par pure méchanceté, il avait feint de mal maîtriser un geste de son poing brandi comme un reproche, et il avait frappé de biais le nez si blanc du colonel, et le sang avait coulé.

Il avait cassé Sélivanovski, l'avait ravalé au grade de lieutenant et envoyé comme subalterne dans une mission polaire ; d'Oskoloupov il avait refait le simple inspecteur de la prison de Boutyrki qu'il avait été avant 1925, au début de sa carrière. Iakonov, pour *sabotage récidivé,* était aux arrêts : promis à la combinaison bleue, il devait rejoindre le nº 7 et, sous les ordres de Bobynine, contribuer en personne à la mise au point du langage clippé.

Sur quoi, reprenant son souffle, il leur avait donné pour ultime délai l'anniversaire de la mort de Lénine.

Le vaste et prétentieux bureau chavirait, dansait devant les yeux de Iakonov. Il essayait d'étancher son sang avec un mouchoir. Désarmé devant Abakoumov, il pensait à celles avec qui il ne passait qu'une heure par jour mais pour l'amour desquelles il employait toutes ses veilles à louvoyer, à se battre, à tyranniser les autres : ses filles âgées de huit et neuf ans, sa femme Varioucha, qu'il aimait d'autant plus qu'il l'avait épousée sur le tard, à trente-huit ans, en sortant de l'endroit même où venait de le renvoyer le poing de fer du ministre.

Ensuite, Sélivanovski avait conduit chez lui Oskoloupov et Iakonov et leur avait promis qu'il les ferait enfermer avant de se voir réduit au sort d'un lieutenant en mission au-delà du Cercle polaire.

Ensuite, Oskoloupov avait entraîné chez lui Iakonov et tout de go lui avait déclaré qu'il ne se ferait plus faute d'interpréter les entreprises de sabotage du colonel-ingénieur à la lumière de son passé criminel.

... Iakonov parvint au pont de béton qui, sur la droite, franchit la Moskova. Il n'emprunta pas la bretelle incurvée qui y conduit, mais le passage voûté où déambulait un milicien.

D'un long regard de soupçon, le policier suivit ce

bizarre ivrogne qui arborait un lorgnon et un kolpactk de colonel.

Il franchit un bout de rivière sur un pont courtaud. C'était le confluent de la Iaouza et de la Moskova, mais il ne se souciait pas d'identifier les lieux.

Oui, c'était la dernière manche d'une partie enragée. Souvent, à ses côtés comme en lui-même, il avait senti passer la course folle, acharnée, qui engloutissait le pays entier dans son tourbillon : les ministères comme les comités de région et les savants, et les ingénieurs, et les contremaîtres, et les chefs d'ateliers, et les conducteurs de travaux, et les ouvriers, et les simples kolkhoziennes. Chacun, quelle que fût sa tâche, était bientôt empoigné et écrabouillé par une urgence irréelle, impossible, mutilante : encore plus ! Et plus vite ! Encore et encore ! Atteindre la norme fixée ! La dépasser ! En faire trois fois plus ! Et les « gardes d'honneur [1] » ! Et les engagements solennels ! Devancer l'échéance ! Et la surdevancer ! Les maisons ne tenaient pas debout, les ponts cédaient, les constructions craquaient, les moissons pourrissaient ou ne levaient pas, mais quiconque était tombé dans ce maelstrom — et chacun y tombait — n'avait rien d'autre à faire, semblait-il, que de profiter d'une maladie, de se laisser mutiler par l'engrenage, de devenir fou ou de se faire mettre au rebut. A ce prix seulement il pouvait reprendre souffle sur son lit d'hôpital, ou dans une maison de repos, se faire oublier, aspirer une goulée d'air résineux avant de repartir, sur les coudes, remettre sa nuque sous le collier.

Seuls les malades face à face avec leur mal — mais ailleurs que dans une clinique ! — pouvaient échapper à l'angoisse nationale.

Jusqu'ici, pourtant, Iakonov était toujours parvenu à quitter les entreprises irrémédiablement compromises par tant d'affolement et à sauter au vol sur des affaires plus paisibles ou encore en gestation.

C'était la première fois qu'il se sentait pris au piège. Impossible de renflouer le projet de clippage aussi rapidement. Et il n'y avait plus d'autre point de chute.

Tomber malade ? Trop tard.

Debout devant le parapet du quai, il regardait en bas.

Le brouillard s'était définitivement aplati sur la glace dont il ne masquait plus la nudité. Juste aux pieds de Iakonov, stigmate noir d'un hiver pourri, s'ouvrait un trou d'eau.

L'abîme noir du passé — la prison — s'ouvrait de nouveau sous lui, l'appelait.

Les six années passés *là-bas*, Iakonov y voyait un trou sombre : la peste, l'opprobre, le grand échec de sa vie.

Il avait été ramassé en 32 alors que, jeune ingénieur-radio, il avait déjà effectué deux missions à l'étranger (qui précisément lui avaient valu l'emprisonnement). Il avait été des premiers zeks à former l'une des premières charachka.

Comme il aurait voulu l'oublier, ce passé de prisonnier ! Et le faire oublier aux autres ! Et au destin ! Comme il évitait tous ceux qui l'avaient connu en détention et lui rappelaient ce temps d'infortune !

Il se décolla vivement du parapet, traversa le quai, s'engagea sur une pente raide. Serrant de près la longue palissade d'un nouveau chantier, un chemin sinuait, dont la neige, glacée et façonnée par les pas, demeurait ferme sous le pied.

Seul le fichier central du M.G.B. savait que l'uniforme de ce ministère revêtait parfois d'anciens zeks.

A part Iakonov, l'institut de Marfino en abritait deux autres.

Iakonov les fuyait scrupuleusement, évitait de leur parler d'autre chose que de travail et ne restait jamais seul avec eux dans son bureau, afin de couper court aux interprétations malveillantes.

L'un d'eux, professeur de chimie, avait soixante-dix ans et se nommait Kniajenetski. Il avait été l'élève préféré de Mendeleiev. Il avait purgé ses dix ans, après quoi, eu égard à la longue liste de ses travaux méritoires, on l'avait expédié à Marfino en qualité d'employé « libre » et il y avait travaillé pendant les trois premières années qui suivirent la guerre. Le fouet cinglant du Décret sur la Consolidation de l'Arrière l'abattit à son tour. Un beau jour on l'avait convoqué au ministère et nul ne l'avait revu. Iakonov ne l'oublierait jamais descendant l'escalier au tapis rouge : sa tête aux cheveux argentés dodelinait, il ignorait la raison de cette convocation pour une demi-heure mais, dans son dos, au palier supérieur du même escalier, le major Chikine découpait au canif la photographie du professeur collée sur le tableau d'honneur[1].

L'autre, Altynov, n'était pas une célébrité scientifique, c'était un homme pratique. Sa première condamnation en avait fait un homme renfermé et soupçonneux, lucide de toute la défiance qui est l'apanage du clan des détenus. Aussitôt que le Décret sur la Consolidation eut entrepris de broyer la capitale entière, Altynov, fort à propos, s'abrita dans une clinique cardiologique. Il fit preuve d'un tel naturel, d'une telle persévérance que les médecins désespéraient maintenant de son sort et que ses amis eux-mêmes renonçaient à en rire sous cape, convaincus que ce cœur, épuisé par trente années consécutives de grimaces, avait fini par céder.

De même Iakonov, déjà condamné un an auparavant en sa qualité d'ancien détenu, se voyait de nouveau condamner pour sabotage.

L'abîme rappelait à lui ses enfants.

... Iakonov gravissait le chemin à travers un terrain vague, sans prendre garde à sa direction ni à la pente. L'essoufflement le contraignit enfin à s'arrêter. Ses pieds, malmenés par un sol raboteux, étaient fatigués.

De la position élevée où il s'était hissé, il parcourut l'horizon d'un regard enfin lucide et fit effort pour s'orienter.

Depuis une heure qu'il avait quitté sa voiture, la nuit finissante, encore froide, avait totalement changé. Le brouillard était tombé sans laisser de traces. A ses pieds, le sol était jonché de tessons de briques, de graviers, de bris de verre ; on devinait, à quelque distance, une baraque ou une cabane en planches, de guingois, vaguement blanchie, tout comme la palissade, en contrebas, qui cernait l'emplacement du futur chantier : blanc d'une neige déjà vieille ou du givre de la nuit.

Sur cette butte, livrée à un abandon paradoxal si près

du cœur de la capitale, des degrés blancs s'élevaient, au nombre de sept environ, puis s'interrompaient, puis semblaient continuer.

Un souvenir confus bougea dans l'âme de Iakonov à la vue de ces marches blanches taillées dans la butte. Hésitant, embarrassé, il les gravit, franchit le remblai de ferraille tassée qui leur faisait suite, reprit d'autres marches. L'édifice élevé où conduisait l'escalier se distinguait mal du fond noir et sa forme étrange évoquait à la fois une ruine et une relique préservée.

Ces ruines étaient-elles le fait d'un bombardement ? A Moscou, on faisait ordinairement disparaître pareils vestiges. Quelle puissance avait pu causer une destruction aussi totale ?

Un palier de pierre séparait deux volées. De gros éclats encombraient maintenant les degrés, rendant la marche pénible, et l'escalier, à proximité de l'édifice, s'achevait en une rampe qui s'aplanissait en parvis.

Celui-ci donnait sur une porte de fer, hermétiquement fermée et barrée, à hauteur de genou, par un monceau de gravillons agglutinés.

Mais oui ! Iakonov fut cinglé par le tranchant d'un souvenir. Il se retourna. Jalonnés par des rangs de réverbères, loin, en contre-bas, c'étaient les méandres de la Moskova. Une de ses boucles, étrangement familière, plongeait sous un pont et s'arrondissait jusqu'au Kremlin.

Et le clocher ? Il n'existait plus. A moins que ces monceaux de pierraille n'en fussent le vestige ?

Iakonov sentit une brûlure aux yeux. Il plissa les paupières.

Il s'assit doucement sur une des pierres qui encombraient le parvis.

Vingt-deux ans auparavant, il s'était trouvé sur ces mêmes lieux en compagnie d'une jeune fille qui se nommait Agnia.

CHAPITRE XXV

Il prononça ce nom d'Agnia et le souvenir de tout autres sensations parcourut son corps gavé de bien-être.

Il avait alors vingt-six ans, elle vingt et un.

Cette jeune fille n'était point de ce monde. Pour son malheur, elle avait plus de raffinement et d'exigence qu'il n'en faut pour vivre à un simple mortel. Lorsqu'elle parlait, ses sourcils et ses narines frémissaient comme des ailes juste avant l'envol. Personne, jamais, n'avait eu pour Iakonov de paroles aussi dures ni ne lui avait reproché des actes apparemment anodins où, avec une pénétration surprenante, elle décelait la bassesse ou le manque de générosité. Et, bizarrement, plus elle lui trouvait de défauts, plus Anton s'attachait à elle.

Il fallait prendre de grandes précautions pour la contredire. De santé délicate, une côte la fatiguait, une course un peu trop rapide, une conversation animée. Un rien suffisait à la blesser.

Elle avait pourtant la force de se promener seule en forêt, des journées entières. Mais, contrairement à l'image qu'on se fait d'une fille des villes égarée dans les bois, elle ne prenait jamais de livres avec elle : la lecture l'aurait gênée, lui aurait caché les arbres. Elle flânait, s'asseyait, interrogeait les énigmes de la forêt avec les seules ressources de son esprit. Chez Tourguéniev, elle sautait les decriptions de la nature, les jugeant superficielles. Quand Anton l'accompagnait dans ses promenades, il était frappé par la justesse de ses observations : un tronc de bouleau, penché en mémoire d'une chute de neige, ou cette nuance de l'herbe qui changeait avec le soir. Il ne voyait pas ces choses-là, lui : la forêt, toujours la forêt, de l'air pur, beaucoup de vert...

Fil d'eau sous les arbres, c'est le surnom qu'il lui avait donné en cet été 27 qu'ils avaient passé dans des datchas voisines. Ils partaient, ils revenaient ensemble et, pour tout le monde, ils étaient fiancés.

En fait, ils en étaient fort loin.

Agnia n'était ni jolie ni laide. Son visage, souvent, se métamorphosait : sourire ravissant ou longue mine peu avenante. Elle était plus grande que la moyenne, mais mince, mais frêle, et sa démarche était si légère qu'on aurait dit qu'elle ne faisait qu'effleurer le sol. Anton avait déjà l'expérience des femmes, il appréciait ce qu'elles offrent de charnel, mais ce n'était pas le corps qui l'attirait chez Agnia. A la fréquenter il finit par se convaincre qu'elle lui plaisait, même sensuellement, et qu'elle s'épanouirait un jour.

Alors qu'elle partageait volontiers avec lui les longues soirées d'été, qu'elle l'emmenait à des kilomètres au cœur d'un monde tout vert, qu'elle s'étendait à ses côtés sur l'herbe, elle ne se laissait caresser la main qu'à contre-cœur : « A quoi bon ? » Elle essayait de se dérober. Au retour, pour regagner le lotissement des vacanciers, elle cédait à l'amour-propre de son compagnon et lui donnait docilement le bras.

Ayant décidé en son for intérieur qu'il l'aimait, il se déclara, tombant à ses genoux sur l'herbe. Un profond accablement l'avait alors étreinte. « Comme c'est triste, lui avait-elle dit. J'ai l'impression de te tromper. Je ne sais que te répondre. Je n'éprouve rien. J'en perds même le goût de vivre... »

C'est ce qu'elle disait, mais, chaque matin, elle guettait avec émoi la moindre altération dans le visage ou l'attitude d'Anton.

Parfois, elle tenait d'autres discours : « Il y a bien des filles dans Moscou. A l'automne, tu rencontreras une beauté et tu cesseras de m'aimer. »

Elle lui permit enfin de la prendre dans ses bras, de l'embrasser, mais ses lèvres et ses bras demeuraient inertes. Elle en souffrait. « Comme c'est dur ! Je concevais l'amour comme la descente d'un ange de feu. Eh bien, tu m'aimes, je ne trouverai jamais mieux que toi, mais je n'éprouve aucune joie, je n'ai aucun goût pour la vie. »

Il y avait en elle comme une enfant qui ne voulait pas grandir. Elle redoutait les mystères qui unissent l'homme à la femme dans le mariage, elle lui demandait d'une voix blanche : « On ne peut pas s'en passer ? » « Ce n'est pas l'essentiel, lui répondait Anton avec flamme. Ce n'est qu'un accomplissement de nos échanges spirituels ! » Alors, pour la première fois, ses lèvres s'étaient un peu animées sous celles d'Anton et elle lui avait dit : « Merci. Autrement, la vie ne vaudrait pas d'être vécue. Je crois que je commence à t'aimer. Je ferai tout pour y parvenir. »

Un soir de l'automne suivant, tandis qu'ils flânaient par des ruelles voisines de la place Taganka, Agnia lui dit de sa voix qui sentait la forêt et que les grondements de la ville couvraient presque :

— Veux-tu que je te montre un des plus beaux endroits de Moscou ?

Elle le guida jusqu'à la clôture d'une petite église de brique, peinte en blanc et rouge, dont le chevet donnait sur une ruelle tortueuse et anonyme. L'enceinte, resserrée, ne ménageait autour des murs qu'un étroit passage pour le prêtre flanqué de son diacre, lors des processions. Les fenêtres grillagées laissaient deviner, dans le chœur, la lumière paisible des cierges, des veilleuses colorées. Au coin de la clôture poussait un grand vieux chêne, plus haut que l'église, dont les branches déjà jaunies ombrageaient la coupole et la ruelle, et l'église n'en paraissait que plus petite.

— C'est l'église de Saint-Nicétas-martyr, dit Agnia.

— Ce n'est tout de même pas ce qu'il y a de plus beau dans Moscou.

— Attends un peu.

Elle le fit passer entre les deux poteaux du portillon. Jaunes, orange, les feuilles du chêne recouvraient les dalles de pierre. Presque masqué par la ramure s'élevait un vieux clocher pyramidal. Sa silhouette et celle d'un modeste presbytère, au-delà de la clôture, faisaient écran aux rayons déjà bas du soleil couchant. Entre les deux vantaux de fer de la chapelle nord, une vieille miséreuse, toute cassée, se signait en réponse à la psalmodie des vêpres qui, lumineuse et dorée, ruisselait au fond du sanctuaire.

« Or cette église était belle à merveille et d'un grand lustre », cita Agnia, presque dans un murmure, en approchant son épaule de celle d'Anton.

— Elle est de quel siècle ?

— Il te faut absolument le siècle ? Est-ce vraiment utile ?

— Elle est gentille, je ne dis pas, mais...

— Viens voir !

Et Agnia, tirant Anton à bout de bras jusqu'au grand parvis, lui fit quitter l'ombre et se plongea avec lui dans les flots du couchant. Elle s'assit sur le parapet de pierre qui marquait le bout de la clôture, avant l'embrasure d'une porte cochère.

Anton poussa un cri. D'un coup, s'arrachant à l'étau de la ville, ils s'étaient retrouvés sur une hauteur abrupte à l'horizon immense. Le parvis, coupé par le parapet, dévalait en un long escalier de pierres blanches dont les multiples marches, coupées de paliers, descendaient la butte jusqu'à la Moskova. Le fleuve flamboyait au soleil. A gauche s'étalait le Zamoskvoretchié, aveuglant de toutes ses vitres jaunes ; devant eux, fumant dans le ciel crépusculaire, se dressaient les cheminées noires de la Centrale électrique de Moscou ; presque à leurs pieds, la Iaouza jetait ses eaux pailletées dans la Moskova ; sur la droite et au-delà, c'étaient les Enfants Trouvés, puis le profil ciselé du Kremlin et, plus loin encore, brûlant au soleil, les coupoles vermeilles et dorées du Saint-Sauveur.

Dans ce nimbe d'or, son châle jaune jeté sur les épaules, elle semblait d'or elle aussi et ses yeux clignotaient face au soleil.

— Le vrai visage de Moscou ! s'écria Anton, ému.

— Comme les Russes, autrefois, choisissaient bien l'emplacement des églises et des couvents ! dit Agnia d'une voix entrecoupée. J'ai parcouru la Volga, l'Oka, on en trouve toujours aux endroits les plus grandioses. Leurs architectes étaient des hommes pieux, et leurs maçons des justes.

— Le vrai Moscou !...

— Un Moscou qui s'en va, Anton, dit Agnia de sa voix chantante. Moscou s'en va !...

— Qu'est-ce que tu racontes ? Tu rêves.

— On doit abattre cette église, Anton, reprit Agnia, obstinément.

— Qu'en sais-tu ? riposta Anton en colère. C'est un monument, on l'épargnera.

Il regardait le minuscule clocher et les branches du chêne qui, dans les ajours, se tendaient vers les cloches.

— On la démolira ! prédisait Agnia, péremptoire, toujours immobile, avec son châle jaune, dans toute cette lumière jaune.

Agnia n'avait pas été élevée par les siens dans la croyance en Dieu, tant s'en faut : sa mère comme sa grand-mère, en un temps où la fréquentation de l'église était obligatoire, n'y allaient pas, n'observaient ni jeûne ni abstinence, pouffaient à la vue des popes et se gaussaient à tout propos d'une religion qui avait fait si bon ménage avec le servage. La grand-mère, et la mère, et les tantes d'Agnia professaient une religion très ferme : être toujours du côté de ceux qu'on opprime, qu'on traque et chasse, de ceux que persécute le pouvoir. Tous les Narodovoltsy [1] de Moscou avaient connu cette grand-mère qui les avait hébergés et aidés de son mieux. Ses filles avaient pris sa suite et caché les socialistes-révolutionnaires et les sociaux-démocrates clandestins. La petite Agnia était de ces enfants qui prient le bon Dieu que le chasseur manque le lièvre et que le fouet épargne le cheval. Elle grandit et son penchant prit un tour inattendu pour ses aînés : elle était pour l'église parce qu'on la persécutait.

Elle s'acharnait à répéter que *maintenant* il serait ignoble d'éviter l'église. Au grand effroi de sa mère et de sa grand-mère, elle se mit à y aller et, insensiblement, prit goût aux offices religieux.

— Où vois-tu des indices de persécution ? lui demandait Anton, tout surpris. On ne les empêche pas de sonner leurs cloches ni de fabriquer leur pain bénit. Ils veulent des processions ? Ils n'ont qu'à en faire. La ville et l'école leur sont fermées, et c'est normal.

— Bien sûr, qu'on persécute l'Église, répliquait Agnia de sa voix basse, peu timbrée. Du moment qu'on publie et qu'on peut dire tout ce qu'on veut contre elle, du moment qu'on ne la laisse pas se défendre, qu'on fait l'inventaire des sacristies, qu'on exile les prêtres... Si ce n'est de la persécution, qu'est-ce donc ?

— Où as-tu vu des départs en exil ?

— Ce ne sont pas des choses qu'on voit dans la rue.

Anton revenait à la charge :

— Mettons que ce soit le cas ! Cela fait dix ans qu'on la brime. Qu'a-t-elle fait, elle, pendant dix siècles ?

— Je ne vivais pas, à l'époque. — Agnia haussait ses épaules étroites. — Moi, je vis aujourd'hui... Et je vois ce qui se produit sous mes yeux.

— Eh bien, il faut mieux connaître l'histoire ! L'ignorance est une mauvaise excuse ! Tu ne t'es jamais demandé comment notre Église avait réussi à survivre à deux cent cinquante ans de joug tatar ?

Elle chercha une réponse :

— C'est que la foi était fortement enracinée ? Ou que l'orthodoxie s'est montrée supérieure, spirituellement, à l'Islam ?

C'étaient des questions, non des réponses, et Anton eut un sourire condescendant.

— Tu n'es qu'une rêveuse ! Est-ce que, dans le fond de son âme, notre peuple a jamais été chrétien ? Est-ce qu'au long de ce règne millénaire il a jamais pardonné à ceux qui le persécutaient ? Aimé ceux qui le haïssaient ? Si notre Église a tenu bon, c'est qu'après l'invasion le métropolite Cyrille a été le premier Russe à aller rendre hommage au khan pour obtenir de lui des garanties pour le clergé. Le cimeterre tatar ! Voilà ce qui a permis au clergé russe de préserver ses terres, ses serfs et ses offices divins ! Et, si tu veux, le métropolite Cyrille a eu raison. C'était un réaliste en politique. C'est comme ça qu'il faut agir. Ce n'est qu'à ce prix qu'on finit par l'emporter.

Lorsqu'on la tenaillait, Agnia ne discutait pas. Elle ouvrit de grands yeux sous ses sourcils éployés et scruta son fiancé avec un sentiment de gêne tout nouveau. Anton poursuivit avec véhémence :

— Voilà sur quoi reposent toutes ces belles églises avec leur site admirablement choisi ! Sans parler des schismatiques qu'on a brûlés ! des hérétiques fouettés à mort ! Trouve autre chose à plaindre ! Pauvre Église qu'on persécute !

Il s'assit à ses côtés sur la pierre tiédie du parapet :

— Tu es d'ailleurs injuste envers les bolchéviks. Tu ne t'es pas donné la peine de lire leurs grands livres. Ils sont extrêmement probes dans leur attitude envers la culture universelle. Ce qu'ils veulent, c'est supprimer l'arbitraire entre l'homme et l'homme, ils veulent faire régner la raison ! Et, surtout, ils sont pour l'égalité ! Imagine plutôt : l'égalité universelle, pleine, absolue : plus de privilèges pour personne, ni de supériorité de revenu ou de situation. Y a-t-il rien de plus séduisant qu'une société pareille ? Et ne mérite-t-elle pas des sacrifices ?

(Indépendamment des attraits de cette société, l'origine sociale d'Anton l'incitait à s'*aligner* avant qu'il fût trop tard.)

— A force de faire la fine bouche, tu finiras par te fermer toutes les écoles supérieures. Que signifie ton opposition ? Qu'espères-tu faire ?

— Que peut faire une femme ? — Ses tresses fines sautèrent, l'une sur une épaule, l'autre sur la poitrine (plus personne ne se coiffait ainsi en ces années-là, toutes les femmes coupaient leurs cheveux très courts, mais Agnia, par esprit de contradiction, tenait à cette coiffure qui, pourtant, ne la flattait guère). — Tout ce qu'elles savent faire, c'est retenir les hommes d'accomplir des actions sublimes. Même une Natacha Rostov. Je ne peux pas la sentir.

— Pourquoi ? demanda Anton avec surprise.

— Parce qu'elle est femme à empêcher Pierre de rejoindre les décembristes ! » et, de nouveau, sa voix ténue se brisa.

Elle était toute dans ces brusques reparties.

Son châle jaune, transparent, retombait sur ses coudes légèrement décollés du corps, libres de leurs mouvements, et dessinait deux fragiles ailes d'or.

Anton lui prit un coude entre ses deux mains, tout doucement, comme s'il craignait de le briser.

— Et toi, tu l'aurais laissé faire ?

— Oui.

Il ne se sentait d'ailleurs sollicité par aucun exploit qu'on l'eût retenu d'accomplir. Il menait une vie trépidante et son travail, qui l'intéressait, ne cessait de lui faire gravir de nouveaux échelons.

Des gens passaient devant eux et se signaient devant le porche ouvert, fidèles attardés qui remontaient du quai. Franchissant la clôture, les hommes ôtaient leur casquette. Ils étaient d'ailleurs moins nombreux que les femmes et il n'y en avait point de jeunes.

— Tu ne crains pas d'être remarqué près d'une église ? — La question d'Agnia ne supposait aucun sous-entendu ironique mais elle n'en était pas moins malicieuse.

A l'époque déjà, il était dangereux d'être surpris par un collègue aux environs d'une église. Et il est vrai qu'Anton se sentait ici trop en vue et éprouvait un vague malaise. Avec un agacement soudain, il entreprit de lui faire la leçon :

— Fais attention, Agnia ! Il faut savoir reconnaître ce qui est nouveau avant que l'occasion ne disparaisse, sans quoi on ne peut pas rattraper son retard. Tu t'es sentie attirée par l'église parce qu'elle encense ton dégoût de vivre. Prends garde ! Il est grand temps de te secouer, de t'intéresser à quelque chose, quand ce ne serait qu'au déroulement même de la vie.

Agnia baissa la tête. Sa main, ornée de l'anneau d'or que lui avait offert Anton, pendait inerte. La silhouette de la jeune fille semblait bien maigre, bien anguleuse.

— C'est vrai, acquiesça-t-elle d'une voix blanche. Par moments, je comprends clairement qu'il m'est difficile de vivre, que je n'en ai aucune envie. Les êtres comme moi n'ont rien à faire en ce monde...

En lui, ce fut comme une déchirure. Elle faisait ce

qu'elle pouvait pour ne pas l'attirer. Le courage de lui être fidèle et de l'épouser commençait à fléchir en lui.

Elle leva sur lui un regard pénétrant qui ne souriait pas.

« Elle n'est franchement pas jolie », songea Anton. Elle lui dit avec tristesse :

— Tu as certainement devant toi la gloire, le succès, une belle aisance. Mais seras-tu heureux, Anton ? Prends garde, toi aussi. A trop s'intéresser au déroulement de la vie, on perd de vue... on perd... comment rendre ça ?... — Elle frottait ses doigts joints comme pour mieux trouver le mot et son visage reflétait une inquiétude douloureuse. — La cloche vient de s'arrêter, les sons harmonieux se sont envolés et... on ne peut plus les faire revenir, or ils étaient toute la musique. Tu comprends ?...

Elle chercha encore :

— Imagine qu'au moment de mourir, tu souhaites être enterré selon le rite orthodoxe...

Elle lui imposa ensuite son désir d'entrer dans l'église pour prier. Il ne pouvait la laisser seule comme ça. Ils entrèrent. Sous ses voûtes robustes, un déambulatoire aux fenêtres grillagées à l'ancienne faisait le tour de l'église. De là une porte au cintre bas donnait sur le chœur.

Par les ouvertures de la coupole, la lumière du couchant se répandait dans l'église et déployait ses jeux d'or sur le haut de l'iconostase et l'image en mosaïque du Pantocrator.

Il y avait peu de fidèles. Agnia planta un cierge mince sur le grand chandelier de cuivre et s'immobilisa dans une attitude sévère, avare de signes de croix, les mains jointes sur la poitrine, son regard inspiré dirigé droit devant elle. La lumière diffuse du couchant et les reflets orangés des cierges avaient rendu vie et chaleur à ses joues.

On était à deux jours de la Nativité de Notre-Dame et on récitait la très longue litanie consacrée à sa gloire. Le texte était d'une éloquence exubérante, louanges et épithètes en l'honneur de la Vierge retombaient en cascade et Iakonov découvrit alors la poésie extatique de cette litanie. Ce n'était pas l'œuvre d'un cuistre tonsuré mais celle d'un grand poète pris au piège de la vie monastique. Cet homme n'avait pas été mû par la courte rage de tout mâle devant un corps féminin, mais par le ravissement le plus haut qu'une femme puisse nous inspirer.

Iakonov retoucha terre. Il était assis sur des décombres, salissant son manteau de cuir, au parvis de Saint-Nicétas-martyr.

Oui, on avait bêtement détruit le petit clocher pyramidal et démantelé l'escalier qui menait au fleuve. Qui aurait jamais cru que cette soirée ensoleillée et cette aube de décembre avaient pu se dérouler sur les mêmes mètres carrés de terre moscovite ? L'horizon, lui, demeurait aussi vaste et les méandres aussi sinueux, soulignés par les derniers réverbères...

... Peu après, on l'avait envoyé en mission à l'étranger. A son retour, on lui demanda d'écrire, ou plutôt de signer un article de journal sur le pourrissement de l'Occident, de sa morale, de sa culture, sur la grande misère de ses intellectuels et la stérilité qui y frappait la science. Ce n'était pas vrai, mais ce n'était pas franchement faux. Tout cela existait, avec autre chose à côté. Lui qui était sans-parti, on l'avait convoqué au Comité du Parti. Il y avait subi des sollicitations pressantes. Les hésitations de Iakonov pouvaient éveiller des soupçons, ternir sa réputation. Qui donc trouverait à redire à une notule ? L'Europe n'en mourrait tout de même pas.

L'article fut imprimé.

Agnia lui renvoya par la poste sa bague de fiançailles avec, au bout d'un fil, une étiquette et ces mots :

« Au métropolite Cyrille. »

Il éprouva un vrai soulagement.

Il se leva, se traîna jusqu'à une fenêtre grillagée et regarda à l'intérieur du déambulatoire. Il reçut au visage une odeur crue de brique, de froid, de mort. Ses yeux distinguaient là aussi un dessin confus de pierres brisées et de gravats.

Il s'éloigna de la fenêtre et, sentant les battements de son cœur s'espacer, s'adossa au montant de fer rouillé du porche fermé depuis tant d'années.

La menace d'Abakoumov le pénétra d'un effroi glacé.

Iakonov était au faîte de la gloire visible. Il était parmi les plus hauts dignitaires d'un ministère tout-puissant. Il était intelligent, doué, et nul ne l'ignorait. Chez lui l'attendaient une femme aimante et deux ravissantes filles endormies, toutes roses. Son superbe appartement occupait les pièces, hautes de plafond, d'une vieille demeure moscovite. Son traitement mensuel s'élevait à plusieurs milliers de roubles. La Pobieda affectée à sa personne accourait à un simple coup de téléphone.

Il se tenait là, les coudes contre ces pierres mortes, et la vie n'avait plus de goût pour lui. Son âme était si désespérée qu'il n'avait plus la force de remuer le bras ou la jambe. Il n'était pas tenté de se tourner vers la splendeur du matin.

Le jour naissait.

Il y avait dans l'air glacé une pureté neuve et solennelle. Un givre foisonnant duvetait l'énorme souche du chêne abattu, les corniches encore épargnées de l'édifice, l'arabesque des fenêtres, les câbles électriques qui descendaient vers la baraque voisine et la crête circulaire et dentelée de la longue palissade, en bas, qui ceinturait le chantier d'un futur gratte-ciel.

CHAPITRE XXVI

Le jour naissait.

Un givre opulent ornait d'hermine royale les poteaux de la zone et de l'avant-zone, les réseaux emmêlés, torsadés en milliers d'étoiles, de vingt rangs de barbelés, le toit aplati du mirador de garde et l'herbe folle épargnée par la faux au-delà de la clôture.

Dimitri Sologdine contemplait cette merveille sans se protéger les yeux. Il se tenait devant un chevalet de scieur. Il portait une veste molletonnée de forçat par-dessus sa combinaison bleue et sa tête, déjà pointillée d'argent, était découverte. C'était un esclave dépouillé de tout droit, de toute valeur. Il s'était fait *mettre dedans* douze ans plus tôt mais, ayant écopé d'une nouvelle peine en camp de concentration, il ne pouvait prévoir la fin de sa détention. Sa femme avait vu sa jeunesse se flétrir dans une attente stérile. Pour n'être pas chassée de son nouveau travail, elle avait menti, affirmé n'avoir pas de mari et cessé de lui écrire. Sologdine n'avait jamais vu son unique fils : sa femme était enceinte lorsqu'on l'avait arrêté. Il avait connu les forêts de Tcherdyn, les mines de Vorkouta, avait affronté deux instructions, l'une de six mois, l'autre d'un an : toute sa sève avait été épuisée par l'insomnie. Son nom, son avenir étaient depuis longtemps souillés. Il possédait en tout et pour tout un vieux pantalon molletonné et une veste de travail en toile de bâche qui restaient consignés chez le fourrier dans l'attente de temps plus durs. Il touchait trente roubles par mois — de quoi acheter trois kilos de sucre — mais sous forme de bons.

Il ne pouvait respirer d'air frais qu'à heures fixes avec l'autorisation de la direction de la prison.

Pourtant, la paix de son âme était inaltérable. Ses yeux avaient l'éclat de l'adolescence. Sa poitrine, offerte au gel, se soulevait, gonflée par la plénitude de l'existence.

Réduits à des ficelles exsangues au temps de l'instruction, ses muscles s'étaient remplis, développés, et ne demandaient qu'à être exercés. C'est pourquoi, de son propre chef et sans aucune rétribution, il allait tous les jours fendre et scier du bois pour les cuisines des détenus.

La hache et la scie, armes redoutables entre les mains d'un zek, ne lui avaient pas été confiées d'emblée ni sans histoires. L'autorité pénitentiaire devait bien justifier son salaire en soupçonnant de préméditation criminelle l'action la plus anodine de chaque zek. Jugeant de tout à son aune, elle ne pouvait admettre qu'un homme consentît de son plein gré à travailler gratuitement. Aussi Sologdine était-il opiniâtrement soupçonné de manigancer une évasion ou une insurrection armée, d'autant plus que son dossier renfermait des traces de ces deux entreprises. Il fut donc décidé qu'on planterait à cinq pas de Sologdine un factionnaire qui surveillerait ses travaux, hors de portée de sa hache. Les surveillants ne rechignaient pas devant cette périlleuse mission et le rapport numérique d'un observateur pour un travailleur n'apparaissait point comme un gaspillage à une autorité acclimatée aux sains usages du Goulag. Mais Sologdine fit la mauvaise tête, ce qui ne put qu'accroître les soupçons : il déclara sans ambages qu'il ne travaillerait pas sous le nez d'un *chaperon*. Pour un temps, le débitage du bois fut entièrement suspendu. Le directeur de la prison ne pouvait y contraindre les zeks, car ceux-ci n'étaient pas soumis au régime du camp et effectuaient un travail intellectuel qui n'était pas de son ressort. Le malheur, surtout, voulait que les instances planificatrices et la comptabilité n'eussent pas prévu la nécessité d'un pareil travail pour le fonctionnement des cuisines. De ce fait, comme cette corvée ne leur était pas payée en supplément, les employés supplétifs qui préparaient la nourriture des détenus refusaient de débiter le bois. On tenta d'y employer des surveillants au repos en les arrachant à leur partie de dominos en salle de garde. Ces surveillants étaient tous de robustes brutes, jeunes gars triés sur le volet pour leur belle santé. Quelques années de surveillance leur avaient pratiquement fait perdre l'habitude du travail : ils se plaignaient vite de courbatures et demeuraient fascinés par les dominos. Ils n'arrivaient pas à couper tout le bois nécessaire. Le directeur de la prison dut céder : il autorisa Sologdine et ses compagnons éventuels (Nerjine et Roubine le plus souvent) à scier et fendre le bois sans surveillance spéciale. Au demeurant, la sentinelle du mirador ne voyait qu'eux et les officiers de service avaient reçu consigne de les avoir à l'œil.

L'obscurité s'estompait, les réverbères pâlis mêlaient leur lumière à celle du jour et, au coin d'une des bâtisses, venait d'apparaître la silhouette ronde de Spiridon avec son caban et sa chapka à oreillettes, basse sur la nuque, qu'il était seul à avoir reçue en compte. Ce portier, également détenu, dépendait non de la prison mais du commandement de l'Institut et, pour prouver sa bonne volonté, daignait aiguiser la scie et les haches, quoique ces outils fissent partie du matériel de la prison. Comme il s'approchait, Sologdine aperçut dans ses mains la scie qu'il n'avait pas trouvée sur les lieux.

Du lever au coucher, à toute heure, Spiridon déambulait sans escorte dans des cours il est vrai surveillées par des mitrailleurs. La direction s'était crue fondée à tolérer ce relâchement pour une autre raison : Spiridon était borgne et son œil unique n'avait que trois dixièmes. Le règlement de la charachka avait bien prévu la nécessité de trois « concierges », car plusieurs cours communiquaient et couvraient en tout une surface de deux hectares, mais Spiridon n'en savait rien, expédiait à lui seul le travail de trois hommes et ne s'en trouvait pas mal. Surtout, il pouvait ici bâfrer *à sa faim*, jamais moins d'un kilo et demi de pain noir, qui n'était pas rationné, et puis les gars lui refilaient de leur kacha.

Spiridon s'était visiblement remis et remplumé après le Sevourallag, avec trois hivers d'abattage suivis de trois printemps de flottage où il avait paternellement pris en charge quelques milliers de troncs.

— Allons, Spiridon ! lui cria Sologdine impatient.

— Qu'è qu'y a ?

Spiridon avait des moustaches et des sourcils roux mêlés de blanc, un teint rougeâtre et son visage, des plus mobiles, répondait volontiers à tout appel par une expression d'empressement. C'était le cas en ce moment. Sologdine, cependant, ignorait qu'un excès de bonne volonté n'allait guère sans moquerie chez cet homme.

— Comment, qu'est-ce qu'il y a ? La scie tire mal.

— J' vois guère pourquoi qu'é tirerait pas, dit Spiridon, étonné. C'est pas la première fois de l'hiver que vous vous en plaignez. Essayons voir un coup !

Et il lui tendit une des poignées de la scie.

Ils se mirent à l'ouvrage. La scie bondit une ou deux fois, changeant de place, ne trouvant pas aussitôt sa voie, puis mordit dans le bois et s'y enfonça.

— C'est que vous l'empoignez de trop, remarqua Spiridon, prudemment conseilleur. Faut coincer la poignée avec trois doigts, comme une plume, et faut y laisser faire, en douceur, comme ça... ni plus ni moins ! Pis faut pas l'arracher en la tirant devers vous...

Chacun se sentait trop évidemment supérieur à l'autre. Sologdine parce qu'il connaissait la mécanique théorique, la résistance des matériaux et bien des choses encore et qu'il avait des vues générales sur la vie en société. Spiridon parce que les choses concrètes lui étaient dociles. Mais Sologdine ne cachait pas sa condescendance au concierge tandis que celui-ci dissimulait à l'ingénieur son indulgent dédain.

Même quand ils eurent dépassé le cœur de la grosse bille, la scie continua son chemin sans accroc en tintant et en recrachant sa sciure de pin jaunâtre sur les deux pantalons bleus.

Sologdine s'esclaffa :

— Tu es un drôle de pistolet, Spiridon ! Tu me trompes. Tu as dû l'aiguiser et lui refaire sa lame hier.

Tout heureux, suivant le rythme du sciage, Spiridon cita le dicton populaire :

— Mâche menu mais mange tout, avale rien et recrache tout...

D'une pression de la main, il fit tomber le billot avant que la scie l'eût entièrement découpé.

— J'y ai pas refait sa lame, dit-il en renversant la scie et en la tendant à l'ingénieur. — Vous avez qu'à y regarder les dents, é sont pareilles qu'hier.

Sologdine se pencha sur les dents et n'y distingua pas la moindre trace d'affilage récent. Le vieux renard avait tout de même dû faire quelque chose.

— Allons, Spiridon, encore une.

— Ça non, dit Spiridon en se prenant les reins. J' suis éreinté. Je paye pour tous mes aïeux, s'ils ont pas travaillé leur dû. Vos copains vont bientôt être là.

Les copains n'arrivaient pas.

Il faisait maintenant grand jour. Une matinée de givre, franche, triomphante. Les gouttières mêmes, comme toute la terre, étaient parées d'un givre dont les mèches pommelées s'accrochaient jusqu'aux cimes des tilleuls, au loin, dans la cour réservée à la promenade.

— Comment as-tu échoué à la charachka ? demanda Sologdine à Spiridon en le regardant attentivement.

Il n'avait d'ailleurs rien de mieux à faire. En plusieurs années de camp, Sologdine ne s'était trouvé fréquenter que des gens instruits et il n'imaginait pas avoir grand-chose à glaner auprès d'hommes à peu près incultes.

— C'est vrai, ça ! fit Spiridon en claquant des lèvres. Quand on pense au sacré paquet de gens instruits que vous faites à vous tous, ben moi, on m'a fourré dans le même tas. Sur ma fiche y avait marqué « souffleur ». Faut dire qu'au vrai, j'y étais dans le temps, souffleur, maître-verrier dans une usine de chez nous, du côté de Briansk. C'était y a beau temps, j'ai plus guère de vue, et mon métier, c'est pas ce qu'il faut ici, eux il leur faut un souffleur vraiment pas ordinaire, comme Ivan. Dans notre usine y a jamais rien eu de pareil. Ils m'ont quand même amené ici, rapport à ma fiche.

Finalement, ils ont bien vu à qui ils avaient affaire, alors ils ont voulu me renvoyer là-bas. Encore heureux que le commandant il a bien voulu me garder comme concierge.

Nerjine se montra dans la cour, au coin du rez-de-chaussée abritant l' « état major de la Prison spéciale ». Sa combinaison était entrouverte, sa veste négligemment jetée sur ses épaules, son cou entouré de la serviette réglementaire — qui, comme de juste, n'excédait pas les proportions d'un modeste carré.

Bonjour, les amis, dit-il d'une voix hachée et, sans s'arrêter, il fit glisser le haut de sa combinaison jusqu'à la taille et ôta son tricot.

— Tu es piqué, Gleb, où as-tu vu de la neige ? lui dit Sologdine avec un coup d'œil inquiet.

— Là, répondit Nerjine d'une voix sombre et il grimpa sur le toit d'un appentis à-demi souterrain.

Il s'y trouvait une couche de neige ou de givre intact et incroyablement poudreux. Nerjine en prit des poignées et se frotta furieusement la poitrine, le dos et les flancs. Tout l'hiver il s'était frictionné le torse avec de la neige, malgré les remontrances des surveillants qui le voyaient faire.

— T'es rouge comme une écrevisse, lui dit Spiridon en hochant la tête.

— Toujours pas de lettre, Spiridon Danilytch ? lui demanda Nerjine au lieu de répondre à sa remarque.

— Si, justement.

— Pourquoi ne me l'as-tu pas fait lire ? Tout va bien ?

— Y en a bien une, de lettre, mais on peut pas y toucher. Alle est chez le serpent.

— Chez Mychine ? Il la garde ?

Nerjine cessa pour un temps de se frictionner.

— Il m'avait bien marqué sur sa liste, mais le commandant m'a envoyé ranger le grenier. Le temps de me retourner, le serpent en avait fini avec le courrier. Maintenant, c'est pas avant lundi.

— Les ordures, soupira Nerjine en montrant les dents.

— Juger les curés, c'est l'affaire du diable ! fit Spiridon en lorgnant Sologdine qu'il ne connaisssait pas bien. — Bon, je me tire.

Coiffé de son bonnet dont les oreilles, comiquement pendantes, faisaient penser à celles d'un cabot, il s'éloigna en direction du corps de garde où il était seul de tous les zeks à avoir accès. Sologdine cria sur ses pas :

— Et la hache, Spiridon ? Où est-elle ?

— Un homme de garde vous l'apportera, répliqua Spiridon, puis il disparut.

— Eh bien, dit Nerjine en se frottant vigoureusement la poitrine et le dos avec son petit carré de nids d'abeilles, je me suis mis dans un mauvais cas avec Anton. Je lui avais déjà parlé du N° 7 comme « d'un cadavre d'ivrogne dans le ruisseau de Marfino ». Hier soir, par-dessus le marché, quand il m'a proposé d'entrer dans une équipe de chiffreurs, j'ai refusé.

Sologdine secoua la tête et sourit d'un air peu approbateur. Entre une moustache d'un châtain grisonnant, soigneusement taillée, et une barbiche également courte, étincelaient les perles d'une denture robuste, épargnée par toute carie mais endommagée par une cause extérieure et violente.

— Tu ne te conduis pas en calculateur mais en trouvère.

Nerjine ne fut pas surpris. C'est ainsi que « mathématicien » et « poète » se disaient dans le langage de Sologdine. La lubie de celui-ci, connue de tous, consistait à s'exprimer en une *Langue de Clarté* sans jamais recourir au « jargon des oiseaux », c'est-à-dire des mots d'origine étrangère.

Toujours torse nu, achevant sans hâte de se frotter avec son bout de torchon, Nerjine dit d'un ton maussade :

— En effet, ça ne me ressemble guère. Mais d'un coup je me suis senti dégoûté de tout, je n'ai plus eu envie de rien. La Sibérie ? Soit !... Je remarque non sans regrets que Lev a raison et que je n'ai pas réussi à devenir sceptique. Il faut croire que le scepticisme n'est pas seulement un système, mais avant tout un tempérament. Moi, j'ai envie d'être mêlé aux événements. Voire même de balancer mon poing dans certaines gueules.

Sologdine essaya de se faire un siège du chevalet.

— Cela me réjouit fort, ami. De ta part, un... surcroît de défiance (on aurait dit « scepticisme » en langage apparemment clair) était inévitable sur la voie qui mène de l'abêtissement satanique (il voulait parler du « marxisme », mais ne savait comment rendre ce mot) à la lumière de la vérité. Tu n'es plus un enfant (Sologdine avait six ans de plus que Nerjine), tu dois te fixer spirituellement, comprendre le rapport entre le bien et le mal dans la vie de l'homme, et choisir.

Sologdine regardait Nerjine avec gravité, mais celui-ci ne manifestait aucune intention de comprendre ni de choisir. Tout en enfilant sa chemise trop petite pour lui et en glissant ses bras dans les manches de sa combinaison, Gleb riposta :

— Pourquoi, lorsque tu formules une déclaration de cette importance, ne prends-tu pas la précaution de rappeler que ta raison est faible, qu'elle est « source d'erreurs » ?

Nerjine redressa la tête et dévisagea son ami d'un regard neuf. Il poursuivit :

— Il y a en toi à la fois la « lumière de la vérité » et l'affirmation que la « prostitution est moralement un bien » ! Et tu soutiens que dans le duel de Pouchkine, c'est d'Anthès qui est dans son droit.

Sologdine montra la rangée un peu ébréchée de ses dents en amandes dans un sourire satisfait.

— Il me semble avoir soutenu victorieusement ces positions ?

— Oui, mais savoir que le même crâne, la même poitrine...

— C'est la vie, prends-en ton parti. Je dois t'avouer que je suis comme les œufs-gigognes en bois. Je renferme neuf sphères.

— Sphère ? Mais c'est un mot d'oiseau.

— Pardon. Tu vois à quel point je manque d'invention. Je suis donc fait de neuf *boules*. Et il est rare que je montre les plus secrètes. N'oublie pas que nous passons notre existence visière baissée. Une vie entière la visière sur le nez. On nous y a contraints. Et, même sans ça, les gens sont plus compliqués que les romans ne nous les dépeignent. Les écrivains s'efforcent de nous expliquer les hommes jusqu'au fond alors que dans la vie nous ne les connaissons jamais aussi bien. Voilà pourquoi j'aime Dostoïevski : Stavroguine ! Svidrigaïlov ! Kirillov ! Plus on les fréquente, moins on les connaît.

— A propos, d'où sort-il, ce Stavroguine ?

— Des *Démons* ! Tu n'as pas lu ça ? fit Sologdine stupéfait.

Nerjine se noua son bout de serviette autour du cou, en cache-nez, et enfonça sur son front une vieille chapka d'officier combattant dont les coutures étaient cuites.

— Les *Démons* ? Tu crois donc que c'est de ma génération ? Tu rêves ! Où les aurait-on trouvés ? C'est de la littérature contre-révolutionnaire ! C'était bien trop risqué !

Il enfila son molleton.

— ... et je ne suis pas de ton avis. Quand un bleu passe le seuil de la piaule et que, penché sur son lit, on le dévisage, est-ce qu'on ne découvre pas ce qu'il est, pour l'essentiel ? Ami ou ennemi. Et c'est toujours sans appel, voilà ce qui m'étonne ! Et toi qui prétends qu'il est si difficile de comprendre les hommes... Rien que notre rencontre, tiens ! Quand tu es arrivé à la charachka, il y avait encore le lavabo dans le grand escalier, n'est-ce pas ? Tu te souviens ?

— Bien sûr.

— Un matin je descends, sifflotant un petit air. Tu étais en train de te bouchonner et tu as relevé le visage au-dessus de ta serviette, dans la pénombre. J'en suis resté bleu ! J'avais cru voir une icône. C'est après coup que j'ai compris que tu n'avais rien d'un saint, je ne voudrais pas que tu t'en croies.

Sologdine éclata de rire.

— ... Ton visage n'est pas exactement tendre, mais il est... pas ordinaire... Et je me suis aussitôt senti en confiance avec toi, et au bout de cinq minutes je te racontais que...

— Oui, j'ai été frappé de ta précipitation.

— Mais avec des yeux comme les tiens on ne peut pas être un mouchard !

— C'est bien dommage que je sois à ce point lisible. Au camp, il faut se noyer dans la masse.

— Le jour même, après avoir écouté tes révélations évangéliques, je t'ai posé une petite question piégée...

— A la Karamazov.

— Oui, tu te souviens ? Que faire des gars du milieu ? Et ta réponse ? Tous au poteau ! Hein ?

Nerjine voulait vérifier si Sologdine demeurait sur ses positions.

Le regard bleu de Dimitri Sologdine resta imperturbable. Croisant les bras sur sa poitrine d'un geste avantageux — l'attitude lui allait bien —, il proféra d'une voix noble :

— Ami ! Seuls ceux qui souhaitent la mort du christianisme désirent en faire une religion de castrats ! Le christianisme est la foi des forts en esprit. Nous devons avoir le courage de voir le mal sur cette terre et de l'extirper. Attends un peu, tu viendras à Dieu à ton tour. Ton incroyance gé-né-ra-li-sée n'est pas un fondement solide pour la pensée, elle n'est qu'indigence de l'âme.

Nerjine soupira.

— Tu sais, je n'ai finalement rien contre l'aveu d'un Créateur du monde, d'une Raison Suprême de l'Univers. Pour tout dire, même, j'en ai comme l'intuition. Mais deviendrais-je moins moral si j'apprenais que Dieu n'existe pas ?

— As-su-ré-ment !

— Je ne crois pas. Pourquoi veux-tu à tout prix, pourquoi voulez-vous toujours qu'on professe non seulement un Dieu mais très précisément le Dieu des chrétiens, et l'unité de la Trinité, et l'Immaculée Conception ? En quoi ma croyance, en quoi mon déisme philosophique serait-il ébranlé si j'apprenais qu'aucun des miracles de l'Évangile n'a eu lieu ? En rien !

Sologdine brandit une main sévère, l'index dressé.

— Pas d'autre voie ! Si tu mets en doute un seul mot de l'Écriture, un seul point de dogme, tout s'effondre ! Tu es un sans-dieu !

Et il sabra l'air du bras.

— C'est ainsi que vous faites fuir les gens ! Tout ou rien ! Pas de compromis, pas de petites faveurs ! Et si je ne peux pas accepter tout l'ensemble ? Quelle doctrine proposer alors ? Quelle défense adopter ? Aussi je me borne à dire : « Ce que je sais, c'est que je ne sais rien. »

L'apprenti Socrate empoigna la scie dont il tendit une poignée à Sologdine. Celui-ci acquiesça.

— D'accord, on en reparlera ailleurs.

Ils étaient de nouveau sensibles au froid et ils se remirent au travail avec joie. La scie fit gicler la poussière brune de l'écorce. Son mouvement, quoique moins alerte que sous la main de Spiridon, était malgré tout aisé. De nombreuses matinées avaient créé un bon accord entre les deux scieurs et ils expédiaient leur besogne sans reproches mutuels. Ils y éprouvaient l'euphorie de tout travail qui n'est dicté ni par la contrainte ni par la nécessité.

Avant de s'attaquer à leur quatrième billot, Sologdine, le visage embrasé, grogna :

— Pourvu qu'on ne tombe pas sur un nœud.

Une fois le billot tranché, Nerjine murmura :

— C'est vrai qu'il était noueux, le salopard !

A chaque coup chuintant, tantôt jaune, tantôt blanche, la sciure se répandait sur les pantalons et les chaussures des deux tâcherons. Le travail, bien rythmé, les calmait et remettait leurs idées en place.

Nerjine, qui s'était levé du mauvais pied, songeait maintenant que seule sa première année de camp avait été abêtissante, mais que, désormais, il réglerait son souffle tout autrement : il ne ferait pas des pieds et des mains pour se planquer, il n'aurait plus peur des gros travaux. Sans hâte, comme un qui connaît les profondeurs secrètes de la vie, il irait à l'appel du matin dans sa veste molletonnée, souillée de plâtre et de mazout, il glanderait de son mieux pendant ses douze heures de travail, et cela pendant les cinq années qu'il lui restait à tirer. Cinq ans, c'est moins que dix. Cinq ans, on s'en tire. A condition de se rappeler sans cesse que la prison est une bénédiction autant qu'elle est une malédiction.

Il raisonnait de la sorte en tirant la scie à lui avec

régularité. Il n'aurait jamais imaginé que son compagnon, lorsqu'il maniait la scie, n'envisageait la prison que comme une damnation à laquelle il faudrait un jour ou l'autre échapper.

En ce moment, Sologdine songeait au grand succès, prometteur d'une libération anticipée, qu'il s'était assuré dans le plus grand secret au cours des derniers mois de son travail forcé. Après le déjeuner, on devait lui communiquer la sanction méritée par son œuvre et il ne s'attendait qu'à des éloges. C'est plein d'une fierté exubérante que Sologdine pensait présentement à son cerveau, à ce cerveau vidé pour des années par l'instruction judiciaire, par la faim concentrationnaire, longtemps privé de phosphore et qui, pourtant, avait réussi à s'acquitter d'une mission technique exceptionnelle ! Dans un essor de toutes les forces vitales, comme c'est si souvent le cas chez l'homme de quarante ans. Surtout quand le trop-plein de la puissance charnelle n'est pas dévié vers la procréation mais se mue mystérieusement en fortes pensées.

CHAPITRE XXVII

Ils sciaient, cependant, ils sciaient toujours, leurs corps s'étaient échauffés et leurs visages enflammés, ils avaient rejeté leur veste sur le bois à scier, les bûches s'entassaient en un monceau respectable près du chevalet, mais la hache n'était toujours pas là.

— Ça suffit peut-être ? demanda Nerjine. On n'arrivera pas à tout débiter.

— Reposons-nous, acquiesça Sologdine. Il posa la scie un peu à l'écart. La lame se courba et rendit un son plein. Tous deux ôtèrent leur chapka. Une buée s'éleva de la chevelure drue de Nerjine et des cheveux clairsemés de Sologdine. Ils respiraient profondément. L'air pénétrait dans les recoins les plus confinés de leur corps.

— Mais si on t'envoie dans un camp, demanda Sologdine, qu'adviendra-t-il de ton travail sur le Nouveau Temps des Troubles [1] ? (Ce qui signifiait la révolution.)

— Pourquoi donc ? Tu crois qu'ici je suis dans des conditions rêvées ? Le fait de conserver une seule ligne écrite risque de me faire mettre au cachot, ici aussi bien que là-bas. Même en restant ici, je n'ai pas libre accès à une bibliothèque publique. Aussi longtemps que je vivrai, on ne m'ouvrira sûrement pas les archives. Et s'il ne s'agit que de bon papier, la taïga me fournira toujours de l'écorce de bouleau ou de pin. Aucune fouille n'aura de prise sur ma supériorité : le malheur que j'ai éprouvé, celui que je déchiffre chez les autres, peuvent me suggérer pas mal d'intuitions historiques, n'est-ce pas ? Qu'en dis-tu ?

— Ma-gni-fique ! souffla Sologdine avec une expiration caverneuse. C'est donc que tu as compris. Que tu as renoncé à ton idée de passer les quinze premières années à lire tout ce qui touche ton sujet.

— C'est en partie vrai. D'autre part où pourrais-je trouver tous ces livres ?

— Il n'y a pas « d'autre part » qui tienne ! s'écria Sologdine d'un air de mise en garde. Comprends bien : avant tout, *penser* ! — Il redressa la tête et leva une main. — Une Pensée première, puissante, assure le succès de toute entreprise ! Et cette pensée doit être originale ! Comme tout arbre vivant, la pensée ne donne de fruits que si elle se développe naturellement. Les livres, les opinions des autres sont des sécateurs qui viennent mutiler la vie de ta pensée ! Il faut d'abord découvrir toutes ses pensées puis les confronter avec celles des livres.

Sologdine lui décocha un regard inquisiteur :

— Tu as toujours l'intention d'ingurgiter les trente petits volumes ?

— Oui. Comprendre Lénine, c'est comprendre la moitié de la révolution. Où s'exprime-t-il mieux que dans ses livres ? Et ce sont des choses qu'on trouve partout, dans la moindre bibliothèque rurale.

Sologdine s'assombrit, remit sa chapka, s'assit inconfortablement sur le chevalet.

— C'est de la démence... Tu vas te bourrer la tête de fatras. Tu n'arriveras à rien. Il est de mon devoir de te mettre en garde.

Nerjine reprit son bonnet sur un des montants du chevalet et s'assit sur le tas de rondins.

— Montre-toi à la hauteur de ta science du calcul. Mets en pratique le principe des points nodaux. Comment étudie-t-on un phénomène inconnu ? Comment devine-t-on une courbe qui n'est pas apparente ? Par exploration continue ou bien par ponctions ?

Nerjine n'aimait pas les développements gratuits et s'empressa de répondre :

— Inutile d'y revenir ! On recherche le point de rupture, le point de retour, les points extrémaux, les points de zéro. Ça nous donne toute la courbe.

— Pourquoi ne pas appliquer le principe à un personnage du temps avenu (c'est-à-dire un personnage « historique », traduisit Nerjine) ? Embrasse toute la vie de Lénine d'un seul coup d'œil, sache y percevoir les points de rupture, les grands changements d'orientation, et ne lis que ce qui y a trait. Comment s'est-il comporté à *ces* moments-là ? L'homme est tout entier là-dedans. Le reste ne doit pas compter pour toi.

— Ainsi, quand je t'ai demandé ce qu'il fallait faire des gens du milieu, je te soumettais sans m'en douter à la méthode des points nodaux ?

Un rictus défensif plissa les paupières de Sologdine, rapetissant ses yeux clairs. Il replaça sa veste sur ses épaules, d'un air soucieux, et adopta sur son chevalet une nouvelle position tout aussi inconfortable.

— Je suis tout retourné par ce que tu m'as dit, mon petit Gleb. Ton départ peut se produire d'un moment à l'autre. Nous nous quitterons. L'un de nous disparaîtra. Les deux peut-être. Verrons-nous jamais le temps où les hommes pourront se retrouver et parler ? J'aimerais partager avec toi ne serait-ce que... que quelques conclusions sur la manière d'obtenir l'unité de l'objectif, sur l'unité de l'exécutant, sur son œuvre. Elles peuvent t'être utiles. Naturellement, je serai très gêné par mes difficultés d'expression, tant pis, j'essaierai de t'exposer ça tant bien que mal...

C'était bien la manière de Sologdine ! Avant de risquer une pensée brillante, il lui fallait absolument se rabaisser.

— Bien sûr, du fait de ta mémoire déficiente... dit Nerjine pour lui venir en aide et presser le mouvement. Sans compter que tu es un « réceptacle d'erreurs »...

— Exactement, confirma Sologdine avec une ébauche de sourire. Eh bien donc, conscient de mon imperfection, j'ai passé bien des années d'internement à élaborer à mon usage des règles dont les cerceaux de fer concentrent et soutiennent ma volonté. Ces règles constituent comme une *vue d'ensemble des chemins d'approche* vers tout travail.

... En habitué, Nerjine traduisit par « méthodologie » cette périphrase de la Langue de Clarté. Sentant le froid gagner ses épaules, il les couvrit lui aussi avec sa veste molletonnée.

La lumière croissante du matin leur annonçait qu'ils devraient bientôt laisser là leur bois pour se rendre à l'appel. Là-bas, devant l'état-major de la Prison spéciale, les prisonniers faisaient leur promenade, taches mobiles sous les ramures de Marfino qu'un enchanteur avait barbouillées de blanc. Parmi les promeneurs se distinguaient par leur haute taille la silhouette maigre et droite du peintre Kondrachov Ivanov, qui avait la cinquantaine, et celle, voûtée mais néanmoins fort longue, de Merjanov, ci-devant architecte personnel de Staline, à présent oublié de tous. On voyait aussi Lev Roubine, tard levé, qui essayait de rejoindre la corvée de bois mais qu'un surveillant retenait : il était trop tard.

— Regarde un peu Lev, avec sa barbe ébouriffée.

Ils se mirent à rire.

— Bon, tu veux bien que chaque matin je t'énonce quelques points ?

— Soit. Essayons.

— Un exemple, tiens : comment faire face aux difficultés ?

— En gardant le moral ?

— Ce n'est pas tout.

Sologdine, au-delà de Nerjine, au-delà des barbelés, regardait les broussailles menues et denses qu'effleurait à peine le rose du levant. Le soleil hésitait à se montrer. Avec sa barbiche blonde et frisée et ses courtes moustaches, le visage vigoureux et maigre de Sologdine n'était pas sans rappeler celui d'Alexandre Nevski.

— Comment faire face aux difficultés ? poursuivit-il, solennel. Dans le domaine de l'inconnu à explorer, nous devons les considérer comme un *trésor* caché ! C'est une règle : plus c'est dur, plus c'est utile. La valeur est moindre lorsque les difficultés naissent d'un combat contre soi-même. Quand elles résultent d'une résistance accrue de l'objet, c'est *superbe* !

Sur le visage empourpré d'Alexandre Nevski, une aurore rosée passa comme une nuée, enrichie par tous les reflets de nombreuses épreuves d'une splendeur toute solaire.

— ... La voie la plus féconde pour la recherche est celle qui implique la plus grande résistance à l'extérieur et la moindre à l'intérieur. L'échec doit être conçu comme une obligation de poursuivre ses efforts et de concentrer sa volonté. Si les efforts accomplis sont déjà considérables, l'échec ne doit en être que plus joyeux ! C'est que notre barre a donné sur le couvercle de fer du trésor ! Et la victoire sur des difficultés accrues est d'autant plus appréciable que l'échec aura développé la puissance de l'exécutant à proportion des difficultés affrontées.

— Fameux ! Très fort ! approuva Nerjine du haut de son tas de rondins.

— Ce qui ne veut pas dire qu'il ne faut jamais renoncer à poursuivre un effort. Notre barre peut avoir heurté une pierre. Si on en est convaincu et que le milieu soit par trop hostile ou les moyens insuffisants, on est parfaitement en droit de renoncer au but. Mais il faut que cette renonciation soit très rigoureusement fondée.

— Là, je serais plutôt d'un autre avis, dit Nerjine d'une voix traînante. Quel milieu plus hostile que la prison ? Et où les moyens sont-ils plus pauvres ? Nous faisons pourtant notre ouvrage. Refuser à ce moment-là, c'est peut-être démissionner pour toujours.

Les reflets de l'aurore avaient caressé les broussailles puis s'étaient éteints sous une chappe de nuages gris.

Comme détournant les yeux d'un manuscrit qu'il eût été en train de lire, Sologdine laissa tomber un regard distrait sur Nerjine. Puis il se remit à son espèce de lecture d'une voix légèrement chantante :

— Retiens bien, maintenant, la *Règle des tout derniers pouces* ! Le champ des tout derniers pouces ! En Langue de Clarté, on voit tout de suite de quoi il retourne. Le travail est presque achevé, le but presque atteint, tout a été fait ou presque, toutes les difficultés surmontées, mais la qualité de l'objet n'est pas tout à fait *satisfaisante* ! Il faut encore donner quelques coups de pouce, peut-être encore faire quelques recherches. En cet instant de lassitude et de satisfaction de soi, on est particulièrement tenté d'abandonner le travail avant d'avoir atteint la qualité suprême. Dans cette zone des tout derniers pouces, le travail est très compliqué mais particulièrement précieux, parce qu'il met en jeu les moyens les plus perfectionnés ! La règle des tout derniers pouces est de ne pas démissionner devant le travail ! De ne pas remettre au lendemain, car l'exécutant risque de ne plus se retrouver dans les mêmes dispositions d'esprit. Il ne faut pas ménager son temps et bien savoir que le but n'est jamais dans l'achèvement le plus rapide, mais toujours dans la conquête de la perfection !

— Très-très bon ! murmura Nerjine.

D'une voix tout autre, aux inflexions rudes et moqueuses, Sologdine déclara :

— Quelle mouche vous pique, adjutenant ? Je ne vous reconnais pas. Pourquoi avez-vous chambré la hache ? Nous n'avons plus assez de temps pour fendre le bois.

Nadélachine, sous-lieutenant au visage lunaire, n'était que sous-officier peu de temps auparavant. Depuis sa promotion au rang d'officier, les zeks de la charachka, qui l'aimaient bien, l'avaient surnommé *l'adjutenant*.

Il accourut à pas menus, dans un essoufflement comique, tendant sa hache d'un air coupable. Il répondit à toute allure :

— Non, non, faites, Sologdine, coupez votre bois ! Il n'y a plus de bûches à la cuisine, on ne sait pas comment faire pour le déjeuner. Et vous n'imaginez pas ce que j'ai encore comme travail par ailleurs !

Nerjine pouffa :

— Comme quoi ? Comme *travail ?* Lieutenant ! Peut-on parler de travail à votre propos ?

L'officier de jour tourna sa face de lune vers Nerjine et, plissant le front, débita par cœur :

— « Le travail consiste à vaincre une résistance. » En

marchant vite, je triomphe de la résistance de l'air, il s'agit d'un travail comme un autre.

Il aurait voulu rester imperturbable, mais un sourire illumina son visage lorsque Sologdine et Nerjine s'esclaffèrent dans l'air léger et glacé.

— Du bois, je vous en prie !

Il se retourna et repartit à petits pas vers l'état major de la Prison spéciale devant lequel venait de se profiler l'impeccable capote du directeur, le lieutenant-colonel Klimentiev. Sologdine manifesta sa surprise :

— Dois-je en croire mes yeux, mon vieux Gleb ? Klimentiadis ? (Cette année-là, les journaux détaillaient les vicissitudes des détenus grecs qui, du fond de leur cellule, envoyaient à tous les parlements ainsi qu'à l'ONU le récit télégraphié de leurs infortunes. Les prisonniers de la charachka, qui n'avaient pas toujours le droit d'écrire à leur femme ne fût-ce qu'une carte postale, s'étaient mis à gréciser les noms de leurs geôliers galonnés : Mychinopoulos, Klimentiadis, Chikinidis.) Que vient-il faire ici, Klimentiadis, un dimanche ?

— Tu ne savais pas ? Six détenus ont droit de visite.

Ce simple rappel gorgea d'amertume l'âme de Nerjine que la corvée de sciage avait rassérénée. Presque un an s'était écoulé depuis la dernière entrevue et, depuis huit mois qu'il avait déposé sa demande, on ne lui avait rien répondu. Entre autres raisons, il souhaitait ne pas faire de tort à sa femme, candidate à un poste d'assistant à l'Université. Aussi ne mentionnait-il pas l'adresse de sa Cité universitaire et lui écrivait-il « Poste restante », où la prison répugnait à expédier le courrier. Grâce à l'intensité de sa vie intérieure, Nerjine s'était affranchi de l'envie : ni le salaire ni la nourriture d'autres zeks aux mérites plus appréciés ne troublaient sa tranquillité. Ce qui le tourmentait, c'était la conscience d'une injustice dans l'attribution du droit de visite : certains se voyaient accorder une entrevue avec leur famille tous les deux mois, alors que sa femme à lui rôdait en soupirant autour des murs de la prison.

De plus, c'était aujourd'hui son anniversaire.

— On va les embarquer ? Mouais... — Sologdine éprouvait toujours la même amertume envieuse. — Les mouchards, eux, y vont tous les mois. Pour moi, je ne reverrai jamais plus ma petite Nina.

(Sologdine ne disait jamais « d'ici la fin de mon temps », car il avait appris à ses dépens que les peines peuvent n'avoir pas de fin.)

Il vit Klimentiev s'arrêter un instant devant Nadelachine puis pénétrer dans l'état major. Soudain, d'une voix précipitée :

— Gleb ! Ta femme connaît la mienne ! Si tu décroches un rendez-vous, dis à Nadia qu'elle retrouve Ninotchka pour lui transmettre seulement trois mots de ma part. (Il regarda le ciel.) Je l'aime ! Je l'admire ! Je l'adore !

— Tu rêves ! On m'a refusé de la voir, répliqua Nerjine dépité, tout en s'efforçant de couper son rondin en deux.

— Regarde plutôt !

Nerjine se retourna. L'adjutenant marchait vers lui et, de loin, lui faisait signe du doigt. Gleb laissa tomber sa hache, accrocha avec sa veste la scie qui émit un tintement bref en heurtant le sol, et s'éloigna en courant.

Sologdine regarda l'adjutenant entraîner Nerjine à l'intérieur de l'état major, remit son rondin debout et lui assena un coup si furieux qu'il le fendit en deux et que la hache resta fichée en terre.

D'abord, elle n'était pas à lui, cette hache.

CHAPITRE XXVIII

Le lieutenant Nadélachine n'avait guère exagéré en citant la définition du travail que donnent les manuels scolaires de physique. Bien qu'il n'y consacrât que douze heures sur quarante-huit, son travail était minutieux, le contraignait à galoper d'un étage à l'autre et engageait fortement sa responsabilité.

Son service de la nuit précédente avait été particulièrement mouvementé. Il n'avait pas plus tôt commencé sa garde à neuf heures du soir, vérifié que tous les détenus, au nombre de deux cent quatre-vingt-un, étaient bien présents ; il ne les avait pas plus tôt acheminés vers leur travail de nuit et disposé ses postes — un sur le palier, un dans le couloir de l'état major, un troisième devant patrouiller sous les fenêtres de la Prison spéciale — et s'employait encore à faire nourrir et loger le nouveau contingent, quand il avait dû tout laisser en plan pour se rendre auprès du major Mychine, « responsable opérationnel ».

Nadélachine tranchait non seulement sur les geôliers — qu'on qualifiait à présent de « personnel pénitentiaire » — mais sur tous ses compatriotes. En un pays où les mots d'eau et d'eau-de-vie se confondent quasiment [1], Nadélachine ne buvait jamais d'alcool, même pas pour combattre un rhume. En un pays où un homme sur deux, à l'école du front ou du camp, est passé maître dans le maniement des jurons et où les mots orduriers agrémentent non seulement les propos d'ivrognes en présence d'enfants, non seulement les jeux innocents des tout-petits ou l'entrée dans un autobus de banlieue, mais les entretiens amicaux à cœur ouvert, Nadélachine ne savait ni jurer ni même employer des mots comme « diable » ou « crapule ». Au comble de la fureur, il ne se servait que de l'expression « Va te faire encorner ! », et encore, à mi-voix.

Et c'est ainsi que, murmurant dans sa barbe : « Va te faire encorner ! », il se hâta d'aller chez le major.

Le « responsable opérationnel » Mychine que, dans son entretien avec le ministre, Bobynine avait injustement qualifié de parasite, était un officier au teint violacé, d'une adiposité maladive. Ce samedi soir, il était resté à son poste pour *travailler* en raison de circonstances exceptionnelles. Il confia à Nadélachine la mission de :

— vérifier si Allemands et Lettons avaient commencé la célébration de leur Noël ;

— veiller aussi bien personnellement que par l'intermédiaire de surveillants non gradés à ce qu'il ne soit pas consommé d'alcool. Ce faisant, il convenait d'épier les sujets de conversation et de couper court à toute tentative de propagande antisoviétique ;

— s'ingénier à découvrir une infraction au régime des prisons pour mettre un terme à ces inqualifiables débordements religieux.

Au vrai, il avait recommandé d'« y mettre fin », mais « dans la mesure du possible ». La célébration pacifique de Noël n'était pas à proprement parler une activité répréhensible, mais le camarade Mychine, en bon communiste, ne pouvait s'y résoudre de gaieté de cœur.

Tournant vers le major sa face de lune hivernale, le sous-lieutenant Nadélachine lui rappela qu'il ne connaissait ni l'allemand ni le letton et que ses surveillants, qui maîtrisaient médiocrement leur russe maternel, en savaient encore moins que lui.

Mychine se souvint que de ses quatre années passées dans un camp de prisonniers allemands, en qualité de commissaire affecté à une compagnie d'intervention et de surveillance, il n'avait retenu que trois mots : « *Halt !* » « *Zurück !* » et « *Weg !* » Il abrégea donc ses instructions.

Nadélachine reçut ses consignes, fit un salut militaire un peu gauche — ses pareils subissaient pourtant de temps à autre des séances d'ordre serrées — et retourna installer les arrivants. L' « oper » l'avait muni à cet effet d'une liste prévoyant pour chacun telle chambrée et tel lit. (Mychine, ayant disposé des informateurs à intervalles réguliers, accordait la plus grande importance à la répartition planifiée et centralisée des places à l'intérieur des locaux pénitentiaires. Il savait que les entretiens les plus confiants n'ont jamais lieu aux heures de travail diurne, mais qu'ils précèdent de peu le sommeil. De même, les aveux les plus grincheux d'antisoviétisme sont l'apanage du matin. Aussi convient-il d'épier les gens à leur chevet.)

Ensuite, sous prétexte de vérifier la force des ampoules, Nadélachine passa en revue tous les locaux où on fêtait Noël. Il chargea un surveillant de repasser derrière lui. Il releva les noms des présents.

Le major Mychine le rappela derechef et le sous-lieutenant lui tendit sa petite liste. Mychine s'intéressa particulièrement à la présence de Roubine parmi les Allemands et consigna le fait dans le dossier requis.

Puis l'heure vint de faire relever les factionnaires et de trancher la querelle entre deux surveillants en élucidant qui avait assuré le service le plus lourd la fois précédente et qui, par conséquent, devait des heures à l'autre.

Puis ce fut l'heure du coucher et de l'altercation avec Priantchikov à propos d'eau bouillante, de la ronde dans les chambrées, du passage des ampoules normales aux veilleuses à lumière bleue. Là-dessus il avait encore été convoqué par le major Mychine qui, décidément, n'était pas pressé de rentrer chez lui (sa femme était malade et il ne tenait pas à l'entendre geindre toute une soirée). Carré dans son fauteuil, le major, sans faire asseoir Nadélachine, lui demanda le résultat détaillé de ses observations. Avec qui Roubine se promenait-il ? Au cours de la dernière semaine, n'avait-il eu aucune occasion de s'exprimer avec insolence à propos de l'administration pénitentiaire ou de formuler des récriminations au nom de la masse des détenus ?

Parmi ses collègues, officiers du MGB et chefs des patrouilles de surveillance, Nadélachine occupait une place particulière. Il se faisait souvent et sévèrement réprimander. Sa bonté innée l'avait longtemps handicapé dans son travail au sein des *Organes*[1]. S'il n'avait su s'adapter, on l'aurait depuis longtemps congédié, peut-être même condamné. Cédant à un penchant naturel, Nadélachine n'était jamais grossier envers les détenus, il leur souriait avec une gentillesse réelle et se montrait coulant dans les petites choses, chaque fois qu'il le pouvait. Si bien que les détenus l'aimaient, ne se plaignaient pas de lui, ne le contrariaient jamais et ne se gênaient même pas lorsqu'ils parlaient en sa présence. Or il avait l'œil perçant, l'ouïe fine, une bonne orthographe et, afin de n'être pas trahi par sa mémoire, reportait tout sur un petit calepin approprié. Il y puisait les renseignements qu'il communiquait à ses chefs pour compenser ses fautes de service en d'autres domaines.

Ce fut le cas ce soir-là : tirant son calepin de sa poche, il rapporta au major que le 17 décembre après le déjeuner, il avait emboîté le pas aux détenus qui revenaient en désordre de leur promenade par le couloir du rez-de-chaussée. Et les prisonniers grognaient : le lendemain était un dimanche et l'administration leur ferait encore sauter la promenade. Roubine avait déclaré : « Enfin, les gars, quand donc aurez-vous compris qu'il n'y a pas moyen d'apitoyer ces salopards ! »

— Il a bien dit « ces salopards » ? demanda Mychine dont la face mauve rayonna.

— Textuellement, confirma Nadélachine, et un sourire bénin illumina son visage de lune.

Mychine rouvrit le dossier, y consigna les paroles rapportées et ordonna au sous-lieutenant d'en faire l'objet d'un rapport écrit sur papier libre.

Le major Mychine exécrait Roubine et réunissait les documents les plus propres à l'accabler. En arrivant en poste à Marfino, il avait appris que Roubine était un ancien communiste et se flattait de l'être resté malgré son internement. Mychine le convia à s'entretenir avec lui de la vie en général et, plus particulièrement, du *travail de collaboration*. Ils ne purent trouver de langage commun. Mychine s'adressa à Roubine dans les termes mêmes des instructions diffusées au cours de conférences appropriées :

— si vous êtes authentiquement soviétique, vous nous *aiderez*.

— si vous ne nous aidez pas, c'est que vous n'êtes pas un soviétique authentique.

— si vous n'êtes pas un vrai soviétique, c'est que vous êtes antisoviétique et qu'à ce titre vous méritez une nouvelle peine.

Roubine demanda s'il fallait rédiger les dénonciations à l'encre ou au crayon.

— Mieux vaudrait l'encre, suggéra Mychine.

— Bon, mais comme j'ai prouvé mon dévouement au pouvoir soviétique avec mon sang, je n'ai nul besoin d'encre pour en donner des preuves nouvelles...

C'est ainsi que Roubine avait d'un coup révélé au major toute la cautèle et la duplicité de son âme.

Le major le convoqua une fois encore. Roubine allégua spécieusement que toute arrestation impliquait une certaine défiance politique envers celui qui en était victime : tant qu'il en serait ainsi, il ne pourrait collaborer avec l'oper.

Depuis, Mychine lui en voulait secrètement et glanait tout ce qui pouvait être utilisé contre lui.

Le major s'entretenait encore avec le sous-lieutenant lorsqu'arriva du ministère de la Sûreté d'État la voiture de tourisme qui devait véhiculer Bobynine. Saisissant au vol un concours de circonstances aussi propice, Mychine s'élança dehors en simple vareuse, ne voulut plus quitter d'un pas la voiture, invita l'officier d'escorte à venir se réchauffer à l'intérieur et lui fit constater qu'il restait des nuits et des nuits sur la brèche. Il harcela, il houspilla Nadélachine, demanda à tout hasard à Bobynine s'il était assez couvert (Bobynine avait refusé le beau manteau qu'on lui avait affecté pour ce petit voyage et avait enfilé sa veste en molleton).

Aussitôt après le départ de Bobynine, ce fut au tour de Priantchikov d'être convoqué. Le major ne pouvait décidément pas rentrer chez lui ! Pour tromper l'attente de nouvelles convocations et le retour au bercail des prisonniers, il alla voir comment les surveillants mettaient à profit leur repos et surprit de furieuses parties de dominos. Il leur fit passer un examen d'histoire du Parti, car il était responsable de leur culture politique. Quoique toujours en service commandé, les surveillants répondirent à ses questions avec une mauvaise grâce bien légitime. Leurs réponses furent navrantes : non seulement ces guerriers ne se rappelaient pas un seul titre de Lénine ou de Staline, mais ils allaient jusqu'à soutenir que Plékhanov avait été ministre du tsar et avait fait ouvrir le feu sur les ouvriers de Pétersbourg le 9 janvier. Tout cela poussa Mychine à blâmer Nadélachine qui lâchait vraiment trop la bride à son personnel de surveillance.

Puis Bobynine et Priantchikov revinrent ensemble dans une même voiture et ils allèrent se coucher sans manifester le désir de rien raconter au major.

Encore plus inquiet que déçu, le major avait profité de la voiture ministérielle pour rentrer chez lui autrement qu'à pied : à pareille heure, il n'y avait plus d'autobus.

Les surveillants relevés de leur poste pestaient dans le dos du major et s'apprêtaient à se coucher, Nadélachine se promettait de fermer un œil, mais non : le téléphone sonna. C'était le poste de garde du détachement affecté aux miradors qui ceinturaient le centre de Marfino. D'une voix exaltée, le chef de poste transmit un coup de téléphone reçu de la sentinelle du mirador d'angle sud-ouest. Dans le brouillard déjà dense, ce factionnaire avait clairement distingué un homme qui, d'abord dissimulé au coin du bûcher, s'était mis à ramper vers les barbelés de l'avant-zone. Effrayé par la sommation de la sentinelle, il s'était réfugié au fond de la cour. Le chef de poste déclara qu'il allait téléphoner à l'état major de son régiment et rédiger un rapport sur cet incident singulier. En attendant, il demandait à l'officer de garde de procéder au ratissage de la cour.

Convaincu qu'il n'y avait qu'une hallucination de la sentinelle et que les détenus restaient en sûreté derrière leurs murs à quadruple rang de briques et leurs portes métalliques toutes neuves, Nadélachine n'en devait pas moins prendre des mesures drastiques, pour risposter au rapport du chef de poste, et les consigner subséquemment par écrit. Mettant sur le pied de guerre son détachement au repos, il le promena dans la cour embrumée à la lueur de torches électriques du modèle « Chauve-souris ». Après quoi, lors de sa ronde dans les chambrées, il se garda bien d'éclairer en grand, pour couper court aux récriminations. Dans la lumière chiche des veilleuses, il se cogna violemment le genou contre un lit. A force de coups de pinceau lumineux sur la tête des prisonniers, il retomba sur le chiffre de deux cent quatre-vingt-un.

Il gagna alors le bureau et, de son écriture claire et arrondie, miroir d'une âme limpide, rendit compte de l'incident au lieutenant-colonel Klimentiev, directeur de la Prison spéciale.

Et ce fut le matin : il fallut passer l'inspection des cuisines, goûter la soupe, faire sonner le lever.

Telle avait été la nuit du lieutenant Nadélachine. Il était donc fondé à assurer à Nerjine qu'il ne volait pas le pain qu'il mangeait.

Nadélachine avait trente ans sonnés mais, avec son visage glabre et frais, il paraissait plus jeune.

Le grand-père comme le père de ce Nadélachine avaient été tailleurs. Artisans modestes mais habiles, ils recrutaient leur clientèle dans la classe moyenne et ne renâclaient pas lorsque le client leur faisait retourner, retailler ou reprendre un vêtement, parfois dans des délais très brefs. Le petit garçon était promis au même métier. Dès l'enfance, il avait pris goût à ce travail tout de souplesse et de doigté. L'œil ouvert, il rendait de menus services et faisait son apprentissage. Là-dessus la NEP s'acheva. Le père reçut sa feuille d'impôts pour l'année et paya. Deux jours plus tard, on lui représenta effrontément un nouvel avertissement lui réclamant le triple. Il déchira sa patente, décrocha son enseigne et entra dans un artel. Le fils se retrouva bientôt sous les drapeaux puis, rapidement, dans une unité du MVD pour recevoir finalement une affectation de gardien.

Sa carrière fut terne. En quatorze ans de service, il se

vit dépasser par trois ou quatre vagues de surveillants dont certains étaient déjà capitaines, alors qu'il n'avait décroché son étoile de sous-lieutenant qu'un mois auparavant et non sans peine.

Nadélachine comprenait plus de choses qu'il n'en formulait. Il voyait bien que ces détenus, dépouillés des droits communs aux autres hommes, lui étaient souvent supérieurs. De même, en vertu du penchant de chacun à juger des autres d'après soi, Nadélachine n'arrivait pas à discerner en eux ces croquemitaines dont les cours d'éducation politique se plaisaient à barbouiller la silhouette, immanquablement sanglante.

S'il se souvenait de la définition du travail donnée par le manuel de physique qu'il rabâchait pour ses cours du soir, il se rappelait encore plus nettement, dans les moindres détails, les cinq couloirs de la Grande Loubianka et l'intérieur de chacune de ses cent dix cellules. Le règlement de la prison obligeait les surveillants à se relever toutes les deux heures et à passer d'un bout de couloir à l'autre (prudente mesure qui les empêchait de faire connaissance avec les détenus et de se laisser fléchir ou soudoyer par eux ; soit dit en passant, ils étaient mieux payés que les ingénieurs ou les professeurs). Le surveillant devait coller son œil au judas au moins une fois toutes les trois minutes. Grand physionomiste, Nadélachine croyait avoir gardé souvenir de tous les détenus enfermés à son étage de 1935 à 1947, date à laquelle on l'avait muté à Marfino : illustres prisonniers comme Boukharine ou simples officiers combattants comme Nerjine. Il se disait qu'il reconnaîtrait chacun d'eux, quel que fût son vêtement, s'il le rencontrait dans la rue. Mais voilà, on ne croisait jamais ces gens-là dans la rue. Ce n'est qu'à Marfino qu'il avait retrouvé certains de ces anciens reclus et il leur avait naturellement caché qu'il les avait reconnus. Il les revoyait toujours, hagards d'insomnie, debout sur un mètre carré dans des *boxes* férocement éclairés, ou coupant avec un fil leur ration de pain presque cru ; ou absorbés dans la lecture de ces beaux livres anciens dont la bibliothèque de la prison était si richement pourvue ; ou bien gagnant les toilettes en file indienne ;

se rendant à l'interrogatoire, les mains croisées derrière le dos ; bavardant d'une voix plus animée qu'à l'ordinaire pendant la demi-heure précédant l'extinction des feux ; couchés, les nuits d'hiver, sous une lumière éclatante, les mains enroulées dans des serviettes et posées sur la couverture : le règlement voulait qu'on réveillât tous ceux qui cachaient ainsi leurs mains pour les leur faire remettre à l'air.

Nadélachine aimait particulièrement les discussions et controverses de ces académiciens à la barbe chenue, de ces prêtres, de ces vieux bolcheviks, de ces généraux, de ces étrangers si divertissants. Son service le contraignait à avoir l'oreille aux aguets, mais il prenait plaisir à écouter pour son compte. Il aurait souhaité — mais les impératifs du service l'en empêchaient toujours — écouter un récit de part en part, tout savoir sur la vie d'un homme, sur les raisons de son internement. Il était surpris de constater que tous ces prisonniers, dans les mois terribles où leur vie se cassait en deux, où se jouait leur destin, trouvaient assez de courage pour parler de tout et de rien au lieu d'évoquer leurs souffrances : de la peinture italienne, des mœurs des abeilles, de la chasse au loup ou de cet architecte Kar-bou-zié qui pourtant ne bâtissait pas pour eux.

Un jour Nadélachine entendit par hasard une conversation qui l'intéressa tout spécialement. Il se tenait dans le compartiment arrière d'un fourgon cellulaire où étaient bouclés deux prisonniers dont il assurait l'escorte. On les transférait de la Grande Loubianka à la Soukhanovskaia Datcha, lugubre, fatale prison de banlieue d'où beaucoup ne repartaient que pour le cimetière ou l'asile d'aliénés. Nadélachine n'y avait pas été employé, mais il avait entendu dire que la nourriture s'y prêtait au plus subtil des supplices : on ne dispensait pas aux prisonniers la lourde pâtée réglementaire, mais des plats fins dont le fumet délicat rappelait les meilleures maisons de cure. Le supplice tenait à la quantité : le détenu se voyait servir une demi soucoupe de bouillon, un huitième de boulette de viande, deux frites. Ce n'était pas les nourrir, mais leur rappeler ce qu'ils avaient perdu. Ce régime était plus torturant que celui du brouet sans viande, et contribuait à les rendre fous.

Le hasard voulut qu'on ne séparât pas les deux prisonniers et ils firent route ensemble. Le ronron du moteur empêcha Nadélachine d'entendre le début de leur entretien. Une panne soudaine contraignit le chauffeur à s'éloigner tandis que l'officier d'escorte restait dans la cabine. Par le grillage de la porte arrière, Nadélachine put percevoir la voix discrète des prisonniers. Ils s'en prenaient au gouvernement — mais pas au gouvernement actuel —, et à un tsar, pas à Staline. Ils étaient montés contre Pierre Ier. Que pouvait-il leur avoir fait ? Ils en disaient pis que pendre. L'un d'eux lui reprochait d'avoir défiguré ou fait disparaître le costume populaire russe, dépersonnalisant son peuple face aux autres nations. Le prisonnier détaillait la forme et l'aspect de ces habits anciens, précisait dans quelles circonstances on les revêtait. Il affirmait qu'il était encore temps de ressusciter tel ou tel vêtement en l'associant au costume moderne de façon à concilier confort et dignité, au lieu de copier servilement Paris. L'autre répondit par une plaisanterie — ils avaient encore le cœur de plaisanter ! Il suffisait pour cela de s'assurer le concours de deux hommes : un tailleur de génie, qui sût harmoniser le tout, et un ténor en vogue pour passer ces habits et se faire photographier ainsi accoutré. Après cela, la Russie entière prendrait le pli.

Cette conversation intéressa vivement Nadélachine qui nourrissait une passion secrète pour l'art de la coupe. Après ses heures de garde dans les couloirs déments, incandescents, de la plus grande prison politique, il trouvait la paix dans le murmure chuchotant des tissus, dans la docilité des plis, dans l'exécution d'un labeur sans malice.

Il habillait ses petits, faisait des robes à sa femme, se taillait des costumes. Mais il n'en laissait rien savoir.

Pareil passe-temps aurait déconsidéré un soldat.

CHAPITRE XXIX

Selon l'expression consacrée, le lieutenant-colonel Klimentiev avait des cheveux de jais, d'un noir brillant et métallique, qui coiffaient sa tête d'une calotte lisse tranchée par une raie, et sa moustache était compacte et bombée. Il n'avait pas de « brioche » et, malgré ses quarante-cinq ans, conservait une sveltesse juvénile et martiale. Ajoutez qu'il ne souriait jamais en service commandé, ce qui renforçait la gravité noiraude de son visage.

Bien que ce fût dimanche, il était arrivé plus tôt qu'à l'ordinaire. Traversant le préau au plus fort de la promenade des détenus, il avait d'un coup d'œil relevé des indices de laisser-aller, mais, crainte de déroger, il n'était pas intervenu, avait gagné le bâtiment de l'état major de la Prison spéciale et ordonné en passant au sous-lieutenant Nadélachine de se présenter à lui et de lui faire envoyer le prisonnier Nerjine. Dans sa traversée du préau, le lieutenant-colonel avait particulièrement noté que les prisonniers qu'il croisait pressaient le pas de leur mieux, ou ralentissaient, ou se détournaient, afin de n'avoir ni à l'aborder ni à se fendre d'un salut. Klimentiev s'en fit froidement la remarque à lui-même mais n'en prit pas ombrage. Il savait que le mépris que ces hommes vouaient à ses fonctions les déterminait moins, en l'occurrence, que la gêne qu'ils éprouvaient devant leurs camarades ou la peur de paraître trop empressés. Lorsqu'il les convoquait dans son bureau, ces mêmes prisonniers se montraient généralement aimables, voire obséquieux. On rencontrait, derrière les barreaux, des gens bien divers, et de valeur bien inégale. Klimentiev l'avait compris depuis longtemps. Il leur accordait le droit d'être fiers mais se réservait celui d'être strict. Soldat dans l'âme, il se flattait d'avoir instauré dans cette prison une discipline militaire raisonnable, bien différente de ces réglementations dégradantes à quoi se plaisent les bourreaux.

Il ouvrit son bureau. Il y faisait chaud et l'air y avait l'odeur confinée de la peinture que recuisent des radiateurs. Il ouvrit un vasistas, ôta sa capote, s'assit, guindé dans sa vareuse comme dans une armure, et parcourut de l'œil la surface nette de sa table. Son agenda, toujours ouvert à la feuille de samedi, portait cette note :

« Sapin ? »

Dans ce bureau à demi désert, où les instruments de production se bornaient à un placard métallique bourré de *dossiers* pénitentiaires, à une demi-douzaine de chaises, à un téléphone et au bouton d'une sonnerie, le lieutenant-colonel Klimentiev, sans transmissions, courroies ou engrenages visibles, se faisait un jeu de contrôler les activités physiques de quelque trois cents vies claquemurées ainsi que les travaux de cinquante surveillants.

Bien qu'il se fût présenté à son poste un dimanche et avec une demi-heure d'avance, Klimentiev n'avait rien perdu du sang-froid et de l'équilibre qui lui étaient coutumiers.

Le lieutenant Nadélachine entra dans son bureau d'un air emprunté, une tache ronde et rubiconde sur chaque joue. Il avait grand peur du colonel qui pourtant, malgré bien des infractions du sous-lieutenant, n'avait jamais gâché ses états de service en le notant durement. Si comique avec son visage de lune, si peu martial, Nadélachine s'efforçait vainement d'adopter le garde-à-vous réglementaire.

Il fit son rapport : le service de nuit s'était écoulé pour le mieux, sans la moindre infraction. Il convenait toutefois de signaler deux incidents exceptionnels. L'un d'eux avait fait l'objet d'un rapport écrit (il le déposa devant Klimentiev, sur un coin de la table, mais le papier chavira, dessina dans l'air une courbe fantasque et atterrit finalement sous une chaise éloignée. Nadélachine se jeta sur ses traces et le reposa sur la table). Le second consistait dans la convocation des détenus Bobynine et Priantchikov auprès du ministre de la Sûreté d'État.

Le lieutenant-colonel fronça le sourcil et exigea des précisions sur les circonstances de cette convocation et le retour des intéressés. C'était une nouveauté évidemment déplaisante, alarmante même. Le chef de la Prison spéciale nº 1 se trouvait par définition sur un volcan, toujours exposé aux regards du ministre. Il ne s'agissait pas d'un de ces camps de concentration éloignés, perdus dans les forêts, dont les directeurs peuvent avoir leur harem, leurs bouffons et expédier une justice féodale. Ici, on devait s'en tenir à la lettre de la loi, suivre la ligne droite des instructions, s'interdire l'ombre d'une colère ou d'une clémence personnelles. Klimentiev répondait à ces exigences. Il doutait que Bobynine et Priantchikov eussent eu la moindre occasion de se plaindre, la nuit précédente, d'une entorse qu'il aurait faite à la légalité. Sa longue expérience l'assurait qu'il n'avait pas à craindre de calomnies de la part des détenus, mais plutôt de ses frères d'armes.

Il parcourut ensuite le rapport de Nadélachine et comprit que le prétexte en était futile. S'il gardait d'ailleurs Nadélachine à son service, c'est bien parce que ce garçon avait de l'instruction et de la jugeote.

Mais que de défauts n'avait-il pas ! Le lieutenant-colonel lui décerna un blâme. Il lui rappela par le menu ses négligences au cours de la dernière garde : le départ des prisonniers au travail avait été retardé de deux minutes ; plusieurs lits avaient été hâtivement baptisés et Nadélachine n'avait pas eu la fermeté d'aller chercher les intéressés au travail et de leur faire refaire leur lit convenablement. On lui en avait pourtant fait la remarque séance tenante. Autant cracher en l'air. Et ce matin même, à la promenade ? Le jeune Doronine, planté à la limite du préau, avait scruté d'un regard bien fixe la « zone » et l'espace au-delà, du côté des serres, terrain mouvementé, traversé par une ravine, rien de plus propice à une évasion. Or ce Doronine avait écopé vingt-cinq ans pour faux papiers, il avait eu pendant deux ans les Recherches criminelles de l'URSS à ses trousses ! Pas un seul surveillant ne l'avait fait rentrer dans le rang pour continuer à tourner en rond. Et où était allé Guérassimovitch ? S'écartant du troupeau, il s'était réfugié derrière les grands tilleuls, du côté de l'atelier de pelleterie. Or qu'avait-il sur son *dossier*, ce Guérassimovitch ? Il en était à son second temps de peine. Il avait décroché l'article 58-a alinéa 12, c'est-à-dire haute trahison par intention. Il n'avait pas trahi mais n'avait pas non plus réussi à prouver que son arrivée à Léningrad, aux premiers jours de la guerre, n'avait pas été dictée par le désir d'y accueillir les Allemands. Nadélachine se souvenait-il qu'il importe d'étudier les détenus sans défaillance, tant par observation directe que par la lecture de leur casier judiciaire ? Et puis, il ressemblait à quoi, le sous-lieutenant Nadélachine ? Une blouse qui bouffait — Nadélachine tira sur ses basques —, une étoile de guingois sur sa chapka — Nadélachine la remit en place —, un salut militaire digne d'une bonne femme... Fallait-il s'étonner si les détenus ne faisaient pas leur lit au carré quand il était de garde ? Négliger les lits, c'est faire une brèche dangereuse dans la discipline des prisons. Aujourd'hui c'est un lit qu'on bâcle, demain ce sera la révolte et le refus d'aller au travail.

Le lieutenant-colonel passa ensuite aux consignes : réunir les surveillants chargés d'encadrer les visites familiales au dortoir No 3, pour une séance d'instruction. Le détenu Nerjine pouvait attendre encore un moment dans le couloir. Disposez, Nadélachine.

Nadélachine ressortit tout échaudé. Chaque fois qu'il écoutait ses supérieurs, il ressentait avec une sincère affliction leurs reproches et leurs remontrances, il se jurait de ne plus recommencer. Mais le travail reprenait et de nouveau, parmi les prisonniers, il se heurtait à des dizaines de volontés, chacune tirant de son côté et convoitant un rogaton de liberté que Nadélachine ne savait refuser, dans l'espoir que son indulgence passerait inaperçue.

Klimentiev prit son stylo et biffa le mot « sapin » sur son agenda. Sa décision datait de la veille.

Il n'y avait jamais eu d'arbres de Noël dans les prisons spéciales. Mais certains détenus des plus respectables, et à plus d'une reprise, avaient demandé instamment l'autorisation d'en faire un cette année. Klimentiev réfléchit à la question. De fait, pourquoi refuser ? On ne voit pas trop quel mal cela pourrait faire, les risques d'incendie même étaient minimes, avec tous ces professeurs d'électricité... En revanche, il était important de ménager une détente à Marfino en cette soirée de réveillon où les employés « externes » se rendraient à Moscou pour s'amuser. Klimentiev savait que les jours de fête sont les plus pénibles pour les prisonniers. Certains peuvent alors se laisser aller à un geste fou, désespéré. Le samedi, donc, il avait téléphoné à la direction des prisons, dont il dépendait directement, pour débattre de ce sapin de Noël. Les instructions proscrivaient les instruments de musique, mais on ne trouva pas la moindre rubrique concernant le sapin traditionnel, si bien que Klimentiev ne reçut ni assentiment ni franche interdiction. Un long service irréprochable conférait beaucoup de fermeté et de sûreté à ses actions. La veille donc, dans l'escalier roulant du métro qui le ramenait chez lui, Klimentiev avait tranché : ils auraient leur arbre de Noël. Où était le mal ?

En pénétrant dans son wagon, il pensa à lui-même avec plaisir : au fond, il était un homme intelligent et pratique, le contraire d'un bureaucrate, il était même bon. Or les détenus ne pourraient jamais en juger, ils ignoreraient toujours qui s'était opposé à cet arbre de Noël et qui avait fini par l'autoriser.

Cette décision même avait quelque chose de plaisant pour Klimentiev. Il ne s'était pas mêlé à la bousculade des Moscovites prenant d'assaut le wagon, il y était monté le dernier, juste avant la fermeture, et ne s'était pas soucié d'accaparer une place. S'accrochant à la barre, il s'était mis à contempler son visage viril dans le reflet miroitant de la vitre, sur fond de tunnel noir, de tuyaux et de câbles lancés dans une fuite sans fin. Ensuite, son regard était retombé sur la jeune femme assise sur la banquette, à côté. Elle était vêtue avec un certain soin, mais pauvrement : un manteau noir en faux astrakhan avec une toque de même. Elle tenait sur ses genoux un cartable bourré. Klimentiev, la dévisageant, se dit qu'elle avait un visage agréable mais las, et un regard détaché de tout, ce qui est rare chez une jeune femme.

A ce moment précis, la femme leva les yeux sur lui et ils échangèrent le court regard sans expression de deux compagnons de voyage qui ne se connaissent pas, mais il n'en fallut pas plus : les yeux de la femme étaient sur le qui-vive, comme traversés par une interrogation incertaine, angoissante. Physionomiste par profession, Klimentiev la reconnut, contrôla mal son regard, montra ainsi qu'il l'avait reconnue. Elle remarqua en lui un mouvement d'hésitation et son intuition en fut confirmée.

C'était la femme du détenu Nerjine. Klimentiev l'avait aperçue au cours de visites à la Taganka.

Elle se rembrunit, détourna les yeux, puis les leva de nouveau vers Klimentiev. Il s'était retourné vers le tunnel, mais, du coin de l'œil, se sentait observé. Elle se leva d'un air décidé et s'avança vers lui, ce qui le contraignit à se retourner vers elle. Elle n'avait plus rien d'une jeune femme indépendante, maîtresse d'elle-même, voyageant dans un wagon de métro, on aurait dit que, malgré son pesant cartable, elle voulait céder sa place au lieutenant-colonel. Elle subissait le lourd destin de toutes les femmes de prisonniers politiques, de ces femmes d'*ennemis du peuple.* Devant chaque interlocuteur, partout où l'on connaissait leur condition peu enviable, elles traînaient avec elles la honte ineffaçable de leurs maris, elles semblaient partager aux yeux de tous la faute du sinistre scélérat auquel elles avaient eu l'étourderie de confier un jour leur destin. Et elles commençaient à se sentir à leur tour des coupables, d'un sentiment de culpabilité qui n'effleurait même plus les *ennemis du peuple.* Ils s'étaient fait une raison, eux.

S'approchant de lui pour mieux combattre le grondement roulant de la rame, la femme lui dit :

— Camarade colonel ! Je vous prie de m'excuser !

Vous êtes bien le... supérieur de mon mari ? C'est bien ça ?

En bien des années de service pénitentiaire, Klimentiev avait vu plus d'une femme se lever et rester debout devant lui sans qu'il eût jamais été heurté par leur air de crainte et de dépendance. Mais on était dans le métro. Certes, elle avait formulé sa question avec la plus grande prudence, mais cette silhouette de femme, de suppliante, exposée à tous les regards, avait quelque chose d'inconvenant.

— Pourquoi vous lever comme ça ? Rasseyez-vous, rasseyez-vous, lui dit-il d'un air gêné. Il voulut la forcer à se rasseoir en la tirant par la manche. Elle ne voulut rien savoir.

— Non, non, ça n'a aucune importance ! — et elle posait toujours sur le lieutenant-colonel un regard insistant, presque fanatique.

— Dites-moi pourquoi il y a plus d'un an que je n'ai pas dr... que je ne peux pas le voir ? Dites-moi quand ce sera possible.

Cette rencontre était une coïncidence comparable aux retrouvailles de deux grains de sable à quarante pas d'intervalle. Une semaine plus tôt, la direction des prisons du MGB avait entre autres accordé au z/k Nerjine une entrevue avec sa femme pour le dimanche 25 décembre 1949 à la prison de Lefortovo. Une note spécifiait toutefois qu'on ne pouvait adresser d'avis à sa femme « poste restante », comme l'avait demandé le détenu en question.

Convoqué, Nerjine s'était vu demander l'adresse exacte de sa femme. Il avait marmonné qu'il n'en savait rien. Klimentiev, que la réglementation des prisons avait accoutumé à ne jamais dévoiler la vérité aux prisonniers, n'était pas enclin à les croire de bonne foi. Nerjine, naturellement, ne voulait pas parler et ses raisons étaient claires : c'étaient celles pour lesquelles la direction des prisons s'opposait au courrier « poste restante ». L'avis de visite était libellé sur une carte, et dans ces termes : « Vous êtes autorisée à voir votre mari à la prison de... » L'adresse de chaque épouse était enregistrée au MGB, mais le ministère faisait de son mieux pour décourager le désir de recevoir ce genre d'avertissement. Il lui importait en effet que les épouses d'ennemis du peuple fussent connues de tous leurs voisins, aisément identifiables, isolées, et que l'opinion publique les entourât d'une saine vigilance. C'est bien ce que craignaient les femmes. D'autre part, celle de Nerjine avait gardé son nom de famille [1]. De toute évidence, elle voulait échapper au MGB. Klimentiev avait alors annoncé à Nerjine qu'à ce compte-là il n'aurait pas de visite. Et il n'avait pas posté l'avis.

Et voici que cette femme, dans le silence attentif des voyageurs, s'humiliait au point de se lever et de rester debout devant lui.

— On n'a pas le droit d'écrire « poste restante », lui dit-il juste assez fort pour qu'elle fût seule à l'entendre dans le fracas du métro. — Il faut l'adresse.

— Mais je suis sur le départ. — Son visage s'altéra brusquement. — C'est pour très bientôt, je n'ai plus de domicile fixe. (Mensonge évident.)

Klimentiev songea à descendre à l'arrêt suivant et, si elle lui emboîtait le pas, à l'entraîner dans un vestibule peu fréquenté pour lui expliquer que pareils entretiens n'avaient leur place qu'aux heures de service.

Cette femme d'ennemi du peuple semblait avoir oublié sa faute inexpiable ! Elle scrutait le lieutenant-colonel de ses yeux secs, ardents, suppliants, irresponsables. Klimentiev fut étonné par ce regard. Quelle force pouvait lier obstinément, désespérément, cette femme à un homme qu'elle ne voyait pas depuis des années et qui avait irrémédiablement gâché sa vie ?

— C'est très, très important pour moi ! assurait-elle, les yeux dilatés, guettant une hésitation sur le visage de Klimentiev.

Celui-ci se souvint du papier qui dormait dans un coffre-fort de la prison spéciale. Cette circulaire, dans la foulée du « Décret sur la Consolidation de l'Arrière », portait un nouveau coup aux parents de prisonniers qui cherchaient à dissimuler leur adresse. Le major Mychine avait l'intention d'en communiquer le contenu aux détenus dès le lundi. Si cette femme ne voyait pas son mari ce dimanche et si elle s'obstinait à cacher son adresse, elle ne le reverrait plus de si tôt, peut-être même plus jamais. Si elle était avertie maintenant, il n'y aurait ni avertissement officiel ni enregistrement, elle pourrait se présenter comme par hasard à la prison de Lefortovo.

La rame ralentissait.

Toutes ces pensées avaient rapidement traversé l'esprit du lieutenant-colonel. Il savait que les détenus n'ont pas de pire ennemi qu'eux-mêmes, que le pire ennemi d'une femme, c'est encore elle-même. Les gens ne savent pas tenir leur langue, même quand il y va de leur salut. Au cours de sa carrière, il lui était arrivé de faire preuve d'une sotte faiblesse, d'accorder des passe-droit dont personne n'aurait rien su si leurs bénéficiaires ne s'étaient empressés d'en parler à droite et à gauche.

Cette fois, il ne pouvait céder.

Pourtant, comme le fracas de la rame s'atténuait et qu'on devinait déjà le marbre coloré de la prochaine station, Klimentiev dit à cette femme :

— Vous avez droit à une visite. Demain, dix heures du matin, trouvez-vous à... — il ne parla pas de la prison de Lefortovo, car les voyageurs s'avançant vers les portes les entouraient — aux Fossés de Lefortovo, vous connaissez ?

— Je connais, oui, fit-elle avec un joyeux signe de tête.

Dieu sait pourquoi, ses yeux, secs jusqu'alors, étaient pleins de larmes.

Prenant grand soin d'éviter ces yeux, les paroles de reconnaissance et autres salamalecs, Klimentiev descendit sur le quai pour changer de ligne.

Il était surpris et dépité de ses propres paroles.

Le lieutenant-colonel avait fait attendre Nerjine dans le couloir car c'était un prisonnier effronté, un peu trop à cheval sur la légalité.

Il était tombé dans le mille : après une longue station dans le couloir, Nerjine n'avait pas seulement perdu l'espoir d'une visite. Accoutumé aux coups du sort, il ne s'attendait plus qu'à une mauvaise nouvelle.

Il fut d'autant plus surpris d'apprendre qu'il aurait son rendez-vous dans une heure. L'aride code moral en usage chez les prisonniers, que Nerjine avait tellement contribué à implanter, lui prescrivait de ne montrer aucune joie, aucune satisfaction même, de se faire préciser d'un air détaché pour quelle heure il devait se tenir prêt, puis de prendre congé.

Il jugeait cette attitude la seule convenable : de ce fait, l'autorité avait moins de chances de pénétrer dans l'âme du prisonnier et ignorait son emprise sur lui. Mais la transition fut si brusque, la joie si grande que Nerjine ne put se maîtriser : son visage s'éclaira et il remercia de tout cœur le lieutenant-colonel.

L'autre, en revanche, garda un visage de marbre.

Il alla sur-le-champ distribuer les consignes aux surveillants qui devaient escorter les prisonniers pour les visites.

Ses instructions comportaient : un rappel de l'importance du *Centre* et de son caractère absolument secret ; des éclaircissements concernant l'inexpiable perversité de ces criminels d'État, convoyés aujourd'hui pour une visite familiale, sur leur dessein arrêté de profiter de l'entrevue de ce jour pour transmettre tous les secrets d'État en leur possession à leurs épouses qui les feraient parvenir incontinent aux États-Unis d'Amérique. (Lesdits surveillants n'avaient aucune idée, même approximative, de ce qui pouvait se fabriquer dans le secret des laboratoires et il était aisé de leur inspirer une terreur sacrée devant le moindre torchon de papier qui, issu de Marfino, pouvait mettre le pays à feu et à sang.) Suivit la liste des principales cachettes qu'offrent vêtements et chaussures, ainsi que la manière de les découvrir (une heure seulement avant la visite, on fournissait aux prisonniers des vêtements réservés à cette occasion et destinés à faire bonne impression). Un brin de conversation permettait de voir dans quelle mesure les surveillants avaient assimilé le règlement touchant la fouille. Divers exemples concrets, retournés sous toutes les coutures, mettaient en lumière le tour qu'une conversation peut prendre, la meilleure façon d'épicer ce qui se dit et de couper court à tout sujet autre que personnel et familial.

Le colonel Klimentiev connaissait le règlement. C'était un homme d'ordre.

CHAPITRE XXX

Nerjine s'élança vers les dortoirs de la prison et faillit renverser au passage l'adjutenant Nadélachine dans le couloir obscur de l'état-major. Sa serviette à nids-d'abeilles flottait à son cou, à peine retenue par la veste.

En vertu d'une surprenante propriété de l'espèce humaine, tout l'être de Nerjine s'était brusquement métamorphosé. Cinq minutes plus tôt, tandis qu'il attendait debout dans le couloir, ses trente années de vie lui apparaissaient comme un enchaînement absurde et désespérant d'échecs auquel il était impuissant à se soustraire. Les épisodes les plus regrettables étaient son départ pour la guerre, tout jeune, marié de la veille, puis son arrestation et la longue séparation d'avec sa femme. Il voyait bien que leur amour était condamné, voué fatalement à un écrasement définitif.

Mais on venait de lui annoncer une entrevue avec sa femme pour aujourd'hui, et ces trente années d'existence s'éclairaient d'un soleil neuf : sa vie était tendue comme la corde d'un arc, et pénétrée de sens dans les grandes comme les petites choses ; elle le conduisait de victoire en victoire, récompensant son audace, et les degrés qui, paradoxalement, le menaient au but, c'étaient précisément son départ pour la guerre en pleine jeunesse, son arrestation, sa longue séparation avec sa femme. Se fiant aux apparences, un tiers l'aurait cru malheureux, mais Gleb, sous son malheur, cachait un bonheur secret. Il s'y désaltérait comme à une source vive, c'est là qu'il débusquait le mystère d'êtres et d'événements qui nulle part ailleurs en ce monde ne se seraient ouverts à lui, surtout pas dans la quiétude close et repue d'un foyer. Depuis sa jeunesse, Gleb avait craint par-dessus tout de s'enliser dans le train-train quotidien. Comme le dit si bien le proverbe : « Ce n'est pas la mer qui vous noie, c'est la mare. »

Mais il retournerait vers sa femme ! Le lien entre leurs âmes était indestructible ! Une visite ! Le jour de son anniversaire ! Après l'entretien de la veille avec Anton ! Tant qu'il serait à Marfino, il n'aurait pas droit à une autre visite, mais aujourd'hui rien d'autre ne comptait ! Ses idées s'embrasaient et le traversaient de leurs flèches de feu : ne pas oublier de lui dire ça ! et ça ! et ça ! et ça !

Il entra en courant dans la chambrée en demi-lune où les prisonniers déambulaient bruyamment, les uns revenant du déjeuner, d'autres allant faire leur toilette. Valentin, sa couverture rejetée, siégeait en chemise sur son lit et racontait avec de grands gestes et de grands rires son entrevue nocturne avec un grand chef qui finalement n'était autre que le ministre. Il fallait tout de même écouter ce qu'il racontait ! Nerjine vivait un de ces moments extraordinaires où une force intérieure vous dilate le thorax, où vous avez la poitrine gorgée de chants, où vous vous dites que cent ans ne vous suffiront pas pour faire tout ce que vous avez à faire. D'autre part, il ne fallait pas manquer le déjeuner. Le destin d'un prisonnier ne lui prodigue pas toujours pareille aubaine. Et puis le récit de Valentin achoppait sur un finale inglorieux : la chambrée entière le proclama lopette et pauvre mec pour n'avoir pas entretenu Abakoumov des revendications fondamentales des prisonniers. Malgré ses contorsions et ses glapissements, une demi-douzaine de bourreaux bénévoles le dépouillèrent de son caleçon et le poussèrent à travers la chambrée, sous les huées, les cris et les rires, harcelé de coups de ceinture, aspergé de cuillerées de thé chaud.

Sur un des lits du bas, dans le passage radial menant à la fenêtre centrale, sous la couche de Nerjine, face à celle que Priantchikov venait de déserter, André Andréiévitch Potapov buvait son thé du matin. Ce joyeux bizutage le faisait rire aux larmes et il s'essuyait les yeux sans ôter ses lunettes. Dès le lever, le lit de Potapov reprenait la forme d'un parallélépipède rectangle aux dures arêtes. Il beurrait très légèrement le pain qui accompagnait son thé : il n'achetait rien en supplément à la cantine de la prison, afin d'envoyer à sa « vieille » tout l'argent qu'il gagnait (spécialiste irremplaçable, estimé de l'administration, il était bien payé pour un pensionnaire de la charachka : 150 roubles par mois, trois fois moins qu'une femme de ménage « libre »).

Tout en marchant, Nerjine ôta sa veste, la jeta sur son lit qu'il n'avait pas fait, salua Potapov et, sans attendre de réponse, repartit en courant vers le réfectoire.

L'ingénieur Potapov était l'homme qui avait exprimé devant le juge d'instruction, contresigné sur procès-verbal et confirmé en audience l'aveu d'avoir personnellement livré aux Allemands, pour un prix d'ailleurs dérisoire, et après son dynamitage, l'illustre barrage du Dnieproguess, ce premier fleuron des quinquennats staliniens. Le tribunal, par pure humanité, s'était montré clément envers un forfait aussi inouï, un crime aussi difficile à concevoir, et ne l'avait condamné qu'à dix ans de détention suivis de cinq d'« indignité civique », ce qui, dans le jargon des prisons, s'exprimait par la formule *dix plus cinq*.

Aucun ami de sa jeunesse, et Potapov encore moins, n'aurait jamais imaginé qu'à quarante ans sonnés il se ferait emprisonner pour un délit politique. Non sans raison, ses amis l'avaient surnommé le robot. Sa vie, c'était le travail. Les fêtes chômées de trois jours lui pesaient et de sa vie il n'avait pris de congé que pour se marier. Le reste du temps, faute de remplaçant à sa hauteur, il avait renoncé de bonne grâce à ses congés légaux. Quand le pain, les légumes ou le sucre se faisaient rares, il remarquait à peine ces événements extérieurs : il forait un trou de plus dans sa ceinture, la serrait d'un cran et se remettait d'un cœur allègre à la seule occupation qui l'intéressât vraiment : les réseaux à haute tension. Quant aux individus qui ne savent rien faire de leurs dix doigts et se bornent à brailler dans des réunions ou à noircir des pages de journaux, Potapov ne les tenait pas pour des êtres humains. Il avait eu la haute main sur tout l'équipement électrométrique du Dnieprostroï, c'est là qu'il s'était marié, et il avait lancé sa vie, comme celle de sa femme, dans l'insatiable fournaise des plans quinquennaux.

En 1941, un nouveau barrage était en chantier. Potapov était dispensé du service armé. Lorsqu'il apprit que le Dnieproguess, l'œuvre de sa jeunesse, avait été dynamité, il déclara à sa femme :

— Tu sais, Katia, il faudrait y aller.

Elle lui répondit :

— C'est vrai, Andrioucha, vas-y.

Et Potapov « y » alla. Avec ses lunettes de myope, avec sa ceinture trop serrée, sa blouse plissée et fripée et, malgré le losange qu'il avait à la boutonnière, son étui à revolver vide, car, en cette deuxième année d'une guerre bien préparée, on manquait encore d'armes pour les officiers. Il avait été pris par l'ennemi près de Kastornaïa, un jour torride de juillet, dans des fumées de seigle incendié. Il s'était évadé mais avait été repris avant d'avoir rejoint les lignes amies. Encore évadé, il s'était fait surprendre en rase campagne par un raid parachuté et capturer une troisième fois.

Il avait connu les camps de la faim de Novograd-Volynsk et de Częstochowa, où les prisonniers mangeaient l'écorce des arbres, l'herbe, leurs camarades morts. Les Allemands l'avaient brusquement muté de là à Berlin où quelqu'un, parlant un russe parfait (« poli mais du genre salaud »), lui avait demandé s'il était vraiment le fameux ingénieur Potapov, l'homme du Dnieprostroï. Si oui, pouvait-il en fournir la preuve en traçant le diagramme du branchement de la génératrice ?

Ce diagramme avait été publié en son temps et Potapov le reconstitua sans hésiter. Il en convint lui-même à l'enquête, alors qu'il aurait pu n'en rien dire.

Et c'est ce qui figurait dans son dossier sous la mention : « Divulgation des secrets du Dnieproguess. »

Ce dossier, toutefois, se taisait sur la suite : le Russe inconnu, qui s'était assuré comme on l'a vu de l'identité de Potapov, lui proposa de signer l'engagement de reconstruire le Dnieproguess, moyennant quoi il serait immédiatement libéré, toucherait des cartes d'alimentation, de l'argent et retrouverait son cher travail.

A la vue de la feuille séduisante qu'on lui glissait sous la main, le visage sillonné de rides s'était voilé d'une lourde préoccupation. Puis, sans se battre la poitrine, sans rodomontades, sans prétendre aux lauriers posthumes de Héros de l'Union soviétique, Potapov avait modestement répondu avec sa pointe d'accent du midi :

— Vous comprenez, j'ai déjà signé un engagement écrit. Je ne peux pas signer ce papier sans me contredire, n'est-ce pas ?

Ces mots tout simples, dénués de toute pose théâtrale, voulaient dire que Potapov préférait la mort au confort.

— Soit, je respecte vos convictions, lui avait répondu le Russe inconnu, puis il l'avait renvoyé dans son camp de la mort.

Ce dernier point n'avait pas été pris en considération par le tribunal soviétique lorsqu'il l'avait condamné à dix ans.

L'ingénieur Markouchev, lui, avait signé l'engagement, était allé travailler pour les Allemands et avait également écopé de dix ans.

Tout Staline était là-dedans ! Dans cet acharnement aveugle à ne faire aucune différence entre amis et ennemis, cas unique dans l'histoire du monde !

Le tribunal ne s'était pas davantage prononcé sur le fait qu'en 1945, le même Potapov, embarqué sur un tank comme volontaire-franc-tireur, était entré dans Berlin le p.m. au poing, avec ses binocles écaillés et mal rafistolés.

Si bien que Potapov pouvait s'estimer heureux de n'avoir eu droit qu'à ses *dix plus*.

Nerjine revint du déjeuner, laissa tomber ses chaussures et grimpa sur son lit, ébranlant du même coup celui de Potapov. Il allait exécuter son numéro d'acrobatie quotidien : faire son lit sans qu'on y voie un pli tout en s'y tenant debout. Il n'avait pas plus tôt déplacé son oreiller qu'il découvrit un porte-cigarettes de plastique transparent, bourré d'une rangée de « Belomorkanal » et ceinturé d'une bande de papier ordinaire où une sage écriture de dessinateur avait aligné ces mots :

« Il y avait perdu dix ans
Gâchant la fleur de sa jeunesse... »

Aucun doute possible. Dans toute la charachka, Potapov était le seul à concilier pareil talent de bricoleur avec des citations *d'Eugène Onéguine* qui remontaient à son passé de l'Ancien Régime.

Gleb laissa pendre sa tête dans le vide :

— Andréitch !

Potapov avait fini son thé et lisait son journal déployé, debout pour ne pas froisser son lit.

— Qu'est-ce qu'il y a ? fit-il d'un ton rogue.

— C'est bien vous qui avez fait ça ?

— Je ne sais pas. Ah, vous avez trouvé ? — et il s'efforçait de ne pas sourire.

— Oh, An-dré-itch ! dit Nerjine en traînant sur chaque syllabe.

Un réseau de rides malicieuses et bienveillantes se creusa, et rayonna sur le visage de Potapov. Assurant ses lunettes sur son nez, il reprit :

— J'étais en taule, à la Loubianka, avec un duc Esterhazy. Une cellule à deux, comprenez, il vidait la tinette les jours impairs, moi les jours pairs, et je lui apprenais un russe pouvant s'accommoder de l'alphabet des prisons. Eh bien, pour son anniversaire, je lui ai offert trois boutons en mie de pain — on ne lui en avait pas laissé un seul — et il m'assurait n'avoir jamais reçu cadeau plus opportun, même des Habsbourg.

Dans la « classification des timbres », la voix de Potapov était qualifiée de « sourde et légèrement fêlée ».

La tête toujours dans le vide, Nerjine regardait avec amitié ce visage taillé à la hache. Quand Potapov gardait ses lunettes, il ne paraissait guère plus que ses quarante-cinq ans, son expression était même énergique. Dès qu'il les ôtait, on découvrait des orbites creuses et sombres comme celles des morts.

— Je me sens gêné, Andréitch. Je ne pourrai jamais vous en offrir autant, je n'ai pas vos mains... Comment avez-vous pu retenir la date de mon anniversaire ?

— Cou-cou ! répondit Potapov. Quelles autres dates peuvent compter dans notre existence ?

Tous deux soupirèrent. Potapov proposa de son thé :

— Vous en voulez ? J'ai ma petite recette.

— Non, Andréitch, j'ai mieux à faire. J'ai droit à une visite.

— Formidable ! — Potapov était tout heureux. — Avec votre « vieille » ?

— Oui-oui.

— Valentin, débranchez votre gégène, on en a plein les oreilles !

— Un homme a-t-il donc le droit d'en humilier méchamment un autre ?

— Qu'est-ce qu'il y a dans le journal ? demanda Nerjine.

Potapov, avec une mimique malicieuse d'Ukrainien, leva les yeux vers la tête penchée de Nerjine :

> — La Muse britannique et ses folles chimères
> tourmentent le sommeil de notre jouvencelle...
> Oui, ces co-chons ont le cu-lot d'affirmer que...

Il y avait maintenant quatre ans que Nerjine et Potapov avaient fait connaissance dans le grondement, l'angoisse, la cohue d'une cellule de Boutyrki qui restait obscure même au cœur de juillet, en ce deuxième été de l'après-guerre. Carrefour de vies colorées, de destins divers. La cellule s'ouvrait à des bleus qui portaient encore sur eux comme des bribes de liberté et d'Europe. Elle s'ouvrait à des *prisonniers de guerre* russes, rudes vétérans qui venaient tout juste de passer de la captivité allemande à la prison soviétique. A des forçats, rétamés et recuits, qui laissaient les cavernes du Goulag pour l'oasis des charachka. Une fois dans la cellule, Nerjine s'était glissé dans le noir, rampant sous des bat-flanc posés presque au ras du sol et là, à plat ventre sur le goudron, les yeux encore dépaysés par l'obscurité, il avait demandé gaiement :

— Qui est le dernier ici, les gars ?

— Cou-cou ! Vous venez juste après moi !

Jour après jour, à mesure qu'on raflait les prisonniers pour les convoyer vers d'autres lieux, tous deux avaient progressé « de tinette en fenêtre » pour rétrograder « de fenêtre en tinette » au cours de la troisième semaine, mais cette fois « sur » les bat-flanc. Puis, toujours en surface, ils avaient progressé derechef vers la fenêtre. C'est ainsi que leur amitié s'était scellée, malgré les différences d'âge, d'expérience et de goûts.

C'est là, au cours des mois interminables où ils avaient ruminé le verdict rendu que Potapov avait avoué à Nerjine qu'il ne se serait jamais intéressé à la politique si elle ne l'avait pris au cou et rudoyé la première.

C'est sous les bat-flanc de la prison de Boutyrki que le robot avait connu ses premières perplexités, ce qui ne fait guère honneur à un robot. Oh, il ne se repentait pas d'avoir refusé le pain des Allemands, il ne regrettait pas les trois années perdues dans un camp de la faim et de la mort. Il excluait toujours la pensée de prendre l'étranger à témoin de nos menues difficultés internes.

Mais l'étincelle d'un doute était tombée en lui et y avait allumé une flamme cachée.

Et pour la première fois, dans sa perplexité, le robot s'était demandé : « Mais à quoi bon, finalement, ce fichu Dnieproguess ? »

CHAPITRE XXXI

A neuf heures moins cinq, l'appel parcourait les chambres de la prison spéciale. Dans les camps, pareille opération dévorait des heures entières : on y maintenait les prisonniers dans l'air glacé, on les renvoyait d'un endroit à l'autre, on les recomptait un par un, cinq par cinq, ou par centaines, ou par brigades. Ici les choses allaient vite et sans douleur ; les zeks en étaient encore à prendre leur thé sur leur petite table lorsque deux officiers des gardes montante et descendante faisaient irruption dans la chambrée. Les détenus se levaient — certains ne s'en donnaient pas la peine —, l'officier qui relevait son camarade comptait les têtes d'un air absorbé, après quoi on passait aux communiqués et à l'enregistrement chagrin des doléances.

Le lieutenant Schustermann qui aujourd'hui prenait la garde dans la prison était un grand gaillard aux cheveux bruns qui, sans être vraiment taciturne, n'exprimait jamais le moindre sentiment humain, ainsi qu'il convient à un surveillant dressé à la Loubianka. Il avait quitté cette dernière en compagnie de Nadélachine à destination de Marfino, où il devait raffermir la discipline pénitentiaire. Certains détenus se rappelaient avoir vu les deux hommes à la Loubianka alors qu'ils n'étaient qu'adjudants-chefs et faisaient office d' « escorteurs ». Prenant en compte le prisonnier à peine écroué et qui gardait encore le visage tourné vers le mur, ils lui faisaient monter le fameux *escalier usé* puis, entre le troisième et le quatrième, emprunter le passage joignant la prison aux bureaux des magistrats instructeurs par où, depuis un tiers de siècle, avaient défilé des prisonniers de tout poil ; cadets, SR, anarchistes, monarchistes, octobristes, mencheviks, bolcheviks, Savinkov, Koutiepov, Ramzine, Choulguine, Boukharine, Rykov, Toukhatchevski, le professeur Pletniov, l'académicien Vavilov, le Feldmarschall von Paulus, le général Krasnov, des savants de renommée mondiale, de tout jeunes poètes à peine connus, les criminels eux-mêmes pour commencer, puis leurs femmes, puis leurs filles. Les détenus comparaissaient ensuite devant une dame dont la tunique militaire s'ornait d'une étoile rouge et qui tenait le grand livre des Destins Écroués, où chaque arrivant signait son nom par l'ouverture d'un cache métallique lui dissimulant l'identité de son prédécesseur et de son successeur. Puis on gravissait l'escalier dont la cage était obstruée par un filet de cirque aux mailles serrées qui dissuadait le prisonnier d'enjamber la rampe ; puis on enfilait les longs, les très longs couloirs du ministère de la Loubianka, irrespirables à force de lumière électrique mais où les passementeries d'or des colonels jetaient une note froide.

Bien que les prisonniers soumis à l'instruction fussent encore plongés dans un désespoir tout neuf, ils percevaient rapidement une différence entre ces deux hommes : Schustermann — dont bien sûr ils ignoraient alors le nom — leur décochait un éclair morose sous ses sourcils épais et joints, leur empoignait le coude d'une serre d'oiseau de proie et leur faisait grimper l'escalier brutalement, sans les laisser reprendre souffle. Le lunaire Nadélachine, avec ses airs de castrat, se tenait toujours à distance, ne les touchait pas et leur indiquait poliment les endroits où ils devaient tourner. Aussi Schustermann, quoique plus jeune, avait-il maintenant trois étoiles à ses pattes d'épaules.

Nadélachine annonça que les bénéficiaires d'une visite devaient se présenter à l'état-major pour dix heures. On lui demanda s'il y aurait cinéma ce jour-là, il répondit négativement. Il s'ensuivit une légère houle de mécontentement d'où émergea le commentaire de Khorobrov :

— Mieux vaut rester ici que d'aller voir une merde dans le genre des *Cosaques du Kouban.*

Schustermann, se retournant brusquement pour relever le nom de l'homme qui venait de parler, s'embrouilla dans son compte et dut le reprendre.

Dans le silence, une voix se fit entendre, insaisissable, audible pourtant :

— A tous les coups ils lui colleront ça sur son dossier.

Khorobrov, la lèvre supérieure agitée d'un tic, riposta :

— Peuvent toujours y aller, ces empoirés lerdeux. Il y a déjà de quoi faire péter le dossier.

Tout hirsute, encore en chemise, Dvoiétiossov laissa pendre d'un des lits du haut ses longues jambes velues et cria avec son intonation râpeuse de truand :

— Yeutnant ! Et ct' arbe ? C'est oui ou c'est non ?

— C'est oui ! répondit l'adjutenant et il était clair qu'il prenait plaisir à annoncer cette agréable nouvelle. On l'installera ici, dans la demi-lune.

— Alors on peut se mettre à la fabrication de jouets ? s'écria d'un autre poste élevé le jovial Rouska. Assis en tailleur, un miroir posé sur son oreiller, il nouait sa cravate. Dans cinq minutes il devait rencontrer Clara qu'il venait d'apercevoir par la fenêtre, sortant du corps de garde et traversant la cour.

— On n'a pas de directives là-dessus, on demandera.

— Quelles directives vous faut-il donc ?

— Un arbre de Noël sans jouets !... Ha, ha, ha !

— Les amis ! On va faire des jouets !

— Du calme, minot ! Et *l'eau bouillante ?*

— Le ministre nous la fournira ?

Cet arbre de Noël suscitait dans la chambrée un bourdonnement joyeux. Les officiers de garde avaient déjà tourné les talons pour ressortir lorsque Khorobrov, dominant le murmure des voix, cria dans leur dos, avec son rude accent de Viatka :

— Et puis dites-leur, là-bas, qu'ils nous laissent l'arbre jusqu'à la Noël orthodoxe [1] ! Le sapin, c'est Noël, c'est pas le Jour de l'An !

Les officiers feignirent de n'avoir rien entendu et sortirent. Presque tous les prisonniers parlaient en même temps. Khorobrov n'avait pas vraiment vidé son sac en présence des deux officiers. En silence mais énergiquement, il adressait la fin de son discours à un auditeur invisible et toute la peau de son visage continuait à bouger. Il n'avait jamais jusque-là célébré Noël ni Pâques et ne s'y était mis qu'en prison, par esprit de contradiction. Ces jours-là, au moins, n'étaient pas spécialement choisis pour une fouille méticuleuse ou un serrage de vis. Pour les fêtes d'octobre et le 1er Mai, il se trouvait des travaux de lessive ou de ravaudage à expédier.

Son voisin Abramson but son thé, s'essuya la bouche et les mains, frotta les verres embués de ses lunettes à monture de plastique et déclara à Khorobrov :

— Ilia Térentitch ! Tu oublies le deuxième commandement du prisonnier : « Pas chercher la bagarre ! »

Khorobrov s'éveilla de son altercation imaginaire et se tourna vers Abramson, hargneux, comme si on venait de le mordre :

— C'est un commandement périmé, bon pour une génération foutue comme la vôtre. Vous êtes restés bien tranquilles et on a eu votre peau à tous, jusqu'au dernier.

Le reproche était immérité. C'étaient en effet des compagnons de captivité d'Abramson qui avaient organisé les arrêts de travail et la grève de Vorkouta. Sans résultat appréciable. Et ledit « commandement » s'était répandu de lui-même. La force des choses.

— Si tu fais du foin, ils te renverront au diable, se contenta de répondre Abramson avec un haussement d'épaules. Dans un vrai camp, un vrai bagne.

— Bien, c'est justement ce que je recherche, Grigori Borissytch ! Les empoirés ! Au bagne ? Soit ! Au moins je serai entouré de gens marrants. On aura peut-être la liberté de paroles et pas de mouchards.

Roubine n'avait toujours pas fini son thé. La barbe hirsute, il s'était campé à hauteur des lits de Potapov et de Nerjine et adressait à l'étage supérieur ces paroles amicales :

— Bon anniversaire, mon jeune Montaigne, mon petit nigaud de pyrrhonien...

— Je suis très touché, mon petit Lev, vraiment il ne fallait pas...

Agenouillé sur son lit, là-haut, Nerjine palpait un sous-main. L'ouvrage avait été fabriqué par un prisonnier et ce genre de travail personnel est ce qu'on fait au monde de plus soigné puisque les prisonniers ne sont jamais pressés. Une toile bordeaux tapissait d'élégants compartiments à agrafes ou à boutons coquets, remplis d'un assortiment d'excellent papier pris aux Allemands. Le tout fabriqué, naturellement, pendant le temps de service et avec des matériaux dérobés à l'État.

— ... d'abord, à la charachka, on ne vous laisse prendre une plume que pour écrire des dénonciations...

— ... et je te souhaite de voir ta cervelle sceptico-éclectique illuminée par la lumière de la vérité.

— La vérité ? Et puis quoi encore, eh, moujik ?! Sait-on seulement ce qu'est la vérité ?

Gleb soupira. Son visage, rajeuni par les préparatifs fiévreux de la visite, était de nouveau tiré, sillonné de rides cendreuses. Et ses cheveux séparés en deux masses.

Sur le lit voisin surplombant la couche de Priantchikov, un gros ingénieur chauve, d'âge respectable, mettait à profit ses dernières secondes de récréation pour lire un journal emprunté à Potapov. Il le tenait assez éloigné, largement ouvert, et tantôt fronçait le sourcil, tantôt faisait bouger ses lèvres. Quand la sonnerie électrique ébranla le couloir, tout dépité, il referma le journal à la va-vite, en une masse de plis informes.

— Qu'est ce qu'ils ont donc, ces enfants de sardines, à jacasser sans arrêt sur l'hégémonie mondiale ?

Et il chercha du regard l'endroit le plus propice où jeter ce journal.

A l'autre bout de la chambrée, l'énorme Dvoiétiossov, qui avait enfilé sa combinaison malpropre et exposait aux regards son considérable postérieur tout en bordant le lit qu'il écrasait de sa masse, répliqua :

— Qui ça « ils », Zémélia ?

— Eux tous, quoi.

— Parce que toi, ça te titille pas, l'hégémonie mondiale ? Tu y aspires pas ?

— Qui ça ? Moi ? fit Zémélia étonné, comme s'il prenait au sérieux la question. Qu'est-ce que j'en ai à foutre ? Non, franchement, je n'y aspire pas, ajouta-t-il avec un large sourire.

Et il descendit de son lit, ahanant.

— Eh bien, dans ce cas, allons travailler ! — décida Dvoiétiossov, et son énorme masse de chair retomba sur le sol qu'elle ébranla. Il se rendait au travail dominical sans se coiffer, sans se laver, à demi débraillé.

La sonnerie tintait longuement et son timbre signifiait que l'appel était terminé et que, devant l'escalier de l'institut, venait de s'ouvrir à deux battants la porte du « Sanctuaire » qui allait avaler rapidement la foule pourtant dense des détenus.

La majorité de ceux-ci quittaient la chambrée. Doronine s'élança dehors le premier. Sologdine, qui avait fermé la fenêtre pour le lever et pour le thé, venait de la rouvrir et de la coincer avec un volume d'Ehrenbourg. Il pressait le pas pour rejoindre le professeur Tchelnov au moment où celui-ci quitterait la chambrée des « professeurs ». Comme toujours, Roubine avait manqué de temps ce matin : il fourra nourriture et boisson dans sa table de nuit (non sans y provoquer un effondrement) et s'empressa autour de son lit bosselé, tourmenté, impossible, s'efforçant de le trousser de manière à n'être pas rappelé pour le refaire.

Nerjine essayait de s'ajuster son costume de *mardi gras*. Dans un lointain passé, les zeks avaient journellement porté de beaux costumes, de bons manteaux qu'ils ne quittaient pas lors des visites. Maintenant, pour faciliter la tâche aux gardiens, on les avait affublés de combinaisons bleues : ainsi, du haut des miradors, les sentinelles ne pouvaient plus les confondre avec les employés « externes ». Pour les visites, la direction de la prison les contraignait à changer de vêtement et à enfiler des costumes et des chemises usagés, tirés de vestiaires personnels confisqués avec le reste des biens de leur ancien possesseur. Quelques prisonniers avaient plaisir à être convenablement habillés pour de courtes heures, d'autres faisaient la moue devant ce répugnant travesti, devant ces vêtements de morts qu'ils devaient enfiler, mais on refusait toute visite aux porteurs de combinaisons : les parents ne devaient pas avoir mauvaise opinion de la prison. Aucun prisonnier n'avait le cœur assez sec pour renoncer à revoir sa famille. On se déguisait donc.

La pièce en demi-lune s'était vidée. Restaient douze paires de lits superposés et bordés à la façon des lits d'hôpitaux : le drap de dessus rabattu de manière à accueillir toute la poussière et à se salir au plus vite. Pareille méthode n'avait pu éclore que dans une tête de rond-de-cuir et dans une tête d'homme, la femme de son inventeur elle-même ne l'aurait jamais adoptée. Sur ce point, cependant, les exigences de l'inspection sanitaire des prisons étaient formelles.

La chambrée connut alors un beau silence, bien rare en ce lieu, et que personne n'aurait aimé troubler.

Quatre hommes s'y attardaient : Nerjine, qui revêtait ses atours, Khorobrov, Abramson et l'ingénieur chauve.

Ce dernier était un de ces détenus timorés qui, malgré des années sous les verrous, ne peuvent se faire à la désinvolture de leurs compagnons. A aucun prix il ne se serait permis de manquer le travail du dimanche. Aujourd'hui, toutefois, se sentant mal portant, il s'était muni auprès du médecin de la prison d'une dispense valable pour la journée et avait déployé sur son lit une nuée de chaussettes trouées, de fils et, armé d'un œuf à repriser en carton, de sa confection, il se demandait, le front plissé, par où commencer.

Grigori Borissovitch Abramson, qui avait purgé *réglementairement* ses dix ans — sans compter les six années d'exil qui avaient précédé — et rempilait pour dix autres années, n'était pas à proprement parler un abstentionniste du dimanche, mais faisait tout ce qu'il pouvait pour couper au travail. Dans le temps, lorsqu'il était Komsomol, aucune force au monde n'aurait pu l'arracher aux « dimanches au travail ». On considérait alors ces corvées dominicales comme un mouvement spontané dont l'élan remettrait sur pied l'économie : dans un an ou deux, tout irait pour le mieux et les jardins se couvriraient de fleurs. Les décennies passaient et les ardents « dimanches au travail » n'étaient plus que brimade et travail forcé, les arbres plantés ne fleurissaient toujours pas, gangrenés qu'ils étaient le plus souvent par les chenilles. Ses longues années de prison, ses observations et son raisonnement avaient conduit Abramson à une conclusion toute différente : l'homme est par nature hostile au travail et ne travaillerait jamais s'il n'y était contraint par le besoin ou le bâton. Vus de Sirius, dans la perspective d'un finalisme communiste qu'il partageait toujours et qui était la seule philosophie possible, tant d'efforts, et les « dimanches au travail » entre autres, avaient assurément leur raison d'être, mais Abramson, lui, n'avait plus le cœur d'y participer. Il était l'un des rares dans la maison à avoir fait et archifait ses dix terribles années de condamnation, sans aucun rabais, il savait pertinemment que ce n'était pas un mythe, ni une étourderie du tribunal, ni une bonne blague que devait dissiper la première grande amnistie générale (fable d'un grand crédit auprès des novices), mais bien dix années de vie humaine, si ce n'est douze, si ce n'est quinze années, exténuantes. Il y avait longtemps qu'il ménageait le moindre mouvement de ses muscles, la moindre minute de répit. Et il savait que le meilleur des dimanches était celui qu'on passait sur son lit, immobile, en chemise et en caleçon.

Il venait de libérer le volume que Sologdine avait glissé entre le battant de la fenêtre et le chambranle, de refermer la fenêtre, d'ôter sans hâte sa combinaison. Se glissant sous la couverture, il s'y était soigneusement et étroitement bordé, avait astiqué ses lunettes avec un bout de peau de chamois approprié, s'était fourré un bonbon dans la bouche, avait arrangé son oreiller et tiré de sous son matelas un gros bouquin empaqueté dans du papier pour plus de précaution. Sa seule vue vous laissait une impression de béatitude douillette.

Khorobrov, au contraire, était d'humeur morose. Son

oisiveté n'avait rien de joyeux. Il gisait tout habillé sur sa couverture impeccablement tirée, ses pieds chaussés posés sur le rebord métallique du lit. Il était dans sa nature de ruminer longuement, douloureusement ce qui ne faisait qu'effleurer les autres. Chaque samedi, honorant le principe fameux du volontariat total, tous les détenus, sans qu'on les eût même consultés, se trouvaient portés sur la liste des travailleurs volontaires du dimanche et leur demande transmise à la prison. Si cette inscription avait été réellement volontaire, Khorobrov y aurait participé et n'aurait pas demandé mieux que de passer tous ses dimanches à sa table de travail. S'agissant d'une formalité dérisoire, Khorobrov mettait son point d'honneur à demeurer couché et à se laisser couler dans l'abrutissement, à l'intérieur de locaux pénitentiaires verrouillés.

Dans un camp, le zek ne peut que rêver d'un pareil dimanche, sur un lit, dans une pièce close et chauffée ; mais, à la charachka, le prisonnier n'est plus éreinté par le travail physique.

Rien vraiment pour l'occuper ! Tous les journaux accessibles, il les avait lus la veille. Le tabouret proche de son lit était surmonté d'un monceau de livres, ouverts ou fermés, empruntés à la bibliothèque de la prison spéciale. L'un d'eux était un recueil d'articles d'écrivains chevronnés. Après un temps d'hésitation, Khorobrov l'ouvrit à un article de ce Tolstoï qui, s'il avait eu un soupçon de pudeur, aurait hésité à signer de ce nom [1]. Cette prose datait de juin 1941 et on pouvait y lire : « Fouaillés par la terreur et la démence, les soldats allemands se heurtèrent dès la frontière à un mur d'acier et de feu. » Khorobrov dévida dans un souffle un chapelet de jurons, referma le livre, le replaça. Chaque livre qu'il entrouvrait le touchait à un endroit sensible, car tout, en lui, était blessure à vif. Dans leurs confortables résidences de la banlieue moscovite, ces maîtres à penser n'avaient jamais écouté que la radio ni vu autre chose que leurs plates-bandes. Un kolkhozien ignare en savait plus long qu'eux sur l'existence.

Les autres livres étaient *littéraires*, mais leur lecture répugnait tout autant à Khorobrov. L'un d'eux, *Loin de nous*, était un ouvrage que les citoyens libres s'arrachaient alors. Ce qu'il en avait lu la veille et ce qu'il s'était contraint à lire le jour même lui avait laissé une nausée. C'était un pâté à la mie de pain, un œuf vidé, le cadavre empaillé d'un oiseau. On y parlait des chantiers animés par les zeks et des camps sans jamais mentionner les camps eux-mêmes ni préciser qu'ils étaient peuplés de détenus affamés et punis du cachot. On les avait remplacés par des komsomols bien vêtus et bien chaussés qui faisaient preuve d'un allant bien enviable. Un lecteur averti soupçonnait aussitôt que l'auteur avait connu, vu, touché la vérité, qu'il avait peut-être même séjourné dans un camp en qualité de cogne, mais qu'il mentait de façon éhontée, sans la moindre lueur dans ses yeux vitreux, impassibles.

Les trois mots constituant le juron consacré tombèrent tout naturellement de ses lèvres, dans un ordre un peu différent, et Khorobrov rejeta ce best-seller.

Il y avait là également des textes choisis de l'illustre Galakhov. Khorobrov lui faisait un sort un peu à part, attendait malgré tout quelque chose de lui. Il ouvrit donc le livre mais le referma avec l'impression qu'on se payait sa tête, comme lorsqu'on dressait la liste des volontaires pour le travail dominical. Galakhov, cet homme qui dans le temps avait su évoquer l'amour, s'était à son tour ravalé à ce style visant non un public d'adultes mais des lecteurs oligophrènes, ignorant tout de la vie, abrutis au point de baver devant n'importe quel hochet. Tout ce qui vraiment déchire le cœur de l'homme était absent de ces livres. Si la guerre n'avait pas éclaté, le seul avenir des écrivains aurait été l'hymnologie. La guerre leur avait ouvert la porte des sentiments communément partagés. Encore trouvaient-ils moyen d'élucubrer des conflits psychologiques farcis de vent : celui, par exemple, d'un komsomol qui, lancé sur les arrières de l'ennemi, parvient à faire dérailler par dizaines des convois d'armement mais qui, n'étant pris en compte par aucune organisation de base, passe des jours et des nuits torturantes à se demander si l'on demeure komsomol quand on ne paye pas ses cotisations.

Khorobrov associa dans un ordre nouveau les paroles sacramentelles.

Sur le tabouret reposaient également des *Récits d'Amérique* dus à la plume d'écrivains progressistes. Khorobrov ne pouvait pas les confronter à la vie, mais leur choix même était saisissant : point de récit sans quelque infamie. Rassemblés en un venimeux bouquet, ces écrits suggéraient un cauchemar si terrible qu'on en venait à admirer les Américains de ne s'être pas pendus ou enfuis jusqu'au dernier.

Rien de lisible !

Khorobrov songea à fumer. Il prit une papiroska, la pétrit légèrement. Dans la pièce parfaitement silencieuse on perçut le froissement soyeux du papier bourré de tabac. Il aurait aimé fumer là, sans avoir à sortir ni ôter ses pieds des barreaux du lit. Les fumeurs, en prison, savent bien que le grand plaisir est de fumer sur son coin de bat-flanc ou en haut de son « wagon-lit » : cigarette aspirée sans hâte, l'œil fixé au plafond où défilent les tableaux d'un passé irréversible et d'un avenir hors de portée.

Mais le constructeur au crâne dégarni ne fumait pas, il n'aimait pas la fumée. Quant à Abramson, lui-même fumeur, il professait la théorie erronée selon laquelle l'air d'une chambre doit rester pur. La détention l'ayant vigoureusement convaincu que la liberté commence par le respect des droits d'autrui, Khorobrov soupira, s'assit sur son lit, se leva, gagna la sortie. Ce faisant, il aperçut un livre dodu entre les mains d'Abramson, décida sur-le-champ que pareil livre ne saurait provenir de la bibliothèque de la prison. Il venait donc du « dehors », ce qui en disait long sur sa valeur.

Khorobrov, à la différence d'un bleu, ne lui demanda pas à brûle-pourpoint : « Qu'est-ce que tu lis ? », ou bien : « Où as-tu déniché ça ? » (le constructeur ou Nerjine pouvaient en effet surprendre la réponse d'Abramson). Il vint se coller contre ce dernier, dit à voix basse :

— Grigori Borissytch, laisse-moi viser le numéro-matricule.

— Vas-y, dit Abramson à contre-cœur.

Khorobrov tourna la page de garde et, bouleversé, lut : *Le Comte de Monte Cristo.*

Il se borna à un sifflement.

— Borissytch, demanda-t-il encore d'une voix affectueuse. Il n'y a personne après toi ? J'aurai le temps de le lire ?

Abramson ôta ses lunettes, réfléchit :

— On verra. Tu pourras me rafraîchir les tifs aujourd'hui ?

Les détenus n'aimaient guère le coiffeur stakhanoviste qu'on faisait venir du dehors. Les artistes coiffeurs improvisés de la prison utilisaient des ciseaux, se pliaient à toutes les fantaisies et travaillaient avec lenteur, car ils avaient encore des années à tirer.

— Qui pourra nous prêter des ciseaux ?

— Je m'en ferai passer par Ziablik.

— Dans ce cas, je pourrai t'en filer un petit coup.

— Bon. Il y a un morceau séparable, qui va jusqu'à la page 128, je te le refilerai dans un petit moment.

Remarquant qu'Abramson en était à la page 110, Khorobrov alla fumer dans le couloir dans des dispositions d'esprit toutes différentes.

Quant à Gleb, plus le temps passait, plus il avait le cœur en fête... Cette dernière heure doit être aussi bien émouvante pour Nadia. Où est-elle ? Sans doute à la Cité Universitaire de Stromynka. Pendant la visite, les pensées se dispersent, on perd de vue ce qu'on aurait voulu dire, il faut dès maintenant tout noter sur un bout de papier, tout apprendre par cœur, déchirer ce papier qu'il est interdit de garder sur soi et bien se rappeler les huit points. Huit. Un départ est toujours à craindre. Et d'un. La peine ne prend pas fin avec le temps légal. Il y a encore l'exil. De deux. Et puis...

Il courut chez le fourrier, s'employa à défroisser son « plastron ». Il s'agissait d'une invention de Rouska Doronine que plus d'un avaient adoptée : un lambeau de toile blanche, provenant d'un drap déchiré en seize morceaux — ce que le fourrier ignorait — auquel était cousu un col blanc. Ce chiffon suffisait à peine à masquer, dans l'échancrure de la combinaison, la chemise estampillée de noir : *MGB — Prison Spéciale No 1.* Deux attaches allaient se nouer derrière le dos. Ce « plastron » permettait de créer une illusion de ce bien-être matériel auquel chacun aspirait. Facile à laver, il rendait des services les jours de fête comme les jours ouvrables et permettait de faire bonne figure devant les employées « externes » de l'institut.

Dans la cage d'escalier, Nerjine essaya de faire briller ses chaussures usagées avec des grumeaux desséchés de cirage (la prison ne vous affectait point de chaussures à l'occasion des visites puisqu'une table devait alors vous dissimuler les pieds).

Quand il revint dans la chambrée pour s'y raser (les rasoirs, qu'ils fussent ou non de sécurité, y étaient autorisés, telle était la fantaisie des instructions), Khorobrov dévorait des yeux sa lecture. Le constructeur avait éparpillé son abondant linge à raccommoder sur son lit et une partie du plancher. Il taillait, retournait, marquait ses tissus au crayon tandis qu'Abramson, la tête sur l'oreiller et les yeux légèrement détournés du livre, lui adressait ces propos édifiants :

— Le raccommodage n'est efficace que s'il est consciencieux. Dieu vous garde de n'y voir qu'une pure formalité. Point de hâte. Alignez bien vos points et repassez deux fois en croix sur chacun. Une erreur fort répandue est d'utiliser la frange malade en bordure du trou. Ne jamais lésiner. Ne pas multiplier les reprises inutiles, couper ras la bordure du trou. Vous savez qui est Berkalov ?

— Oui ? Berkalov ? Non.

— Allons donc ! Berkalov — l'ancien officier d'artillerie, l'inventeur, vous savez bien, des canons BS 3, ces fameux canons qui tirent avec une vitesse initiale folle. Eh bien, par un beau dimanche comme aujourd'hui, dans une charachka comme la nôtre, le Berkalov en question était installé devant son raccommodage. La radio était allumée : « ... prix Staline de 1re classe au général de corps d'armée Berkalov. » Or, avant son arrestation, il n'était que général de division. Parfaitement. Bon, une fois ses chaussettes reprisées, il se met à faire frire des beignets sur un réchaud électrique. Le surveillant entre, le prend sur le fait, confisque le réchaud interdit, fait son rapport au directeur de la prison et demande trois jours de cachot. Là-dessus le directeur rapplique au trot, hors d'haleine, comme un gamin : « Berkalov ! Allez prendre votre paquetage ! On vous demande au Kremlin ! Kalinine en personne ! » C'est ça, le destin des Russes.

CHAPITRE XXXII

Le vieux professeur Tchelnov, mathématicien fameux dans plus d'une charachka et qui, sur tous les imprimés, remplissait la rubrique « nationalité » en y écrivant « zek » au lieu de « russe », achevait en 1950 sa dix-huitième année de détention. La pointe de son crayon avait passé sur mainte invention, depuis la chaudière à courant direct jusqu'au moteur à réaction, et il était des découvertes dans lesquelles il avait mis toute son âme.

Le professeur Tchelnov affirmait d'ailleurs qu'il fallait employer le mot d'âme avec circonspection puisque seul le zek était assuré d'en posséder une qui fût immortelle, alors que l'homme *libre*, éminemment futile, s'en trouvait dépourvu. Lorsqu'il bavardait amicalement avec d'autres prisonniers au-dessus d'une jatte de lavasse froide ou d'un verre de chocolat fumant, le professeur avait soin de préciser qu'il avait emprunté ce raisonnement à Pierre Bézoukhov. Quand un soldat français retient Pierre de traverser la route, on se souvient que ce dernier éclate de rire : « Ha ! ha ! un soldat m'a retenu. Mais que faut-il entendre par ce mot de " moi " ? S'agirait-il de mon âme immortelle ? »

A la charachka de Marfino, le professeur Tchelnov était le seul zek dispensé du port de la combinaison (et ce point avait été soumis à Abakoumov en personne). Ce privilège tenait à ce que le professeur n'avait pas reçu d'affectation définitive à Marfino, en sa qualité de zek itinérant : jadis membre-correspondant de l'Académie des sciences et directeur d'une école supérieure de mathématiques, il avait été mis à la disposition de Béria et roulait de charachka en charachka pour résoudre au plus vite quelque problème en souffrance. Aussitôt qu'il l'avait débrouillé dans les grandes lignes et qu'il avait indiqué la marche à suivre pour la suite des opérations, on le renvoyait ailleurs.

Mais le professeur Tchelnov, libre de choisir son vêtement, ne céda pas, comme l'auraient fait la plupart, à une vaine gloire : il adopta un costume sans faste, veste et pantalon de couleur différente, et glissa ses pieds dans des bottes de feutre ; sa tête abritait de rares cheveux gris sous un bonnet de laine en tricot tel qu'en portent les skieurs ou les jeunes filles. Ce qui le rendait le plus remarquable, c'était son extravagant plaid de laine deux fois enroulé autour des épaules et du dos et qui évoquait lui aussi un châle douillet.

Tchelnov portait ce plaid et ce bonnet de telle manière que, loin d'être comique, sa silhouette y gagnait encore en majesté. L'ovale allongé de son visage, son profil aigu, le ton d'autorité avec lequel il parlait à l'administration pénitentiaire, la lumière bleuâtre de ses yeux délavés — prérogative des esprits abstraits —, tout cela faisait de lui une espèce de Descartes ou d'Archimède.

Il avait été envoyé à Marfino pour y élucider la formulation mathématique du chiffreur absolu. Cet instrument devait être animé d'une rotation mécanique entraînant l'enclenchement et le réenclenchement d'une multitude de relais chargés de brouiller les impulsions rectangulaires d'un langage rendu méconnaissable. Des centaines d'auditeurs, munis d'instruments de type analogue, devaient être mis dans l'impossibilité de déchiffrer l'entretien téléphonique en cours.

Le bureau d'études, à son tour, travaillait à la réalisation de ce chiffreur. Tous les ingénieurs-constructeurs s'y employaient, à l'exception de Sologdine.

Arrivant d'Intá à la charachka et comprenant où il se trouvait, Sologdine avait déclaré bien haut que sa mémoire avait été amoindrie par des années de faim, que ses dons déjà modestes s'étaient bien émoussés, qu'il ne pouvait donc assurer qu'un travail auxiliaire. Ce qui lui permit ce coup de poker, c'est qu'il n'était pas soumis, à Intá, au régime des travailleurs-manœuvres, mais exerçait son métier d'ingénieur et ne redoutait donc pas d'y retourner. Du coup, lorsqu'il parlait boulot avec la direction de la charachka, il pouvait se permettre le luxe de chercher des équivalents pour les mots d'origine étrangère — même pour des mots comme « ingénieur » ou « métal » — et lanternait son monde jusqu'à ce qu'il eût inventé le terme requis, chose impensable s'il avait brûlé de se racheter une conduite ou simplement d'obtenir un régime alimentaire tant soit peu amélioré.

On ne l'avait pas pour autant renvoyé. On le gardait à l'essai. Au lieu de ramer au plus fort du courant, en pleine tension, en pleine bousculade, en pleine crispation, Sologdine se choisit un bras d'eau bien paisible. Dispensé des honneurs comme des reproches, très vaguement contrôlé par l'autorité, il disposait d'assez de temps libre. Échappant à la surveillance, il profita de ses soirées pour mettre au point secrètement, selon sa méthode à lui, la réalisation du chiffreur absolu.

Il estimait que les grandes idées ne peuvent naître que de l'illumination d'un esprit solitaire.

De fait, au cours des six derniers mois, il avait trouvé comment résoudre le problème désespérant les dix ingénieurs qu'on y avait attelés spécialement et qu'on tarabustait sans répit. (Il n'était pas sourd : il avait entendu ces ingénieurs exposer les données du problème et les raisons de leur échec). Deux jours plus tôt, Sologdine avait soumis son projet à l'examen du professeur Tchelnov, officieusement. En ce moment, il était en train de gravir l'escalier aux côtés du professeur, lui soutenant respectueusement le coude, et attendait le verdict.

Mais Tchelnov ne mélangeait jamais travail et loisir.

Pendant leur court trajet par couloirs et escaliers, il ne proféra pas un seul mot de ce jugement que Sologdine attendait fébrilement et lui fit le récit désinvolte de sa promenade matinale en compagnie de Lev Roubine. Refusé pour la corvée de sciage, ce dernier était venu lire à Tchelnov un poème de son crû, à sujet biblique. Le rythme de l'œuvre était bon, à un ou deux ratés près, on y rencontrait des rimes originales — Osiris / aux iris — et l'on devait concéder que ces vers n'étaient pas sans valeur. Moïse était le héros de cette ballade : il conduisait les Hébreux pendant quarante ans à travers le désert, dans les privations, la soif, la faim. Le peuple délirait, se mutinait, en quoi il avait tort. Moïse avait raison, lui qui savait bien que la Terre Promise était au bout du voyage. Roubine avait particulièrement attiré l'attention de son auditeur sur le fait que les *quarante* ans n'étaient pas encore écoulés.

Quelle avait été la réponse de Tchelnov ?

Il avait rappelé à Roubine la géographie du voyage de Moïse. Des bords du Nil à Jérusalem, en aucun cas les Hébreux n'avaient à parcourir plus de quatre cents kilomètres, si bien qu'en tenant compte du repos sabbatique, ils pouvaient être rendus en trois semaines. Dans ce cas, ne pouvait-on risquer l'hypothèse qu'en ces quarante années supplémentaires Moïse les avait moins *menés* que *promenés* par le désert d'Arabie afin de laisser mourir tous ceux qui se souvenaient de l'Égypte et de l'esclavage de Cocagne qu'ils y avaient connu, les survivants devant mieux apprécier le modeste paradis qu'il avait à leur offrir ? A hauteur du bureau de Iakonov, le professeur prit sa clef à l' « externe » de garde chargé de surveiller l'institut. Pareille preuve de confiance était également accordée au Masque de Fer, à l'exclusion de tout autre zek. Aucun prisonnier n'avait le droit de demeurer ne fût-ce qu'une seconde à son lieu de travail sans être épié par un « externe », la vigilance civique suggérant en effet que le détenu pourrait profiter de cette seconde de liberté non surveillée pour éventrer le coffre-fort d'un coup de crayon et photographier des documents secrets avec les boutons de son pantalon.

Il faut dire que Tchelnov travaillait dans une pièce qui ne renfermait qu'une armoire sans secrets et deux tables nues. Aussi se décida-t-on — non sans en référer au ministère — à entériner officiellement la remise à titre personnel d'une clef au professeur Tchelnov. Dès lors, son bureau inspira de perpétuelles alarmes au major Chikine, « délégué opérationnel » de l'Institut. A l'heure où les prisonniers disparaissaient dans les locaux disciplinaires derrière une double porte blindée, le camarade Chikine, grassement payé et dont la journée échappait aux normes en usage, se rendait en personne, *propriis pedibus*, dans la pièce affectée au professeur. Il en sondait les murs, faisait danser les lames du plancher, glissait un œil dans l'interstice poussiéreux entre l'armoire et le mur, et hochait la tête d'un air maussade.

Ce n'était pas tout d'avoir pris sa clef. Dans le couloir du deuxième étage, au bout de quatre ou cinq portes, se tenait le poste de contrôle du secteur ultra-secret. Ce poste consistait en une petite table flanquée d'une chaise où siégeait une maritorne qui n'était destinée ni à balayer ni à faire le thé (d'autres s'en chargeaient). Sa mission particulière consistait à contrôler les laissez-passer de tous ceux qui se rendaient dans le secteur ultra-secret. Ces sauf-conduits, tirés à l'imprimerie centrale du ministère, étaient de trois types : permanents, exceptionnels, hebdomadaires. Les maquettes en avaient été réalisées par le major Chikine à qui revenait également l'honneur d'avoir qualifié d'ultra-secret le cul-de-sac fermant ce couloir.

Le travail de ce poste de contrôle était malaisé : les passants étaient certes rares, mais il était rigoureusement interdit d'y tricoter des chaussettes, comme le rappelaient les instructions affichées au mur non moins que les directives orales du camarade Chikine. Ces femmes qu'on ne relevait que deux fois en vingt-quatre heures livraient au sommeil un combat torturant. Ce poste de contrôle était aussi fort gênant pour le colonel Iakonov qu'on dérangeait à longueur de journée pour lui faire signer des laissez-passer.

Le poste n'en existait pas moins. C'est pour éponger le salaire de ces deux femmes qu'on n'entretenait qu'un factotum — le fameux Spiridon — au lieu de trois prévus aux effectifs.

Tchelnov savait parfaitement que la factionnaire se nommait Maria Ivanovna, celle-ci voyait passer le vieillard chenu plusieurs fois par jour mais elle n'en tressaillit pas moins à sa vue :

— Laissez-passer !

Tchelnov exhiba son carton, Sologdine son bout de papier.

Dépassant le poste de contrôle, puis deux autres portes, puis celle, vitrée, blanchie et barricadée, qui s'ouvrait sur l'escalier de service où donnait l'atelier du « peintre-serf [1] », puis celle de la chambre privée du Masque de Fer, ils ouvrirent le bureau de Tchelnov.

C'était une petite chambre sympathique dont l'unique fenêtre regardait la cour de promenade des prisonniers et un bois de tilleuls centenaires qu'un sort malveillant avait eux aussi insérés dans la zone et qui étaient exposés au feu des pistolets-mitrailleurs. Les hautes cimes des tilleuls étaient toujours généreusement givrées.

Un ciel blanc et trouble éclairait le monde.

A gauche des tilleuls, au-delà de la zone, s'élevait, grisaillée par le temps mais reblanchie comme toute chose ce jour-là, une vieille petite maison au toit en carène renversée qui avait jadis abrité l'évêque résidant auprès du séminaire, en mémoire de qui la route menant à Marfino s'appelait toujours : le chemin de Monseigneur. Plus loin pointaient les toits du modeste village de Marfino, puis c'était un champ, plus loin encore, au-dessus de la voie ferrée, on voyait s'élever dans une grisaille trouble la vapeur argent clair de la locomotive en provenance de Léningrad.

Sologdine ne se soucia même pas de regarder par la fenêtre. Ne s'asseyant pas, alors qu'on l'invitait à le faire, se sentant un corps agile, conscient de posséder encore des jambes jeunes et solides, il s'appuya des épaules au montant de la fenêtre et fixa son regard sur le rouleau de papier posé sur la table de Tchelnov.

Le vieil homme pria Sologdine d'ouvrir le vasistas. Il prit place dans un fauteuil non rembourré, au dossier droit et haut. Rajusta son plaid sur ses épaules, mit au jour la petite feuille de bloc-notes où il avait jeté l'essentiel de ses remarques, s'empara d'un crayon effilé comme une lance et adressa à Sologdine un regard sévère. Le ton enjoué qu'il avait encore peu auparavant n'était plus de mise désormais.

Ce furent comme de grandes ailes qui, prenant leur essor, vinrent battre dans la petite pièce. Tchelnov ne parla pas plus de deux minutes mais ses mots étaient si substantiels que le temps manquait pour reprendre souffle entre chacune de ses pensées.

Il s'avérait que Tchelnov en avait fait plus que Sologdine ne lui avait demandé. Il avait établi, grâce aux probabilités et à un calcul théorique, dans quelle fourchette se logeait la réalisation proposée par Sologdine. Celle-ci promettait un résultat assez proche de ce qu'on exigeait, dans la mesure du moins où on ne pouvait encore mettre en jeu des procédés purement électroniques. Il était toutefois indispensable :

— de rendre le dispositif insensible aux impulsions d'énergie incomplète,

— de préciser l'importance des inerties essentielles du mécanisme pour s'assurer que les couples de rotation étaient suffisants,

— ensuite... — Tchelnov irradia Sologdine du scintillement de son regard — ensuite n'oubliez pas ceci : votre chiffrage se fonde sur le principe du chaos, et c'est fort bien. Mais un chaos choisi une fois pour toutes et immobilisé, c'est déjà un système. Il serait encore plus ardu de chiader la solution de manière que le chaos évolue lui-même de façon chaotique.

Là-dessus le professeur devint pensif, plia sa page en deux et se tut. Sologdine, comme ébloui, ferma les paupières et resta là sans plus rien voir.

Aux premiers mots du professeur, il s'était senti immergé dans une vague chaude. Il s'appuyait de l'épaule et du flanc au chambranle comme pour ne pas s'envoler au plafond dans sa jubilation. Sa vie, peut-être bien, touchait là à son zénith.

... Il provenait d'une vieille famille noble, déjà bien amoindrie, fondante, que la flamme de la Révolution avait éparpillée à tout vent en embruns de cire. Les uns avaient été abattus d'une balle, les autres avaient émigré ou s'étaient tapis pour faire peau neuve. Dans son adolescence, Sologdine avait longuement hésité sur l'attitude à adopter envers la révolution. Il l'exécrait comme le soulèvement d'une pègre envieuse, follement prise à son propre jeu, mais il se reconnaissait dans cette rectitude inflexible et cette infatigable énergie. Ses yeux de paladin russe brillaient ardemment tandis qu'il priait dans les chapelles moscovites agonisantes. Il alla frapper à la porte d'une cellule du komsomol, le col ouvert, à la prolétaire, et vêtu d'un blouson comme tout le monde à l'époque. Bien malin qui aurait tranché s'il devait prendre un fusil pour tirer sur toute cette racaille ou au contraire essayer de se faufiler jusqu'à un poste de commandement au sein du komsomol ! Il était d'une piété sincère et d'une vanité poignante. Le goût du sacrifice et l'esprit de lucre. Est-il un cœur adolescent qui n'aspire aux biens de ce monde ? Il partageait l'avis de l'athée Démocrite : « Bienheureux qui possède la fortune et l'esprit. » Il avait été pourvu d'intelligence dès le berceau, mais non de fortune.

A dix-huit ans — or c'était la dernière année de la NEP ! — il s'était fixé comme premier objectif stable d'acquérir un *million*. Tout rond, sans faute, exactement un million, et à n'importe quel prix : un million. Il ne s'agissait pas pour lui de richesse ni même d'aisance. L'acquisition de ce million serait l'examen probatoire sanctionnant son esprit pratique, attestant qu'il n'était pas un songe-creux et pourrait à l'avenir se proposer d'autres buts tout aussi réalistes.

Il espérait aller au million par quelque invention éblouissante, mais il n'aurait pas reculé devant une autre voie, étrangère à sa vocation d'ingénieur, si elle s'avérait plus rapide et mettait également en jeu son intelligence. Il était toutefois difficile d'imaginer atmosphère moins propice à la quête du million que le premier plan quinquennal stalinien. De sa table à dessin, il ne pouvait tirer qu'une carte de pain et un salaire de misère. Si, du jour au lendemain, il avait proposé à l'état le véhicule universel ou le procédé le plus avantageux pour rebâtir toute l'industrie, cela ne lui aurait valu ni le million ni la gloire, mais l'aurait peut-être rendu suspect et voué aux persécutions.

Tout se régla par la suite : sa taille excédant la dimension moyenne d'une maille de filet, il fut pris à la pêche et écopa d'une première peine, le camp devant lui en réserver une seconde.

Il y avait maintenant douze ans qu'il n'était pas sorti du monde concentrationnaire. Il avait dû laisser choir, oublier son projet de million. Mais voilà qu'un chemin tortueux l'avait ramené aux pieds de la même tour et, les mains tremblantes, il cherchait parmi tant de clefs celle qui ouvrirait la porte d'acier !

Hein ? Comment ? C'était bien à lui que ce Descartes au béguin virginal avait adressé ces flatteuses paroles ?

Tchelnov replia le feuillet en quatre, puis en huit :

— Vous voyez, il y a du pain sur la planche. Mais ce dispositif l'emportera sur tous ceux qui ont été proposés. Il vous vaudra la liberté, un casier judiciaire blanchi. Si nos patrons ne le court-circuitent pas, cela peut vous valoir le prix Staline.

Tchelnov sourit de son sourire aigu, fin comme tout son visage.

Ce sourire s'adressait à lui-même. Dans diverses charachka, à des époques différentes, il avait fait bien plus que ce que Sologdine s'apprêtait à faire, sans jamais courir le risque d'un prix, d'une révision de son casier judiciaire ou d'une libération. Son casier judiciaire était d'ailleurs vierge. Il avait un jour parlé du Père Providentiel comme d'un reptile abject et, depuis dix-huit ans, il était sous les verrous, sans verdict, sans espoir.

Sologdine rouvrit ses yeux bleus étincelants, redressa une taille de jeune homme et dit d'un ton un peu théâtral :

— Vladimir Erastovitch ! Vous m'avez offert un appui et une conviction ! Je ne sais quels mots pourraient vous remercier de votre attention. J'ai envers vous une grande dette !

Un sourire absent jouait déjà sur ses lèvres.

Un souvenir revint au professeur alors qu'il rendait à Sologdine son rouleau de papier calque.

— Cela dit, je vous dois des excuses. Vous m'aviez demandé de cacher ce projet à Anton Nikolaievitch.

Hier le hasard a voulu qu'il entre dans mon bureau, il a déroulé le plan machinalement, d'un geste coutumier, a vu immédiatement de quoi il retournait. J'ai dû violer votre incognito...

Le sourire disparut des lèvres de Sologdine. Il se rembrunit.

— Est-ce donc si important pour vous ? Pourquoi ? Un jour plus tôt, un jour plus tard...

Sologdine éprouvait lui-même une certaine perplexité. Le moment n'était-il pas venu de porter son plan à Anton ?

— Comment vous dire, Vladimir Erastovitch... Vous ne trouvez pas qu'il y a là, sur le plan moral, comme une ambiguïté ?... Il ne s'agit ni d'un pont ni d'une grue, ni d'une machine-outil. La commande ne nous a pas été passée par l'industrie mais par ceux-mêmes qui nous ont mis au trou. Jusqu'ici, j'ai travaillé pour me mettre à l'épreuve. Pour moi.

Pour moi-même.

Tchelnov connaissait bien ce genre de travail. C'était la forme la plus élevée de la recherche.

— Compte tenu des circonstances... n'est-ce pas un luxe un peu trop coûteux ?

Tchelnov le considérait de ses yeux pâles et calmes. Sologdine se redressa et reprit :

— Pardonnez-moi. Ce n'est rien. Je pensais à voix haute. Vous n'avez rien à vous reprocher. Je vous suis reconnaissant, archi-reconnaissant.

Il serra assez longuement, avec respect, la main délicate de Tchelnov puis sortit, son papier roulé sous le bras.

Il était entré dans ce bureau comme un prétendant, encore libre.

Il en sortait en vainqueur, accablé. Il n'était plus le maître de son temps, de ses intentions, de son travail.

Sans s'adosser au fauteuil, Tchelnov baissa les paupières et resta longtemps ainsi, tout droit, avec son visage effilé, sous son bonnet de tricot pointu.

CHAPITRE XXXIII

Toujours jubilant, Sologdine ouvrit la porte du bureau d'études avec une vigueur excessive et entra. Au lieu de l'affluence escomptée, dans cette vaste pièce toujours bourdonnante, il ne vit près de la fenêtre que la silhouette d'une femme assez corpulente. Il traversa la pièce d'un pas rapide et demanda d'un air surpris :

— Vous êtes seule, Larissa Nikolaievna ?

Larissa Nikolaievna était copiste. C'était une dame d'une trentaine d'années. Elle détourna la tête de la fenêtre qui éclairait sa table de dessinateur et sourit par-dessus l'épaule à Sologdine qui s'approchait.

— Dmitri Alexandrovitch ! Moi qui me croyais condamnée à m'ennuyer toute seule à longueur de journée.

Sologdine toisa cette silhouette copieuse en tailleur de tricot vert vif, ne répondit pas et gagna sa table en marquant le pas fortement. Avant de s'asseoir, il traça une barre sur une feuille de papier rose posée un peu à l'écart. Après quoi, tournant presque le dos à Iomina, il fixa son dessin sur la planche mobile et inclinée de sa table articulée.

Le bureau d'études occupait une grande pièce lumineuse du deuxième étage avec de grandes fenêtres au sud, meublée mi-partie de tables de bureau ordinaires et de tables Kuhlmann orientées verticalement, obliquement, parfois horizontalement. Celle de Sologdine, non loin de la fenêtre d'angle qui éclairait Iomina, était disposée verticalement et articulée de manière à le dissimuler au chef du bureau d'études comme à la porte d'entrée et à faire tomber des flots de lumière sur les dessins fixés sur la planche.

Sologdine, enfin, demanda :

— Pourquoi n'y a-t-il personne ?

— C'est ce que je voudrais bien que vous m'appreniez.

Telle fut la réponse, chantante.

Ne tournant que la tête, d'un geste vif, il lui répondit avec ironie :

— Tout ce que je peux vous dire, c'est où se trouvent quatre de ces parias, de ces *zéka-zéka* qui travaillent ordinairement dans cette pièce. Voici : l'un d'eux se rend à une visite, Hugo Leonardovitch fête Noël en compagnie des Lettons, moi je suis ici, Ivan Ivanovitch a demandé la permission de repriser ses chaussettes. A mon tour, j'aimerais savoir où sont les seize externes, camarades infiniment plus qualifiés que nous-mêmes.

Il était de profil et Iomina ne perdait rien de son sourire condescendant entre ces petites moustaches et cette barbiche également soignées.

— Comment ? Vous ne saviez pas que notre major, hier soir, est convenu avec Anton Nikolaievitch que le bureau ne travaillerait pas aujourd'hui ? Moi, naturellement, je suis de garde...

— Repos ? demanda Sologdine d'un air sombre. En quel honneur ?

— Comment ça ? Mais en l'honneur du dimanche.

— Dieu sait combien de dimanches on a passé ici et voilà que c'est férié !

— C'est que le major a déclaré qu'il n'y avait pas de travail urgent pour aujourd'hui.

Sologdine, brusquement, se retourna tout entier vers Iomina.

— *Nous* n'avons pas de travail urgent ? s'exclama-t-il presque fou de colère. Ce n'est rien de le dire ! Pas de travail urgent — Une risée d'impatience parcourut les lèvres roses de Sologdine. — Voulez-vous que je m'arrange pour qu'à partir de demain vous restiez ici *tous les seize*, à gratter jour et nuit ?

Il y avait une joie mauvaise dans la façon dont il cria presque : « tous les seize ».

Malgré l'atroce perspective d'un travail de copie diurne et nocturne, Iomina conservait le calme qui seyait à sa grosse beauté paisible. Aujourd'hui, elle n'avait pas même soulevé le calque recouvrant sa table de travail, sous lequel reposait la clef du bureau d'études. Confortablement accoudée à sa table (la manche de tricot moulait son avant-bras de façon très avantageuse), Iomina se balançait imperceptiblement et dardait sur Sologdine de grandes prunelles amicales.

— Dieu nous en garde ! Parce que vous seriez capable d'un pareil forfait ?

Sologdine lui demanda avec un regard froid :

— Pourquoi employez-vous ce mot de Dieu ? Vous êtes bien femme de tchékiste ?

— Et après ? protesta-t-elle avec surprise. Nous faisons bien des koulitch [1] pour Pâques, alors, hein ?

— Des kou-litch ?

— Et comment !

Sologdine regardait de haut Iomina installée devant sa table. Le vert de son deux pièces tricoté était brutal, provoquant. La jupe comme la veste moulaient un corps opulent. Le haut, échancré sur la poitrine, laissait passer le col vaporeux d'un chemisier blanc.

Sologdine traça un bâton sur la feuille rose et dit d'un ton rogue :

— Vous avez bien dit que votre mari était lieutenant-colonel des cadres du ministère de l'Intérieur ?

— Mon mari, je ne dis pas, mais ma mère et moi... Nous sommes des bonnes femmes comme les autres ! lui dit-elle avec un sourire désarmant. Ses lourdes tresses blondes enserraient sa tête dans une couronne imposante. Elle souriait et vraiment elle avait tout l'air d'une paysanne, mais revue par Emma Tsesarskaia [2].

Sans plus rien dire, Sologdine s'assit en biais devant sa table, de façon à ne plus voir iomina et, l'œil plissé, se mit à parcourir le dessin épinglé sur la planche. Il se sentait couvert des fleurs du triomphe qui s'attardaient sur ses épaules, sur sa poitrine, et il n'avait nulle envie de dissiper d'aussi heureuses dispositions.

Un jour ou l'autre il faut bien se mettre à Vivre, avec un grand V.

Le moment était venu.

L'arc tangent au zénith...

Un vague doute lui restait toutefois en travers de la gorge...

... L'insensibilité aux impulsions d'énergie incomplète serait assurée, ainsi que l'efficacité des couples — Sologdine le percevait intuitivement — à condition, bien sûr, de repousser toutes les opérations de deux décimales. Mais il restait troublé par la dernière remarque de Tchelnov sur le « chaos figé ». Ces mots ne désignaient pas tant un défaut du travail que toute la distance qui le séparait de l'idéal. En outre, il ressentait confusément que son projet recelait encore une de ces lacunes, de ces « tout derniers pouces » qui avaient échappé à Tchelnov et qu'il n'avait pas saisi lui-même. Il était fondamental de profiter d'un répit dominical aussi propice, d'établir en quoi consistait ce trou et de le faire disparaître. Ensuite seulement il pourrait dévoiler son ouvrage à Anton et lui faire franchir les murs de béton.

Aussi faisait-il effort pour se couper de toute pensée touchant Iomina et demeurer dans le cercle des pensées éveillées par le professeur Tchelnov. Il y avait six mois que Iomina prenait place à ses côtés mais ils n'avaient jamais eu l'occasion de causer. Pareil tête-à-tête ne s'était jamais trouvé. Sologdine se moquait gentiment d'elle lorsque son plan de travail lui permettait de s'octroyer cinq minutes de pause. Si cette femme n'avait pour emploi que celui de copiste, elle appartenait à la classe dirigeante. Leurs seuls rapports naturels et décents ne pouvaient être que d'hostilité.

Sologdine regardait son dessin et Iomina regardait Sologdine tout en balançant imperceptiblement son bras accoudé. Puis ce fut une question abrupte :

— Et vous, Dmitri Alexandrovitch ? Qui vous reprise vos chaussettes, à vous ?

Sologdine haussa les sourcils. Il ne comprenait simplement pas.

— Mes chaussettes ? — Il continuait à regarder son plan. — Ah ! je vois ! Ivan Ivanovitch porte encore des chaussettes parce que c'est un bleu, avec moins de trois ans de cave. Les chaussettes ont comme un relent de... ce qu'on appelle (il faillit s'étrangler de devoir prononcer un mot d' « oiseau »)... le capitalisme. Je ne *porte* pas de chaussettes, un point c'est tout. — Et il traça un bâton sur sa feuille blanche.

— Que portez-vous alors ?

— Larissa Nikolaievna, vous passez les bornes de la discrétion. — Mais il ne put s'empêcher de sourire —. Je m'en tiens à l'orgueil de notre costume national, aux chaussettes russes !

Il prononça le mot en gourmet : il commençait à prendre plaisir à cet entretien. Ses brusques passages de la sévérité à la moquerie effrayaient et divertissaient Iomina.

— Mais c'est bon pour les simples soldats !

— Oui, et pour deux autres catégories sociales : les détenus et les kolkhoziens.

— Et puis il faut tout de même les laver, les raccommoder ?

— C'est ce qui vous trompe ! Qui, de nos jours, s'amuse à laver des chaussettes russes ? On les garde un an sans qu'elles voient l'eau, ensuite on les jette et on en touche d'autres de l'intendance !

— Vraiment ? Sans rire ?

Les yeux de Iomina étaient presque épouvantés.

Sologdine éclata d'un rire juvénile, insouciant.

— C'est du moins ma façon de faire. Comment pourrais-je acheter des chaussettes ? Avec quoi ? Peau de balle ? Vous qui êtes *copiste* pour le compte du MGB, combien touchez-vous par mois ?

— Mille cinq cents.

— Bra-vo ! s'exclama triomphalement Sologdine. Mille cinq cents ! Moi qui suis *outilier* (autrement dit ingénieur), je touche trente roubles. Voilà de quoi faire des folies, n'est-ce pas ? Et se payer des chaussettes !

Les yeux de Sologdine rayonnaient de gaieté. Iomina n'y était pour rien, mais s'était néanmoins empourprée.

Le mari de Larissa Nikolaievna était un gros lourdaud. Depuis longtemps, la vie familiale n'était plus pour lui qu'un édredon douillet et il n'était plus pour sa femme qu'un des meubles de l'appartement. En rentrant de son travail, il déjeunait en prenant son temps, en sybarite, puis faisait la sieste. Puis s'ébrouait, se plongeait dans ses journaux, mettait sa radio en marche (il vendait successivement tous ses récepteurs pour acheter des marques nouvelles). Seuls les matches de football — son devoir d'État lui dictant d'avoir pour favori l'équipe Dynamo [1] — éveillaient en lui de l'excitation, voire de la passion. En toutes choses il était terne et monotone. Quant aux autres hommes qu'elle pouvait rencontrer dans ce milieu, leur grand passe-temps était de raconter leurs campagnes et leurs décorations, de jouer aux cartes, de boire à s'incendier la trogne puis, quand ils étaient saouls, de venir la tripoter.

Sologdine, derechef, fixa son dessin. Larissa ne quittait pas des yeux ce visage, ces moustaches, cette barbiche, ces lèvres sensuelles.

Elle aurait aimé se frotter, se picoter à cette barbe.

De nouveau elle rompit le silence :

— Dmitri Alexandrovitch, je vous dérange vraiment ?

— Il me faudrait encore un petit bout de... répondit Sologdine. Les derniers « pouces » exigeaient une concentration d'esprit à l'abri de toute perturbation. Sa voisine le gênait. Sologdine délaissa pour un temps son dessin, pivota en direction de la table, se tourna de ce fait vers Iomina et se mit à trier des papiers sans importance.

On entendait le tic-tac menu d'un bracelet-montre au bras de Larissa.

Dans le couloir un groupe passa, bavardant en sourdine. A la porte d'une pièce voisine retentit la voix légèrement zézayante de Mamourine : « Alors c'est pour quand, ce transformateur ? » Puis ce fut une exclamation furibonde de Markouchev : « Y avait qu'à pas leur donner, Iakov Ivanytch !... »

Larissa Nikolaievna coucha ses deux bras devant elle, les croisa, y cala son menton et, de bas en haut, dirigea sur Sologdine des regards mouillés.

Pour lui, il lisait.

— Chaque jour, chaque heure c'est la même chose ! dit-elle dans un murmure d'adoration. Vous êtes un homme extraordinaire, Dmitri Alexandrovitch !

Cette observation lui fit aussitôt redresser la tête.

— Qu'est-ce que la prison peut avoir à faire là-dedans, Larissa Nikolaievna ? J'y suis entré à vingt-cinq ans et on m'a dit que j'en sortirais à quarante-deux. Je n'y crois pas. Ils me colleront à tous les coups une rallonge. C'est dans les camps que j'aurai passé le meilleur de ma vie, que j'aurai connu l'épanouissement de mes forces. Il ne faut jamais ramper devant les conditions extérieures, c'est humiliant.

— Chez vous tout tourne au système !

— En liberté ou en prison, qu'importe ? Un homme doit se fabriquer une volonté inflexible mais soumise à la raison. Sur toutes mes années de camp, j'en ai passé sept à me nourrir de lavasse et à travailler intellectuellement, privé de sucre et de phosphore. S'il fallait tout vous raconter...

A moins d'y être passé soi-même, comment comprendre ?

La prison intérieure du camp où l'on détenait les prisonniers en cours d'instruction était creusée dans le roc. Le *parrain* en était un lieutenant Kamychan qui depuis onze mois jurait à Sologdine qu'il ne couperait pas à une rallonge de dix ans. Cet homme vous donnait des coups de bâton sur la bouche et en faisait jaillir des dents ensanglantées. Si, ce jour-là, il était arrivé à cheval au camp — il avait assez belle prestance sur une selle —, il se servait du pommeau de son stick.

On était en guerre. Même les gens en liberté mouraient de faim. Que dire des camps ? Surtout de Gornaia Zakrytka ?

Averti par la première instruction, Sologdine ne signa rien. Il écopa malgré tout des dix ans promis. Et passa du tribunal à l'hôpital. Dans un état comateux. Son corps, promis à une proche désagrégation, rejetait tout : le pain, la soupe, la lavasse même.

Un jour vint où on le fit glisser sur un brancard pour l'emmener à la morgue et lui fendre le crâne d'un coup de maillet de bois avant la fosse commune. Il remua vaguement...

— Racontez !

— Non, Larissa Nikolaievna ! C'est absolument indescriptible ! affirmait-il maintenant d'un ton léger, jovial.

... et c'était de ces profondeurs, oui — oh ! la force de renouveau de la vie ! — de ces tréfonds qu'à travers des années d'esclavage, des années de labeur, il avait pris son essor ! Et quel essor !

— Racontez-moi ! implorait, les yeux levés, les bras croisés, cette femme repue.

Une seule chose était à sa portée : une femme avait été mêlée à cette affaire. La décision prise par Kamychan avait été précipitée par la rivalité amoureuse qui l'opposait à Sologdine à propos d'une infirmière détenue. Jalousie fondée. Quand il évoquait cette femme, Sologdine éprouvait dans son corps une reconnaissance si présente qu'il regrettait à peine d'avoir « rempilé » par sa faute.

Et puis il y avait une ressemblance entre cette infirmière et la copiste. Belles plantes toutes les deux. A ses yeux les femmes menues, malingres, étaient des monstres : un lapsus de la nature.

De son index à la peau mille fois relavée, à l'ongle arrondi et vermillonné, Iomina s'acharnait machinalement, et vainement, à recoucher le coin rebelle d'une feuille de papier carbone. Sa tête s'était presque complètement affalée sur ses bras croisés, si bien que Sologdine avait sous les yeux le rempart abrupt de ses tresses florissantes.

— J'ai commis une faute très grave envers vous, Dmitri Alexandrovitch...

— En quoi ?

— Un jour, j'étais près de votre table, j'ai baissé les yeux et j'ai vu que vous écriviez une lettre... Vous savez comment ces choses arrivent... le hasard vraiment... Et puis une autre fois...

— Vous avez jeté une œillade purement fortuite...

— Et j'ai vu que vous écriviez une lettre encore, qui m'a semblé être la même...
— Ah, bon ! Vous avez même compris qu'il s'agissait de la même lettre ?... Et puis une troisième fois encore, n'est-ce pas ?
— ... oui...
— Bbbbbien... Si cela se renouvelle, je devrai renoncer à vos services de copiste. C'est dommage. Vous avez un bon coup de crayon.
— Il y a de cela très longtemps. Depuis, vous n'avez plus écrit.
— Bien entendu, vous n'avez pas manqué d'en rendre compte au major Chikinidi ?
— Pourquoi Chikinidi ?
— Enfin, Chikine. Vous m'avez dénoncé ?
— Comment pouvez-vous penser !
— Il n'y a rien à penser du tout. Le major Chikinidi ne vous a-t-il pas chargée d'espionner mes actes, mes paroles et même mes pensées ?
Sologdine prit un crayon et traça un bâton sur une feuille blanche.
— C'est bien le cas ? Soyez honnête !
— Il m'a en effet chargée de cela...
— Combien avez-vous donc rédigé de dénonciations ?
— Dmitri Alexandrovitch ! C'est tout le contraire, j'ai parlé de vous dans les termes les plus élogieux !
— Hmm... On veut bien vous croire pour l'instant. Mais mon avertissement tient toujours. Ici, à l'évidence, il s'agit d'un cas véniel de curiosité féminine. Je m'empresserai de la satisfaire. La chose s'est passée en septembre. Je suis resté deux jours de suite, trois même, à écrire à ma femme.
— C'est ce que je voulais vous demander : vous êtes marié ? Elle vous attend ? Et vous lui écrivez d'aussi longues lettres ?
— Je suis marié, répondit Sologdine avec lenteur et recueillement, mais c'est comme si ma femme n'existait pas. Je ne peux même plus lui envoyer de lettres. Au temps où je lui écrivais, non, ce n'étaient pas des tartines, mais je passais très longtemps à les fignoler. Écrire une lettre suppose un grand art, Larissa Niko-

laievna, et difficile. Nous écrivons avec trop de désinvolture, ensuite nous nous étonnons de perdre les êtres aimés. Il y a de nombreuses années que ma femme ne me voit pas, qu'elle ne sent plus ma main peser sur elle. Les lettres sont le seul lien par lequel je la tiens depuis douze ans déjà.

Iomina s'avança. Elle poussa ses coudes jusqu'au biseau de la table de Sologdine et les cala, pressant entre ses mains son visage intrépide.

— Êtes-vous si sûr de la tenir ? Et puis à quoi bon ? Oui, à quoi bon, Dmitri Alexandrovitch ? Douze ans ont passé, il en reste cinq, au total dix-sept ! Vous lui prenez sa jeunesse ! A quoi bon ? Laissez-la vivre !

La voix de Sologdine passa au registre solennel :

— Il est parmi les femmes une catégorie particulière, Larissa Nikolaievna. Ce sont les compagnes des Vikings, les Isolde au clair visage et à l'âme de diamant. Vous n'avez pas pu en connaître dans le marécage douillet où vous avez mariné.

Elle n'avait jamais connu que des étrangers, des ennemis.

— Laissez-la vivre, répétait-elle.

Personne n'aurait reconnu en elle la dame qu'on voyait noblement voguer dans les couloirs et les escaliers. Elle était collée à la table de Sologdine, on l'entendait respirer et son visage enflammé — par le souci de cette épouse qu'elle n'avait jamais vue ? — était celui d'une paysanne.

Sologdine cligna des yeux. Il connaissait ce trait féminin universel : ce flair infaillible pour débusquer chez l'homme l'envol, le succès, la victoire. Chacune veut capter l'attention du vainqueur. Iomina ne pouvait rien savoir de l'entretien avec Tchelnov ni de la fin du grand œuvre, pourtant elle sentait tout. Et elle s'élançait vers lui, se heurtant au filet métallique que le règlement avait tendu entre eux.

Sologdine bigla les profondeurs de ce chemisier épanoui et traça un bâton sur la feuille rose.

— Dmitri Alexandrovitch, il y a encore une chose. Voilà des semaines que ça me torture. Qu'est-ce que ces bâtons que vous tracez ? Vous les effacez au bout de quelques jours. Qu'est-ce que ça veut dire ?

— Je crains fort que ce ne soit là une nouvelle manifestation de vos instincts de limier. — Il prit une feuille blanche —. Je trace des bâtonnets là-dessus chaque fois que, sans nécessité absolue, j'utilise un mot étranger en parlant russe. Le total de ces bâtons dresse le bilan de mon imperfection. Pour ce mot de « capitalisme » que je n'ai pas eu la présence d'esprit de remplacer aussitôt par « lésine », ou pour ce mot d'« espionner » que j'ai laissé passer par paresse au lieu d'« épier », je me suis décerné deux bâtonnets.

— Et sur le papier rose ?

— Ah, vous avez également remarqué ?

— Oui, c'est même plus souvent que sur le blanc. C'est encore un bilan de votre imperfection ?

— Également, reprit-il d'un ton haché. Sur le papier rose, je fais le décompte de mes *amendes*, par bâtonnets, après quoi je me punis en conséquence. Par le travail. La corvée de bois. J'expie.

— Vous vous pénalisez ? Pourquoi ? demanda-t-elle doucement.

Il fallait bien en venir là. La courbe approchait du zénith et le destin allait jusqu'à s'excuser devant lui en le pourvoyant d'une femme. Tout vous prendre ou tout vous donner, voilà le destin.

— Pourquoi cette curiosité ? lui demanda-t-il sans se départir encore de sa sévérité.

— Pourquoi ? lui demandait-elle obstinément, d'une voix blanche.

Il s'agissait maintenant de se venger d'eux tous, de tout le clan du MVD. Vengeance et possession, torture et possession qui ont leur point de rencontre.

— Vous avez remarqué *quand* je traçais ces bâtons ?

— Oui, j'ai remarqué, dit-elle dans un souffle.

La clef de la porte, avec sa plaque d'aluminium portant en un pointillé de trous le numéro de la pièce, reposait sur le calque de Iomina.

Cette boule de laine verte toute chaude haletait devant Sologdine.

Et attendait son bon vouloir.

Sologdine plissa la paupière et lança un ordre :

— Va fermer la porte ! Vite !

Larissa se leva brusquement et fit tomber sa chaise à grand fracas.

N'avait-il pas passé la mesure, cet esclave déchaîné ? N'allait-elle pas se plaindre ?

Elle ramassa la clef et, d'une démarche chaloupée, s'en fut fermer la porte.

D'une main fiévreuse, Sologdine traça sur le papier rose cinq bâtons d'affilée.

Le temps lui manqua pour continuer.

CHAPITRE XXXIV

Nul n'avait envie de travailler le dimanche, les externes pas plus que les autres. Ils avaient pris le chemin du travail d'un pas morne, échappant à la bousculade de rigueur dans les autobus en semaine, et espéraient bien n'avoir qu'à faire acte de présence jusqu'à six heures du soir.

Ce dimanche, toutefois, s'avéra plus mouvementé qu'un jour ouvrable. Sur le coup de dix heures du matin, on vit se diriger vers l'entrée principale trois voitures de tourisme des plus longues et des plus aérodynamiques. La garde rendit les honneurs. Dépassant le portail puis le portier à tignasse rousse, Spiridon — qui cligna vers elles ses yeux de taupe —, les automobiles s'engagèrent sur les allées de gravillon sans neige menant à l'entrée d'honneur de l'Institut. Il en sortit, dans une scintillation d'épaulettes dorées, des gradés de haut vol qui sans perdre une seconde, sans attendre qu'on vînt les accueillir, s'acheminèrent vers le bureau de Iakonov au deuxième étage. Le temps manqua pour les dévisager. Dans certains laboratoires, le bruit se répandit que le ministre Abakoumov en personne était là, escorté de huit généraux. Ailleurs c'était le calme, on ignorait tout de l'orage qui s'amassait.

La vérité était à mi-chemin : le visiteur du jour était Selivanovski, vice-ministre et bras droit d'Abakoumov, et il était escorté de quatre généraux.

Quelque chose d'impossible se produisit : le colonel-ingénieur Iakonov n'était pas encore à son lieu de travail. Pendant que le responsable de garde à l'Institut —

qui avait lestement refermé le tiroir où s'étalait un roman policier — téléphonait au domicile de Iakonov puis rendait compte au vice-ministre que le colonel, terrassé par une crise cardiaque, ne s'en habillait pas moins et accourait, ce fut Reutmann, l'adjoint du colonel Iakonov, petit homme malingre vêtu d'une tunique cintrée, qui, assurant de son mieux le baudrier dont il était affublé et trébuchant sur les tapis des couloirs, car il était très myope, vint se présenter aux autorités. S'il pressait le pas, ce n'était pas seulement par souci du règlement mais aussi pour sauvegarder les intérêts de l'opposition interne dont il était l'âme. Iakonov, en effet, le tenait toujours à l'écart quand il s'entretenait avec des gros bonnets. Informé par le menu de la convocation nocturne de Priantchikov, Reutmann brûlait de redresser cette situation et de convaincre cette commission hautement compétente que le vocoder n'était pas dans d'aussi mauvais draps que, mettons, le clipper. Agé de trente ans seulement, Reutmann était déjà lauréat du prix Staline et il avait intrépidement jeté tout son laboratoire au cœur même du typhon, du maelström politique.

Les arrivants lui fournirent un public d'une petite dizaine d'auditeurs dont deux avaient quelque notion de l'aspect technique de l'affaire, les autres se bornant à prendre des airs graves. A la requête d'Oskoloupov, on fit venir Mamourine qui arriva sur les pas de Reutmann, jaune, bégayant de rage, et se fit l'avocat du clipper, désormais *presque* au point. Iakonov ne se fit pas longtemps attendre : il se laissa tomber sur un siège près du mur, les yeux creux et cernés, le visage bleui de pâleur. L'entretien s'effilocha, s'embrouilla, et bientôt plus personne ne sut comment remettre d'aplomb cette entreprise condamnée.

La malchance voulut que le cœur et la conscience de l'Institut, le camarade Chikine, et le secrétaire du parti, le camarade Stepanov, se fussent abandonnés ce dimanche-là à une faiblesse par trop humaine : ils n'étaient pas venus prendre la tête de la collectivité dont ils avaient la charge en semaine. (Action d'autant plus excusable que, comme on le sait, un travail préalable d'information et d'organisation mené auprès des masses peut dispenser les chefs d'assister personnellement au travail proprement dit.) Un sentiment d'alarme et la soudaine conscience de ses devoirs s'emparèrent du responsable de garde à l'institut. Faisant fi du risque, il laissa là ses téléphones et se mit à courir les laboratoires, chuchotant à leurs chefs que des visiteurs extraordinaires étaient arrivés, les incitant du même coup à redoubler de vigilance. Il était si ému, si pressé de rejoindre ses téléphones qu'il ne fut pas surpris de trouver fermée la porte du bureau d'études et omit de faire un crochet au laboratoire des pompes à vide où Clara aurait dû être de garde à l'exclusion de tout autre « externe ».

Les chefs de labos ne firent pas de communiqué à haute voix — ils ne pouvaient en effet inviter leur monde à travailler pour la seule raison que de grands patrons leur rendaient visite — mais, allant de table en table, ils avisèrent chacun en particulier, dans un chuchotement pudique.

L'institut tout entier s'attendait donc à une revue de détail. Après s'être consultés, les grands chefs restèrent pour une part dans le bureau de Iakonov, tandis que les autres gagnaient le N° 7, à l'exception de Selivanovski et de Reutmann qui descendirent au labo d'Acoustique, base favorable à l'exécution du projet de Rioumine, à ce qu'affirmait Iakonov, désireux de se débarrasser de ce nouveau tracas.

— De quelle façon entendez-vous épingler notre homme ? demanda en chemin Selivanovski à Reutmann.

Celui-ci ne pouvait avoir d'opinion puisqu'il n'avait entendu parler de cette mission que cinq minutes plus tôt : c'était Oskoloupov qui y avait « pensé » à sa place, en acceptant ce travail à l'étourdie. Pendant ces cinq minutes, Reutmann avait tout de même eu quelques idées.

— Voyez-vous, dit-il en s'adressant au ministre comme à un simple particulier et sans ombre de complaisance, nous possédons un appareil à visualiser le langage qui imprime des phonogrammes et il existe un homme capable de les déchiffrer, un certain Roubine.

— Un détenu ?

— Oui, un littéraire, un « dotsent [1] ». Ces derniers temps, je le fais travailler à l'identification des particularités du langage individuel sur phonogrammes. J'espère qu'en débitant cet entretien téléphonique en phonogrammes et en comparant ceux-ci avec ceux des suspects...

— Hmm... Il faudra encore obtenir l'accord d'Abakoumov pour ce littéraire, dit Selivanovski en hochant la tête.

— A cause du caractère confidentiel de cette affaire ?

— Oui.

Cependant, bien que tout le monde eût appris la venue de grands chefs, le laboratoire d'Acoustique ne parvenait pas à vaincre la pénible inertie du farniente. On faisait donc mine de travailler, on fouillait sans ardeur dans les caisses de lampes-radio, on parcourait les croquis des revues, on bâillait face aux vitres. Les employés externes s'étaient rassemblés en un petit groupe qui cancanait à voix basse et que l'adjoint de Reutmann s'employait à disperser. Par bonheur, Simotchka n'était pas là : elle prenait un jour de congé pour se payer d'une journée de travail supplémentaire, ce qui la dispensait de la vue torturante d'un Nerjine endimanché et rayonnant courant voir la femme qui avait sur lui d'autres droits qu'elle-même.

Nerjine avait le cœur en fête, il en était à sa troisième visite au laboratoire d'Acoustique, sans autre motif que l'attente exaspérante du panier à salade qui ne se décidait pas à venir. Il s'assit non devant sa table mais sur l'appui de la fenêtre et, tout en écoutant Roubine, aspirait avec volupté la fumée de sa cigarette. Ce dernier, qui n'avait pas trouvé dans le professeur Tchelnov un auditeur à sa mesure, récitait maintenant à Nerjine, avec une fièvre contenue, sa ballade sur Moïse. Roubine n'était pas poète mais il lui arrivait de trousser des vers émouvants ou spirituels. Gleb, peu auparavant, l'avait complimenté de sa largeur de vues à propos d'un essai versifié dont le héros était Aliocha Karamazov, à la fois défenseur de Perekop[1], dans une capote d'élève-officier, et vainqueur du même Perekop dans une capote de l'Armée Rouge. Roubine aurait bien voulu que Nerjine goutât cette ballade mosaïque et en tirât pour sa gouverne la conclusion que quarante années d'attente et de foi sont raisonnables, nécessaires, indispensables.

Roubine n'était rien sans ses amis, sans eux le souffle lui manquait. La solitude lui était à tel point intolérable qu'il ne souffrait pas que ses pensées pussent rester à mûrir dans sa tête. Aussitôt qu'il en découvrait ne fût-ce qu'une moitié, il courait la partager. Il avait toujours été richement pourvu d'amis mais les hasards curieux de la prison faisaient que ses amis n'étaient pas de son bord et que les hommes de son bord n'étaient pas ses amis.

Ainsi donc, personne au labo ne s'était encore mis à l'œuvre. Seul Priantchikov, invariablement jovial et industrieux, avait refoulé tout souvenir de son voyage farfelu dans une Moscou nocturne et songeait à fignoler un diagramme tout en chantonnant :

> « benzy-benzy-benzy-bar
> benzy-benzy-benzy-ba-a-a-ar ! »

Sur ce, Sélivanovski entra en compagnie de Reutmann. Celui-ci poursuivait :

— ... lesquels phonogrammes restituent le langage en trois dimensions simultanément : la fréquence perpendiculairement à l'axe de la bande, le temps parallèlement, l'amplitude par un trait plus ou moins gras. De plus, chaque son correspond à un tracé tellement unique, tellement original qu'il est facile de l'identifier et de déchiffrer les paroles prononcées à la seule vue de la bande. Voici...

(il entraîna Sélivanovski dans les profondeurs du laboratoire)

... donc l'appareil à photographier les sons qui a été monté dans nos laboratoires (Reutmann en venait à oublier que son plan avait été pompé dans une revue américaine), et voici...

(avec maintes précautions il fit virer le vice-ministre en direction de la fenêtre)

... et voici Roubine, « candidat » ès lettres, le seul homme d'Union soviétique capable de déchiffrer le langage visualisé. (Roubine se leva et s'inclina sans un mot.)

Roubine et Nerjine avaient eu tous deux un haut-le-corps quand Reutmann avait prononcé sur le seuil ce mot de *phonogramme* : leur œuvre, qui jusque-là avait surtout prêté à rire, accédait à la notoriété. Dans le laps de quarante-cinq secondes nécessaire à Reutmann pour conduire Sélivanovski jusqu'à Roubine, les deux amis, avec cette acuité et cette vivacité propres aux seuls détenus, s'étaient convaincus qu'il leur faudrait subir un examen : Roubine devrait faire sa démonstration et donner lecture de phonogrammes ; quand à la phrase prononcée au micro, elle ne pouvait être confiée qu'à un lecteur-standard, Nerjine en l'occurrence, puisqu'il était le seul représentant de cette espèce dans la salle. De même ils se rendirent compte que Roubine, quoiqu'il fût réellement capable de lire des phonogrammes, risquait de faire une bourde en cours d'examen : or le moindre impair, inacceptable, l'aurait fait culbuter de la charachka en plein enfer concentrationnaire.

Tout cela sans avoir échangé un mot, un double regard d'intelligence leur avait suffi.

Roubine murmura :

— Si c'est à toi à parler et que tu es libre de ta phrase, tu devras dire : « Les phonogrammes permettent aux sourds de téléphoner. »

Et Nerjine, dans un souffle :

— Si c'est lui qui a l'initiative, essaie de deviner d'après les sons. Si je me passe la main dans les cheveux, ce sera que tu tombes juste. Sinon j'ajusterai ma cravate.

Sur ce, Roubine s'était levé et avait salué en silence.

Reutmann continuait son exposé d'une voix saccadée qui semblait débiter des excuses et que, les yeux fermés, on ne pouvait attribuer qu'à un monsieur bien élevé.

— Lev Grigorievitch va nous montrer sur l'heure ce qu'il sait faire. Un de nos locuteurs, mettons... Gleb

Vikentitch... ira se mettre dans la cabine pour dire au micro une phrase quelconque, l'appareil enregistrera et Lev Grigoriévitch essaiera de déchiffrer.

Debout à un pas du vice-ministre, Nerjine fixa sur lui son regard insolent de réprouvé et demanda d'un air sévère :

— C'est vous qui devez inventer la phrase ?

— Non, non, répondit poliment Sélivanovski en détournant les yeux. Il vaut mieux que ce soit vous qui le fassiez.

Nerjine dut se faire une raison. Il prit une feuille de papier, réfléchit un moment, écrivit quelques mots d'un air inspiré et, dans le silence total qui venait de s'établir, tendit à Sélivanovski, de façon que personne, pas même Reutmann, ne pût rien en voir, la phrase suivante : « Les phonogrammes permettent aux sourds de téléphoner. »

— Parce que c'est le cas ? demanda Sélivanovski ébaubi.

— Oui.

— Allez au micro, je vous prie.

La machine à visualiser le langage se mit à vrombir. Nerjine gagna la cabine (drapée de sa toile de sac, particulièrement infâmante en cet instant ! Cette éternelle pénurie de matériel dans nos dépôts !) et s'y enferma soigneusement. Le mécanisme crachota et une bande humide, longue de deux mètres et toute barbouillée de traits d'encre et de taches grasses, vint atterrir sur la table de Roubine.

Le laboratoire entier suspendit tout *travail* et ne fut plus qu'attention. Reutmann était visiblement ému. Nerjine resortit de la cabine et observa Roubine de loin, sans passion. Tous étaient debout, sauf Roubine qui était penché sur sa table et dont le crâne dégarni irradiait sa lumière sur tout le groupe. Prenant en pitié l'impatience des assistants, il ne voulut pas garder sous le boisseau ses lumières de grand initié et entreprit sur-le-champ d'annoter la bande encore humide à l'aide de son crayon rouge et bleu, mal taillé, on s'en doute.

— Voyez, il y a des sons extrêmement faciles à repérer, comme par exemple les voyelles accentuées ou les sonnantes. Dans le deuxième mot on distingue sans peine deux « r * ». Dans le premier mot, nous avons un « i » accentué précédé d'un « v » mouillé — en pareille position il ne saurait être dur. Juste avant, nous avons affaire à la formante « a » mais il faut se souvenir qu'en syllabe prétonique le « o » se prononce comme un « a ». En revanche, le « u » conserve son timbre propre, même loin de l'accent tonique, tenez, notez ici le trait caractéristique des basses fréquences. Le troisième son du premier mot est à coup sûr un « u », suivi d'une explosive sourde, apparemment un « k ». Nous avons donc « ukavi » ou bien « ukovi ». Ça, c'est un « v » dur, sensiblement différent du « v » mouillé, car on n'y trouve aucune ligne dépassant les 2 300 Hertz. « Vukovi »... Ensuite, c'est une explosive sonore suivie d'une voyelle réduite que je peux interpréter comme « dy ». Bon, cela nous donne « vukovidy ». Reste à déchiffrer le premier son qui est flou et où je pourrais lire un « s » si le sens ne m'invitait à y voir un « z ». Le premier mot, donc, est « zvukovidy ». Poursuivons. Le deuxième mot possède, comme je l'ai dit, deux « r » et la désinence verbale standard « aet » ou « ajut » s'il s'agit d'un pluriel. Apparemment quelque chose comme « razryvajut », « razréšajut ». Je vais tout de suite tirer ça au clair, un petit moment... Antonina Valerianovna, est-ce vous qui m'avez emprunté la loupe ? Vous ne pourriez pas me la prêter une minute ?

Il n'avait aucun besoin de loupe puisque les images fournies par l'appareil étaient rien moins que subtiles, mais il fallait en demander une pour « l'épate » et Nerjine riait sous cape tout en caressant d'un air absent ses cheveux déjà fort assagis. Roubine lui lança un bref regard et prit la loupe qu'on venait de lui apporter. La tension était générale, croissante, d'autant plus que tout le monde ignorait si Roubine déchiffrait sans erreur. Sélivanovski, stupéfait, marmonnait :

— C'est saisissant... mais saisissant...

On ne remarqua pas le lieutenant Schustermann qui

* L'analyse de Roubine porte sur les mots : « Zvukovidy razrešajut gluxonemym govorit' po telefonu. » (N.d.T.)

entrait sur la pointe des pieds. Il n'avait pas libre accès à ce laboratoire, aussi resta-t-il à distance. Faisant signe à Nerjine de le suivre, et vivement, il ne lui emboîta pas le pas et guetta le moment propice pour interpeller Roubine. Il avait ses raisons puisqu'il devait renvoyer celui-ci faire son lit au carré. Ce n'était pas la première fois que Schustermann exaspérait Roubine en le renvoyant à la quadrature de son lit.

Cependant, Roubine avait déchiffré le mot signifiant « sourds » et se colletait maintenant avec le quatrième. Reutmann était radieux, non seulement parce qu'il avait part au triomphe mais parce qu'en toute bonne foi il se félicitait de tout succès dans le travail.

C'est alors que Roubine, levant les yeux par hasard, croisa le regard sournois et mauvais de Schustermann. Il comprit pourquoi Schustermann restait planté là. A ce regard, il répondit d'une œillade pleine de joie méchante : « Tu le feras, mon lit, et de tes mains ! »

— Le dernier mot, « téléphone », comporte une combinaison tellement fréquente dans ce labo que j'y suis accoutumé et le reconnais d'emblée. Voilà, terminé.

— Surprenant ! répétait Sélivanovski. Rappelez-moi comment on vous appelle.

— Lev Grigoriévitch.

— Eh bien, Lev Grigoriévitch, pourriez-vous distinguer sur phonogramme les particularités individuelles d'une voix ?

— Oui, c'est ce que nous appelons la « variante individuelle ». Bien sûr, c'est ce qui fait l'objet de nos recherches actuelles.

— A merveille ! J'ai l'impression qu'une mission in-té-res-sante vous attend.

Schustermann ressortit sur la pointe des pieds.

CHAPITRE XXXV

Une panne avait immobilisé le moteur du panier à salade qui avait pour mission de transporter les détenus sur les lieux de la visite. Le temps de téléphoner, de chercher une solution de rechange, le retard était maintenant sensible. Sur le coup de onze heures, quand Nerjine, convoqué au laboratoire d'Acoustique, se rendit à la « fouille », les six autres prisonniers autorisés à voir leur famille étaient déjà sur place. Certains subissaient encore cette brimade, d'autres y étaient passés et attendaient dans les attitudes les plus diverses, affalés contre une grande table ou déambulant dans la pièce, hors des limites de la zone des opérations. A la frontière même de cette zone, non loin du mur, se tenait le lieutenant-colonel Klimentiev, tout fourbi, tout droit, tout lisse, comme un soldat de carrière avant la revue. Ses moustaches noires monolithiques et ses cheveux bruns exhalaient une forte senteur d'eau de Cologne.

Les mains derrière le dos, il paraissait étranger à tout, mais sa seule présence contraignait les surveillants à redoubler de zèle en effectuant leur fouille.

A la limite de la zone « douanière », Nerjine fut accueilli par les deux bras tendus d'un des argousins les plus tâtillons, les plus hargneux, un certain Krasnogoubenki qui, d'emblée, l'interrogea ainsi :

— Vos poches ?

Nerjine s'était depuis longtemps défait de l'empressement complaisant que manifestent les prisonniers à la vue des surveillants ou des soldats d'escorte. Il ne prit pas la peine de répondre et ne se pressa guère de retourner les poches de ce costume de cheviotte dans lequel il se sentait dépaysé. Il tourna vers Krasnogoubenki un œil ensommeillé et écarta à peine les bras, lui laissant le soin de fouiller ses poches. Après cinq ans de prison, après maint préparatif, mainte fouille du même genre, Nerjine n'y voyait plus du tout comme au début une violence brutale et comme l'empreinte de doigts sales sur un cœur blessé. Non, son état de croissante et lumineuse sérénité ne pouvait être assombri par rien de ce qui advenait à son corps.

Krasnogoubenki ouvrit le porte-cigarettes offert par Potapov, examina l'embout de carton de chaque papiroska pour voir si rien n'y était celé ; tripota les allumettes dans leur boîte pour s'assurer qu'elles ne recouvraient rien ; palpa l'ourlet du mouchoir pour le cas où un objet y aurait été cousu — l'examen des poches ne lui révéla rien de plus. Alors, glissant sa main entre le tricot de peau et la veste déboutonnée, il tapota le torse de Nerjine, le palpa entièrement, de crainte de laisser échapper une cachette entre peau et tricot ou tricot et plastron. Ensuite il s'accroupit et, serrant entre ses deux paumes une des jambes de Nerjine, il la pressa de haut en bas, puis s'en prit à l'autre jambe. Quand Krasnogoubenki se fut baissé, Nerjine n'eut pas de peine à percevoir le manège du graveur-calligraphe et à comprendre la raison de son émoi : en captivité, ce graveur s'était découvert un talent de nouvelliste et s'était mis à écrire des récits sur sa captivité en Allemagne, puis sur ses rencontres de cellule, sur ses tribunaux. Il était parvenu, grâce à sa femme, à « dédouaner » deux ou trois nouvelles de ce genre, mais à qui les montrer, même « dehors » ? « Dehors » aussi il fallait les cacher. On ne pouvait pas les laisser traîner... Il était à jamais impossible d'emporter avec soi un lambeau de papier écrit. Pourtant un petit vieux, ami de la famille, avait lu ces œuvres et chargé la femme de l'auteur de confier à celui-ci qu'autant de maîtrise et de puissance expressive se trouvaient rarement, même chez un Tchékhov. Cet éloge avait vivement encouragé le graveur.

Il venait d'écrire un récit sur l'entrevue du jour, il le trouvait superbe. Mais il avait eu le trac, au moment de la fouille, à la seule vue de Krasnogoubenki : se détournant, il avait avalé la boule de papier carbone où la nouvelle avait été gravée en pattes de mouche microscopiques. Maintenant il était bourrelé du dépit d'avoir avalé sa nouvelle. Peut-être aurait-il réussi à la faire passer ?

Krasnogoubenki s'adressa à Nerjine :

— Les chaussures. Enlevez-les.

Nerjine posa un pied sur un tabouret, délaça une chaussure, l'envoya promener d'une ruade, sans se soucier de sa trajectoire, et exhiba une chaussette trouée. Krasnogoubenki ramassa la chaussure, en palpa l'intérieur, en plia la semelle. Le visage toujours impassible, Nerjine abandonna l'autre chaussure, exhiba une autre chaussette trouée. Peut-être frappé par la grosseur des trous, Krasnogoubenki n'eut point de soupçons à l'égard de ces chaussettes et n'exigea pas de Nerjine qu'il les ôtât.

Nerjine se rechaussa. Krasnogoubenki alluma une cigarette.

Le lieutenant-colonel avait tordu le nez en voyant Nerjine envoyer au diable ses chaussures. C'était un manque de respect délibéré à l'égard d'un de ses surveillants. Si on ne prenait pas leur défense, on verrait des détenus finir par tourner en bourrique l'administration pénitentiaire elle-même. Klimentiev se repentit derechef de s'être montré trop bon et se disposa à chercher la petite bête à Nerjine afin de priver de visite cet insolent qui, loin de rougir de son statut de criminel, paraissait s'y complaire.

— Attention ! dit-il d'une voix austère, et les sept détenus comme les sept surveillants se tournèrent de son côté. Le règlement vous est connu ? On ne doit rien transmettre aux parents. Ne rien recevoir de leurs mains. Tous les colis doivent m'être remis, et exclusivement à moi. On ne doit parler ni travail ni conditions de travail, ni conditions de vie, ni emploi du temps, ni rien dire de l'emplacement de l'Institut. Ne citer aucun nom de famille. De soi-même on n'a le droit de dire qu'une chose, c'est que tout va bien et qu'on n'a besoin de rien.

— De quoi parler dans ce cas ? cria un des hommes. De politique ?

Question dépourvue de sens commun, Klimentiev ne s'embarrassa pas d'une réponse.

— Rappeler sa faute, conseilla une autre voix, lugubre, — et parler de son repentir.

— Impossible également d'évoquer l'instruction puisqu'elle est confidentielle, poursuivit Klimentiev, décourageant, impassible. Posez des questions sur votre famille, sur vos enfants. Autre chose : une nouvelle disposition interdit à compter de ce jour baisers et serrements de mains.

Et Nerjine, qui était resté de glace devant la fouille, devant la niaiserie d'instructions qu'il savait fort bien comment tourner, vit rouge lorsqu'il fut question d'interdire les baisers.

— On ne se voit qu'une fois l'an, cria-t-il d'une voix rauque à Klimentiev qui, tout joyeux, pivota vers lui, dans l'attente d'autres déclarations non moins scandaleuses.

Nerjine crut déjà l'entendre vociférer :

— Privé de visite !

Et il étouffa son cri.

Cette visite, annoncée à la dernière minute, avait quelque chose d'à demi illégal, on pouvait l'annuler sans difficulté.

C'est toujours une pensée semblable qui bâillonne les hommes quand ils pourraient crier la vérité ou se faire rendre justice.

Un vieux prisonnier comme lui devait pouvoir maîtriser sa colère.

Ne se heurtant à aucune rébellion, Klimentiev ajouta, ponctuel, imperturbable :

— En cas de baiser, de serrement de main ou de tout autre infraction, la visite sera suspendue sur-le-champ.

— Mais ma femme n'en sait rien ! Elle se jettera à mon cou ! fit avec flamme le graveur.

— Les parents auront été prévenus eux aussi ! riposta Klimentiev.

— Ce règlement est sans aucun précédent.

— C'est lui qui sera en vigueur désormais.

(Les imbéciles ! Et leur imbécile indignation ! Comme s'il était pour quelque chose dans le règlement prévu par les nouvelles instructions !)

— Durée de la visite ?

— Et si ma mère se présente, on la refoulera ?

— La visite dure trente minutes. Je ne laisse passer que la personne mentionnée sur la convocation.

— Et ma fille âgée de cinq ans ?

— Jusqu'à quinze ans, les enfants doivent être accompagnés par des adultes.

— Et à seize ?

— Interdit. Y a-t-il d'autres questions ? On embarque. En route vers la sortie !

Surprenant ! On ne les transportait pas en panier à salade, comme les dernières fois, mais dans un petit autobus urbain, peint en bleu, de dimensions réduites.

Le véhicule attendait à la porte de l'état-major. Trois surveillants, apparemment novices et travestis en civil, chapeau mou, les mains dans des poches chargées de pistolets, pénétrèrent les premiers dans l'autobus dont ils occupèrent trois coins. Deux d'entre eux avaient une dégaine de boxeurs à la retraite, sinon de gangsters. Leurs manteaux étaient de toute beauté.

Le givre matinal commençait à se dissoudre. Il ne gelait ni ne dégelait franchement.

Les sept détenus montèrent dans l'autobus par l'unique porte ménagée à l'avant et s'assirent.

Le convoi était fermé par quatre surveillants en uniforme.

Le chauffeur claqua la porte, mit le contact.

Le lieutenant-colonel prit place dans une voiture de tourisme.

CHAPITRE XXXVI

Vers midi, Iakonov n'était plus là pour jouir du silence velouté, de la quiétude vernissée de son cabinet. Il se trouvait au nº 7 et s'y employait au « mariage » du clipper et du vocoder (l'idée de fondre en un seul ces deux dispositifs avait éclos le matin même dans le cerveau calculateur de Markouchev et avait été reprise par plusieurs autres, chacun ayant ses propres vues sur le projet ; les seuls à s'y opposer furent Bobynine, Priantchikov et Reutmann, on ne les écouta pas).

Dans le bureau de Iakonov siégeaient Sélivanovski, le général Boulbaniouk, représentant Rioumine, un lieutenant du nom de Smolossidov, affecté à Marfino, et enfin le détenu Roubine.

Le lieutenant Smolossidov était un homme déplaisant. Même ceux qui proposent qu'il y a du bien dans toute créature animée auraient eu quelque peine à trouver une confirmation de leur croyance dans ce regard de plomb qui ne riait jamais ou dans le pli morose et disgracieux de ces grosses lèvres. Ses fonctions dans un des laboratoires de Marfino étaient des plus modestes : à peine supérieur à un monteur-radio, il touchait la même solde que la dernière des gamines du personnel, soit moins de deux mille roubles par mois. Il est vrai qu'il volait pour mille autres roubles en chapardant à l'Institut et en revendant au marché noir les pièces radio introuvables dans le commerce, mais chacun se doutait que sa situation comme ses ressources ne se limitaient pas à ces apparences.

Les « externes » de la charachka le redoutaient, sans

exclure ceux de ses amis qui jouaient avec lui au volley-ball. Atroce, ce visage où rien ne pouvait allumer l'éclair d'un sentiment franc. Atroce, la confiance spéciale que lui accordait le commandement. Où vivait-il ? Avait-il simplement une maison ? Une famille ? Il ne se faisait pas inviter chez ses collègues et ne partageait aucun loisir avec eux hors de l'enceinte de l'Institut. On ne connaissait rien de sa vie passée, sauf trois décorations pour faits de guerre piquées sur sa poitrine et l'aveu qui lui avait un jour échappé, par imprudence et vantardise : il avait enregistré chaque mot proféré par certain maréchal très connu. Lorsqu'on lui demanda par quel sortilège, il répondit qu'il avait été attaché personnellement comme radio à ce maréchal.

Dès que la question se posa de savoir à quel « externe » on confierait la surveillance du magnétophone et de sa bande de feu et de mystère, le ministère répondit par un ordre : Smolossidov !

Présentement, Smolossidov disposait son magnétophone sur un guéridon verni cependant que le général Boulbaniouk, dont la tête paraissait une pomme de terre monstrueusement développée avec ses excroissances nasales et auriculaires, déclarait :

— Vous êtes un détenu, Roubine. Mais vous avez été communiste et vous le redeviendrez peut-être un jour.

« Je le suis resté ! » aurait voulu s'exclamer Roubine, mais il aurait été dégradant d'en fournir des preuves à un Boulbaniouk.

— Aussi le gouvernement soviétique et nos *organes* croient-ils possible de vous faire confiance. Ce magnétophone va vous faire entendre un secret d'État d'importance planétaire. Nous espérons que vous nous aiderez à mettre la main sur le salopard qui voudrait voir sa patrie trembler devant ceux qui brandissent la bombe atomique. Il va sans dire qu'à la moindre tentative d'éventer ce secret, vous serez *supprimé.* C'est clair ?

— C'est clair, fit sèchement Roubine qui craignait par-dessus tout qu'on l'empêchât d'approcher cette bande. Ayant depuis longtemps renoncé à tout bonheur personnel, Roubine vivait de la vie de l'humanité comme s'il se fût agi de sa famille. Cette bande qu'il n'avait pas encore écoutée le concernait comme une affaire personnelle.

Smolossidov mit en marche l'écoute.

Dans le silence du cabinet on entendit, légèrement altéré par les parasites, le dialogue de l'Américain empoté et du Russe aux abois.

Roubine scruta le tissu bariolé qui drapait le haut-parleur, comme pour découvrir le visage de l'ennemi. Quand il prenait ce regard décidé, son visage se tendait et devenait cruel. Personne n'aurait songé à demander merci à l'homme qui avait ces traits-là.

Après les mots :

— Qui êtes-vous, donnez votre nom...

Le Roubine qui se laissait aller contre le dossier de son fauteuil était devenu un autre homme. Il oublia la présence des gradés, il oublia que ses étoiles de major ne scintillaient plus sur son uniforme depuis bien longtemps. Il ralluma sa cigarette et commanda d'un ton bref :

— Soit. Recommencez.

Smolossidov réenroula la bande.

Tous se taisaient. Sentaient sur leurs corps le frôlement d'une roue de feu.

Roubine fumait, mâchonnant et aplatissant l'embout de sa papiroska. Il était dans un état de plénitude et d'expansion. Dégradé, déshonoré, il pouvait encore, tout de même, se rendre utile. Il allait avoir l'occasion de travailler dans la mesure de ses moyens pour cette bonne vieille Histoire ! Il rentrait dans le rang ! Prenait de nouveau les armes pour la Révolution mondiale !

Doguc morose, le fielleux Smolossidov s'inclinait sur le magnétophone. Le vaniteux Boulbaniouk, attablé devant le vaste bureau d'Anton, avait gravement posé sur ses mains sa figure en tubercule et l'excédent de ses fanons débordait de ses doigts. Quand ? Comment avait-elle pu proliférer, cette race de pachydermes satisfaits ? Était-elle née des mauvaises herbes de la fatuité communiste ? Il fallait voir les camarades d'autrefois, vifs d'esprit, vivants ! Comment tout l'*appareil* était-il tombé et restait désormais entre les mains de ces hommes-ci qui n'aimaient qu'eux-mêmes et poussaient le pays vers l'abîme ?

Ces êtres faisaient horreur à Roubine, il aurait souhaité ne pas avoir à les regarder. Et il aurait rêvé de les faire sauter, dans ce bureau même, à la grenade !

Mais les circonstances voulaient qu'*objectivement*, à ce carrefour de l'Histoire, ils fussent les fondés de pouvoir de forces historiques positives : la dictature du prolétariat, la patrie personnifiée.

Il fallait faire taire ses sentiments ! Et les aider !

C'étaient des hures en tout point semblables, mais relevant de la direction politique de l'armée, qui avaient jeté Roubine en prison, ne pouvant se résigner à son talent ni à son honnêteté. Des trognes tout aussi porcines, à la Haute Cour Militaire, avaient dix ans plus tôt jeté au panier une dizaine de requêtes de Roubine clamant son innocence.

Il fallait s'élever au-dessus d'un destin malchanceux ! Sauver l'idéal. Sauver le drapeau.

Servir la politique de progrès.

La bande arriva à sa fin.

Roubine tordit le cou à son mégot, le noya dans le cendrier et, s'efforçant de ne regarder que Sélivanovski, qui avait un air parfaitement convenable, dit :

— C'est bien. Nous allons essayer. Mais si vous n'avez aucun suspect en vue, comment faire ? Nous ne pouvons tout de même pas enregistrer tous les Moscovites. Avec quoi comparer ça ?

Boulbaniouk le rassura :

— Nous en avons pincé quatre aussi sec, près d'un téléphone public. Mais il y a peu de chances que ce soient eux. Au ministère des Affaires étrangères, cinq personnes pouvaient être au courant. On laisse de côté Gromyko, bien sûr, avec quelques autres. Ces cinq, je les ai notés ici. Sans aucune sauce, sans leurs grades, sans les fonctions qu'ils occupent, pour que vous n'hésitiez pas à accuser l'un ou l'autre.

Il lui tendit un feuillet de son calepin. Y figuraient :

1. Petrov
2. Siagovity
3. Volodine

4. Chtchevronok
5. Zavarzine.

Roubine lut la liste et voulut la garder.

— Non, non, fit vivement Sélivanovski. Cette liste doit rester dans les mains de Smolossidov.

Roubine la rendit. Cette précaution l'avait moins humilié que diverti. Comme si les cinq noms n'étaient pas déjà gravés dans sa mémoire en lettres de feu : Petrov ! Siagovity ! Volodine ! Chtchevronok ! Zavarzine ! Son long passé de linguiste lui restait si familier qu'à la volée il avait saisi l'étymologie de ces noms : ainsi *Siagovity,* qui signifiait « marchant à grands sauts », et *Chtchevronok,* qui présentait une altération de « Javoronok », l'alouette.

— Je vous prierai, demanda-t-il sèchement, de me les faire enregistrer au téléphone tous les cinq.

— Vous aurez ça dès demain.

— Autre chose : mettez-moi l'âge de chacun, avec... — Roubine réfléchit — ... avec la liste des langues qu'il connaît.

— D'accord, approuva Sélivanovski. Moi aussi je me suis demandé pourquoi il n'avait pas employé une langue étrangère. Bizarre pour un diplomate ! A moins que ce ne soit une feinte ?

— Il a pu faire faire cette commission par un pauvre type ! dit Boulbaniouk en laissant retomber sa main flasque.

— Confier *ça* à quelqu'un d'autre ?...

— Ce qu'il faut savoir au plus tôt, expliqua Boulbaniouk, c'est si oui ou non le criminel est du nombre des cinq. Sinon nous en épinglerons cinq autres, et puis vingt-cinq autres !

Roubine les écouta et eut un hochement à l'adresse du magnétophone.

— J'aurai constamment besoin de cette bande, et ce dès aujourd'hui.

— Elle sera remise au lieutenant Smolossidov. On vous affectera un local spécial dans le secteur ultra-secret.

— On est en train d'y faire place nette, dit Smolossidov.

L'expérience de son travail avait appris à Roubine que s'il est un mot à éviter, c'est bien le redoutable « quand ? », sous peine de se l'entendre renvoyer. Il savait qu'il y avait là du travail pour une, sinon deux semaines, et que si toute la boîte devait y passer, il y en aurait pour des mois. Et demander aux patrons « Pour quand vous faut-il ça ? », c'était appeler la réponse : « Pour demain matin. » Il s'informa :

— Avec qui encore puis-je m'entretenir de cette mission ?

Sélivanovski échangea un regard avec Boulbaniouk et répondit :

— Exclusivement avec le major Reutmann. Avec Foma Gourianovitch. Et avec le ministre en personne.

Boulbaniouk lui demanda :

— Vous vous souvenez de ma mise en garde ? Est-ce que je dois y revenir ?

Sans qu'on l'en eût prié, Roubine se leva et, les yeux presque clos, regarda le général comme un objet dépourvu d'importance.

— Il faut que j'aille réfléchir, déclara-t-il à la cantonade.

Personne n'y vit d'inconvénient.

Les traits rembrunis, il quitta le bureau, passa devant le responsable de garde à l'Institut sans remarquer âme qui vive et redescendit l'escalier au tapis rouge.

Il faudrait embaucher Gleb dans ce nouveau groupe. Comment travailler sans conseils ?... Le problème promettait d'être ardu. Leur analyse des voix était encore dans les limbes. Stade du premier classement. Essai de terminologie.

La fièvre de la recherche scientifique s'embrasait en lui.

Il s'agissait en fait d'une nouvelle discipline : de l'art de découvrir un criminel grâce à une empreinte vocale.

Jusque-là, on y avait utilisé les empreintes digitales. On parlait de dactyloscopie, autrement dit d'examen des doigts. Cette science avait mis des siècles à se parfaire.

La science nouvelle s'intitulerait « chasse aux voix » dans le vocabulaire de Sologdine, et couramment Phonoscopie. Et il s'agissait de la mettre sur pied en quelques jours.

Petrov. Siagovity. Volodine. Chtchevronok. Zavarzine.

CHAPITRE XXXVII

Nerjine avait pris place sur un siège rembourré proche de la fenêtre et, le dos affalé contre un confortable dossier, il s'abandonnait au roulis, si plaisant à ses débuts. A ses côtés, sur une banquette à deux places, s'était assis Hilarion Pavlovitch Guérassimovitch, physicien spécialisé dans l'optique, homme de taille modeste et de carrure étroite, avec cet air d'intellectuel quintessencié et jusqu'au fameux lorgnon qui sont, sur nos affiches, la marque de fabrique des espions.

— On pourrait croire que je me suis fait à tout, lui confia Nerjine à voix basse. Je peux sans extrême déplaisir m'asseoir cul nu dans la neige, et les vingt-cinq hommes par compartiment, et l'escorte militaire qui éventre les valises, au fond rien de tout ça ne me chagrine, ne me fait sortir de mes gonds. Le seul filet de vie qui relie mon cœur au « dehors » et qui ne veut mourir à aucun prix, c'est l'amour de ma femme. Je ne supporte pas qu'on y touche. Une demi-heure de visite par an et il faudrait ne pas s'embrasser ? Les salopards, quelles couleuvres ils nous font avaler pour prix d'une rencontre !

Guérassimovitch joignit ses fins sourcils qui grimaçaient douloureusement même lorsqu'il méditait d'innocents schémas de physique.

— Apparemment, répondit-il, il n'y a qu'une manière de rester invulnérable, c'est de tuer en soi tous les attachements et de refouler tous les désirs.

Ce Guérassimovitch n'était à la charachka de Marfino que depuis quelques mois et Nerjine n'avait pas eu loisir de se lier intimement avec lui. Mais, inexplicablement, cet homme lui plaisait.

Ils ne poursuivirent pas leur entretien et sombrèrent d'un seul coup dans le silence : la route qui mène aux retrouvailles d'un moment est un trop grand événement dans la vie du prisonnier. Le temps vient alors où il faut réveiller cette chère âme oubliée, assoupie dans son tombeau. Temps où émergent les souvenirs qui n'ont pas cours dans la vie quotidienne. On rassemble alors les sentiments et les pensées de toute une année, de bien des années, pour les infuser dans ces brèves minutes de rencontre avec l'être aimé.

L'autobus fit halte devant le poste de garde. Le sergent de service grimpa sur le marchepied, s'insinua par la portière et, par deux fois, compta du regard les prisonniers de sortie (le surveillant-chef avait préalablement noté la sortie de ces sept têtes). Ensuite il se glissa sous le véhicule, vérifia que personne n'était suspendu aux ressorts (où le plus impondérable lutin aurait eu peine à se maintenir plus d'une minute), réintégra le poste. Alors seulement s'ouvrirent le premier, puis le second portail. L'autobus franchit la ligne magique et, chuchotant joyeusement de tous ses pneus, s'engagea sur le givre de la route de Monseigneur pour longer le Jardin Botanique.

C'est le très grand secret entourant leur *base* qui valait aux zeks de Marfino de pareilles promenades-visites : les parents en visite devaient ignorer où habitaient leurs morts-vivants, s'ils avaient fait cent kilomètres ou s'ils surgissaient de la porte du Saint Sauveur [1], s'ils arrivaient de l'aéroport ou d'un autre monde. Ils ne voyaient que des hommes aux mains blanches, bien nourris, bien vêtus, au sourire triste, qui assuraient qu'ils avaient de tout et que non, ils ne manquaient de rien.

Ces entrevues ressemblaient aux stèles de l'Antiquité grecque dont les reliefs figurent le défunt et les vivants qui lui ont érigé ce monument. Malgré tout, sur la stèle, une marge légère sépare l'autre monde de celui-ci. Les vivants regardent le mort avec tendresse, tandis qu'il regarde l'Hadès d'un œil qui n'est ni joyeux ni triste, mais seulement transparent d'avoir vu trop de choses.

Nerjine se retourna pour voir du haut de la côte ce qu'il ne pouvait presque jamais regarder : l'édifice où ils vivaient et travaillaient, les briques sombres du séminaire avec sa coupole en ballon rouille sombre, suspendue sur leur joli dortoir en demi-lune, avec, pour la coiffer, cette tour hexagonale que les Russes du vieux temps appelaient *chesterik*. Au long de la façade sud, celle du labo d'Acoustique, et du nº 7, et du bureau d'études, et du bureau de Iakonov, des rangs égaux de fenêtres hermétiques présentaient à l'œil une imperturbable régularité et les banlieusards ou les promeneurs du parc d'Ostankino ne pouvaient imaginer combien de vies hors pair et combien d'élans terrassés, et de passions exubérantes, et de secrets d'État, se trouvaient ramassés, compressés, entrelacés et portés au rouge dans cet édifice solitaire et désuet de leur banlieue. Même en son intérieur, il était cousu de mystère et chaque dortoir ignorait son voisin. Et le voisin son voisin. Tout comme les « délégués opérationnels » ignoraient tout de ces femmes, de ces vingt-deux collaboratrices, de ces « externes », femmes déraisonnables, vierges folles, à qui on ouvrait les portes de l'austère maison, tout comme elles ignoraient tout l'une de l'autre, le ciel seul pouvant savoir — et l'histoire après lui — que ces vingt-deux femmes, malgré la menace du glaive brandi, malgré le rabâchage des instructions, s'étaient toutes trouvé ici une affection secrète, un homme qu'elles embrassaient, qu'elles aimaient en cachette ou dont elles prenaient pitié et qu'elles mettaient en rapport avec sa famille.

Ouvrant son porte-cigarettes bordeaux, Gleb se mit à fumer avec ce plaisir particulier que procurent les cigarettes allumées dans un moment exceptionnel.

Et quoique la pensée de Nadia fût alors sa pensée majeure, dévorante, son corps, voluptueusement surpris par la marche de l'autobus, ne demandait qu'à rouler ainsi sans fin, sans fin... Puisse le temps s'arrêter et l'autobus rouler, rouler, rouler sur cette route blanchie, sillonnée par les traces noires des pneus, le long du parc aux branches manchonnées de givre, semé d'enfants dont Nerjine n'avait plus entendu le babil depuis le début de la guerre. Les soldats comme les prisonniers n'ont guère l'occasion d'entendre des voix d'enfants.

Nadia et Gleb n'avaient passé ensemble qu'une seule et unique année. Une année de course cartable au poing. Tous deux étudiants de cinquième année, l'année du diplôme final et des examens.

Puis, d'un coup, la guerre.

Les autres, maintenant, avaient des enfants, si drôles sur leurs petites pattes.

Eux non...

Un tout petit garçon voulut traverser la route. Le chauffeur, pour l'éviter, donna un brutal coup de volant. Le petit, effrayé, s'arrêta et porta sa moufle bleue à son visage empourpré.

Et Nerjine qui, pendant des années, n'avait jamais pensé à cela, comprit avec évidence que Staline lui avait volé les enfants qu'il aurait pu avoir de Nadia. A l'échéance de sa peine, même s'ils vivaient ensemble, sa femme aurait trente-six ans, peut-être quarante. Trop tard pour être mère...

Laissant sur sa gauche le palais d'Ostankino et, sur sa droite, l'étang couvert de petits patineurs bariolés, l'autobus s'enfonça dans des rues étroites et se mit à vibrer au contact du pavé.

Quand on décrit les prisons, on s'attache toujours à en noircir les horreurs. N'est-ce pas encore pire quand il n'y a pas d'horreurs ? Quand l'atroce naît de la grisaille méthodique des semaines ? Et du fait qu'on oublie que la seule vie dont on dispose sur terre est brisée ? Et qu'on est disposé à pardonner, et même qu'on a déjà pardonné à ces groins de porcs ? Et qu'on n'a qu'une pensée : rafler la part du lion sur le plateau que vous tend la prison, et puis toucher, après le bain, un linge pas trop amoché, pas trop étroit.

Tout cela, il faut l'avoir vécu. Pour écrire : « Derrière les barreaux, sur une paille humide », ... ou encore : « Qu'on m'ouvre mon cachot, qu'on me donne une fille ! », il est pratiquement superflu de connaître l'emprisonnement, ces choses sont faciles à imaginer. Mais tout cela est bien élémentaire. Seules les années ininterrompues, interminables, sécrètent une juste vue de ce qu'est la prison.

Nadia lui écrivait : « Quand tu reviendras... » L'horrible, justement, c'est qu'il n'y aurait pas de *retour*. Impossible de *revenir*. Après quatorze années de front et de prison, pas une cellule de son corps ne resterait la même. On peut toujours arriver, alors, mais en intrus. Homme nouveau, inconnu, portant le même nom que l'ancien mari, et la femme d'autrefois verra bien que cet homme, le premier, l'unique, qu'elle a attendu en recluse quatorze années durant, s'est évaporé, molécule après molécule.

Encore heureux si dans cette vie nouvelle, cette autre vie, ils parvenaient à s'aimer.

Mais dans le cas contraire ?

Au bout de tant d'années, aussi bien, tiendrait-il tellement à s'aventurer dans cette liberté, dans ce tourbillon extérieur, si furieux, si hostile au cœur de l'homme, si ennemi du repos de son âme ? Sur le seuil de la prison le prisonnier devait sûrement s'arrêter, les yeux éblouis : fallait-il aller de l'avant ?

Par la fenêtre s'étiraient les rues de la banlieue. La nuit, dans le halo diffus du ciel, les reclus croyaient deviner une Moscou éclatante, éblouissante. La réalité, c'était une alternance de rez-de-chaussée et de maisons à un seul étage, qu'on négligeait depuis longtemps de réparer, avec des crépis lépreux et des palissades fléchissantes. On n'avait pas dû y toucher depuis la guerre, on s'était consacré à d'autres travaux dont les effets ne venaient point jusqu'ici. Et entre Riazan et Rouzaievka, lieux où l'on ne promène guère les étrangers, on pouvait parier que les toitures de chaume pourrissant se succédaient sur trois cents kilomètres.

La tête contre la vitre embuée et trépidante, le son du moteur étouffant presque ses mots, Gleb se chuchotait à quart de voix :

« Ma Russie... oh, ma vie... jusqu'à quand ce tourment ? »

L'autobus déboucha sur la grand-place populeuse où

donne la gare de Riga. Dans le jour troublé par une brume givrante, c'était un tohu-bohu de trams, de trolleys, d'automobiles, de passants, où une seule couleur criait : le rouge violacé de tuniques encore inconnues de Nerjine.

Perdu dans ces pensées, Guérassimovitch avait lui aussi remarqué ces uniformes de perroquets et, haussant les sourcils, il avait crié pour tout l'autobus :

— Regardez ! La maréchaussée a ressuscité ! Revoici les agents de police de papa !

C'étaient donc eux !... Gleb se souvint qu'au début des années trente, un des chefs du komsomol leur avait déclaré : « Camarades pionniers, vous ne saurez jamais ce que c'est qu'un agent de police [1] en chair et en os ! »

— C'est pourtant bien ce qui se passe... dit Gleb avec un sourire moqueur.

— Hein ?... fit Guérassimov qui n'avait pas entendu.

Nerjine se pencha sur son oreille :

— Les gens ont été à tel point abêtis que si on leur braillait en pleine rue : « A bas le tyran ! Vive la liberté ! », ils se demanderaient de quel tyran et de quelle liberté il retourne.

Guérassimovitch balaya de bas en haut les rides de son front :

— Vous êtes sûr de vous y retrouver, vous ?

— Je suppose, dit Nerjine avec un rictus.

— Ne vous pressez pas trop de l'affirmer. Le genre de liberté dont peut avoir besoin une société fondée sur la raison est bien difficile à imaginer.

— Parce qu'on peut concevoir une société fondée sur la raison ? Est-elle pensable ?

— Je crois que oui.

— Vous ne pourriez pas m'en faire un croquis, même approximatif ? Personne n'y a encore réussi.

— Il faudra pourtant y arriver un jour ou l'autre, reprit Guérassimov avec une modeste fermeté.

Ils se mirent à l'épreuve d'un regard.

— Je ne demanderais pas mieux que de vous écouter, parut dire Nerjine sans toutefois insister.

— A l'occasion... laissa entendre Guérassimovitch d'un hochement de sa petite tête étroite.

De nouveau ils s'abandonnèrent aux cahots, dévorant la rue des yeux, livrés au désordre de leurs pensées.

... Inconcevable que Nadia puisse l'attendre depuis tant d'années. Marcher dans cette foule grouillante et tenaillée par une quête perpétuelle, sentir sur soi les regards des hommes sans que le cœur vacille ? Gleb imaginait que si le contraire s'était produit, si on avait emprisonné Nadia et qu'il était resté en liberté, il n'aurait peut-être pas tenu un an. Comment aurait-il pu laisser passer avec indifférence toutes ces femmes ? Jamais auparavant il n'aurait supposé chez sa frêle compagne pareille énergie, pareil granit. Pendant sa première, sa deuxième, sa troisième année de prison, il s'était convaincu que Nadia changerait, qu'elle franchirait le grand pas, qu'elle se perdrait dans le brouillard, qu'elle le quitterait. Cela ne s'était pas produit. Désormais Gleb concevait l'attente comme l'unique vocation de sa femme. Il avait même l'intuition que, pour elle, cette attente n'était pas si terrible.

Après les six mois d'instruction, dès qu'il avait eu droit à sa première lettre, il lui avait écrit de la prison de transit de Krasnaia Presnia, avec un moignon de crayon d'ardoise, sur un torchon de papier d'épicier plié en triangle, sans timbre :

« Bien-aimée ! Tu m'as attendu pendant quatre années de guerre, ne me maudis pas de m'avoir attendu vainement : il faut encore attendre dix ans. Toute ma vie je garderai le souvenir de notre court bonheur comme d'un soleil. A partir d'aujourd'hui je te rends ta liberté. Il n'y a pas de raison que tu sacrifies toi aussi ta vie. Remarie-toi. »

De tout cela Nadia n'avait retenu qu'une chose :

« Tu ne m'aimes donc plus ? Comment peux-tu m'abandonner à un autre ? »

Pendant la guerre, il l'avait fait venir au front, sur la tête de pont du Dniepr, avec un faux livret militaire. Elle avait dû subir les contrôles des « troupes de barrage » [1]. Sur cette tête de pont, naguère mortelle, maintenant convertie en un paisible camp retranché, ils avaient arraché au destin quelques lambeaux, quelques journées, bribes d'un bonheur dévasté.

Puis les armées s'éveillèrent, repassèrent à l'attaque, Nadia dut rentrer chez elle, fagotée dans la même vareuse, munie de la même fausse permission. Un camion d'une tonne et demie l'avait ramenée par la route forestière et, de la plate-forme, elle lui avait longuement fait signe de la main.

... Aux arrêts s'entassaient des files d'attente confuses. Dès qu'un trolleybus approchait, les uns restaient au bout de la queue, les autres se mettaient à jouer des coudes. A proximité du Boulevard de ceinture, l'aguichant autobus bleu vint buter sur un feu rouge, dédaignant l'arrêt. Un Moscovite déboussolé s'élança au pas de course, bondit sur le marchepied et secoua la porte en criant :

— Quai Kotelnitcheski ? Kotelnitcheski ! ?

— Interdit ! Interdit ! faisait du geste le surveillant.

— Y a intérêt ! Monte, mon gars, on va t'y « cracher ! », criait Ivan le souffleur avec son gros rire. Condamné de droit commun, Ivan avait droit à sa visite mensuelle sans la moindre difficulté.

Tous les détenus s'esclaffèrent. Le Moscovite ne pouvait comprendre ce que pouvait être cet autobus ni pourquoi il lui était interdit. Accoutumé à buter sur de l'*interdit* en plus d'une circonstance, il sauta du marchepied. Avec lui refluèrent une demi-douzaine de voyageurs accourus dans l'intervalle.

L'autobus enfila le Boulevard périphérique vers la gauche. On ne se rendait pas à Boutyrki comme d'ordinaire. C'était sûrement la Taganka.

... Dans sa marche vers l'ouest, avec tout le front, Nerjine avait ramassé dans des maisons en ruines, dans des bibliothèques, dans de vagues granges, dans des caves ou des greniers, de ces livres qu'on interdisait, maudissait et brûlait dans toute l'Union. Leurs feuilles jaunissantes lançaient au lecteur un tocsin muet, invincible.

Comme dans le *Quatre-vingt-treize* de Hugo. Lantenac est assis sur la dune. Il aperçoit plusieurs clochers à la fois, à chaque clocher on s'affole, toutes les cloches sonnent le tocsin mais un vent d'ouragan dérobe le son et il n'entend que le silence.

Grâce à une bizarrerie de son ouïe, dès son adolescence, Nerjine avait perçu ce tocsin muet : volées vibrantes de cloches, gémissements, cris, appels, hurlements à la mort, qu'un vent constant, têtu, emportait loin des oreilles humaines.

La vie de Nerjine se serait écoulée sans histoires dans des intégrations d'équations différentielles s'il était né ailleurs qu'en Russie et en un temps autre que celui où l'on venait de tuer et de précipiter dans le néant cosmique un très grand corps très précieux.

La couche où ce corps avait reposé était encore tiède. Et Nerjine, de son propre chef, avait recherché ce fardeau que personne ne lui avait confié : recueillir les particules d'une chaleur encore présente pour ressusciter le cadavre et montrer à tous ce qu'il avait été, et défaire sa fausse image.

Gleb avait grandi sans jamais lire un seul livre de Mayne Reed mais, dès l'âge de douze ans, il avait déployé les énormes *Izvestia,* assez vastes pour l'envelopper de la tête aux pieds, et y avait lu par le menu le compte rendu du procès des ingénieurs-saboteurs. D'emblée, il s'était refusé à croire à ce procès. Il ignorait pourquoi, il ne pouvait conclure par la raison mais percevait avec clarté qu'il n'y avait là que mensonge et encore mensonge. Il connaissait des ingénieurs appartenant à des familles amies et ne pouvait se représenter ces hommes en train de saboter au lieu de faire leur travail.

A treize ans, à quatorze ans, les devoirs finis, Gleb ne courait pas jouer dehors, il s'installait devant les journaux. Il savait le nom de nos ambassadeurs dans chaque pays étranger, celui de chaque ambassadeur étranger dans notre pays. Il lisait tous les discours prononcés aux Congrès. Il est vrai qu'en classe, dès la quatrième, on leur délivrait des rudiments d'économie politique, à partir de la quatrième, c'étaient presque tous les jours des sciences sociales et des extraits de Feuerbach. Enfin c'étaient les *Histoires du Parti,* qui changeaient chaque année.

Tôt apparue, cette insatiable envie de débusquer le mensonge de l' Histoire n'avait fait que croître chez l'enfant. Il était encore en neuvième lorsque, par un matin de décembre, il s'était faufilé jusqu'à la vitrine où étaient affichés les journaux du jour et y avait lu la nouvelle du meurtre de Kirov. Et soudain, étrangement, dans une lumière perçante, il avait vu que le meurtrier, c'était Staline et nul autre. Il avait frissonné de se sentir si seul : les hommes, les adultes attroupés à ses côtés ne comprenaient pas cette vérité première !

Et les vieux bolcheviks en personne arrivaient devant la barre et se repentaient inexplicablement, et se couvraient interminablement d'injures ordurières et reconnaissaient avoir été à la solde de tous les services d'espionnage étrangers. On en avait les oreilles qui bourdonnaient tant c'était démesuré, grossier, excessif !

Mais du haut du poteau, la voix cabotine du speaker laissait couler ses roulades et les gens de la ville s'agglutinaient sur le trottoir, confiants comme des moutons.

Et les écrivains russes, revendiquant le patronage d'un Pouchkine et d'un Tolstoï, chantaient la louange du tyran avec une veulerie douceâtre et accablante. Et les compositeurs russes, passés par le conservatoire de la rue Hertzen, se bousculaient aux pieds du trône pour y déposer obséquieusement leurs cantiques.

Pour Gleb, le tocsin muet avait sonné sur toute sa jeunesse ! Et en lui, invincible, s'était enracinée la décision de savoir et de comprendre ! De mettre au grand jour ! De *rafraîchir les mémoires* !

Le soir, il se rendait sur les boulevards de sa ville natale et, au lieu d'y soupirer d'amour, ce qui eût été de son âge, il y rêvait qu'un jour il pénétrerait au sein de la Grande et Principale prison du pays, qu'il y retrouverait les traces des morts et la clef de l'énigme.

Provincial, il ignorait alors que cette prison a un nom et que c'est la Grande Loubianka.

Et que les souhaits élevés ne manquent jamais d'être exaucés.

Les années passèrent. Tout cela arriva, s'accomplit réellement dans la vie de Nerjine, et ce ne fut ni tellement facile ni tellement agréable. Il fut pris, il fut conduit au *bon endroit*, il y rencontra les survivants en question, qui ne furent pas surpris de ses hypothèses et qui avaient encore cent autres choses à lui confier.

Tout arriva, tout s'accomplit mais, pour ce prix, Nerjine perdit la science qui était la sienne, son temps, sa vie et même son amour pour sa femme. Il lui semblait qu'on n'aurait pu rêver de femme plus parfaite ici-bas et pourtant on pouvait douter qu'il l'aimât. Une grande passion, une fois qu'elle a pris possession de notre âme, en chasse cruellement tout le reste. Il n'y a pas place en nous pour deux passions.

... L'autobus trépida sur un pont et s'engagea dans des rues sinueuses et peu amènes.

Nerjine revint à lui :

— Encore autre chose que la Taganka ? Où est-ce qu'ils nous emmènent ? !... On n'y comprend rien.

Guérassimovitch, s'arrachant à des pensées aussi peu réjouissantes, répondit :

— On arrive à la prison de Lefortovo.

Le portail s'ouvrit devant l'autobus. Celui-ci pénétra dans une petite cour de service, devant une annexe de cette prison aux très hauts murs. Le lieutenant-colonel Klimentiev était déjà campé à la porte, jeune d'allure, sans chapka, sans capote.

Au vrai, le froid était supportable. Sous un ciel d'épais nuages s'étalait la brouillasse des hivers sans vent.

Sur un signe du lieutenant-colonel, les surveillants sortirent de l'autobus et se rangèrent en colonne (seuls les deux qui occupaient les coins du fond demeurèrent assis, pistolets en poche) et les prisonniers, sans prendre le temps de se retourner vers le bâtiment central de la prison, emboîtèrent le pas au lieutenant-colonel et pénétrèrent dans l'annexe.

Ils y découvrirent un long couloir étroit percé de sept portes béantes. Le lieutenant-colonel ouvrait la marche et distribuait des ordres sans réplique, comme au feu.

— Guérassimovitch, par ici ! Loukachenko, dans cette pièce ! Nerjine, numéro 3 !

L'un après l'autre, les détenus faisaient un quart de tour et disparaissaient.

De la même manière, Klimentiev leur adjoignit, l'un après l'autre, les sept surveillants. Nerjine eut droit à un gangster endimanché.

Sans exception, toutes ces pièces étaient des bureaux de juges d'instruction : une fenêtre avare de lumière, grillagée de surcroît ; auprès d'elle, la table et le fauteuil du juge ; puis la petite table et le tabouret de l'inculpé.

Nerjine transporta le fauteuil de l'enquêteur près de la porte afin d'y faire asseoir sa femme et se réserva le petit tabouret inconfortable dont le bois fendu laissait craindre des pinçons. Il avait passé autrefois six mois sur un tabouret tout semblable, devant une table misérable, au temps de son instruction.

La porte demeurait ouverte. Nerjine entendit dans le couloir le martèlement léger des talons de sa femme et le son de la voix aimée :

— Par ici ?

Et elle entra.

CHAPITRE XXXVIII

Quand le camion cabossé qui ramenait Nadia du front tressautait sur les souches dénudées des pins ou mugissait dans la terre sablonneuse, quand la route s'allongeait, s'assombrissait, se rétrécissait et absorbait la silhouette de Gleb, qui aurait dit à l'un ou à l'autre que leur séparation ne prendrait pas fin avec la guerre ? Qu'elle ne faisait que commencer ?

Attendre le retour d'un mari parti pour la guerre est toujours dur, mais c'est bien pire les derniers mois, juste avant la fin : éclats et balles n'ont cure des états de service.

C'est alors que Gleb avait cessé d'écrire.

Nadia sortait pour guetter le facteur. Elle écrivait à son mari, aux amis de son mari, à ses chefs. Tous gardèrent le silence, comme par sortilège !

On ne le portait toujours pas disparu, ni mort au champ d'honneur.

Au printemps 45, il n'était pas de soirée sans pétarade en plein ciel, on n'en finissait plus de prendre ville sur ville ; Königsberg, Breslau, Francfort, Berlin, Prague.

Pas de lettres. La lumière décroissait. Nadia n'avait plus goût à rien. Mais il ne fallait pas se laisser aller ! S'il était vivant, s'il revenait, il lui reprocherait le temps perdu ! Elle passait toutes ses journées à préparer sa « petite thèse » d'assistante en chimie, à faire des langues, à étudier le matérialisme dialectique et elle ne pleurait que la nuit.

La Région Militaire cessa soudain de verser à Nadia ses allocations de femme d'officier.

Cela devait vouloir dire : disparu.

Alors s'acheva cette guerre de quatre ans ! Des gens fous de joie parcouraient des rues en folie. On déchargeait des pistolets en l'air. Et tous les haut-parleurs de l'Union Soviétique répandaient des marches militaires triomphales sur un pays sanglant et affamé.

A la Région Militaire il lui fut dit, non qu'il était mort, mais qu'il était porté disparu. Intrépide coffreur, notre État était pudibond en paroles.

Le cœur de Nadia, comme tout cœur humain qui se refuse à la résignation, se prit à inventer des fables : Gleb avait peut-être été envoyé en reconnaissance lointaine sur les arrières de l'ennemi ? Peut-être l'avait-on chargé d'une *mission spéciale* ? Une génération élevée dans le soupçon et le culte du secret voyait du mystère là-même où il n'y en avait pas.

Cet été-là était torride, un été du sud, mais pour cette toute jeune veuve il n'y avait pas de soleil au ciel.

Sans désemparer, elle étudiait sa chimie, ses langues, son matérialisme dialectique, dans l'attente de son retour, pour ne pas démériter.

Quatre mois s'écoulèrent après la fin de la guerre. Le temps venait de s'avouer que Gleb n'était plus de ce monde. C'est alors que parvint à Nadia le triangle fripé de Krasnaia Presnia : « Mon unique amour ! J'en ai encore pour dix ans ! »

Parmi ses proches, bien peu la comprirent : apprenant que son mari était en prison, elle rayonnait de gaîté. Quel bonheur qu'il n'en ait pas eu pour vingt-cinq ans, pour quinze ans ! On ne ressort pas de la tombe mais on revient du bagne ! Cette situation nouvelle recelait une sorte de romantisme sublime qui donnait de la hauteur à ce qui n'avait été qu'un banal mariage d'étudiants.

Comme maintenant il ne s'agissait plus de mort, ni d'une abominable trahison secrète, comme il avait la corde au cou, sans plus, Nadia se sentait envahie de forces toutes fraîches. Il était à Moscou, elle devait donc s'y rendre et tout faire pour le sauver ! (Elle imaginait qu'il lui suffirait de se retrouver près de lui pour y parvenir.)

Mais comment y aller ? Nos descendants ne se figureront pas ce qu'un voyage voulait dire à l'époque, surtout vers Moscou. D'abord, comme dans les années trente, le citoyen devait produire des papiers justifiant sa bougeotte ou les motifs de service qui le contraignaient à surcharger de sa personne nos moyens de transport. Ensuite on lui établissait un laissez-passer qui lui donnait loisir, pour toute une semaine, d'assiéger les guichets de la gare, de dormir sur un sol étoilé de crachats ou de contourner les guichets pour soudoyer en tremblant la caissière.

Nadia s'inventa une inscription à l'inaccessible université de Moscou. Après avoir payé trois fois le prix de son billet d'avion, elle s'envola pour Moscou, serrant sur ses genoux son cartable bourré de manuels et les bottes de feutre convenant à un mari en partance pour la taïga.

Elle venait de se hisser sur un de ces sommets moraux de notre existence où des forces bénéfiques nous viennent en aide, où tout nous réussit. La faculté la plus fermée du pays accepta cette petite provinciale inconnue, sans nom, sans argent, sans relations, sans coup de téléphone à qui de droit...

Ce fut miraculeux mais moins difficile que d'obtenir une entrevue avec Gleb au transit de Krasnaia Presnia ! On ne lui permit pas de visite. On n'en accordait à personne : tous les collecteurs du Goulag étaient engorgés — d'Europe affluait un torrent de prisonniers qui passait l'imagination.

Près de la cabane de garde où elle attendait vainement une réponse à ses requêtes, Nadia vit de ses yeux, franchissant la porte de bois brut de la prison, une colonne de prisonniers qu'on emmenait en corvée au port fluvial de la Moskova. Et se formulant à elle-même un de ces paris secrets qu'illumine la chance, elle se jura que Gleb en était.

L'escorte comprenait quelque deux cents hommes. Tous dans cet état intermédiaire où l'on fait ses adieux aux vêtements « normaux » pour ne plus faire qu'un avec la guenille grise et noire du zek. Chacun gardant comme une allusion au passé : une casquette militaire à galon rouge, mais sans jugulaire et sans étoile, ou des bottes de simili — bientôt troquées contre du pain ou confisquées par des gars du milieu —, ou une chemise de soie éraillée dans le dos. Tous avaient le crâne rasé et le protégeaient de leur mieux sous ce soleil d'été, tous barbus, maigres, maigres à tomber, parfois.

Nadia n'eut pas besoin de les parcourir du regard — d'un coup elle le sentit, puis le vit qui marchait, col ouvert, avec son blouson de drap dont les revers portaient encore les passepoils de l'artillerie, la poitrine marquée par l'ombre des décorations. Il avait les mains derrière le dos, comme tous les autres. Du haut de la côte, il ne portait pas ses yeux sur les vastes espaces ensoleillés qui devaient avoir tant d'attrait pour un prisonnier, ni sur le côté, en direction des porteuses de colis. (On ne recevait pas de lettres dans cette prison de transit et il ignorait que Nadia fût à Moscou.) Aussi jaune et émacié que ses camarades, il était radieux, il écoutait avec complaisance, avec délice, son voisin, un grand vieillard svelte à la barbe grise.

Nadia courut dans le sillage de la colonne, criant le nom de son mari, mais lui n'entendait rien de cela, occupé qu'il était à parler et assourdi par les abois hystériques des chiens policiers. Elle courait, haletante, désireuse de fixer ce visage par touches successives — quelle compassion elle ressentait pour cet homme confiné depuis des mois dans des cellules noires et puantes ! Et quelle joie de le voir ici, de si près ! Et quelle fierté de voir qu'il n'était pas brisé ! Et quelle amertume de constater qu'il n'était pas accablé, qu'il avait oublié sa femme ! Et soudain elle eut mal pour elle-même — une lumière brève lui fit voir qu'il l'avait vouée au malheur, *elle*, que la victime, ce n'était pas lui, mais *elle*.

Tout cela en un éclair !... L'escorte l'invectiva, les terribles chiens, dressés à dévorer les hommes, bondissaient au bout de leurs laisses, le cou gonflé, hurlant, les yeux injectés de sang. On écarta Nadia. La colonne s'engagea sur une rampe encaissée entre deux talus et il lui fut impossible de se faufiler à ses côtés. Les escorteurs d'arrière-garde, qui piquetaient l'espace interdit, se tenaient à bonne distance et Nadia eut beau leur emboîter le pas, elle ne put rattraper la colonne qui avait descendu la pente pour disparaître derrière une palissade infranchissable.

Le soir, la nuit, lorsque dormaient les habitants de ce faubourg de Krasnaia Presnia, jadis illustré par ses combats pour la liberté, à l'insu de tous, des convois de wagons à bestiaux venaient se former devant la prison de transit et, dans un branle de lanternes, un gueulement de tous les chiens, avec de brefs appels, des injures, des coups, les équipes d'escorteurs enfournaient les prisonniers à raison de quarante par wagons pour en acheminer des milliers vers la Petchora, Inta, Vorkouta, Sovgavan, Norilsk, vers les camps d'Irkoutsk, de Tchita, de Krasnoiarsk, de Novossibirsk, d'Asie Centrale, de Karaganda, de Djezkazgan, du Balkhach, de l'Irtych, de Tobolsk, de l'Oural, de Saratov, de Viatka, de Vologda, de Perm, de Solvytchegodsk, de Rybinsk, de Potma, de Soukhobezvodnaïa et de tant d'autres qui n'ont pas de nom. De jour, et en camions fermés, de menues fournées de cent ou deux cents hommes étaient expédiées à Serebrianyi Bor, à Novy Iéroussalim, à Pavchino, à Khovrino, à Beskoudnikovo, à Khimki, à Dmitrov, à Solnetchnogorsk, tandis que d'autres étaient transportés nuitamment en divers quartiers de Moscou : retranchés derrière palissades et barbelés, ils édifiaient une capitale à la mesure de l'invincible empire.

Le destin gratifia Nadia d'une récompense imprévisible et méritée : il voulut que Gleb ne fût pas expédié au-delà du Cercle Polaire mais balancé en plein Moscou, dans le camp miniature chargé de construire une demeure réservée aux dignitaires du M.G.B. et du M.V.D. : l'actuelle bâtisse en demi-lune de la Barrière de Kalouga.

Quand Nadia courut l'y voir la première fois, elle eut l'impression qu'il était à demi libéré.

Dans la grande rue de Kalouga allaient et venaient des limousines, parfois réservées au Corps diplomatique; autobus et trolleys s'arrêtaient au bout de la grille du Jardin Neskoutchny; là se trouvait le poste de garde du camp, pareil à la baraque d'entrée d'un banal chantier; très haut sur les murs on voyait s'affairer des hommes aux vêtements sales et loqueteux, mais tous les maçons sont mis de cette façon, si bien que personne, passant à pied ou en voiture, ne pouvait se douter qu'il s'agissait de zeks.

Et qui s'en doutait se taisait.

C'était un temps d'argent bon marché et de pain cher. Nadia vendait telle ou telle chose pour apporter des colis à son mari. Les paquets étaient toujours acceptés. Mais on lui accordait rarement des visites, car Gleb n'abattait pas le travail exigé par la « norme ».

Aux visites, elle le trouvait méconnaissable : le malheur avait eu sur lui une influence bénéfique, comme sur toutes les natures présomptueuses. Plus attentionné, il baisait les mains de sa femme, épiait les étincelles dans ses yeux. Ce n'était plus la prison! La vie du camp, plus féroce que ce qu'on peut savoir sur les mœurs des rats ou des cannibales, était en train de le faire plier. Mais c'est avec une parfaite lucidité qu'il marchait vers cette limite au-delà de laquelle on ne s'épargne plus et qu'il lui répétait obstinément :

— Chérie! Tu ne sais pas à quoi tu t'engages! Tu m'attendras pendant un an, pendant trois ans et même pendant cinq, mais plus la fin approchera, plus l'attente sera dure. Les dernières années seront vraiment intolérables. Nous n'avons pas d'enfants. Ne gâche pas ta jeunesse. Tu dois me quitter! Remarie-toi.

Il lui proposait cela sans trop y croire. Et c'est sans trop y croire qu'elle disait non.

— Tu cherches un prétexte pour te débarrasser de moi?

Les détenus habitaient une des ailes de l'édifice en chantier. Les porteuses de colis, lorsqu'elles descendaient de leur trolleybus, apercevaient par-dessus la palissade les deux ou trois fenêtres du dortoir et leurs hommes entassés aux embrasures. Parfois, mêlées aux hommes apparaissaient leurs *paillasses*. Une d'entre elles, prenant dans ses bras son nouvel époux, avait crié par la fenêtre à la femme légitime :

— On t'a assez vue, eh pute! Crache ton dernier paquet et mets les voiles! Si tu te pointes encore une seule fois au corps de garde, je te fais une grosse tête!

On allait procéder aux premières élections au Soviet Suprême depuis la fin de la guerre. Moscou s'y préparait avec application, comme si un seul électeur avait la liberté réelle de ne pas voter pour le candidat unique. Maintenir les « articles 58 » dans la capitale était tentant — ils travaillaient bien — mais gênant, car leur présence entraînait une baisse de la « vigilance politique ». Pour intimider les uns et les autres, il fallait faire partir ne fût-ce qu'un contingent. Dans les camps couraient des rumeurs alarmantes sur un départ imminent à destination du nord. Les détenus, quand ils avaient des pommes de terre, les faisaient bouillir pour la route.

A l'approche du scrutin, afin de ne pas entamer l'enthousiasme des électeurs, on interdit toute visite dans les camps de Moscou. Nadia fit parvenir à Gleb une serviette de toilette où elle avait cousu ce billet :

« Mon aimé! Pour nombreuses que soient les années et quelque tempêtes qui doivent se déchaîner sur nos têtes (Nadia avait du goût pour le style noble), ta petite fille te sera fidèle, tant qu'elle sera en vie. On dit qu'on s'apprête à faire partir les victimes de l'article 58. Tu seras loin, coupé pour de longues années de toute visite, nous n'échangerons plus de regards à la dérobée pardessus les barbelés. Si, dans le labyrinthe obscur de ta vie, des distractions peuvent dissiper la pesanteur accablant ton âme — tant pis, je me ferai une raison et je te permets, mon chéri, je te demande même de me tromper, de fréquenter d'autres femmes. Pourvu seulement que tu gardes ta force morale! Je n'ai pas peur : de toute façon, tu me reviendras, n'est-ce pas? »

CHAPITRE XXXIX

Nadia ne connaissait pas encore le dixième de Moscou mais elle savait par cœur l'emplacement des prisons de la ville, lamentable géographie de la femme russe. Ces prisons moscovites étaient nombreuses et réparties dans la capitale de façon si régulière et judicieuse qu'en chaque point de Moscou on se trouvait à portée de quelque prison. Tant pour déposer des colis ou prendre des renseignements que pour des visites, Nadia apprit peu à peu les différences entre la prison nationale de la Grande Loubianka et celle, régionale, de la Petite Loubianka, elle découvrit qu'il existe des prisons pour inculpés dans chaque gare, sous le sigle K.P.Z., les occasions ne lui manquèrent pas de se rendre à Boutyrki et à la Taganka et elle connaissait les tramways — quoique leur itinéraire n'en dise rien — qui peuvent vous mener à Lefortovo et ceux qui vous rapprochent de Krasnaia Presnia. Elle habitait dans le voisinage de Matrosskaia Tichina, supprimée à la Révolution, rétablie et fortifiée par la suite.

Dès lors que Gleb fut ramené de son camp perdu à Moscou, dans un établissement singulier, prison spéciale où on le nourrissait à merveille et où il s'occupait de travaux scientifiques, Nadia put le revoir de temps en temps. Mais les femmes devaient ignorer l'endroit exact où étaient hébergés leurs maris et les rares entrevues des époux avaient lieu dans des prisons moscovites.

Les visites les plus plaisantes étaient celles de la Taganka. On n'y détenait pas de prisonniers politiques, mais des voleurs et la discipline y était bon-enfant. Les visites se déroulaient au foyer des surveillants ; les prisonniers arrivaient en autobus par la rue des Maçons, leurs femmes les guettaient sur le trottoir et, avant la visite officielle, chacun pouvait embrasser sa compagne, s'attarder à ses côtés, parler de sujets interdits par les instructions et même recevoir des présents de la main à la main. L'entrevue avait quelque chose de bonhomme, les époux étaient assis côte à côte, avec pas plus d'un surveillant pour écouter les propos de quatre couples.

Boutyrki était, en fait, une prison douce et joyeuse mais elle glaçait les femmes. Quand les détenus passaient de l'une ou l'autre Loubianka à Boutyrki, ils avaient l'âme ravie devant ce relâchement général de la discipline : plus de lumière brutale dans les *boxes*, on pouvait marcher dans les couloirs sans se croiser les mains dans le dos, on pouvait parler à voix haute dans les cellules, glisser un regard sous les *muselières*, s'étendre en pleine journée sur les bat-flanc, voire se fourrer dessous pour dormir. Autre agrément de Boutyrki : la nuit, on pouvait s'abriter les bras sous sa capote et les lunettes n'étaient pas confisquées à la tombée du soir. Les allumettes étaient autorisées à l'intérieur des cellules; chaque cigarette n'arrivait pas purgée de son tabac et le pain des colis, au lieu d'être émietté par pincées, n'était coupé qu'en quatre morceaux lors de la fouille.

Les femmes ignoraient tout de ces faveurs. Elles voyaient une muraille quatre fois haute comme un homme et occupant tout un côté de la rue Novoslobodskaia. Un portail blindé, entre deux puissants montants de béton, qui à soi seul était une énigme : par le jeu d'un mécanisme ralenti, il ouvrait et refermait sa gueule sur les paniers à salade. Quand on conduisait les femmes auprès de leurs maris, on les faisait passer à travers un mur de deux mètres d'épaisseur puis, entre deux murailles de plusieurs hauteurs d'homme, elles contournaient la terrible tour de Pougatchov [1]. Les détenus ordinaires s'entretenaient avec leurs visiteurs à travers deux grilles et, dans l'intervalle, comme encagé, déambulait un gardien. Quant aux zeks de haut vol, pensionnaires de la charachka, ils s'installaient, eux, face à leurs visiteurs, devant une large table sous laquelle une cloison verticale interdisait tout contact entre les pieds, tout échange de signaux, tandis qu'à proximité un surveillant, statue de la vigilance, tendait l'oreille aux conversations. Le plus éprouvant à Boutyrki, c'est que les maris paraissaient surgir des tréfonds de la prison, émerger pour une demi-heure de ces gros murs suintants pour sourire comme des spectres, affirmer qu'ils allaient bien, qu'ils n'avaient besoin de rien, puis redisparaître dans les murs.

C'était maintenant leur première entrevue à Lefortovo.

Le gardien cocha sa liste et du doigt indiqua à Nadia le chemin de l'annexe.

Quelques femmes étaient là qui attendaient dans une pièce meublée de deux longs bancs et d'une table. Sur cette table, on venait poser un cabas et des sacs à provisions en moleskine qui, malgré tout, paraissaient bourrés de victuailles. Certes, les « encagés » de la charachka mangeaient à leur faim, mais Nadia se sentit humiliée et honteuse de ne pouvoir mieux gâter son mari, ne fût-ce qu'une fois l'an. En tout et pour tout, elle n'avait qu'un petit sac rempli d'impondérables « merveilles ». Levée de bonne heure, alors que tous les étudiants dormaient encore, elle avait fabriqué ses merveilles avec ce qui lui restait de farine et de sucre, dans ce qui lui restait d'huile. Elle n'avait plus le temps d'acheter des bonbons ou des pâtisseries, étant d'ailleurs peu argentée en cette fin de mois. L'anniversaire de son mari tombait le jour de l'entrevue et elle n'avait rien à lui offrir ! Un bon livre ? C'était impossible depuis la fois dernière : Nadia avait apporté un petit volume des vers d'Essénine, déniché miraculeusement. L'édition que son mari avait au front et qui lui avait été confisquée lors de son arrestation. Par allusion à ce précédent, Nadia avait écrit sur la page de garde :

« Tout ce qui t'a été pris te sera de même rendu. »

Sous ses yeux, le colonel Klimentiev avait arraché la

page dédicacée et la lui avait rendue, arguant qu'aucun *texte* ne pouvait être remis aux prisonniers car il convenait de le soumettre à une censure spéciale. Apprenant la chose, Gleb avait grincé des dents et l'avait priée de ne plus lui faire tenir de livres.

Autour de la table étaient assises quatre femmes dont l'une, jeune, était accompagnée d'une fillette de trois ans. Nadia n'en connaissait aucune. Elle salua, les femmes répondirent puis reprirent leur entretien animé.

Contre le mur d'en face, sur un banc exigu, était une femme de trente-cinq à quarante ans, vêtue d'un manteau d'hiver défraîchi et coiffée d'un châle gris dont la laine envolée laissait à nu les mailles du tricot. Jambes croisées, bras noués en arc, elle fixait le sol à ses pieds. Toute son attitude disait sa ferme intention de n'être touchée ni interpellée. Ni dans ses mains, ni à ses côtés, rien ne rappelait un paquet quelconque.

Les femmes auraient volontiers accueilli Nadia, mais elle n'eut guère envie de se joindre à elles. Elle tenait à ménager ce que son humeur avait de particulier ce matin-là. Elle s'approcha de la solitaire et, comme le banc était trop exigu pour lui permettre de s'asseoir à bonne distance, elle dit :

— Vous permettez ?

La femme leva les yeux. Ils étaient sans couleur. Ni rien qui marquât qu'elle eût compris la question de Nadia. Ces yeux la regardaient sans voir.

Nadia s'assit, joignit les mains sous ses manches, laissa tomber sa tête sur le côté, enfonça une joue dans son col de faux astrakhan. Se figea elle aussi dans l'immobilité.

Elle aurait voulu ne rien entendre, ne penser qu'à Gleb, qu'à l'entretien qu'ils allaient avoir et à cette durée qui longuement plongeait dans les brumes du passé et de l'avenir, qui n'était ni lui ni elle mais l'un et l'autre ensemble et portait ce nom coutumier et usé d' « amour ».

Mais elle ne parvenait pas à se dissocier des conversations qui se tenaient à la table. On y causait régime alimentaire des maris, repas du matin, repas du soir, fréquence des lessives. Comment arrivaient-elles à en savoir aussi long ? Pouvaient-elles à ce point gaspiller les minutes d'entrevue, perles rares ? Elles inventoriaient et évaluaient en grammes et kilogrammes les victuailles de leurs paquets. Tout cela révélait la tenace prévoyance de la femme qui perpétue la famille et, par le biais de la famille, l'espèce humaine entière. Nadia n'y songea pas et se dit qu'il était bien humiliant de gâcher des moments aussi sublimes en pauvretés quotidiennes. Ces femmes n'étaient donc pas tentées de se poser des questions, plus opportunes, sur ceux qui s'étaient permis d'emprisonner leurs maris ? Car ces hommes auraient pu ne pas être derrière les barreaux, ils auraient pu se passer de cette nourriture de la prison !

L'attente fut longue. La convocation mentionnait dix heures mais, à onze heures, personne ne s'était encore montré.

La dernière venue des femmes arriva en retard, le teint empourpré. Cette femme, Nadia la connaissait pour l'avoir vue lors d'une précédente visite. C'était l'épouse du graveur, la troisième et première. Elle racontait volontiers son histoire : elle avait toujours adoré son mari et l'avait toujours considéré comme un homme de grand talent. Un beau jour, il s'était déclaré mécontent d'un certain complexe dont elle aurait été affectée et l'avait abandonnée avec son enfant pour en rejoindre une autre. Une rouquine, avec qui il avait vécu trois ans, après quoi on l'avait mobilisé. Fait prisonnier sur-le-champ, il avait connu en Allemagne une captivité sans contraintes et, hélas, de nouvelles amourettes. Retour de captivité, à la frontière, on l'avait arrêté et gratifié de dix ans. De la prison de Boutyrki, il avait fait savoir à sa rousse qu'il était enfermé, qu'il aimerait recevoir des colis, mais elle avait déclaré : « J'aurais mieux aimé qu'il me trompe que de le voir trahir la patrie ! Il m'aurait été plus facile de lui pardonner ! » Il avait alors adressé ses suppliques à l'autre, à la toute première : elle lui avait apporté des colis, lui avait rendu visite et, désormais, il implorait son pardon en lui jurant un amour éternel.

Nadia se sentit visée lorsqu'en racontant sa vie, la femme du graveur avait amèrement recommandé aux femmes de faire preuve de bon sens et de tromper leurs maris emprisonnés : ceux-ci les en estimeraient de plus belle à leur libération. Autrement, ils se diraient que personne, pendant tout ce temps-là, n'avait voulu de ces femmes, et pour cause. Nadia fut touchée, car elle pensait ainsi quelquefois.

La nouvelle venue fit changer le cours de la conversation autour de la table. Elle conta ses démarches auprès des avocats qui assuraient les consultations juridiques de la rue Nikolskaia. Ces consultations avaient longtemps porté le label de consultations « modèles ». Les avocats qui en avaient la charge empochaient des milliers de roubles, hantaient les restaurants de Moscou et laissaient en plan les dossiers de leurs clients. Ils finirent par déplaire on ne sait trop à qui. On les arrêta tous, on leur colla dix ans, l'enseigne « consultations-modèles » s'évanouit et le bureau de consultations juridiques, désormais non exemplaire, se bourra derechef d'avocats qui se mirent à leur tour à empocher des milliers de roubles et à laisser en sommeil leurs dossiers. Entre quatre yeux, les avocats justifiaient leurs copieux honoraires en représentant à leur clientèle qu'ils devaient partager, car ils n'étaient *pas seuls* dans la course et les dossiers passaient entre bien des mains. Devant le mur de béton de la loi, ces femmes étaient aussi désemparées que devant le haut rempart de Boutyrki. Les ailes leur manquaient pour prendre leur vol et surmonter l'obstacle et il leur fallait bien s'incliner à chaque portillon qui s'ouvrait. Derrière le mur, le cours des affaires judiciaires s'assimilait à leurs yeux aux rouages d'une grandiose machine d'où, malgré l'évidence de la faute et malgré le conflit entre l'accusé et l'État, pouvaient s'échapper, ô miracle, des gros lots de tombola. Et si ces femmes graissaient la patte à leurs avocats, c'était moins pour gagner le gros lot que pour en rêver.

La femme du graveur avait une foi indéfectible dans

son succès final. Elle laissait entendre qu'elle avait amassé quarante mille roubles en vendant une chambre et en mettant des parents à contribution et que la somme était allée à divers avocats ; elle en était au troisième, trois recours en grâce avaient été formulés, cinq appels interjetés, elle suivait le progrès de ces diverses démarches et, en plus d'un lieu, on lui avait promis de les considérer d'un œil favorable. Elle connaissait par leurs noms tous les procureurs en service dans les trois principales procuratures et s'était imprégnée des relents d'antichambre de la Cour Suprême comme du Soviet Suprême. A l'instar de bien des gogos — et plus particulièrement de bien des femmes — elle s'exagérait l'importance de la moindre remarque vaguement encourageante, du moindre regard dénué d'hostilité.

— Il faut leur *écrire* ! Il faut écrire à tout le monde ! répétait-elle avec fougue, incitant les autres femmes à bondir sur ses traces. Nos maris souffrent. La liberté ne leur sera pas rendue par l'opération du Saint-Esprit. Il faut écrire.

Ce récit altéra les dispositions d'esprit de Nadia et lui fit mal. La femme déjà vieillissante du graveur parlait avec une telle animation qu'on en venait à se dire qu'elle l'emportait sur toutes ces femmes en rapidité et en malice et finirait par tirer son mari de prison ! Un reproche affleurait alors à la conscience : et moi ? Pourquoi n'en ai-je pas fait autant, moi ? Pourquoi ne me suis-je pas montrée moi aussi une fidèle compagne ?

Nadia n'avait eu affaire qu'une seule fois à la consultation « modèle ». Elle n'avait proposé qu'un recours en grâce à son avocat et ne lui avait versé que deux mille cinq cents roubles. Trop peu, évidemment ; l'homme s'était vexé et n'avait pas bougé.

— Oui, dit-elle presque à voix basse et comme pour elle-même. Avons-nous tout essayé ? Avons-nous la conscience nette ?

Sa voix ne parvint pas aux femmes qui bavardaient autour de la table. Mais sa voisine, brusquement, tourna la tête comme si Nadia l'avait bousculée ou offensée. Articulant les mots avec une clarté agressive, elle dit :

— Que peut-on faire ? Tout ça, c'est du délire ! Pas de prescription pour l'article 58, les dossiers demeurent « pour l'éternité [1]». Le 58 n'est pas un criminel, c'est un *ennemi* ! C'est un homme qu'on ne pourrait tirer de là pour un million !

Son visage était ridé. Sa voix tintait d'une douleur décantée, distillée.

Le cœur de Nadia s'ouvrit devant cette aînée. Elle répliqua, avec une intonation qui paraissait demander pardon pour ses paroles trop emphatiques :

— Je voulais dire que nous ne nous donnons pas à fond. Les femmes des décembristes, elles, n'ont reculé devant rien, elles ont tout quitté, elles les ont suivis... A défaut de libération, on peut peut-être obtenir l'exil ? J'accepterais qu'on l'envoie n'importe où dans la taïga, au-delà du Cercle Polaire, et je le suivrais, je quitterais tout...

Sous son châle élimé, la femme au sévère visage de nonne jeta à Nadia un regard respectueusement étonné :

— Vous auriez encore assez de force pour aller dans la taïga ? Vous en avez, de la chance ! Moi, je n'ai plus de force pour rien. Je crois bien que si je trouvais un petit vieux qui ait un peu d'argent et qui veuille de moi pour femme, j'accepterais.

— Vous pourriez l'abandonner ? Derrière les barreaux ?...

La femme empoigna Nadia par la manche :

— Ma petite ! C'était facile d'aimer au XIXe siècle ! Ces femmes de décembristes, ont-elles vraiment fait quelque chose de si héroïque ? Est-ce que le service du personnel les convoquait pour mettre à jour leur « questionnaire confidentiel » ? Est-ce qu'elles devaient cacher leur mariage comme une maladie épidémique ? Pour ne pas être chassées de leur travail ? Pour qu'on leur laisse leurs pauvres cinq cents roubles par mois ? Est-ce qu'on leur battait froid dans les appartements « communs » ? Est-ce qu'elles savaient ce que veut dire la queue pour l'eau devant la pompe, dans la cour, et les chuchotements hargneux qui saluent les ennemis du peuple ? Est-ce que leurs mères et leurs sœurs les invitaient à faire preuve de bon sens en divorçant ? Oh, tout au contraire ! Elles avaient droit au murmure admiratif de la meilleure société ! Elles offraient complaisamment à des poètes leur légende d'héroïsme. En se rendant en Sibérie dans leurs carrosses de luxe, elles ne perdaient pas, en même temps que leur « droit de séjour » à Moscou [1], leur dernier coin, leurs malheureux neuf mètres carrés, elles n'avaient pas à se tracasser pour les menus détails de leur avenir immédiat : un livret de travail noirci, un coin de galetas, pas une casserole, pas un morceau de pain noir... C'est bien joli de parler comme ça de taïga ! Il ne doit pas y avoir bien longtemps que vous attendez !

Sa voix était sur le point de se briser. A écouter les parallèles véhéments de sa voisine, Nadia avait des larmes plein les yeux. Elle voulut se justifier :

— Il y aura bientôt cinq ans que mon mari est en prison — sans compter le front...

— Ça, ça n'entre pas en ligne de compte ! répliqua vivement l'autre femme. Le front, c'est tout autre chose. Il est facile de les attendre, alors ! Tout le monde est dans le même cas. On peut alors *parler* ouvertement, lire des lettres ! Mais attendre sans rien laisser voir, hein ?

Et elle s'arrêta. Elle avait vu qu'il était superflu d'en remontrer à Nadia sur ce point.

Il était déjà onze heures et demie. Le lieutenant-colonel Klimentiev fit enfin son entrée, suivi d'un gros adjudant-chef rogue. Ce dernier se mit à pointer les colis, à éventrer les paquets de petits-beurres emballés en usine, à casser en deux chaque rissole faite à la maison. Il émietta les « merveilles » de Nadia, y recherchant quelque billet dissimulé dans la pâte frite, ou de l'argent, ou du poison. Klimentiev, lui, rafla toutes les convocations, inscrivit le nom de toutes les visiteuses sur un gros registre puis se guinda martialement et déclara en détachant les syllabes :

— Attention ! Vous connaissez le règlement ? La visite dure trente minutes. Ne rien donner aux détenus de la main à la main. Interdit d'interroger les détenus sur leur travail, sur leur vie, sur leur emploi du temps. Toute infraction à ces règles est punie au titre du code pénal. En outre et à dater de ce jour sont interdits serrements de mains et embrassades. En cas d'infraction, la visite est immédiatement suspendue.

Les femmes n'en menaient pas large et gardaient bouche cousue.

Klimentiev commença l'appel :

— Guérassimovitch Natalia Pavlovna !

La voisine de Nadia se leva et, martelant fermement le sol de ses bottes de feutre d'avant-guerre, gagna le couloir.

CHAPITRE XL

Malgré tout, malgré les larmes qu'elle avait dû verser pendant son temps d'attente, Nadia avait le cœur en fête en pénétrant dans la pièce où elle devait revoir Gleb.

Quand elle se montra sur le seuil, Gleb s'était levé pour l'accueillir, souriant. Ce sourire ne dura que le temps d'un pas l'un vers l'autre, mais elle en fut remplie de jubilation : Gleb lui avait semblé si proche ! Il n'avait pas changé envers elle !

Le gangster retiré des affaires, costume gris et cou de taureau, s'approcha de la petite table, coupant la pièce en deux et leur interdisant de se rencontrer.

— Laissez-moi au moins lui prendre la main ! fit Nerjine indigné.

— Pas permis, répondit le gangster avec une moue imperceptible de sa pesante mâchoire.

Nadia eut un sourire déconcerté mais elle fit signe à son mari de ne pas discuter. Elle se laissa tomber sur le fauteuil qui l'attendait et dont le cuir laissait par endroits s'échapper la bourre. Sur ce fauteuil s'étaient succédé plusieurs promotions de magistrats instructeurs qui avaient conduit des centaines d'hommes dans la tombe pour les y rejoindre prestement.

— Bon, alors, bon anniversaire ! dit Nadia avec un entrain forcé.

— Merci.

— Que ça tombe aujourd'hui, quelle coïncidence !

— Ma bonne étoile...

L'entretien se rodait.

Nadia faisait effort pour ne pas voir le regard du surveillant ni se sentir écrasée par sa présence. Gleb veillait à se tenir assis sur son tabouret fissuré de façon à éviter les pinçons.

La petite table à inculper se dressait entre le mari et la femme.

— Pour ne pas avoir à y revenir : je t'ai apporté des choses à grignoter, des merveilles, tu sais, la recette de maman. Excuse-moi de ne pas avoir pu faire plus.

— Petite sotte, ce n'était pas la peine ! Nous ne manquons de rien.

— Vous n'avez tout de même pas des merveilles ? Tu m'avais dit : pas de livres. Tu lis ton Essénine ?

Le visage de Nerjine s'assombrit. Il y avait plus d'un mois qu'on avait dénoncé à Chikine l'apparition de cet ouvrage et le major avait confisqué le livre, affirmant qu'il s'agissait d'un poète interdit.

— Oui, oui.

(Avec une demi-heure devant soi, pouvait-on se perdre dans les détails)

Bien qu'il ne fît pas trop chaud — la pièce apparemment n'était pas chauffée —, Nadia déboutonna et ouvrit largement son col : elle voulait montrer à son mari, non seulement le manteau qu'elle s'était fait faire cette année et dont il n'avait pas encore soufflé mot, mais aussi son chemisier neuf dont elle comptait que l'orangé éclairerait un visage sans doute terreux dans la morne lumière de cette pièce.

D'un regard continu et mouvant, Gleb enveloppa toute sa femme : le visage, la gorge, ce vêtement ouvert sur la poitrine. Nadia frémit sous ce regard — le cœur même de la visite — et s'offrit à lui comme pour y plonger plus avant.

— Tu as un petit chemisier neuf. Fais voir un peu mieux.

— Et mon manteau ? dit-elle avec une moue chagrine.

— Qu'est-ce qu'il a ?

— Il est neuf !

— Ah oui, c'est vrai ! — Il avait enfin compris. — C'est vrai qu'il est neuf, ton manteau.

Et il parcourut de l'œil ces bouclettes noires, ignorant qu'il s'agît là d'astrakhan, plus encore de faux astrakhan, car il était le dernier des hommes à saisir la différence entre un vêtement de cinq cents et un de cinq mille roubles.

Elle se débarrassa à demi du manteau. Il vit son cou, toujours élancé comme celui d'une jeune fille, ses épaules étroites et frêles et, sous les plis du chemisier, cette poitrine tristement affaissée depuis toutes ces dernières années.

Et le bref reproche qu'il était prêt à lui adresser d'avoir de nouveaux atours, de nouvelles connaissances, s'évanouit à la vue de cette poitrine tombante, à la pitié de sentir cette autre vie meurtrie par les roues du fourgon cellulaire.

— Tu es maigrichonne, lui dit-il avec compassion. Tu devrais mieux te nourrir. C'est difficile ?

« Je suis laide ? » demandait le regard de Nadia.

« Tu es toujours aussi merveilleuse », répondit le regard de Gleb.

(Paroles qui n'avaient pas été proscrites par le lieutenant-colonel mais qu'il n'était pas question de proférer devant un tiers...)

— Je me nourris. (Elle mentait). Seulement je mène une vie agitée, toujours sur les nerfs.

— A quoi ça tient, dis-moi ?

— Non, c'est à toi à parler le premier.

— Qu'est-ce que je peux avoir à dire, moi ? fit Gleb en souriant. Moi, ça va.

— Eh bien, vois-tu... commença-t-elle avec un air de gêne.

Le surveillant se tenait à un demi-mètre de la table, massif bouledogue, et les regardait de haut avec cette attention dédaigneuse que manifestent aux passants les lions des portes cochères.

Il fallait trouver le ton juste qui échapperait à cet homme, le langage ailé des demi-mots. Supérieurs à lui par l'intelligence, et ils s'en doutaient bien, ils devaient trouver la tonalité appropriée.

Passant du coq à l'âne, elle lui demanda :

— Ce costume est bien à toi ?

Nerjine cligna de l'œil et secoua la tête avec un geste comique.

— Penses-tu ! Opération Potemkine[1]. Pour trois heures. Tu n'as rien à craindre du Sphinx...

— Je ne peux pas m'y faire, dit-elle avec une moue coquette et un ton geignard d'enfant, convaincue qu'elle plaisait toujours à son mari.

— Nous avons pris l'habitude, nous, de prendre ces choses avec humour.

Nadia se rappela sa conversation avec la femme de Guérassimovitch et soupira :

— Nous non.

Nerjine fit une tentative pour saisir entre ses genoux ceux de sa femme mais ce contact lui fut également refusé : une traverse mal venue s'interposait, à bonne hauteur pour empêcher l'inculpé d'allonger les jambes. La petite table en fut ébranlée. Y posant les coudes et s'inclinant encore plus vers sa femme, Gleb lui dit avec dépit :

— C'est toujours comme ça : partout des traverses.

« Tu es à moi ? A moi ? » demandait son regard.

Et les yeux gris de sa femme rayonnaient : « Je suis celle que tu aimais. Je n'ai pas changé en mal, crois-moi ! »

— Dans ton travail, comment arrives-tu à te tirer des traverses ? Allons, il faut tout me dire. Tu n'as plus ton statut d' « aspirante » ?

— Non.

— Alors tu as passé ta thèse ?

— Non plus.

— Comment est-ce possible ?

— Eh bien, voilà — et elle se mit à parler à toute allure, affolée d'avoir déjà perdu tant de temps. — Personne n'arrive à soutenir sa thèse après les trois ans de délai. On accorde une rallonge, un délai supplémentaire. Par exemple, je connais une aspirante qui a travaillé deux ans à une thèse sur les « Problèmes de l'alimentation publique » et on l'a fait changer de sujet...

(Pourquoi en parler ? C'est vraiment négligeable !...)

— ... et moi, ma thèse est terminée, imprimée, mais

j'ai du retard à cause d'une série de remaniements à faire...

(Du fait de la lutte contre *l'admiration béate de l'étranger*, mais le lieu se prêtait-il à des éclaircissements sur ce sujet ?...)

— ... sans parler des photocopies, des photographies... Et pour la reliure aussi, je me demande comment faire. Tout ça, c'est beaucoup de tracas...

— Tu touches ta bourse au moins ?

— Non.

— Comment fais-tu alors pour vivre ?

— J'ai mon salaire.

— Parce que tu as un emploi ? Où ça ?

— A l'Université même.

— Comme quoi ?

— Un emploi surnuméraire, fantomatique, tu vois ce que je veux dire ? En toute chose, d'ailleurs, je tiens du spectre... A la cité universitaire aussi, j'ai un statut fantôme. Pour tout dire...

Elle lorgna le surveillant. Elle était sur le point de lui dire que la police aurait dû depuis longtemps la faire déguerpir de la cité universitaire de Stromynka et que c'était par erreur qu'on lui avait prolongé son permis de séjour de six mois. D'un jour à l'autre, on pouvait découvrir le pot aux roses ! Raison de plus pour ne rien dire devant un sous-officier du M.G.B...

— Et ce droit de visite d'aujourd'hui, là aussi, j'ai obtenu ça... Voilà comment les choses se sont passées...

(Raconter cela en une demi-heure !...)

— Attends, tu y reviendras plus tard. Je voudrais savoir si tu ne rencontres pas de traverses à cause de moi.

— Je pense bien, et de sérieuses, mon chéri... On me propose... on voudrait que j'accepte un sujet spécial... Je fais tout pour y couper.

— Comment ça, un sujet spécial ?

Elle soupira et regarda le surveillant. A moins d'un mètre d'eux, les menaçant de sa masse, pesait le visage de cet homme toujours aux aguets et comme sur le point d'aboyer ou d'arracher la tête à Nadia.

Elle eut un geste désemparé. Il aurait fallu expliquer

qu'à l'Université il ne restait pratiquement plus de sujets échappant au secret militaire. La science, du haut en bas, devenait confidentielle. Travailler dans un domaine secret exigeait une nouvelle notice de renseignements, encore plus détaillée, sur le mari, les parents du mari, les parents de ses parents. Si elle répondait Mari condamné au titre de l'article 58 », elle se fermait les portes de l'enseignement supérieur, on lui interdirait même de soutenir sa thèse. Si elle prétendait son mari « disparu », elle devrait malgré tout citer son nom. Un contrôle, facile à faire, au fichier du M.V.D., et on la traînait en justice pour fausses déclarations. Nadia avait une troisième option mais elle ne voulait pas y penser tant que Gleb la regarderait avec cette insistance et c'est bien pourquoi elle s'était mise à parler avec un débit aussi animé.

— Tu sais, je participe aux activités artistiques. On m'envoie tout le temps jouer à des soirées. Il n'y a pas si longtemps, je me suis produite à la Salle des Colonnes et, tiens-toi bien, c'était au même gala que Iakov Zak[1].

Gleb sourit et hocha la tête comme s'il ne pouvait y croire.

— ... Bon, c'était une soirée pour les Syndicats, une occasion inattendue, je ne dis pas... Mais tu ne peux pas savoir ce que j'ai ri... Ils n'ont pas voulu de ma plus belle robe, ils m'ont dit que ce n'était pas une tenue pour monter sur les planches, ils ont téléphoné à un théâtre et on m'en a apporté une autre, une splendeur, qui m'arrivait aux talons.

— Et après le gala, on te l'a reprise ?

— Oui, oui. Les copines me reprochent ma passion pour la musique. Je leur réponds qu'il vaut mieux se passionner pour *quelque chose* que pour *quelqu'un*...

Ce n'était pas une parole en l'air, elle avait dit ces mots clairement, c'était sa toute dernière maxime morale qu'elle venait de formuler avec bonheur ! Elle avança la tête dans l'attente d'un mot d'éloge.

Nerjine la regarda avec gratitude, avec alarme, mais il ne sut formuler ni louange ni encouragement.

— Attends un peu, cette histoire de sujet spécial...

Nadia baissa les yeux, sa tête retomba.

— Je voulais te dire... Seulement, ce ne sont pas des choses qu'il faut prendre à cœur, c'est du *nicht wahr* ! Dans le temps, tu insistais beaucoup pour que nous divorcions... conclut-elle à voix basse.

(C'était cette troisième option, c'était la porte ouverte à la vie !... Il s'agissait de ne pas mentionner dans la notice : « divorcée », car, de toute manière, le questionnaire exigeait le nom de l'*ex*-mari, son adresse actuelle, le nom de ses parents et même *leur* date de naissance, et leur profession, et leur adresse, non, il fallait se dire « non-mariée ». Et, pour cela, divorcer, en grand secret, dans une autre ville.)

Dans le temps, il avait insisté... Maintenant un frémissement l'avait parcouru. Et il venait seulement de remarquer que l'alliance qui ne l'avait jamais quittée n'était plus à son doigt.

— Oui, bien sûr, confirma-t-il d'un ton catégorique.

Et cette main sans alliance de Nadia s'appuyait de toute la paume à la table, comme pour y aplatir un morceau de pâte rassis.

— Alors... tu ne serais pas contre... si... s'il faut en venir là ?... — Elle releva la tête. Ses yeux se dilatèrent. Leur arc-en-ciel de paillettes grises brillait, implorant le pardon, la compréhension. — C'est du *pseudo*, ajouta-t-elle d'une voix détimbrée, réduite à un souffle, à toute allure.

— Bravo. C'est ce que tu aurais dû faire depuis longtemps ! approuvait Gleb avec une conviction et une fermeté dont il ne ressentait rien au fond de lui-même, réservant à plus tard, quand elle serait repartie, une réflexion plus approfondie sur cet événement.

— Peut-être que ce ne sera même pas la peine ! disait-elle, implorante, en ramenant son manteau sur ses épaules, renonçant soudain à cacher sa lassitude et sa souffrance. — Je t'ai dit ça à tout hasard, pour que les choses soient claires entre nous. Peut-être que ce ne sera pas la peine.

— Pourquoi, non, tu as raison, c'est très bien, répétait-il, comme par cœur, mais sa pensée en arrivait à ce point capital qu'il avait noté d'avance sur sa liste, à cette déclaration qu'il était temps de laisser tomber :

« Il faudrait, ma chérie, que tu n'aies pas d'illusions là-dessus. Il ne faut pas fonder trop d'espoirs sur la fin de mon *temps* ! »

Nerjine était parfaitement prêt à endosser une nouvelle condamnation, voire la réclusion à vie, comme tant de ses camarades. Ce qui était catégoriquement interdit dans une lettre, il devait l'exprimer maintenant.

Cependant, de la crainte s'était montrée sur le visage de Nadia. Durement, rapidement, altérant l'accentuation des mots pour dérouter le surveillant, Gleb lui débita :

— Le temps est une pure convention. Il peut se répéter sous une forme de spirale. L'histoire n'est pas avare d'exemples. Si par miracle il prenait fin, il ne faut pas t'imaginer que toi et moi nous retrouverions notre ville, notre vie d'autrefois. La chose à saisir, à bien voir, à retenir par cœur, c'est qu'on ne vend pas de billets pour le pays du passé. Moi, mon plus grand regret, c'est de ne pas être cordonnier. Rien de plus nécessaire, quand on se retrouve dans un patelin de la taïga, du côté de Krasnoiarsk, ou sur le cours inférieur de l'Angara ! C'est bien la seule vie qui puisse nous attendre.

Le but était atteint : le gangster en retraite ne bronchait pas, c'est à peine s'il battait des paupières devant ces idées qui filaient trop vite.

Mais Gleb oublia, ou plutôt non : il ne voulut pas s'avouer (semblable en cela à tous ses compagnons) que des êtres accoutumés au contact gris et chaud de la terre ne sont pas en mesure de s'envoler d'un coup par-dessus les sommets neigeux, qu'ils n'en sont pas capables. Il ne voulait pas concevoir que sa femme, comme au début, persévérait à compter les jours et les semaines de séparation avec un raffinement méthodique. Pour lui, son temps de peine était un infini lumineux et froid, tandis que pour elle c'étaient deux cent soixante-quatre semaines, soixante et un mois, un peu plus de cinq ans — bien moins que le temps écoulé depuis qu'il était parti pour cette guerre d'où il n'était pas revenu.

Au gré des paroles de Gleb, le visage de Nadia était passé de la frayeur à une terreur cendreuse.

— Non, non, dit-elle d'un trait. Ne me dis pas ça, mon chéri ! (Elle avait oublié le surveillant et tout respect humain.) Ne m'enlève pas l'espoir ! Je ne veux pas y croire ! C'est simplement impossible !... A moins que tu ne croies réellement que je veux te laisser tomber ?

Sa lèvre supérieure trembla, son visage se déforma, ses yeux n'exprimaient plus que le dévouement, encore le dévouement, rien d'autre.

— Je te crois, je te crois, Nadiouchenka ! lui dit Gleb d'une voix altérée. C'est bien ce que je m'étais dit.

Elle se tut et s'affaissa après cet excès de tension.

Dans l'embrasure de la porte, brun, fringant, se montra le lieutenant-colonel qui examina les trois têtes rapprochées et appela d'un geste le surveillant.

Le gangster au cou de picador, comme si on l'arrachait à une assiettée de crème, s'éloigna de la table et marcha vers le colonel. A quatre pas du dos de Nadia, ils n'échangèrent qu'une ou deux phrases, mais Gleb, étouffant sa voix, parvint à demander :

— Sologdine, tu connais ? La femme ?

— Oui.

— Son adresse ?

— Oui.

— Il est privé de visites. Il...

Le gangster était revenu.

— ... l'aime ! Il la vénère ! Il l'adore ! — dit Gleb devant l'homme, à haute et intelligible voix. Mystérieusement, en présence d'un bandit, les phrases de Sologdine s'étaient dépouillées de leur solennité.

— Il l'aime, il la vénère, il l'adore ! — répéta-t-elle avec un soupir attristé. Et elle fixa son mari. Cet homme qu'autrefois elle avait scruté avec toute l'attention dont est capable une femme, même jeune, cet homme qu'elle avait cru familier, elle le voyait sous un jour tout neuf, comme un parfait inconnu.

— Ça te va bien à toi, dit-elle avec un hochement de tête résigné.

— Qu'est-ce qui me va ?

— Tout. Ici, quoi. Tout ça. D'être ici, dit-elle, nuançant sa voix pour cacher à l'argousin des mots qui voulaient dire : « la prison convient à cet homme. »

Mais cette auréole ne le rapprochait pas d'elle, bien au contraire.

Elle aussi remettait à plus tard, après la visite, de tout reprendre et de tout repenser. Elle ignorait ce qui en sortirait mais, de toute la sollicitude de son cœur, elle aurait voulu débusquer en lui faiblesse, maladie, lassitude, appel au secours — tout ce pour quoi une femme voudrait donner la moitié de sa vie, et patienter encore dix ans, et suivre un mari dans la taïga.

Lui, il souriait ! Le même sourire vaniteux qu'alors, à Krasnaia Presnia. Toujours comblé, jamais besoin de pitié offerte. Le petit tabouret de bois nu paraissait lui fournir un siège commode, il regardait à l'entour d'un air satisfait, glanant sans doute de ces indices qui font le bonheur des historiens. Il avait un air de santé, ses yeux pétillaient d'un dédain ironique envers les geôliers. A quoi lui servirait jamais l'abnégation d'une femme ?

Nadia n'eut d'ailleurs aucune de ces pensées.

Et Gleb ne se doutait pas des idées qui effleuraient sa femme.

— Bientôt la fin ! déclara Klimentiev sur le seuil.

— Déjà ! s'étonna Nadia.

Gleb décrispa la peau de son front comme pour mieux se rappeler un autre point capital de la liste de choses à dire qu'il avait apprise par cœur en prévision de la visite.

— Ah, oui ! Ne t'étonne pas si on m'emmène ailleurs, loin, et si je cesse de t'écrire.

— Ils en seraient capables ? Pour t'envoyer où ? s'écria Nadia.

Une pareille nouvelle. A la dernière seconde !

— Dieu sait, dit-il d'un air grave, en haussant les épaules.

— Parce que tu t'es mis à croire en Dieu ?

(Ils ne s'étaient vraiment rien dit !)

Gleb eut un sourire :

— Pourquoi pas : Pascal, Newton, Einstein...

— On vous a dit qu'il fallait pas donner de noms ! brailla le surveillant. Allez, allez, c'est fini !

Le mari et la femme se levèrent d'un même mouvement et maintenant qu'il ne risquait plus la suppression de sa visite, Gleb se pencha par-dessus la table, saisit le cou délicat de Nadia, y posa un baiser et but ardemment à ces lèvres tendres qu'il avait tout à fait oubliées. Il n'escomptait pas être encore à Moscou dans un an, ni y retrouver ces lèvres. Sa voix trembla de tendresse :

— Fais pour le mieux en ce qui te concerne. Quant à moi...

Il n'acheva pas.

Ils se regardèrent les yeux dans les yeux.

— Mais qu'est-ce que c'est que ça ? J'annule la visite ! meuglait le surveillant tout en entraînant Nerjine par l'épaule.

Celui-ci se dégagea.

— Annule toujours, pauvre abruti, murmura-t-il mezzo voce.

Nadia marchait à reculons vers la porte et disait adieu à son mari le bras levé, n'agitant que ses doigts sans alliance.

Et disparut ainsi derrière le chambranle.

CHAPITRE XLI

Guérassimovitch et sa femme s'embrassèrent.

Le mari était de petite taille mais, vu près de sa femme, pas plus petit qu'elle.

Leur surveillant était un tranquille gars du peuple. Il ne fut pas choqué par ce baiser qu'ils avaient échangé. Il était même gêné de devoir encombrer leur entrevue de sa personne. Il se serait volontiers retourné vers le mur et aurait ainsi patienté une demi-heure, mais pensez ! Le lieutenant-colonel Klimentiev avait donné l'ordre de laisser ouvertes sur le couloir les sept portes des cabinets d'instruction pour lui permettre de surveiller les surveillants tout en déambulant.

Le lieutenant-colonel lui-même n'aurait pas vu grand mal à ce que prisonniers et visiteuses pussent s'embrasser, il se doutait bien qu'aucun secret d'État ne risquait de s'éventer à cette occasion. Mais il se prémunissait contre ses propres surveillants et ses propres prisonniers : il devait bien s'en trouver qui travaillaient pour le service de renseignements et qui pouvaient vendre leur supérieur.

Mari et femme s'étaient embrassés.

Mais ce baiser ne ressemblait pas à ceux qui les faisaient trembler lorsqu'ils étaient jeunes. Volé à l'autorité, au destin, ce baiser était incolore, sans saveur ni parfum, comme ceux des défunts de nos rêves.

Et ils s'assirent, séparés par la table de l'instructeur, contre-plaqué gondolé.

Cette pauvre petite table bancale avait une histoire

plus nourrie que bien des vies humaines. Pendant des années, des hommes et des femmes en état d'arrestation s'y étaient succédés pour sangloter, défaillir d'horreur, lutter contre une insomnie ravageante, proférer des paroles fières ou contresigner de menus cafardages sur leurs proches. Ordinairement, on ne leur confiait ni crayon ni plume, sauf pour d'exceptionnelles dépositions autographes. Mais les auteurs mêmes de ces dépositions trouvaient le temps de marquer la surface gondolée de ces bizarres figures ondulantes ou anguleuses qu'on trace machinalement et qui retracent mystérieusement les méandres secrets de l'âme.

Guérassimovitch regardait sa femme.

Sa première pensée fut : comme elle est peu attirante, maintenant. Des yeux cernés de cercles creux, des rides en patte d'oie, des sillons aux coins des lèvres, une peau devenue flasque dont elle ne devait plus guère se soucier. Son manteau datait d'avant-guerre et il y avait beau temps qu'il aurait dû être au moins retourné, la fourrure du col s'était éclaircie, le poil en était couché et le châle, oh ! ce châle, il était vieux comme les rues : ils avaient dû l'acheter avec un bon à Komsomolsk-sur-Amour et elle devait encore le porter à Léningrad, quand elle allait chercher de l'eau à la Petite Néva.

Mais Guérassimovitch refoula la pensée que sa femme était laide, cette pensée échappée aux bas-fonds de son être. Il avait devant luila femme, unique sur terre, qui était la moitié de lui-même. La femme à laquelle il entrelaçait tout le contenu de sa mémoire. Quelle jeune fille, mignonne, fraîche, mais l'âme étrangère, impénétrable, le souvenir court, l'expérience toute de surface, pourrait jamais éclipser sa femme ?

Natacha n'avait pas encore dix-huit ans lorsqu'ils s'étaient rencontrés chez des amis, rue Sredniaia Podiatcheskaia, près du ponceau aux lions, pour le réveillon du 1er janvier 1930. Vingt ans dans six jours. Maintenant, en se retournant, on voyait bien ce qu'avait voulu dire pour la Russie l'année 19 ou l'année 30. Mais chaque an neuf nous apparaît avec un masque rose, on n'imagine pas quels souvenirs la mémoire du peuple rattachera à ce chiffre. Et on ne s'était pas méfié de cette année 1930.

Année où Guérassimovitch avait été pour la première fois arrêté. Pour *nocivité.*

Hilarion Pavlovitch avait commencé sa carrière en ce temps même où le seul mot d' « ingénieur » valait celui d'ennemi et où le prolétaire mettait son point d'honneur à flairer un saboteur dans tout diplômé des Arts et Métiers. De plus, l'éducation reçue prescrivait au jeune Guérassimovitch de saluer chacun avec une égale prévenance et de proférer d'une voix suave des : « Excusez-moi, je vous prie. » Lors des réunions, il perdait la voix et se faisait petit comme une souris. Il ne se rendait pas compte à quel point il agaçait.

On eut beau faire mousser les chefs d'accusation, ce ne fut pas sans effort qu'on lui en colla pour cinq ans. Quand il arriva sur l'Amour, on le tint quitte du travail forcé, il fut simplement assigné à résidence et sa fiancée put alors le rejoindre pour devenir sa femme.

Rares les nuits où cet homme et cette femme ne rêvaient pas de Léningrad. Ils se préparaient à rentrer en 35. Ils virent arriver à flots les victimes de l'affaire Kirov [1].

En ce moment, Natalia Pavlovna elle aussi scrutait son mari. Jadis, elle avait souvent vu ce visage changer, ces lèvres se durcir, ce lorgnon refléter l'éclat amorti ou encore furieux de brusques rages. Hilarion avait renoncé aux courbettes et aux excuses intempestives. On n'avait cessé de lui faire grief de son passé, de le congédier, de l'employer au-dessous de ses titres et, sans cesse, ils avaient dû déménager, tirer le diable par la queue, ils avaient perdu une fille, perdu un fils. Enfin, résignés au pire, ils avaient couru le risque de rentrer à Léningrad. Et cela en juin 41...

Leur installation n'en fut que plus précaire. Le mari était compromis par son passé. Travaillant clandestinement dans un laboratoire, ce fantôme, bien loin de flancher, puisa des forces nouvelles dans le genre de vie qu'il devait mener. Il résista aux corvées de tranchées de l'automne. Aux première neiges, il se fit fossoyeur.

Dans la ville assiégée, ce sinistre métier était le plus coté et le plus lucratif. Pour rendre les derniers honneurs à leurs morts, les survivants payaient d'un petit cube de pain.

On ne pouvait manger ce pain sans frémir ! Hilarion se trouvait une justification : ses concitoyens n'avaient pas eu pitié de lui ni de sa femme, pas de pitié à avoir pour eux.

Les époux survécurent. Avant la fin du siège, Hilarion fut arrêté pour *intention* de haute trahison. A Léningrad, beaucoup furent ainsi raflés pour intention, car il était difficile d'inculper de trahison des gens qui n'avaient pas connu l'occupation. Un Guérassimovitch, pensez ! Ancien bagnard, rentré à Léningrad au début de la guerre dans le dessein évident de passer du côté des Allemands. On aurait bien pris la femme dans la même fournée, mais elle était alors entre la vie et la mort.

Natalia Pavlovna examinait maintenant son mari et, chose étrange, ne relevait sur lui aucune trace des années terribles. Derrière le lorgnon miroitant, les yeux avaient la même expression de réserve et d'intelligence. Pas de joues creuses, ni de rides, un costume chic, une cravate nouée avec soin.

On aurait pu croire que c'était elle et non lui qui faisait de la prison.

La première pensée qui lui vint, malveillante, fut qu'il vivait comme un roi dans sa prison spéciale, pardi, à l'abri des tracasseries, tout à sa science, aucun souci pour les souffrances de sa femme.

Mais elle refoula cette pensée mauvaise.

D'une voix faible, elle lui demanda :

— Alors, comment ça se passe, là-bas ?

Ainsi donc, il avait fallu douze mois d'attente, trois cent soixante nuits passées à évoquer le mari absent sur une couche froide, pour en venir à lui demander :

— Alors ? Comment ça se passe là-bas ?

Guérassimovitch, dont la maigre poitrine étriquée se gonflait de toute une existence mutilante, de tout un univers quotidien de bagne, de taïga, de désert, de cabinets d'instruction et, désormais, de confort dans un institut secret, répondit :

— Pas mal.

Il leur avait été mesuré une demi-heure. Le sable des secondes, en une coulée inexorable, fuyait par le goulot de verre du temps. Des dizaines de questions, de souhaits, de griefs se bousculaient à l'envi, mais tout ce que Natalia trouva à formuler, ce fut :

— Quand est-ce qu'on t'a averti de la visite ?

— Avant-hier. Et toi ?

— Moi, mardi... Le lieutenant-colonel vient de me demander si je n'étais pas ta sœur.

— Ah ! Pavlovitch et Pavlovna ?

— Oui.

Lorsqu'ils s'étaient fiancés et encore lorsqu'ils étaient au bord de l'Amour, on les prenait toujours pour frère et sœur. Ils possédaient cette heureuse ressemblance du dehors et du dedans qui fait qu'un homme et une femme peuvent être plus que deux époux.

Hilarion Pavlovitch demanda :

— Et ton travail ?

— Pourquoi me demandes-tu ça ? dit-elle avec un sursaut. Tu es au courant ?

— Non, pourquoi ?

Il savait bien quelque chose, mais il se demandait si sa femme et lui avaient la même pensée en tête.

Il savait que, « dehors », c'était une règle de persécuter les femmes de prisonniers.

Mais comment aurait-il pu savoir que le mercredi d'avant, sa femme avait été licenciée pour « parenté » avec lui ? Pendant ces trois jours, sachant qu'elle aurait droit à une visite, elle ne s'était pas mise en quête d'un nouveau travail — elle attendait de le revoir, comme si le miracle était possible, comme si cette rencontre devait illuminer sa vie et lui montrer le chemin.

Seulement, pouvait-il lui donner un conseil avisé, cet homme qui avait passé tant d'années sous les verrous et qui n'avait pas été assoupli aux manières de faire des civils ?

La décision avait pour enjeu un reniement.

Dans ce cabinet gris, non chauffé, dans l'éclairage trouble de cette fenêtre grillagée, leur entretien coulait, l'espoir d'un miracle s'éteignait.

Et Natalia Pavlovna comprit que dans cette pauvre demi-heure, elle ne pourrait transmettre à son mari sa solitude et sa souffrance, qu'il glissait sur ses rails à lui, que sa vie avait été remontée comme un mécanisme autonome : il ne comprendrait rien, de toute manière, mieux valait donc ne pas lui gâcher son plaisir.

Le surveillant s'écarta d'eux pour examiner l'enduit du mur.

— Parle-moi, parle-moi de toi, disait Hilarion Pavlovitch, tenant la main de sa femme par-dessus la table, et ses yeux luisaient doucement de cette amitié du cœur qu'il avait su entretenir pour elle dans les mois les plus féroces du siège.

— Larik ! Tu n'auras pas une réduction de peine ?

Elle songeait au cumul pratiqué dans les camps de concentration de l'Amour où chaque jour de travail plein comptait pour deux, ce qui abrégeait la peine.

Hilarion secoua la tête :

— Où irais-je pêcher une réduction ? On n'en a jamais pratiqué ici, tu sais bien. Pour ça, il faudrait une invention de taille. A ce compte-là, on peut espérer une libération anticipée. Seulement, ce qu'on invente dans cet endroit — il jeta un regard au surveillant qui leur tournait presque le dos — ... est d'une nature... plutôt indésirable...

Il ne pouvait s'exprimer plus clairement qu'il ne faisait.

Il prit les mains de sa femme et les frotta doucement contre ses joues.

Dans un Léningrad encroûté dans la glace, il avait sans frémir, pour un enterrement, pris la ration de pain de gens qui, le lendemain, auraient eux-même besoin d'un fossoyeur.

Maintenant il ne pourrait plus...

— C'est triste d'être seule ? Très triste, hein ? lui demanda-t-il, frottant toujours sa joue contre la main de sa femme.

Triste ?... Elle se sentait glacée de voir couler le temps

de la visite qui touchait à sa fin, et elle ressortirait sans butin sur le boulevard de Lefortovo, dans des rues sans joie. Seule, seule, seule... L'inutilité usante de chaque œuvre entreprise, de chaque jour. Ni douceur, ni piquant, ni amertume, du coton gris.

— Natalotchka — il lui caressait la joue —, si on additionne mes deux peines, eh bien, il ne reste plus grand-chose. Trois ans seulement. Seulement trois...

— Seulement trois ? — Elle l'interrompit, indignée, et sentit sa voix trembler, lui échapper. — Seulement trois ? Pour toi ce n'est *que* trois ans ! Et la libération immédiate serait pour toi " d'une nature indésirable " ! Tu vis avec tes amis ! Tu fais le travail que tu aimes ! On ne te fait pas venir dans des bureaux aux portes capitonnées de noir ! Moi, on m'a licenciée ! Je n'ai plus de quoi vivre ! On ne voudra de moi nulle part ! Je n'en peux plus ! Plus la force ! Je ne pourrai pas vivre plus *d'un mois* ! Un mois ! Mieux vaut mourir ! Les voisins me martyrisent à leur aise, ils ont jeté dehors ma malle, ils m'ont arraché mon étagère du mur : ils savent bien que je ne peux souffler mot !... Qu'on est en droit de me chasser de Moscou ! J'ai cessé d'aller voir ma sœur, et tante Jénia, elles se moquent de moi, elles assurent que des imbéciles comme moi, on n'en fait plus. Elles me poussent à divorcer pour me remarier. Quand tout ça finira-t-il ? Regarde ce que je suis devenue ! J'ai trente-sept ans ! Dans trois ans je serai une vieille femme ! Quand je rentre à la maison, je ne me fais pas à manger, pas de ménage, je tombe sur mon canapé et je reste là couchée, sans forces. Larik, mon petit ! fais l'impossible pour qu'on te libère plus tôt ! Tu as des idées de génie ! Invente-leur un truc, qu'ils te fichent la paix ! Tu dois bien avoir quelque chose en chantier, en ce moment ! Sauve-moi ! Au secours !

Elle n'aurait rien voulu dire de cela, pauvre cœur affligé !...

Secouée par les sanglots, baisant la main menue de son mari, elle laissa tomber sa tête sur la petite table gondolée et rugueuse qui avait vu couler tant de ces larmes.

— Du calme, ma petite dame, dit d'un air coupable le

surveillant qui jetait des regards en direction du couloir.

Le visage de Guérassimovitch se figea dans une crispation ; et son lorgnon s'alluma d'un éclat inaccoutumé.

Les sanglots se répandirent jusque dans le couloir, au mépris des convenances. Le lieutenant-colonel planta devant la porte sa redoutable silhouette, jeta dans le dos de la femme un regard exterminateur et referma la porte.

Les larmes n'étaient pas formellement proscrites, mais déplacées, pour peu qu'on sût lire les instructions entre les lignes.

CHAPITRE XLII

— Oh, ce n'est pas sorcier ! Une solution de chlorate de chaux, un ou deux coups de pinceau, pif-paf !... Le tout est de savoir combien de minutes ensuite on rince.

— Ensuite ?

— Une fois sec, il n'y a plus trace de rien, c'est du neuf, du propre, il n'y a plus qu'à gribouiller à l'encre noire : Sidorov ou machin, Petiouchine, mettons, né à Kriouchi...

— Et vous ne vous êtes jamais fait pincer ?

— Pour ça ? Clara Petrovna... ou peut-être... si vous m'y autorisez...

— ?...

— peut-être Clara tout court, tant que nous serons seuls...

— ... je vous en prie...

— Eh bien, voyez-vous, Clara, la première fois, ils m'ont ramassé parce que j'étais un gamin innocent, sans défense. Mais au deuxième coup, ho-ho ! J'ai eu sur le dos les Recherches Criminelles de l'Union et ça, pendant des années pas comme les autres : fin 45 à fin 47. Autrement dit, j'ai dû falsifier non seulement ma carte d'identité, mais aussi mon permis de séjour, mon certificat de travail, mon attestation pour percevoir des cartes d'alimentation, mon assignation à tel magasin ! De plus, je touchais des cartes d'alimentation en surnombre, grâce à des certificats bidon, et c'est de ça que je vivais.

— Mais c'est que c'est... très vilain !

— Qui prétend que c'est joli ? On m'a forcé à le faire, je ne m'en serais pas avisé le premier.

— Vous auriez pu trouver un travail véritable, voilà tout.

— Un « véritable » travail ne m'aurait pas nourri. Vous connaissez le proverbe : « le juste meurt pauvre ». Et puis quoi, comme travail ? On ne m'a pas laissé me spécialiser. On ne m'inquiétait pas vraiment, mais je n'étais pas irréprochable. En Crimée, au service des cartes d'identité, j'ai connu une jeune fille... n'allez surtout pas croire que... simplement elle me voulait du bien et elle m'a fait connaître un secret, elle m'a expliqué que le numéro de série de ma carte d'identité, vous savez bien, tous ces ZS et ces LX, indiquait en code que j'avais séjourné en territoire occupé.

— Mais ce n'était pas vrai ?

— Bien sûr que non, mais la carte non plus n'était pas la mienne ! C'est pourquoi il m'a fallu m'en acheter une autre...

— Où ça ?

— Clara, vous avez vécu à Tachkent, vous avez été au marché Tézikov, et vous me posez cette question ! J'ai même songé à m'acheter l'ordre de l'Étoile rouge, mais il me manquait deux mille roubles ; j'en avais déjà dix-huit mille, mais l'autre n'a pas voulu en démordre, c'était vingt mille et pas de rabais.

— Qu'est-ce que vous en auriez fait, de votre décoration ?

— Et les autres, qu'est-ce qu'ils en font ? Histoire de faire le malin, quoi. J'étais idiot. Si j'avais eu la tête aussi froide que vous...

— D'où sortez-vous que j'ai la tête froide ?

— Oui : froide, lucide et un regard tellement... intelligent.

— Ça, par exemple !...

— C'est la pure vérité. J'ai toujours rêvé d'une fille qui aurait la tête froide.

— Pourquoi ?

— Parce que je suis un être extravagant et qu'elle m'empêcherait de faire des sottises.

— Continuez à me raconter votre vie, je vous en prie.
— Où en étais-je déjà ?... Ah, oui ! Quand je suis sorti de la Loubianka, j'avais le vertige tant j'étais heureux. Mais, au fond de moi, il restait comme un garde-chiourme en miniature qui me demandait : pourquoi pareil miracle ? Comment se fait-il ? On ne relâche jamais personne pour de bon, on me l'avait expliqué de long en large quand j'étais enfermé. Coupable ou non, c'est dix ans ferme, cinq ans de demi-tarif et en route pour le camp.
— *Demi-tarif ?* Qu'est-ce que ça veut dire ?
— Ça veut dire : cinq ans de muselière.
— Et *muselière*, qu'est-ce que ça veut dire ?
— Mon Dieu, quelle inculture ! Et on est fille de procureur. Ça ne vous dit rien, non, de savoir ce que fait votre papa ? La muselière empêche de mordre. Il s'agit d'indignité civique. Défense de voter ou de se présenter aux élections.
— Attendez, j'entends quelqu'un...
— Où ça ? Ne craignez rien, c'est Zémélia. Restez assise, je vous en prie ! Ne vous éloignez pas. Ouvrez votre dossier. Bravo, épluchez-le... J'ai compris tout de suite qu'on m'avait relâché pour me filer, pour voir qui j'allais retrouver de mes anciens copains et si je retournais dans la datcha des Américains, je me suis dit qu'ils allaient me faire une vie de chien et qu'ils finiraient de toute manière par me coffrer à nouveau. Et je les ai roulés. J'ai dit adieu à ma mère, j'ai quitté la maison nuitamment, je suis allé trouver un type. C'est lui qui m'a embringué dans toutes ces histoires de faux papiers. Pendant deux années, Rostislav Doronine a eu sur les reins les Recherches Criminelles de l'URSS. Moi, sous de faux noms, j'ai connu l'Asie centrale, le lac Issyk-Koul, la Crimée, la Moldavie, l'Arménie, l'Extrême-Orient... Ensuite j'ai eu envie de revoir ma mère. Impossible de se montrer à la maison ! Je suis allé à Zagorsk, je me suis fait embaucher dans une usine comme apprenti, un intérim, maman venait me voir le dimanche. J'ai travaillé là quelques semaines et un beau jour, je ne me suis pas réveillé et je suis arrivé en retard au travail. Le tribunal ! Passé en jugement !

— Ils ont tout découvert ? !

— Pas du tout ! Ils m'ont condamné à trois mois, sous mon faux nom, j'ai fait du camp de redressement, la boule à zéro, pendant ce temps-là les Recherches Criminelles gueulaient partout : Rostislav Doronine ! Cheveux châtain abondants, yeux bleus, nez droit, une tache sur l'épaule gauche. Voilà des recherches qui ont dû leur coûter gros ! Je me suis tapé mes trois mois, le chef de camp m'a rendu ma carte d'identité et je me suis carapaté dans le Caucase !

— De nouveau les voyages ?

— Hmm ! Je me demande si on peut tout vous...

— Bien sûr !

— Que d'assurance dans vos paroles... En principe je ne devrais pas. Vous appartenez à une société trop différente, vous ne pourrez pas comprendre.

— C'est ce qui vous trompe ! Je n'ai pas eu la vie facile, il ne faut pas croire !

— Hier et aujourd'hui, vous m'avez regardé d'une façon si gentille... Franchement, j'ai envie de tout vous raconter... Pour tout dire, j'ai pensé à la grande quille. Adieu la baraque.

— Quelle baraque ?

— Tout le truc, quoi, le socialisme ! Il m'est resté sur l'estomac, leur machin, j'en ai mon compte.

— Du socialisme ?

— Du moment qu'il n'y a pas de justice, qu'est-ce que j'en ai à faire, de leur fameux socialisme ?

— Vous êtes un cas à part, voilà tout, et c'est bien triste. Mais où seriez-vous allé ? C'est que *là-bas*, il y a la réaction, l'impérialisme, comment auriez-vous pu y vivre ?

— C'est vrai, bien sûr. Bien sûr, c'est vrai ! En fait, je n'y pensais pas sérieusement. Ce sont des choses qu'on n'improvise pas.

— Alors, comment vous êtes-vous fait...

— Recoffrer ? Je m'étais mis en tête de faire des études.

— Vous voyez bien que vous vous sentiez attiré par une vie de probité ! L'instruction est nécessaire, c'est une chose qui compte vraiment. Une chose noble.

— Je crains, Clara, que ce ne soit pas toujours aussi noble que ça. J'y ai repensé dans les prisons, dans les camps. Qu'est-ce qu'ils ont à nous apprendre, ces professeurs, accrochés à leur traitement, toujours à guetter ce que dira le dernier journal ? En Lettres ? Ce n'est pas de l'enseignement, c'est de l'abrutissement systématique. Vous avez fait du technique, vous ?

— Des lettres aussi...

— Et vous avez plaqué ? Il faudra me raconter. Bon, j'ai dû attendre un moment, rechercher mon attestation de fin d'études secondaires, j'aurais d'ailleurs pu m'en acheter une. Mais voilà, c'est toujours la conscience qui nous perd ! Je me suis dit qu'il fallait qu'ils soient bien cloches pour continuer à cavaler aux trousses d'un minot comme moi, ils avaient dû m'oublier depuis belle lurette. J'ai pris mon propre diplôme, avec mon vrai nom, je l'ai remis à l'Université, à Leningrad, cette fois en fac de géographie.

— A Moscou, vous étiez inscrit en histoire ?

— C'étaient tous mes vagabondages qui m'avaient donné le goût de la géographie. Fichûment intéressant. On roule, on voit des choses... Vous le croirez pas ! Après une petite semaine de cours, hop ! re-Loubianka ! Maintenant, c'est pour vingt-cinq ans ! Avec la toundra, que je ne connais pas, comme travaux pratiques !

— Et vous racontez ça en rigolant ?

— A quoi bon pleurer ? On n'aurait plus de larmes, si on devait chialer à tout propos. Je ne suis pas seul dans mon cas. On m'a envoyé à Vorkouta, fallait voir ce qu'il y avait comme public ! Au charbon ! Tout Vorkouta marche au zek ! Et tout le nord ! Et puis tout le pays qui repose là-dessus par tout un côté. Vous savez, c'est le rêve de Thomas More qui se réalise.

— Le rêve de qui ?... Je suis tellement ignorante, parfois j'en ai honte.

— Thomas More, le bonhomme de l'*Utopie*. Il a eu l'honnêteté de reconnaître que le socialisme ne ferait pas disparaître certaines tâches humiliantes et particulièrement pénibles. Que personne ne voudrait faire. A qui les confier, alors ? Il a réfléchi, il a trouvé : même en régime socialiste, il se trouverait des gens pour enfreindre la loi. Et voilà : on leur réserverait ces travaux-là ! Le Goulag actuel est donc une invention de Thomas More, c'est une très vieille idée !...

— Je n'en reviens pas. Mener une vie pareille à notre époque : falsifier des papiers, changer de ville, rouler partout sa bosse... De ma vie je n'avais rencontré de gens comme vous.

— Clara, je ne suis pas vraiment fait pour ça ! Les circonstances peuvent faire de vous un démon ! Vous savez bien que l'existence détermine la conscience ! J'étais un gosse tranquille qui obéissait à sa maman, et qui lisait du Dobrolioubov, « le rayon de lumière au royaume des ombres [1] ». Je sentais mon cœur défaillir quand un milicien me faisait signe du doigt. Mais on s'accoutume à bien des choses, insensiblement. Que me restait-il à faire ? Attendre en tremblant comme un lapin qu'on me remette la main au collet ?

— Je ne sais pas trop ce qu'il vous restait à faire, mais mener pareille vie ? ! J'imagine à quel point ça doit être pénible. Constamment en marge de la société ! Un homme inutile et traqué !

— Ouais, c'est parfois pénible. Parfois, c'est le contraire. Un peu comme le marché Tézikov à Tachkent, on se balade, on regarde des tas de trucs... Du moment qu'on vous vend des décorations toutes neuves avec la citation en blanc à remplir, c'est bien qu'il y a quelque part un responsable, non ? Un type qui se fait acheter ? Et qui appartient à quelle organisation ? Vous voyez ce que je veux dire ? Pour ne rien vous cacher, Clara, je suis pour vivre honnêtement à condition que tout le monde en fasse autant, vous saisissez ? Tout le monde, sans exception !

— Mais à force d'attendre tous les autres, on ne s'y met jamais. Chacun doit...

— Chacun devrait, mais ce n'est pas tout le monde qui le fait. Écoutez-moi, Clara, je vais vous parler de façon encore plus simple. Contre quoi s'est faite la révolution ? Contre les privilèges ! Qu'est-ce qui écœurait les Russes ? Les privilèges ! Ici les bourgerons, là les zibelines, les uns marchant à pinces, les autres en phaéton, les uns courant à l'usine au premier coup de sirène pendant que d'autres se gobergeaient dans les restaurants. Pas vrai ?

— Bien sûr.

— Comme vous dites. Pourquoi faut-il donc que les gens, au lieu de fuir les privilèges, se ruent dessus ? Pourquoi s'arrêter sur mon cas ? Moi, je ne suis qu'un gamin ! Est-ce à moi de donner le signal ? Moi, j'ai vu agir mes aînés. J'en ai vu, allez ! J'ai vécu dans une petite ville du Kazakhstan. Qu'est-ce qui s'y passait ? A-t-on vu les femmes des patrons politiques du coin se déranger pour faire leurs courses ? Jamais de la vie ! Moi qui vous parle, on m'a chargé un jour de livrer un carton de pâtes au premier secrétaire du Raïkom. Tout un carton, emballage intact. On peut se dire qu'il y a eu bien d'autres cartons, et d'autres occasions...

— Oui, c'est affreux ! Ça m'a toujours levé le cœur, vous pouvez me croire !

— Je vous crois, pardi ! Pourquoi ne pas faire foi à un être en chair et en os ? J'ai plus confiance en lui que dans un livre tiré à un million d'exemplaires. Ces privilèges, eh bien, ils vous empoignent les gens comme une épidémie. Le premier qui peut faire ses achats dans un magasin différent des autres ne s'en fait pas faute. S'il peut se faire soigner dans une clinique réservée, c'est là qu'il ira. S'il peut décrocher une voiture de fonction, il ne manquera pas l'occasion. Au moindre attrape-nigauds sur carton d'invitation, les gens font des pieds et des mains pour avoir un coupe-file.

— C'est vrai. C'est affreux !

— Et s'ils peuvent se barricader derrière une palissade, ils le font. Pourtant, quand ils étaient mioches, ils escaladaient la clôture des marchands pour aller chaparder des pommes, et à l'époque ils étaient dans leur droit ! Maintenant il faut qu'ils vous plantent des palissades de quatre mètres de haut, sans une fente dedans, pour qu'on ne glisse pas un œil à l'intérieur, sans quoi ils ne sont pas à leur aise ! Et ils pensent toujours qu'ils sont dans leur droit ! Dans le même temps, au marché d'Orenbourg, les mutilés de guerre, qui se nourrissent de restes, jouent à pile ou face leur médaille de la

Victoire. Ils la lancent en l'air en criant : « Gueule ou Victoire ? »...

— C'est-à-dire ?

— Une face porte le mot « victoire », sur l'autre on voit l'Auguste Figure. Regardez plutôt la médaille de votre père.

— Rostislav Vadimytch...

— Vadimytch ! Vous voulez rire ! Rostislav tout court. Roussia.

— Il m'est difficile de vous appeler ainsi...

— Bon, dans ce cas, je vous tire ma révérence. On sonne le déjeuner. Je serai Roussia pour tout le monde, sauf pour vous... Si vous n'acceptez pas, je ne marche pas...

— C'est bon... Roussia... Moi non plus, je ne suis pas complètement idiote. J'ai beaucoup réfléchi. Il faut lutter contre tout ça ! Pas avec les mêmes armes que vous, naturellement.

— Mais je ne me suis pas encore battu, moi ! Mon raisonnement était tout simple : s'il y a égalité, c'est l'égalité pour tous. Sinon, qu'ils aillent se faire en... excusez-moi, je vous en prie... je ne voulais pas, vraiment. Bref, depuis notre enfance, c'est toujours la même chose : à l'école on nous gave de grands mots ronflants mais ensuite, on ne peut plus faire un pas sans piston, c'est partout le système D, voilà ce qui nous transforme en débrouillards sans scrupules, « aux culottés les mains pleines »...

— Non et non ! Vous n'avez pas le droit de dire ça ! Il y a beaucoup de choses justes dans notre société. Vous allez trop loin ! Non, ça ne va pas ! Vous en avez beaucoup vu, soit, vous avez beaucoup souffert, mais dire comme ça : « aux culottés les mains pleines », non, ce n'est pas une philosophie, ça, non, ça ne va pas !

— Rouska, on a sonné pour le déjeuner, tu as entendu ?

— C'est bon, Zémélia, vas-y, j'arrive... Clara, je pèse mes mots, je vous déclare solennellement que de tout mon cœur je souhaiterais mener une autre vie ! Mais à la seule condition de trouver une compagne... qui ait la tête froide... une amie... si nous pouvions tout repenser, à deux. Bâtir une vie digne de ce nom. Oh, et puis, c'est du flan, mon statut de prisonnier, et ces vingt-cinq ans... Je... Oh, si vous saviez sur quelle lame de rasoir je fais de l'équilibre en ce moment !... Un homme comme les autres en aurait un arrêt du cœur... Je vous en reparlerai... Je tiens à vous dire qu'il y a en moi des réserves d'énergie dignes d'un volcan ! Vingt-cinq ans, c'est de la frime, moi je pourrais me faire la malle les doigts dans le nez...

— Vous dites...

— Me barrer, quoi. Ce matin même, j'ai étudié comment je pourrais arriver à mes fins à Marfino. Il suffirait que ma fiancée — si jamais fiancée il y a — me dise : « Roussia, sauve-toi, je t'attends ! », je vous jure qu'il ne me faudrait pas trois mois pour être dehors, et je me referais des pièces d'identité, on n'y verrait que du feu ! Et je l'emmènerais à Tchita, à Odessa, à Veliki Oustioug ! Et nous recommencerions une vie nouvelle, honnête, raisonnable, libre !

— Belle existence !

— Vous savez, comme ces héros de Tchékhov, toujours à déclarer : dans vingt ans ! dans trente ans ! dans deux cents ans ! Se crever toute la journée à travailler dans une quelconque briqueterie, et rentrer chez soi flapi ! Ils vous avaient de ces rêves ! Non, je plaisante ! Mais là, je vous parle sérieusement ! C'est le plus sérieusement du monde que je désire m'instruire, et travailler ! Mais pas seul. Clara ! Voyez ce calme, ils sont tous partis. Ça vous dit, Veliki Oustioug ? Monument d'un auguste passé ! Jamais été jusqu'ici.

— Quel homme surprenant vous faites.

— Moi qui la cherchais à l'université de Leningrad, sans savoir où je la trouverais.

— Qui ?

— Clarotchka ! Je suis d'une pâte dont une femme pourrait tirer n'importe quoi — un grand aventurier, un joueur de génie, ou le plus grand spécialiste de la céramique étrusque, si ce n'est des rayons cosmiques. Que voulez-vous que je sois ?

— En vous fabriquant un faux diplôme ?

— Non, sans blagues ! Je serai celui que vous me direz d'être. Je n'ai besoin que de vous. Je n'ai besoin que de votre tête, cette tête même qui se tourne vers moi sans un mot chaque fois que vous entrez dans ce labo...

CHAPITRE XLIII

Le général de brigade Piotr Afanassievitch Makaryguine, « candidat » ès sciences juridiques, assumait depuis longtemps la charge de procureur chargé des *affaires spéciales*, c'est-à-dire d'affaires dont le contenu ne saurait être divulgué sans inconvénient pour le public et dont le déroulement, par là même, devait rester caché. (Nos millions de procès politiques entraient dans cette catégorie.) Diriger ces affaires, veiller à la régularité de l'instruction, mener à bien l'accusation n'était pas du ressort de n'importe quel procureur, il y fallait l'assentiment de l'instance chargée des enquêtes sous la haute main du MGB. Makaryguine, lui, obtenait toujours l'accord nécessaire : il avait de vieilles amitiés dans la maison et le plus exquis doigté pour ménager conjointement son inflexible dévouement à la loi et les méthodes de travail particulières à nos *organes*.

Il avait trois filles, toutes de sa première femme, sa compagne de la guerre civile, morte en accouchant de Clara. Ces filles avaient été élevées par leur marâtre qui avait su se montrer une vraie mère, comme on dit.

Elles s'appelaient respectivement Dinera, Dotnara et Clara. Dinera (DItia Novoï ERy) signifiait « Enfant d'une ère nouvelle » et Dotnara (DOTch Troudovogo NARoda) « Fille du peuple laborieux ».

Elles avaient deux ans de différence. Dotnara, la seconde, avait achevé ses études en 1930 et, devançant Dinera, s'était mariée un mois plus tôt que sa sœur. Le père fut un peu fâché de ce mariage précoce mais il faut convenir qu'il n'avait qu'à se féliciter de son gendre, frais émoulu de l'École des diplomates, capable et protégé, fils d'un père célèbre mort pendant la guerre civile. Et ce gendre se nommait Innokenti Volodine.

Dinera, l'aînée, tandis que sa mère se faisait voiturer à l'école pour faire rectifier les médiocres notes de mathématiques de sa fille, demeurait assise sur un canapé, jambes ballantes, et dévorait la littérature universelle d'Homère à Claude Farrère. Ses études secondaires achevées, et non sans coup de pouce paternel, elle entra à l'École d'art dramatique de l'Institut cinématographique qu'elle quitta en deuxième année pour convoler avec un metteur en scène assez connu, elle se fit évacuer avec lui à Alma Ata, tourna dans un de ses films un rôle d'héroïne, puis divorça, épousa un général d'intendance déjà marié avec qui elle gagna le front ou plutôt cette « troisième zone », cocagne guerrière à l'abri des obus ennemis et à l'écart des rudesses de l'arrière. Dinera y fit la connaissance d'un écrivain dont la vogue s'annonçait, Galakhov, alors correspondant de guerre, et elle l'accompagna dans ses tournées où il glanait des traits d'héroïsme. Elle rendit le général à sa première femme et regagna Moscou avec son écrivain.

Il y avait donc huit ans que Clara était restée seule avec ses parents à la maison.

En fait de beauté, les deux aînées avaient tout pris et Clara n'avait reçu en partage ni jolis traits ni même une expression agréable. Elle espérait que les années y remédieraient. Mais non. Elle avait un visage régulier, droit, trop viril. Autour de son front et de son menton s'était accumulée une sorte de roideur que Clara ne parvenait pas à dissiper et à laquelle elle ne prenait d'ailleurs plus garde, résignée. Les gestes de ses mains avaient quelque lourdeur. Son rire même était comme rigide. Aussi n'aimait-elle pas rire. Ni danser.

Clara finissait sa neuvième lorsque s'abattit l'avalanche d'événements que l'on sait : le mariage de ses deux sœurs, le début de la guerre, l'exode en compagnie de sa marâtre à Tachkent (où son père les expédia dès le 25 juin), le départ de papa pour l'armée en qualité d'accusateur public de division.

Elles passèrent trois ans à Tachkent, chez un vieil ami du père, substitut d'un des procureurs les plus considérables de l'endroit. Leur paisible appartement du premier, proche de la maison des officiers de la région militaire, s'isolait par ses stores hermétiques des bouffées torrides du sud comme des souffrances de la ville. On avait mobilisé bien des hommes dans Tachkent mais il en était arrivé dix fois plus. Certes, le moindre d'entre eux aurait pu prouver, certificats à l'appui, que sa place était bien là et non au front, mais Clara n'en éprouvait pas moins, bien malgré elle, l'impression de baigner dans un cloaque : toute pureté, toute élévation, toute hauteur d'esprit s'étaient enfuis à cinq mille verstes de là. La loi éternelle de toute guerre ne se démentait pas : quoique les hommes ne gagnent point le front par un effet de leur volonté, les plus ardents, les meilleurs trouvent toujours voie pour y aller, et, par suite de la même sélection, pour y fournir le gros des morts.

C'est à Tachkent que Clara acheva ses études secondaires. On débattit de son avenir immédiat. Elle n'avait aucune tentation marquée, aucun dessein clairement défini. Issue d'une famille comme la sienne, elle ne pouvait pourtant que faire des études supérieures ! Ce fut Dinera qui trancha : maintes lettres insistantes et un voyage-éclair qu'elle fit à Tachkent avant de regagner le front destinèrent Clara à la faculté des lettres.

Où elle s'inscrivit donc, elle qui, depuis l'école, savait pertinemment que les « lettres » en question sont assommantes : Gorki pense fort justement, mais il est plutôt rébarbatif, Maiakovski de même, mais il est un peu balourd ; Saltykov-Chtchedrine est ami du progrès, certes, mais l'ensemble de ses œuvres est à vous tuer raide d'ennui ; et puis Tourguéniev, bridé par son idéal d'aristocrate ; Gontcharov, qui se rattache à la naissance du capitalisme en Russie ; Léon Tolstoï et ses prises de position en faveur d'une paysannerie patriarcale (leur professeur leur avait déconseillé la lecture des romans de Tolstoï qui sont bien longs et ne peuvent que troubler la clarté des lumineuses critiques qui leur ont été consacrées) ; ensuite c'était la revue générale d'absolus inconnus comme Stepniak-Kravtchinski, Dostoïevski et Soukhovo-Kobyline, dont il n'était même pas utile de retenir les titres. Dans cette file étirée au long des années, seul Pouchkine brillait comme un beau soleil.

Toute la littérautre à l'école consistait à étudier à fond le propos ultime, les positions et la « commande sociale » de tous ces écrivains, puis des écrivains proprement soviétiques, russes ou fils des peuples frères. Clara avait jusqu'à la fin ignoré en quoi tous ces gens-là méritaient pareille sollicitude : ils n'étaient pas les plus malins (journalistes ou critiques pouvaient leur en remontrer et, a fortiori, les responsables du Parti), ils commettaient de fréquentes bévues, s'empêtraient dans des contradictions que des écoliers auraient pu débrouiller, se laissaient aller à des influences douteuses. C'est sur eux pourtant qu'il fallait pondre des rédactions, en tremblant pour chaque faute d'orthographe ou pour chaque virgule mal mise. Pareils vampires ne pouvaient susciter que haine dans de jeunes âmes.

Dinera avait eu plus de chance avec la littérature, où tout lui avait paru excitant et gai. Et elle avait assuré à Clara qu'à l'Institut, la littérature prendrait cet aspect plaisant. Clara ne trouva pas l'Institut plus alléchant. Aux cours, il fut question de grands et de petits *Ious*[1], de chroniques monastiques, d'école mythologique, d'école historico-comparatiste, autant labourer la mer. Quant aux groupes de travail, on s'y entretenait de Louis Aragon, de Howard Fast et toujours de Gorki, mais cette fois sous l'angle de son influence sur la littérature ouzbek. Ces cours, ces premiers groupes de travail, Clara en avait attendu une révélation essentielle sur l'existence ; on aurait pu y toucher un mot sur la vie de l'arrière, à Tachkent par exemple.

Le frère d'une amie de dixième avait été coupé en deux par un tramway où il avait sauté en marche pour voler un des caissons de pain dont la remorque était chargée... Dans un couloir de l'université, Clara avait jeté un reste de tartine dans une de ces urnes qui font office de poubelle. Un étudiant de son année, qui appartenait au même groupe de travail sur Aragon, avait aussitôt ramassé le bout de pain dans les ordures, en se camouflant gauchement, et l'avait fourré dans sa poche. Sollicitant les conseils de Clara pour un achat, une étudiante l'avait conduite au fameux Tézikov, le plus grand marché aux puces d'Asie centrale, si ce n'est de l'Union. La cohue s'étalait sur deux bons pâtés de maison avant qu'on pût aborder le centre du marché et on croisait quantité d'éclopés de la guerre alors en cours, boitillant sur leurs béquilles ou agitant leurs moignons, culs-de-jatte posés sur des planches, tout cela trafiquant, disant la bonne aventure, mendiant, exigeant, et Clara leur faisait l'aumône, le cœur déchiré. Le plus affreux de ces stropiats était celui que le marché avait surnommé *Samovar* : ni bras ni jambes, et son ivrognesse de femme le transportait sur son dos dans un couffin où on jetait des pièces. Quand la recette était suffisante, ils achetaient de la vodka, buvaient et traînaient dans la boue tout ce qui était soviétique. Vers le centre du marché, la presse était encore pire, impossible d'ébranler à coups d'épaules la masse cuirassée de ces rois et reines du marché noir. Nul se s'étonnait, tout le monde comprenait, tout le monde acceptait ces prix en milliers de roubles qui n'avaient aucune commune mesure avec les salaires. En ville, les magasins étaient vides, mais on pouvait tout se procurer ici, tout ce qui peut servir à couvrir un corps du haut en bas, tout ce qui peut être ingurgité, tout ce qu'on peut inventer, du chewing-gum américain à des pistolets ou à des manuels de magie blanche ou noire.

De cette vie-là, on ne disait mot à la faculté des lettres et on paraissait même n'en rien savoir. La littérature qu'on y étudiait aurait pu laisser croire que tout ici-bas est possible, sauf ce qu'on a justement sous les yeux.

Songeant avec affliction que cinq ans plus tard, elle échouerait dans une école où elle imposerait à des fillettes les mêmes rédactions abhorrées, pour y épouiller les mêmes fautes d'orthographe et de ponctuation, elle s'adonna de plus belle au tennis : la ville avait de bons courts et Clara finit par acquérir un bon coup droit.

Le tennis lui fut un divertissement heureux : il offrait

à son corps la joie du mouvement ; la sûreté du coup de raquette finissait par gagner ses autres gestes ; le sport l'arracha aux déceptions de l'Institut et à l'imbroglio de l'arrière : un court a des limites nettes, comme est net le vol d'une balle.

Mieux encore — le tennis lui offrit la joie de mériter l'attention et les éloges d'un public, chose indispensable à une fille, surtout laide. Mais c'est que tu es adroite ! Que tu as du réflexe ! Un bon coup d'œil ! Tu en as des qualités, toi qui croyais ne rien avoir. On peut bondir sur un court pendant des heures s'il s'y trouve ne serait-ce que quelques spectateurs pour suivre les mouvements du joueur. Et la tenue blanche, et cette jupe courte allaient assurément à Clara. Sans aucun doute.

Comment s'habiller ? C'était devenu son grand tourment. Elle avait à se changer plusieurs fois par jour et c'était chaque fois le même casse-tête : comment couvrir ces jambes trop fortes ? Quel chapeau, qui ne te rende pas grotesque ? Quelles couleurs te vont ? Quel genre d'imprimé ? Quel col pourrait flatter ce menton trop volontaire ? Clara était dépourvue de toute capacité en ce domaine et, avec les moyens de s'habiller, elle était toujours mal mise et s'en rendait compte.

Comment font-elles pour plaire ? Qu'est-ce que plaire ? Pourquoi ne plais-tu pas, toi ? C'est à en perdre la tête, et personne pour t'aider, pour te tirer d'affaire. Qu'est-ce qui fait que tu es différente ? Qu'est-ce qu'il y a en toi qui ne va pas ? Une, deux, trois occasions malheureuses pouvaient s'expliquer par des hasards, des coïncidences fâcheuses, un manque d'expérience, mais elle gardait dans les dents cette tige d'herbe amère et, à chaque gorgée avalée, se redisait : tu n'es pas attirante, tu n'es pas faite pour ça... Comment lutter contre cette injustice ? Ce n'est pas ta faute si tu es née ainsi !

Excédée de bavardages littéraires, elle abandonna la faculté en deuxième année, renonça purement et simplement à suivre les cours.

Au printemps suivant, le front avait repris pied en Biélorussie et les réfugiés se faisaient rapatrier. Elles rentrèrent donc elles aussi à Moscou.

Là encore, Clara ne sut pas franchement quel genre

d'études elle voulait faire. Elle rechercha un endroit sans parlotte, où travailler — dans le technique, donc. Sans machines pesantes ou malpropres. C'est ainsi qu'elle entra dans une École supérieure des Transmissions.

Sans qu'on lui eût forcé la main cette fois, ce fut encore une erreur, mais elle n'en fit l'aveu à personne, fermement décidée à aller au bout de ses études et à accepter le premier travail venu. Parmi ses camarades — il y avait peu de garçons sur le nombre — elle n'était pas seule à s'être ainsi fourvoyée. Une ère s'ouvrait de course aux études supérieures, convoitées comme l'oiseau des contes : ceux dont on ne voulait pas à l'École d'aviation faisaient transférer leur dossier à l'École des Vétérinaires, le rebut de l'Institut de Technologie chimique se vouait à la paléontologie.

A la fin de la guerre, le père de Clara eut du pain sur la planche en Europe orientale. Démobilisé à l'automne 1945, il se vit aussitôt affecter un appartement dans la nouvelle résidence du MVD, à la Barrière de Kalouga. Dans les jours qui suivirent son retour, il fit visiter à sa femme et à sa fille leur futur logis.

L'auto dépassa la dernière grille du jardin Neskoutchny et s'arrêta avant de franchir le pont jeté sur le chemin de fer de ceinture. C'était la fin de matinée d'une tiède journée d'octobre, comme d'un septembre attardé. La mère et la fille portaient des manteaux de demi-saison, le père avait ouvert sa capote de général sur une poitrine bardée de décorations et de médailles.

L'édifice en chantier arrondissait sa demi-lune vers la Barrière de Kalouga, une des ailes longeant la Grand-Rue de Kalouga, l'autre le chemin de fer de ceinture. Le tout avait sept étages et devait encore être surmonté d'une tour de quinze étages avec un solarium en terrasse et une kolkhozienne en pied d'une dizaine de mètres. La maison était enserrée dans ses échafaudages et, côté rue et place, la maçonnerie de la façade n'était pas encore terminée. Cédant toutefois aux pressions impatientes de son client — la Sûreté d'État —, le bureau immobilier en était déjà à livrer, côté voie ferrée, la deuxième tranche de logis achevés, c'est-à-dire un escalier et les appartements qui y donnaient.

Comme toujours dans les rues populeuses, le chantier était ceint d'une hermétique palissade de bois ; quant aux multiples rouleaux de barbelés qui la surmontaient, quant aux hideux miradors qui la surplombaient çà et là, le temps manquait pour les apercevoir du fond d'une voiture et les gens d'en face s'y étaient faits et ne les voyaient pour ainsi dire plus.

La famille du procureur contourna la clôture. A son extrémité, elle ne portait plus de barbelés et la tranche des appartements disponibles n'était isolée du reste du chantier que par une palissade hermétique. A l'entrée principale les attendait un contremaître avenant ; il y avait aussi là un soldat auquel Clara ne fit pas attention. Tout était terminé : la peinture des rampes était sèche, les poignées de portes astiquées, les numéros des appartements vissés, les vitres des fenêtres briquées, une femme aux vêtements sales, le visage penché, invisible, lavait les marches. Le contremaître l'interpella brièvement :

— Eh là ! pstt !

Et la femme, cessant de frotter sa marche, s'écarta suffisamment pour laisser le passage à une personne, gardant son visage au ras du seau et du chiffon.

Le procureur passa.

Le contremaître passa.

Passa la femme du procureur, dans un bruissement de plis parfumés dont elle caressa presque le visage de la laveuse.

Celle-ci, peut-être ahurie par tant de soie et de senteurs, demeura profondément inclinée mais releva la tête pour voir s'il y en avait encore pour longtemps, de *ces messieurs-dames.*

Un regard de brûlant mépris enveloppa Clara. Sali de giclures d'eau sale, ce visage n'était pas celui d'une femme de ménage.

Il ne s'agissait pas seulement de la gêne que chacun éprouve en passant devant une femme qui lave le sol, non, cette jupe en loques, ce paletot molletonné à demi vidé de son rembourrage suscitèrent chez Clara une honte apeurée, encore plus cuisante ! Interdite, elle ouvrit son sac, songea à le retourner, à tout donner à cette femme, mais elle n'osa pas. La femme lui dit avec hargne :

— Allons, passez !

Clara grimpa, relevant le bas de sa jupe à la mode et de son manteau bordeaux.

Dans l'appartement, on n'avait pas à laver le sol, il était parqueté.

Les lieux leur plurent. La marâtre de Clara indiqua au contremaître quelques finitions souhaitables et se montra particulièrement mécontente du parquet d'une des chambres, parce qu'il crissait. Le contremaître sautilla sur deux ou trois lames et s'engagea à y mettre bon ordre.

— Qui donc fabrique tout ça ? Quels maçons ? demanda Clara d'un ton coupant.

Le contremaître sourit et garda le silence. Le père grommela :

— Les détenus, pardi !

Quand ils redescendirent, la femme n'était plus dans l'escalier.

Ni le soldat en faction devant la porte.

Quelques jours plus tard, on emménagea.

Les mois passèrent, les années, mais Clara ne put oublier le visage de cette femme. Elle se souvenait exactement de la place, de cette avant-dernière marche de la longue volée reconnaissable entre mille et, chaque fois qu'elle ne prenait pas l'ascenseur, elle revoyait à cet endroit la silhouette grise cassée en deux, ce cou dévissé, cette face haineuse.

Et, superstitieusement, elle se collait à la rampe comme par crainte de marcher sur la laveuse d'escaliers. Sentiment absurde, invincible.

Elle n'en fit pourtant jamais part à son père ni à sa belle-mère, elle ne leur rappela pas ce souvenir, elle n'en eut pas la force. Depuis la guerre, ses rapport avec son père avaient pris un sale tour, grinçant. Il se fâchait, criait qu'elle faisait maintenant du mauvais esprit, qu'elle ne s'interrogeait sérieusement que sur de faux problèmes. Il niait toute valeur générale à ses évocations de Tachkent, à ses observations au jour le jour sur Moscou, les trouvant politiquement malsaines et jugeant scandaleuse cette façon de généraliser sur des cas isolés.

Quant à la présence constante de cette laveuse dans l'escalier, elle ne pouvait évidemment pas lui en parler. Non plus qu'à sa marâtre. A qui, d'ailleurs ?

Un jour de l'année précédente, descendant l'escalier avec le plus jeune de ses beaux-frères, Innokenti, elle ne put s'empêcher de le tirer par la manche, à l'endroit même où elle aurait dû éviter la femme invisible. Innokenti demanda des explications. Clara bafouilla. On aurait pu croire qu'elle avait perdu la raison. Et puis elle voyait rarement Innokenti, il vivait constamment à Paris, s'habillait comme un prince, la traitait perpétuellement comme une fillette, avec une pointe d'ironie condescendante.

Elle prit pourtant sur elle-même, s'arrêta, mima la scène d'alors.

Dépouillant alors ses allures de dandy, d'Européen prestigieux, il était resté sur la même marche et l'avait écoutée, enfin lui-même, un peu perdu et, Dieu sait pourquoi, le chapeau à la main.

Il avait tout compris.

Leur amitié datait de cet instant.

CHAPITRE XLIV

Jusqu'à l'année précédente, Nara et son Innokenti n'étaient pour la famille Makaryguine que des parents d'Amérique, pure irréalité. Une petite semaine l'an, ils se montraient à Moscou et, pour les fêtes, envoyaient des cadeaux. Si Clara s'adressait à l'aîné de ses beaux-frères, l'illustre Galakhov, en le tutoyant et en l'appelant Kolia, elle se sentait gênée, décontenancée en présence d'Innokenti.

Mais, l'été d'avant, ils avaient fait un plus long séjour à Moscou et Nara était souvent venue voir sa famille, se plaignant à sa marâtre de ce que sa vie conjugale, si heureuse jusque-là, se fût dégradée lamentablement. Ce furent entre elle et la générale, Alievtina Nikanorovna, de longs bavardages. Clara n'était pas toujours présente mais, si elle se trouvait à la maison, elle prêtait l'oreille à ces confidences, ouvertement ou en cachette, ne pouvant, ne voulant pas s'en empêcher. Car c'était bien le grand problème : pourquoi aime-t-on ? pourquoi n'aime-t-on pas ?

Sa sœur rapportait une foule de menus incidents, désaccords, conflits ou soupçons, sans parler des erreurs de tactique purement professionnelles d'Innokenti : il avait changé, se souciait peu désormais de l'avis de certains supérieurs, leur situation matérielle s'en ressentait et Nara était maintenant obligée de se restreindre. A l'entendre, elle avait entièrement raison, son mari avait tous les torts. Clara, dans son for intérieur, tira une conclusion tout opposée : Nara ne savait pas apprécier son bonheur ; ce qu'elle aimait désormais, c'était moins Innokenti qu'elle-même ; elle n'appréciait pas tant le métier de son mari que la considération qui rejaillissait sur elle ; bien avant les opinions ou les partis pris d'Innokenti, indépendamment de leur évolution récente, elle faisait passer la domination qu'elle avait exercée sur lui au vu et au su de tout le monde. Clara s'étonnait que les principaux griefs de sa sœur ne vinssent pas d'hypothétiques trahisons de son mari mais de ce que, devant d'autres dames, il marquât trop faiblement l'importance particulière que son épouse devait avoir pour lui.

Comparant en pensée ses servitudes de fille cadette encore à marier à la situation de sa sœur aînée, Clara se rendit compte qu'elle n'aurait jamais agi de même, à aucun prix. Comment se satisfaire d'un bonheur autre que son bonheur *à lui*?... Pour tout brouiller, tout aggraver, le couple n'avait pas d'enfants.

Après la joyeuse découverte de l'escalier, leurs rapports s'étaient aplanis et elle avait grande envie de le revoir. Que de questions, surtout, à lui poser, auxquelles nul autre ne pouvait répondre !

Toutefois, pour d'obscures raisons, la présence de Nara ou d'un autre membre de la famille leur aurait été une gêne.

Lorsque, peu de jours après, Innokenti lui proposa de but en blanc une excursion d'une journée, elle acquiesça d'un battement du cœur, sans prendre le temps de réfléchir ni d'aller au fond des choses.

— Seulement je n'ai pas la moindre envie de manoirs, de musées ou de ruines illustres, dit-il avec un faible sourire.

— Je n'aime pas ça non plus, lui répondit-elle nettement.

Connaissant les ennuis d'Innokenti, elle eut le cœur étreint de compassion à la vue de ce pauvre sourire. Pour s'en excuser, il lui dit :

— Trop de Suisse finit par vous saouler, j'aimerais flâner dans une Russie toute simple. On saura bien dénicher ce qu'il faut, non ?

Ils n'avaient pas tranché s'ils feraient cette sortie à deux ou à trois.

Innokenti lui proposa un jour de semaine et la gare de Kiev comme point de ralliement, pour n'avoir pas à lui téléphoner ni à passer la prendre. Il n'en fallait pas plus pour comprendre qu'ils seraient seuls et qu'il n'était pas nécessaire d'informer la famille.

Vis-à-vis de sa sœur, Clara se sentait parfaitement en droit de faire cette excursion. Même si le ménage avait connu une parfaite entente, l'escapade n'aurait rien eu que de naturel, de légitime, de familial. Dans la situation actuelle, tous les torts retombaient sur Nara.

Ce serait peut-être le grand jour de sa vie, mais, du coup, elle devait faire face à des préparatifs torturants : comment s'habiller ?! A en croire ses amies, aucune couleur ne la flattait. Il fallait pourtant bien en choisir une ! Elle mit une robe marron, prit un imperméable bleu. La question de la voilette lui causa les plus graves tourments : la veille du grand jour, elle passa deux heures à en essayer une, à l'ôter, à la remettre... Il est des femmes qui tranchent du premier coup, quelle veine ! Clara raffolait des voilettes, surtout au cinéma : cela confère du mystère à la femme tout en la dérobant à un examen critique indiscret. Elle renonça pourtant : Innokenti était blasé de ces fanfreluches à la française et puis, il y aurait du soleil. Elle enfila tout de même des gants de filet noir, parce que c'est franchement joli.

Ils arrivèrent juste pour prendre le train de Maly Iaroslavets, omnibus de grande banlieue, on ne pouvait rêver mieux, et ils prirent des billets pour le terminus, sans plan arrêté, ignorant tout des gares à traverser.

Si bien qu'ils frémirent lorsque des voisins nommèrent la gare de *Nara* ! Si Innokenti avait su, peut-être aurait-il choisi une autre ligne ? Clara, elle, avait complètement oublié.

En route, il fut souvent question de cet arrêt de Nara. Comme une présence au-dessus d'eux...

C'était une fraîche matinée d'août. Ils s'étaient retrouvés tout joyeux, tout dispos. La conversation s'engagea sans peine, à bâtons rompus, animée, parfois ils se disaient « vous », ce qui les faisait rire et renforçait leur sentiment d'intimité.

Innokenti était vêtu de pied en cap d'habits occidentaux de coupe plus ou moins sport, qu'il semblait ne pas plus ménager que s'il s'était agi d'un costume acheté à la « Ressource de l'Ouvrier ».

Ils avaient toute la journée devant eux, mais Clara s'empressa de l'assaillir de questions incohérentes, tantôt sur l'Europe, tantôt sur la réalité soviétique. Elle ne savait pas au juste ce qu'elle voulait ou devait comprendre, mais il lui fallait comprendre quelque chose ! Elle aspirait sincèrement à la maturité intellectuelle ! Elle voulait à tout prix savoir à quoi s'en tenir.

Innokenti secouait la tête en plaisantant :

— Vous pensez, tu penses, que je m'y retrouve moi-même ?

— Mais vous êtes des diplomates, c'est vous qui menez le jeu pour nous et il faudrait croire que vous n'y voyez pas clair ?

— Mais non, tous mes collègues s'en sortent, c'est moi qui suis perdu. Et encore, jusqu'à l'an dernier ou l'année d'avant, j'y voyais clair, moi aussi.

— Que s'est-il passé ?

— C'est encore une chose que je ne comprends pas, dit-il en riant. Et puis il y a aussi, Clarotchka, que pour la moindre explication, on ne sait trop par où commencer, il faudrait remonter au déluge. Comme si un homme des cavernes surgissait de sous cette banquette et me demandait de lui expliquer en cinq minutes le fonctionnement du chemin de fer à traction électrique. Que faire ? Pour commencer, on l'enverrait apprendre à lire. Puis ce serait l'arithmétique, l'algèbre, le dessin, puis la technique électrique... et puis Dieu sait quoi...

— Oh, je ne sais pas ?... le magnétisme...

— Tu vois, tu l'ignores, toi qui es en dernière année ! Il n'y aurait plus qu'à lui dire : reviens dans quinze ans et alors je te raconterai tout en cinq minutes, et d'ailleurs tu auras tout compris par toi-même.

— Soit, je suis disposée à apprendre, mais comment ? Par où commencer ?

— Faute de mieux, par nos journaux.

Un homme parcourait le wagon avec sa sacoche de cuir et vendait journaux et revues. Innokenti lui acheta la *Pravda*.

En entrant dans le wagon, Clara, prévoyant que leur entretien prendrait une tournure particulière, avait poussé son compagnon vers une inconfortable banquette, près de la porte. Innokenti n'en avait pas vu la raison, mais c'était le seul endroit où bavarder librement.

— Apprenons donc à lire, dit Innokenti en déployant le journal. Tiens, ce titre : « Les femmes, dans leur enthousiasme au travail, dépassent les normes qui leur avaient été prescrites. » Réfléchis. A quoi bon ces normes ? Comme si elles n'avaient pas assez à faire à la maison ! En clair, cela signifie que le salaire de l'homme et de la femme, additionnés, ne suffisent pas à une famille. Alors que le seul salaire du mari devrait suffire.

— C'est le cas en France ?

— C'est le cas partout. Regarde, un peu plus loin : « Tous les pays capitalistes pris ensemble ont moins de jardins d'enfants que nous. » Est-ce la vérité ? Certainement. On néglige seulement d'expliquer cette vétille que dans tous les autres pays les mères sont libres, qu'elles élèvent leurs enfants elles-mêmes et qu'elles n'ont donc que faire de jardins d'enfants.

Le wagon vibrait. Repartait. S'arrêtait.

Innokenti n'avait guère de peine à trouver des passages significatifs qu'il lui montrait du doigt et lui commentait à l'oreille lorsque le bruit se faisait tonitruant.

— Pour continuer, tu n'as qu'à prendre les remarques les plus anodines : « Untel, membre du Parlement français, a déclaré »... sur quoi on évoque la haine du peuple français envers les Américains. Seraient-ce vraiment ses paroles ? Sûrement, nous n'imprimons jamais que la vérité ! On néglige seulement de dire quel parti l'a mandaté. S'il s'agissait d'un parti autre que le parti communiste, on n'aurait pas manqué de le faire savoir, ça n'aurait donné que plus de prix à sa déclaration ! Il s'agit donc d'un communiste. Mais on n'en dit rien ! Et tout à l'avenant, ma petite Clairette. On rapporte des cas d'enneigement faramineux, des milliers de voitures sous la neige, un vrai désastre national ! Le hic, c'est que les automobiles sont si nombreuses qu'on ne se donne pas la peine de construire des garages pour les abriter... Tout cela, c'est la liberté de *non*-information. Ça s'étend jusqu'au sport. « Cette rencontre fut l'occasion d'un succès mérité », inutile d'aller plus loin, il ne peut être question que de nous. Si « le jury, à la grande surprise des spectateurs, a accordé la victoire » à quelqu'un, il s'agit évidemment d'une équipe non soviétique.

Innokenti chercha du regard où jeter son journal. Il ne voyait pas à quel point ce geste, à lui seul, sentait son étranger ! Si bien qu'on les regarda. Clara lui prit la *Pravda* des mains et la garda.

— En gros, le sport, c'est l'opium du peuple, conclut Innokenti.

C'était inattendu et très vexant. Et peu convaincant dans la bouche d'un homme aussi délicat. Elle secoua la tête :

— Moi, je fais beaucoup de tennis et j'adore ça !

— Jouer, ce n'est pas mal du tout, corrigea-t-il aussitôt. L'affreux, c'est la ruée sur les spectacles. Les spectacles sportifs, le football, le hockey, c'est fait pour nous abrutir.

Le train vibrait, repartait. Tous deux regardaient par la portière.

— Alors, là-bas, c'est bien ? demanda Clara. C'est mieux ?

— C'est mieux, acquiesça-t-il. Mais ce n'est pas bien. Il y a une nuance.

— Qu'est-ce qu'il leur manque ?

Innokenti la regarda avec sérieux. Son animation du début s'était dissipée, son regard était très calme.

— Ce n'est pas si simple. Je suis le premier à en être étonné. Il leur manque quelque chose. Même beaucoup de choses.

Sans frôlements, sans pressions de mains, sans user d'un ton particulier — ils se passaient fort bien de tout cela —, Clara éprouvait en sa présence un sentiment de bien-être tout amical, elle aurait aimé le lui dire, par gratitude et aussi pour l'aider à mieux percevoir cette impression.

— Vois-tu... tu as un métier tellement intéressant, dit-elle comme pour l'encourager.

— Moi ? dit Innokenti, et son visage déjà maigre, dont les joues s'étaient encore creusées, prit une expression torturée et comme famélique... Mais être un diplomate soviétique, Clarotchka, c'est avoir deux compartiments dans la poitrine. Deux fronts. Deux mémoires distinctes.

Il ne donna pas d'autres précisions. Soupira, regarda par la vitre.

Sa femme avait-elle entrevu ces choses ? Quelle force, quel réconfort lui avait-elle apportés ?

Clara, qui l'observait attentivement, découvrit une particularité de ce visage : le haut, isolé, avait quelque chose de dur, alors que le bas était mou. A partir du front largement déployé, avec ses tempes dégagées, et par lignes fuyantes, ce visage allait se rétrécissant et s'adoucissant vers une bouche petite et sensuelle. Avec, autour de cette bouche, beaucoup de tendresse, de désarroi même.

Le jour devenait plus chaud, les forêts défilaient gaiement, tout le parcours était très boisé.

Plus le train avançait, plus ses passagers se faisaient rustiques et plus se détachaient ces deux-là, habillés comme pour monter en scène. Clara ôta ses gants.

Ils sautèrent du train à un arrêt facultatif, en pleine forêt. Quelques paysannes, transportant dans des cabas les provisions faites en ville, étaient descendues du wagon voisin, il n'y avait personne d'autre sur le quai.

Les jeunes gens auraient voulu se promener en forêt. De part et d'autre il y avait bien des arbres, mais qui poussaient serrés, en une futaie obscure et sans beauté. Quand la queue du train eut disparu, les paysannes en groupe compact s'élancèrent d'un pas décidé sur un passage en planches à travers les rails et prirent sur la droite de la forêt. Clara et Innokenti les suivirent.

Aussitôt la voie quittée, l'herbe et les fleurs vous arrivaient à l'épaule. Puis le chemin plongeait parmi les quelques rangs d'une plantation de bouleaux alignés. Puis une prairie à l'herbe fauchée, avec une petite meule et une chèvre pensive liée par une ficelle à un pieu, broutant sans avoir l'air d'y toucher. La forêt s'étalait maintenant sur leur gauche mais les femmes marchaient bravement vers la droite, droit sur le soleil et quelques rangées de buissons derrière lesquels s'ouvrait un grand espace.

D'un commun accord, ils décidèrent qu'ils avaient tout le temps d'aller dans la forêt mais qu'il leur fallait à tout prix, et tout de suite, gagner cet espace radieux.

Ils prirent donc un chemin à travers champs, couvert d'herbe drue. Jusqu'à la voie ferrée s'étendait un carré de céréales aux lourds épis dorés sur des tiges courtes et robustes : Innokenti et Clara ignoraient s'il s'agissait de blé ou d'autre chose, mais cela n'ôtait rien à la beauté du champ. De l'autre côté, presque à perte de vue, la terre était nue, un labour l'avait marquée puis des pluies l'avaient détrempée, elle était encore humide ici, déjà sèche là, et sur tout ce grand espace il ne poussait rien...

La petite gare se retrouvait maintenant blottie dans son coin et les jeunes gens ne faisaient qu'aborder cet espace si vaste qu'on ne pouvait l'embrasser du regard sans tourner tant soit peu la tête. Aussitôt après on retrouvait la voie ferrée et, de l'autre côté, très loin à l'horizon, se refermait la boucle ininterrompue de la forêt dont les cimes, de si loin, dessinaient une frange presque imperceptible.

C'était bien ce qu'ils avaient voulu, sans le savoir, sans se l'être proposé. Ils marchaient maintenant au ralenti, trébuchant, la tête levée vers le ciel. Ils s'arrêtaient, se retournaient. Dissimulée par des arbres, la voie avait à son tour disparu. C'est à peine si, devant eux, dans l'axe du vide où ils s'enfonçaient, une église de brique sombre émergeait d'une dépression du terrain. Et il y avait aussi ces femmes qui les précédaient mais, en dehors d'elles, plus âme qui vive, pas une ferme, pas une remorque, pas une faucheuse abandonnée, rien ni personne que cette chaude carrière de vent et de soleil et ce vide où bondissaient des oiseaux.

— C'est donc ça, la Russie ? C'est bien ça ? lui demandait-il tout heureux et, plissant les yeux, il contemplait l'espace puis s'arrêtait pour dévisager Clara. Vois-tu, je *représente* la Russie sans me la re-pré-sen-ter. Je ne l'ai jamais parcourue comme ça, simplement, à pied : c'est toujours l'avion, le train, les capitales.

Bras tendu, il lui prit une main, doigts mêlés à ses doigts, comme font les enfants ou les amants. Ils poursuivirent ainsi leur chemin sans regarder à leurs pieds. De leur main libre ils tenaient, lui son chapeau, elle son sac.

— N'est-ce pas, petite sœur, que nous avons eu raison de venir par ici au lieu d'aller en forêt ? C'est ce qui me manque le plus dans la vie que je mène : un regard sans entraves, à perte de vue. Respirer à mon aise.

— Se peut-il que tu aies tant de peine à t'y retrouver ? — Elle était si émue par la plainte d'Innokenti qu'elle lui aurait offert ses yeux si cela avait pu le soulager.

Il hocha la tête :

— Eh oui ! Il fut un temps où j'y voyais clair. Maintenant, tout s'est brouillé.

Qu'est-ce qui s'était brouillé ? Pour qu'il en fût venu à ce point, il fallait bien qu'il s'agît non seulement de convictions, mais encore de sentiments intimes. S'il avait ajouté un mot, elle aurait osé intervenir, elle lui aurait révélé à quel point elle l'approuvait, et qu'il avait raison, qu'il n'avait pas à désespérer !

— Il faut bien, de temps en temps, dire ce qu'on a sur le cœur.

Mais il en était resté là. Maintenant il gardait le silence.

La chaleur se fit plus sensible. Ils ôtèrent leurs imperméables.

Plus personne ne se montrait entre eux et l'horizon, ni devant, ni derrière. Au-delà des plants de bouleaux, par intervalles, défilaient des trains : bruit amorti, envol de fumée.

Les femmes en route vers une destination lointaine avaient depuis longtemps quitté le chemin, elles étaient maintenant en plein cœur du vide, indistinctes dans le soleil. Innokenti et Clara parvinrent au même carrefour qu'elles : un sentier battu, plus clair dans la lumière, allait s'enfoncer dans une plaine molle et ondulait en croisant des sillages de chenilles. En travers des vastes plaines planifiées, les petites gens avaient tracé une piste pour quelque humble nécessité.

Ce sentier gagnait le village et son église mais, à mi-distance, frôlait un bouquet d'arbres isolé, d'une extraordinaire densité. Ce bosquet surgissait en plein champ, à bonne distance du village et loin de toute forêt, étrange et frais, touffu, élancé. Il était resserré mais ornait tout l'espace dont il formait le cœur. Qu'était-ce donc ? Pourquoi ces arbres en rase campagne ?

Ils prirent eux aussi cette direction.

Leurs mains s'étaient disjointes. On ne pouvait plus aller de front sur ce sentier. Maintenant Innokenti suivait Clara.

Il te suit, les yeux dans ton dos. Il t'observe. Ton beau-frère ? Ton frère ? Ou bien...

Pour parler, Clara devait maintenant s'arrêter et se retourner :

— Comment m'appelleras-tu désormais ? Je ne veux pas de « Clairette ».

— Je ne t'appellerai plus ainsi. Je ne te connaissais pas. A l'Ouest, on réduit les noms de cette façon, trois ou quatre sons, guère plus.

— Moi, je t'appellerai Ink, tu veux bien ?

— D'accord. C'est parfait.

— Personne d'autre ne t'appelle ainsi ?

Non, cet espace n'était pas vraiment horizontal, il s'infléchissait légèrement sur la gauche, dans l'axe du chemin. Le terrain descendait un peu puis remontait vers le bouquet d'arbres.

On discernait maintenant en eux des bouleaux, vieux, grands, plantés en ceinture rectangulaire autour d'autres bouleaux. Merveilleux bois, franc de toute attache et vivant là par lui-même.

— Comment tout cela a-t-il commencé pour toi ? demanda Clara.

Quoi, *tout cela* ? Il y avait là tant de choses mêlées.

Il répondit pourtant sans embarras :

— Tu sais quand, je pense ? Quand j'ai mis en ordre les armoires de maman. Ou non, peut-être avant, peut-être même une bonne année plus tôt, mais je m'en suis rendu compte en rangeant le contenu de ces armoires.

— Après sa mort ?

— Bien après sa mort, bien après. Il n'y a pas si longtemps. C'est que... Ce sont des choses qu'on ne confie guère, Dotty ne veut pas en entendre parler ni essayer de comprendre...

(Mais moi oui !... Parle-moi encore et encore de Dotty, nous allons tout nous dire ! Cela te soulagera !...)

— ... C'est que j'étais un très mauvais fils, Claronka. Je n'ai jamais vraiment aimé ma mère tant qu'elle a été en vie. Pendant la guerre, je n'ai pas voulu quitter la Syrie pour assister à son enterrement... Dis-moi, ce ne serait pas un cimetière ?

Ils s'arrêtèrent. Et frissonnèrent malgré la chaleur. Ils comprirent aussitôt que c'était bien un cimetière. Comment ne s'en étaient-ils pas avisés plus tôt ?... Que pouvait être d'autre ce bois sacré, intouché, parmi des cultures ?

Pourtant, on ne voyait encore ni croix ni tombes. Ils étaient toujours au fond d'une cuvette très évasée puis ils durent enjamber un bourbier (Innokenti sauta avec moins d'adresse que Clara, enfonça une de ses chaussures dans la boue mais, crainte de le blesser, elle ne lui tendit pas la main pour l'aider à sauter). Ils gravirent une pente plus raide qu'ils ne l'auraient cru.

Ni clôture, ni palissade de pieux, ni fossé, ni remblai, rien d'autre ne ceinturait ce cimetière qu'un rang régulier de vieux bouleaux aux cimes jointes ; la terre des champs, égale, franche, comme l'air se fond dans l'air, se muait ici en une herbe drue, superbe, sans chiendent, qui poussait court sans avoir à être tondue ni foulée. On ne pourrait rien imaginer de mieux pour un cimetière.

Quelle ombre ici, quelle paix ! Le seul refuge pur et vivant dans toute cette contrée planifiée !

Certaines tombes étaient entourées de petites palissades. Ailleurs c'étaient des buttes d'herbe sans noms. Certaines étaient récentes.

— Que de place ! fit Innokenti tout surpris. Il n'y a pas plus de cent tombes ici et il en tiendrait encore une cinquantaine. Il suffit sans doute de venir faire son trou sans rien demander à personne. Pour la tombe de ma mère à Moscou, il a fallu des démarches au Soviet de la ville, un pot-de-vin au directeur du cimetière, on ne peut pas poser le pied entre deux sépultures et encore, on retourne les plus vieilles pour faire de la place.

C'étaient les vieux bouleaux qui, contre les tracteurs, avaient sauvegardé cet espace libre.

Les imperméables tombèrent d'eux-mêmes au sol, tous deux s'assirent sans se concerter, le visage tourné vers l'Espace. Vu de l'ombre, ce vide ensoleillé s'offrait entièrement aux regards. La tache blanche de la petite gare était déjà perdue au loin. Au-delà de la rangée d'arbres, le long de la voie, serpentait une fumée.

Ils regardaient, ils respiraient, silencieux. Quel délice de rester ainsi. Ink avait posé sa tête sur ses genoux. Clara découvrit une nuque fragile comme celle d'un petit garçon, mais façonnée par un coiffeur patient et habile. Elle s'émerveillait :

— Quelle propreté dans ce cimetière ! Pas de bétail pour le souiller, pas de mazout répandu.

— Oui, fit Innokenti avec un soupir de plaisir. On aimerait s'y faire enterrer ! Plus tard, l'occasion ne se retrouvera plus, je serai inhumé ailleurs. On fourrera mon cercueil plombé dans un avion et puis un fourgon l'emportera Dieu sait où...

— Il est un peu tôt pour y penser, Ink !

— Quand tout est mensonge, on a tôt fait de se lasser, Claronka. Ça vient vite, deux fois plus vite.

Sa voix, d'ailleurs, était lasse et basse. Peut-être du fait de son métier. Ou de sa vie tout entière. Peut-être seulement de sa femme. Clara ne pouvait solliciter d'autres détails.

— Qu'y avait-il donc dans cette armoire ?

— Dans l'armoire ?

Innokenti immobilisa son regard habituellement soucieux, dénué d'abandon :

— ... Dans l'armoire, eh bien, figure-toi... (Aussitôt imaginé le trop long récit, il fut découragé.) Non, ce serait trop long... Une autre fois, va...

S'il craignait les longueurs en ce moment, quand donc lui parlerait-il de ces choses ? Ou bien était-il ainsi fait qu'il n'avait de goût que pour la nouveauté, la primeur ?

Il fallait donc tout lui arracher au vol, et avidement !

— Il ne te reste donc plus personne au monde ?

— Si, figure-toi, un oncle, un frère de maman ! Et je ne savais rien de lui jusqu'à l'an dernier.

— Tu ne l'as jamais vu ?

— Si, quand j'étais petit, mais je ne me souviens plus de rien.

— Où habite-t-il ?

— A Tver.

— Où est-ce ?

— Kalinine, si tu aimes mieux. Deux heures de route, mais je n'arrive jamais à faire ce voyage. Quand pourrais-je le faire, d'ailleurs, puisque je ne séjourne jamais en Russie ?... Je lui ai écrit, le vieux en était tout content.

— Écoute, Ink, il faut y aller ! Sans cela, tu auras encore des regrets !

— J'en ai bien l'intention, je t'assure ! Un de ces jours, tiens, c'est promis !

A l'abri du soleil écrasant, Innokenti s'était remis, il avait meilleure mine.

Où aller, maintenant ? La forêt fermait l'horizon et point de route : à un bout du cimetière c'étaient des tournesols, à l'autre des betteraves. L'unique chemin était celui qu'ils avaient emprunté à la suite des femmes et qui conduisait au village. Une fois là-bas, ils retrouveraient bien le chemin des bois. Ils repartirent donc par là.

Innokenti ôta également sa veste, ne gardant que sa fine chemise blanche. Son dos, où les omoplates pointaient, avait un modelé anguleux. Il remit son chapeau pour se protéger du soleil.

— Tu sais à qui tu ressembles ? lui dit Clara en riant. A Essénine retournant dans son village après son séjour en Europe.

Innokenti eut un petit sourire, rassembla ses souvenirs...

— Ah oui, mon pays natal, et pour y retrouver quoi ?

Étranger à tout, désormais... Ne sachant plus faucher ni labourer...

Ils pénétrèrent dans une rue déserte. Il n'y avait guère que dix mètres entre les rangées de maisons, mais le sol avait été défoncé de façon irréparable, pour les siècles des siècles, retourné par les chenilles et les trains de roues, déchiqueté en mottes de boue sèche qui vous arrivaient au genou, creusé de flaques de plomb liquide dont aucun été ne pourrait jamais avoir raison, si bien que les deux côtés de la rue étaient séparés comme par une rivière. Les seuls sentiers praticables rasaient les maisons et il fallait d'emblée choisir entre l'une et l'autre rive.

Une fillette s'avança vers eux à grands pas, un sac de rotin à la main.

— Petite..., commença Innokenti puis, s'avisant que ce n'était pas une petite fille : Jeune fille ! Mais elle marchait vite et c'était une femme d'environ quarante ans, incroyablement petite, les deux yeux couverts de taies. Les paroles d'Innokenti pouvaient donc passer pour une mauvaise plaisanterie et il ne savait plus comment s'adresser à elle... — ... Ce village, il s'appelle comment ?

— Rojdestvo, dit-elle en braquant sur eux l'éclair de ses yeux malades, et elle poursuivit sa route du même pas.

— Rojdestvo, dirent les deux jeunes gens surpris. C'est un nom peu commun ! Et ils crièrent sur ses pas : En quel honneur ?

— Un nom, comme ça, qu'on y a donné, j'en sais rien, moi ! lança-t-elle par-dessus son épaule.

Et elle reprit sa marche.

Comment s'étaient-elles évanouies, ces bonnes femmes si lestes qui étaient descendues à la même gare ? Personne dans les rues ni dans les maisons. Ces pauvres portes de guingois comme celles de poulaillers, ces lucarnes à double vitre, sans vasistas, condamnées à rester fermées hiver comme été, ne semblaient pas pouvoir receler de vie humaine. On n'entendait ni ne voyait les classiques cochons ni la moindre volaille. Des guenilles et des couvertures étendues dans une cour témoignaient que quelqu'un avait dû se trouver là le matin même.

Le soleil comblait à ras bord le silence.

Au fond d'une cour ils perçurent un mouvement. Traînant ses galoches de caoutchouc sur la terre sèche, une vieille passa, qui considérait fixement le creux de sa main.

— La mère !

Elle n'entendait rien.

— La mère !

Elle releva la tête.

— J'entends guère, les prévint-elle d'une voix plate, desséchée. Ses yeux ne semblaient pas surpris par l'aspect de ces passants trop bien vêtus.

— Auriez-vous du lait à nous vendre ? demanda Clara.

Ils n'avaient que faire de ce lait, mais c'était une bonne entrée en matières, Clara le savait bien pour avoir visité d'autres kolkhozes.

— On a point de vaches, répliqua dignement la vieille.

Elle avait dans la main un poussin jaune et blanc qui ne se débattait pas, qui ne tressaillait pas.

— La mère, comment appelait-on cette église ? lui demanda Innokenti.

— Qu'est-ce qu'on *appelait* ? dit-elle en le regardant comme à travers un voile. Son visage flasque était empreint de quant-à-soi, de gravité.

— Enfin, chaque église a bien un nom.

— Oui, et guère plus, répondit la vieille. La nôtre, on l'a fermée il y a beau temps, une vingtaine d'années. Il faut une heure de car avant de trouver la première église. Il y en avait une, sans chauffage, mais les prisonniers l'ont démolie.

— Quels prisonniers ?

— Les Allemands.

— Et pourquoi ?

— Pour transporter les briques à Nara. J'ai mes poussins qui crèvent. C'est bien le quatrième. On se demande.

Clara et Innokenti haussèrent les épaules dans un geste de compréhension.

— A moins que la mère ne les écrase ? se demanda la vieille et, traînant la savate, elle gagna la porte basse de son isba.

Jusqu'au bout de la rue, ils ne virent plus trace de mouvement ou de vie, pas un chien, pas un aboiement. Deux ou trois poules grattaient la terre sans grand bruit. D'un pas de fauve, un chat surgit des chardons : il n'avait rien d'un animal domestique, ne détourna pas la tête vers ces humains, flaira le sol dans toutes les directions puis s'achemina vers la grand'rue, aussi morte que celle-ci qui y débouchait.

L'église s'élevait au croisement élargi des deux rues. C'était un édifice trapu, solide, dont l'appareil sans crépi formait des dessins, avec des reliefs de briques figurant des croix, et surplombé d'un clocher couronné de deux étages largement ajourés. La mousse et l'herbe l'avaient envahi et une foule d'hirondelles et d'oiseaux plus menus s'affairaient à la hauteur des ajours en un tourbillon ininterrompu et muet, s'abritant sous les baies, en ressortant, tournoyant. Peu accessible, la coupole du clocher était intacte alors que celle de l'église avait été dépouillée de sa couverture de zinc et exhibait les chevrons de sa charpente. Les deux croix étaient restées en place, survivant à deux décennies. La porte basse du clocher était grand ouverte sur une lampe à pétrole qui brûlait dans l'ombre, on entrevoyait des bidons de lait, mais aucune trace de vie. Ouverte aussi la porte donnant sur le sous-sol de l'église, avec des sacs garnissant les marches de l'escalier, mais personne là non plus.

Il n'y avait plus trace de cour ou de clôture autour de l'église. D'un côté, de l'autre, partout, entre l'église et son campanile, tout avait été labouré par les tracteurs, par les voitures qui, tremblant de s'enliser, avaient risqué une furieuse tentative, une dernière, encore une fois, pour se dégager, atteindre le dépôt, en repartir, et la terre, mutilée, défigurée, dolente, était couverte de monstrueuses croûtes grises agglutinées et de coulées de pus livide.

Il y avait donc bien une église, elle était là, mais les jeunes gens durent longtemps chercher un moyen de traverser la rue à pied sec. Ils y parvinrent au prix d'un long détour, non sans fausses manœuvres ni sauts d'obstacles.

Dans la terre de la rue étaient incrustés de grands morceaux de dalles gainés de boue. Au pied des murs de l'église s'étalaient des éclats, des brisures d'un marbre blanc, rose et jaune.

Quoique échauffé par le soleil, Innokenti, loin de s'empourprer, avait légèrement pâli. Au contact du chapeau, ses cheveux étaient mouillés.

Ils s'approchèrent de l'église. Une accablante puanteur planait dans l'air immobile et brûlant, eau stagnante, qui sait, ou charognes, ou ordures. Tous deux commençaient à regretter ce détour et n'avaient plus envie de visiter cette église qui n'offrait d'ailleurs plus rien à voir. Au-delà s'amorçait une pente au bas de laquelle croissaient d'énormes saules en boules, tout un royaume arborescent et il n'y avait pas d'autre issue où courir que cette verdure, là-bas.

Une voix les interpella :

— Rien à fumer, citoyens ?

Un paysan courtaud, la tête coincée dans les épaules comme par un frisson de froid ou de peur, mais d'allure néanmoins délurée, avait surgi on ne sait d'où et les dévisageait.

Innokenti tapota ses poches comme déçu de ne pas y trouver de paquet.

— Je ne fume pas, camarade.

— Dommage, fit l'homme sans cou qui ne s'éloigna pas pour autant et détailla les bizarres voyageurs de ses yeux agiles. Il ne voyait pas la voiture qui avait dû les amener jusqu'ici mais son flair lui désignait en eux une catégorie particulière de la race des « chefs ».

— Cette église, elle s'appelait comment ?

— La Nativité, répondit-il, renonçant à toute déférence, ce verbe au passé lui ayant suffisamment montré à qui il avait affaire, puis il disparut derrière une maison aussi vivement qu'il était apparu.

Sur leur route, un peu plus bas, ils aperçurent encore un unijambiste, avec son pilon dénudé, en chemise de coton bleu rapiécée de blanc, qui prenait le frais assis sur une pierre à l'ombre d'un tilleul.

— D'où vient ce marbre ? lui demanda Innokenti.

— De quoi ? reprit le moujik rapiécé.

— Les petites pierres de couleur, là-bas.

A-a-a-a-ah !... C'est le chœur qu'on a démoli.

Il réfléchit puis ajouta :

— L'iconostase.

— Pourquoi ?

Il réfléchit :

— Pour empierrer la route.

— Pourquoi cette... odeur ? demanda Clara.

— De quoi ? reprit l'unijambiste surpris.

Il réfléchit.

— A-a-a-ah ! C'est sûrement notre étable qui vous fait cet effet. C'est qu'elle est là, l'étable, juste à côté.

Il tendit la main, mais eux ne regardaient plus rien, ils avaient hâte de s'arracher à tout cela pour dévaler vers les saules.

— Et là-bas ?

— Là-bas ? Y a rien.

Il réfléchit un moment.

— Ah oui ! Y a la rivière.

Un sentier battu descendait. Clara l'aurait bien dévalé en courant mais elle jeta un regard inquiet sur le visage pâli d'Innokenti et régla son pas sur celui de son compagnon.

— Après un pareil village, on regrette le cimetière de ce matin, dit-elle en secouant la tête. Qu'est-ce que tu as, tu boites ?

— Mon soulier qui me blesse.

A l'ombre du premier saule, immense, ils s'arrêtèrent et regardèrent alentour. Loin de la puanteur, à portée de cette fraîcheur humide et verte, ils voyaient l'église juchée sur une hauteur, ils n'avaient plus sous les yeux l'horrible mutilation de cette terre, seuls les points volants des oiseaux s'élançaient ou planaient autour du clocher et leur vue faisait plaisir.

— Tu es très fatigué ! dit Clara d'une voix inquiète. Il faut te reposer. Et voir ce que tu as au pied.

Il laissa tomber les manteaux et s'assit à terre, adossé à un tronc incliné. Ferma les yeux. Tête renversée, il regarda ensuite vers le haut, vers l'église.

— Voilà, Clarotchka, deux Nativités qui ne se ressemblent guère...

— Pourquoi deux ?

— Ici et à l'Ouest. Tu as vu ce que ça donne chez nous. A l'Ouest, pour Noël, le ciel se couvre de réclames lumineuses, les rues sont embouteillées, on s'écrase dans les magasins, tout le monde s'offre des cadeaux. Parfois, dans une vitrine miteuse, serrée entre deux autres, on peut voir une crèche avec Joseph et l'âne.

— Joseph et l'âne ?

Alors, au pied de l'église, à la cassure du relief, ils avisèrent une petite rangée de tilleuls épargnés et une tombe qu'ils n'avaient pas vue jusqu'ici, avec un obélisque.

— C'est dommage, on n'a pas regardé.

— Je vais y faire un saut ! décida Clara et, coupant à travers champs, à toute allure, elle repartit. Sa course sentait la joie, mais Clara n'avait aucune gaieté au cœur.

Elle s'arrêta un moment pour lire l'inscription et redescendit aussi légèrement, ses jambes solides la freinant à chaque ornière.

— Qui crois-tu que c'est ?

— Un prêtre ?

— « Gloire éternelle aux guerriers de la IVe Division de la milice populaire, tombés de la mort des braves pour l'honneur et l'indépendance... au nom du ministère des Finances. »

— Des Finances ? fit-il avec surprise en faisant bouger ses longues oreilles au pavillon charnu et ourlé. Même les Finances ! Pauvres ronds-de-cuir !... Combien sont-ils tombés par ici ? Avec un fusil pour combien d'hommes ? Quatrième Division de la milice populaire ?

— Oui.

— Une division d'hommes désarmés ! Et on en était à la quatrième... C'est bien la grande atrocité de cette guerre : la milice populaire...

— Atrocité, pourquoi ? demanda Clara perplexe.

Innokenti soupira et laissa retomber sa tête.

— Tu te sens mal ?... Ink ! On devrait peut-être rentrer ? On ne va pas plus loin ?

Il soupira de nouveau.

— Non, ce n'est rien. Je supporte difficilement la chaleur. Et je ne suis pas très bien chaussé, manque de prévoyance.

— Moi aussi, j'ai eu tort de ne pas prendre des souliers déjà faits. Où est-ce que tu es blessé ? Il faut mettre une épaisseur de papier-journal sous le talon, ça te soulagera.

Ce à quoi ils s'employèrent.

Dans le ciel, ça et là, avaient surgi des nuages qui se chevauchaient. Parfois ils masquaient le soleil et atténuaient son éclat.

— Qu'est-ce qu'on fait, Ink ? On continue ou pas ? On voulait aller dans la forêt, n'est-ce pas ? Tu veux qu'on longe la rivière, il y aura de l'ombre là aussi.

Il se sentait déjà mieux, il souriait :

— En voilà une crevure, n'est-ce pas ? Toujours en auto... Toi, alors, mes compliments !! Allons-y, va. Par quelle rive prend-on ?

Un peu au-dessous d'eux, une passerelle enjambait la rivière. Elle était ligotée aux pieds des saules, de part et d'autre, par des fils de fer, pour les temps de crue.

Fallait-il traverser ? Selon la rive, le chemin serait différent, différentes aussi leurs paroles, et toute la promenade. Traverser ? Ne pas traverser ?

Ils traversèrent. Sur la pente douce et dégagée qui remontait de la rivière, s'alignaient des plantations régulières. Outre les saules gourmands d'eau qui, de leur propre chef, avaient opté pour la berge, on voyait des rangs de bouleaux et de sapins, et, en outre, un étang envasé, avec grenouilles et feuilles mortes, si régulier de forme qu'il avait dû être creusé artificiellement. Qu'était-ce que tout cela ? Un ancien domaine à l'abandon ? A qui demander ?

D'ici, vue entre les boules des saules, l'église paraissait encore plus belle et comme escarpée. Autrefois, au son des cloches, on devait s'y rendre du village voisin dont les terres étaient proches.

Mais ils étaient rassasiés de villages et ils suivirent le cours d'eau.

Il aurait été agréable de s'aventurer à pied dans ce monde qui avait sa vie propre, vie close d'ombre et d'humidité. Aux endroits les moins profonds, on voyait, on entendait frissonner la surface ; ailleurs c'étaient, rares, inexpliqués, les brassements d'une eau apparemment immobile, et partout filaient des argyronètes en régate et il devait y avoir là du poisson, des écrevisses. La berge même leur était interdite par un barrage d'orties infranchissable et un taillis d'aulnes trop serrés.

Un énorme saule difforme partait de leur rive et tordait son tronc penché vers l'autre bord en manière de pont avec, pour rampes, ses rameaux non moins torsadés et tourmentés.

— Un vrai baobab ! s'écria Clara en frappant dans ses mains. Quelle splendeur ! Passons par là pour rejoindre l'autre côté ! Il semble que le terrain y soit plus facile !

Innokenti hocha la tête d'un air de défiance. Mais déjà Clara bondissait sur le tronc incliné et lui tenait sa main vigoureuse :

— Allons-y !

Il lui semblait que cela ne pouvait avoir que des suites heureuses. Sur l'autre rive, ils trouveraient ou se diraient on ne sait quoi qui donnerait un sens à leur balade.

Récalcitrant, Innokenti finit par lui tendre sa main délicate.

Le tronc de saule s'élevait sans à-coups mais finalement assez haut. Innokenti progressait à courts et lents pas chassés et semblait éviter de regarder vers le bas. De plus, la branche à laquelle il s'agrippait vint leur barrer la route et il dut l'enjamber. Ce qu'il fit dans un parfait silence, son visage reflétant une concentration extrême. Ils sautèrent sans s'être trop égratignés. Mais on voyait bien qu'Innokenti n'avait pas pris grand plaisir à ce passage.

L'autre rive ne leur apporta rien. Ils se dirent des choses anodines. D'en haut leur parvenait le grondement essoufflé d'un tracteur. Bientôt le chemin s'écarta du bord de l'eau. Ils durent quitter l'ombre, remonter de la rivière par la seule route possible. Innokenti boitait de plus en plus.

Ils arrivèrent à un parc kolkhozien aux quatre vents, avec une maisonnette et un bout de hangar. La maisonnette devait faire office de bureau : elle était sommée d'un drapeau rose pâle qui remuait à peine. Le hangar avait juste assez de fronton pour faire tenir en une seule ligne la devise : « En avant ! Le communisme vaincra ! » Une multitude de véhicules rouillés, couleur brique, ou d'un bleu écaillé, ou d'un vert lépreux, destinés à des tâches mystérieuses, avec leurs trompes, leurs gueules de canons, leurs timons, et, parmi eux, une cuisine roulante et des remorques aux brancards calés ou affalés, s'étalaient partout, abandonnés sur une vaste surface aussi meurtrie et sillonnée qu'au village, et quasiment impraticable. Un homme vêtu d'une longue blouse crasseuse errait sans fin d'un véhicule à l'autre, s'inclinait, se relevait, examinant on ne sait trop quoi. Il était seul.

Sur la colline ronflait un unique tracteur.

Il n'y avait point d'autre route et ils durent traverser le parc, tant bien que mal, sur les crêtes des ornières. Innokenti boitait. De nouveau la chaleur pesait. Ils redescendirent vers la rivière.

Elle coulait sous un pont de béton. Ce pont banal et robuste mettait les deux rives en équation, comme deux destinées. Une route nationale devait l'emprunter.

— Si nous rentrions en stop, proposa Innokenti. Nous n'allons tout de même pas retourner à pied à la gare ?

La journée était à son milieu, la promenade touchait à sa fin.

Qui a doté les humains de cette membrane qui rend presque visible, presque audible ce qu'il faudrait faire pour venir en aide à autrui ?

Mais rien ne devait arriver. Ne pouvait arriver.

Sous le pont ils découvrirent une petite source. Ils s'assirent, burent, eurent envie de se mouiller les pieds.

Alors, sur leurs têtes, roula un grondement puissant. Ils quittèrent l'aplomb du pont et regardèrent vers le haut du remblai, vers la chaussée.

Sur l'asphalte défilait une colonne de petits camions tout neufs, identiques, bâchés de neuf. Tête et queue dérobées par les hauteurs à l'horizon. Véhicules à antennes, camions de dépannage, camions-citernes « Inflammable », camions remorquant des cuisines. Entre les véhicules, la distance de vingt mètres demeurait immuable tant était rigoureux l'ordre qui régissait la colonne grondant sur le pont. Dans chaque cabine, à côté du chauffeur, siégeait un sous-officier ou un officier. Les bâches abritaient de nombreux soldats : les ouvertures rabattables et l'arrière des camions laissaient voir leurs visages indifférents aux lieux délaissés, aux lieux traversés, aux lieux à venir, visages de bois pour la durée du service.

Entre le moment où Clara et Innokenti s'étaient levés et le silence, ils comptèrent une centaine de véhicules.

L'eau se remit à chuchoter en caressant les pilotis sciés de l'ancien pont de bois.

Innokenti se laissa tomber sur une pierre près du ruisseau et dit d'un air égaré :

— Une vie qui s'effondre.

— Pourquoi ? En quoi, Ink ? dit-elle avec un accent de désespoir. Tu m'avais tellement promis de tout m'expliquer et tu ne m'expliques rien !

Il lui jeta un regard de malade. Il prit une branchette en guise de crayon. Dessina un cercle sur la terre humide.

— Tu vois ce cercle ? C'est notre patrie. C'est le premier cercle. En voici un second (il prit un diamètre plus ample) : c'est l'humanité. On pourrait croire que le premier s'inscrit dans le second ? Penses-tu ! Entre les deux, il y a les barrières des idées préconçues. Et même des barbelés armés de mitrailleuses. Ni par le corps ni par le cœur on ne peut franchir ces obstacles, la plupart du temps. Si bien que c'est comme s'il n'y avait pas d'humanité. Que des patries, rien que des patries, toutes différentes, pour tous les hommes...

Dans les jours qui suivirent, la Section spéciale proposa à Clara un questionnaire confidentiel à remplir. Elle le fit sans peine : une origine sociale immaculée, une vie dans sa fleur, nimbée de bien-être matériel, pure de tout ce qui peut compromettre un citoyen.

Les notices de renseignements passèrent de mains en mains et, au bout de quelques mois, reçurent un avis favorable. Sur ces entrefaites, Clara avait achevé ses études supérieures et franchi le seuil du poste de garde qui préservait les mystères de Marfino.

CHAPITRE XLV

Comme ses autres camarades de promotion de l'École des Transmissions, Clara avait subi les instructions glaçantes du lugubre major Chikine.

Elle avait appris qu'elle aurait à travailler parmi des espions considérables, chiens de garde de l'impérialisme mondial et des services secrets américains, toujours disposés à vendre leur pays à vil prix.

Elle fut affectée au laboratoire de vide. On désignait sous ce nom l'atelier où se fabriquaient, à l'usage d'autres laboratoires, quantité de tubes électroniques. On commençait par les souffler dans la petite soufflerie attenante ; ensuite, dans l'atelier de vide proprement dit, qui occupait une grande pièce à demi obscure orientée au nord, les tubes étaient vidés par trois pompes grondantes. Ces pompes partageaient la pièce comme l'auraient fait des armoires. Même en pleine journée on allumait l'électricité. Le sol, dallé, retentissait de l'écho sonore de pas et de chaises déplacées. Devant chaque pompe, assis ou déambulant, s'affairait un « pompiste » spécialisé, recruté parmi les détenus. En deux ou trois endroits, d'autres prisonniers étaient installés devant de petites tables. En fait d'« externes », il n'y avait là que la jeune Tamara et le chef de laboratoire, qui portait une tunique de capitaine.

Ce supérieur de Clara lui avait été présenté dans le bureau de Iakonov ; c'était un Juif d'âge mûr, replet, vaguement blasé. Jugeant superflu de brandir de nouveaux épouvantails, il fit signe à Clara de le suivre et lui dit dans l'escalier :

— Bien entendu, vous ne savez rien faire et vous ne connaissez rien ?

Clara fit une réponse indistincte. A toute sa frayeur, il n'aurait plus manqué que s'ajoutât la honte d'être démasquée, d'étaler au grand jour une ignorance qui prêterait à rire.

Elle pénétra dans le laboratoire abritant les monstres en combinaison bleue comme on s'aventure dans la cage aux fauves. Elle craignait même de lever les yeux.

De fait, trois pompistes, comme des bêtes en cage, rôdaient autour de leurs pompes. On leur avait passé une commande urgente et depuis deux nuits ils n'avaient pu se coucher. A la pompe du milieu, toutefois, un prisonnier de quarante ans sonnés, le crâne dégarni, une barbe de six jours, s'arrêta, se fendit d'un immense sourire et déclara :

— Voyez, les gars ! C'est le renfort !

Et toute crainte s'évanouit en elle. Il y avait tant de bonté et de candeur dans cette exclamation que Clara dut se maîtriser pour ne pas répondre d'un sourire.

Le plus jeune des techniciens, affecté à la plus petite pompe, s'arrêta à son tour. C'était un adolescent au visage gai, plutôt polisson, aux yeux innocents. Le regard qu'il jeta à Clara était celui d'un homme pris au dépourvu. Jamais aucun garçon n'avait ainsi regardé Clara.

En revanche, l'aîné des pompistes, Dvoiétiossov, dont l'énorme machine vrombissait au fond de la pièce avec une particulière intensité, était un grand gaillard mal bâti, osseux mais le ventre flasque, qui, de loin, toisa dédaigneusement la jeune fille avant de se dissimuler derrière une armoire, comme s'il répugnait à poser les yeux sur pareille abomination.

Elle devait apprendre par la suite que ce comportement n'avait rien d'offensant, cet homme en usait ainsi avec tous les « externes » et il ne pouvait voir apparaître un « chef » sans faire mugir sa pompe afin de contraindre l'intrus à forcer la voix. Il négligeait sa tenue de façon provocante, pouvait fort bien se présenter au travail avec un bouton de son pantalon fragilement suspendu à un fil ou avec un trou dans le dos, à moins que, en présence de jeunes filles, il n'entreprît de glisser sa main sous sa combinaison pour se gratter.

— Après tout je suis dans mon pays ! Pourquoi se gêner quand on est dans sa vraie patrie !

Quant au pompiste du milieu, les détenus, même lorsqu'ils étaient ses cadets, l'appelaient par son nom de famille, Zémélia, et il ne se formalisait pas de cette familiarité. Il avait ce genre de nature que les psychologues qualifient de « solaire » et que le langage populaire évoque sous le nom de « Jean qui rit », avec sa « gueule fendue jusqu'aux oreilles ». En l'observant au cours des semaines suivantes, Clara remarqua qu'il ne regrettait jamais aucune perte, qu'il s'agît d'un crayon égaré ou de l'ensemble de sa vie mutilée, qu'il ne se fâchait contre rien ni personne, qu'il n'avait pas peur. C'était un ingénieur brillant, spécialiste des moteurs d'avion, qui avait échoué à Marfino par erreur mais s'était accoutumé à la maison et ne brûlait pas d'en sortir, estimant avec raison qu'il ne gagnerait sûrement pas au change.

Le soir, lorsque les pompes s'apaisaient, Zémélia aimait bien à parler dans le silence ou à écouter les autres.

— Au bon vieux temps, il suffisait de prendre cinq roubles et d'aller acheter ce qu'on voulait, à chaque pas on trouvait un vendeur pour vous proposer sa marchandise, disait-il avec un large sourire. Personne ne vous vendait de la crotte. Les bottes étaient de vraies bottes, qu'on portait des dix ans sans avoir à les ressemeler et une quinzaine d'autres années après les avoir fait retaper. On ne vous coupait pas le cuir au ras de l'empeigne comme aujourd'hui, non, ça faisait le tour du pied pardessous. Et puis il y avait, je ne me souviens plus du nom, des bottes rouges à motifs de couleur, la semelle tannée à l'alcool, ce n'étaient plus des bottes, c'était comme une âme de rechange. (Tout sourire, il clignotait comme on le ferait face à un bon petit soleil d'hiver.) Tenez, dans les gares, par exemple... Jamais personne couché par terre, on ne passait pas des journées à s'entre-tuer pour avoir un billet. Il suffisait d'arriver une minute à l'avance, d'acheter sa place, de monter, il y avait toujours des wagons de libres. Et on ne ménageait pas les trains, ils filaient, fallait voir. Bref, la vie était *simple*, quoi, vraiment sans histoires... L'aîné des techniciens, se dandinant de tout son corps massif, les poings fermés dans ses poches, quittait le coin sombre où sa table était dissimulée soigneusement aux regards de l'autorité et venait écouter à son tour. Il se dressait au milieu de la pièce, les lunettes chevauchant son nez, avec un regard oblique de ses yeux exorbités.

— Zémélia ! Tu as donc connu le temps du tsar !

Zémélia s'excusait d'un sourire : « Tant soit peu. »

— Tant pis pour toi, répliquait Dvoiétiossov en hochant la tête. Faut oublier. Nous, maintenant, notre joujou, c'est la pompe socialiste.

— Mais enfin, répliquait timidement Zémélia, il est plus ou moins en place, le socialisme.

— Tu crois ? disait son aîné en roulant de gros yeux.

— Bien sû-û-ûr. Depuis 1933, je crois bien.

— C'est-à-dire l'époque de la famine en Ukraine ? Attends, attends, alors qu'est-ce qu'on fabrique jour et nuit à nos pompes, en ce moment ?

— En ce moment ? On fait sûrement du communisme, répondait Zémélia, radieux.

— De quoi ? T'en as de bonnes !... nasillait le doyen des pompistes d'un air bêta, puis il retournait dans son coin en traînant les pieds.

Parlaient-ils ainsi pour eux-mêmes ou pour Clara ? Toujours est-il qu'elle n'alla pas les dénoncer.

Ses obligations s'avérèrent modestes : en alternance avec Tamara, elle devait se présenter le matin, un jour sur deux, et assurer son service jusqu'à six heures du soir ; le jour suivant, elle prenait son tour après le déjeuner et restait jusqu'à onze heures du soir. Le capitaine était toujours présent le matin car il pouvait être convoqué par ses supérieurs à n'importe quelle heure de la journée, mais il ne venait jamais dans la soirée, n'étant pas obsédé par l'avancement. La mission principale des jeunes filles était de faire acte de présence, c'est-à-dire d'épier les détenus. En outre, pour leur « formation », le chef leur confiait de menus travaux peu urgents. Clara ne voyait Tamara que deux heures par jour. Ladite Tamara travaillait à la base de Marfino depuis un an et entretenait des rapports aisés avec les détenus. Clara crut même comprendre qu'elle était en termes un peu plus intimes avec l'un d'eux, qu'elle lui apportait des livres, mais cet échange échappait aux regards. De plus, sans avoir à quitter l'Institut, Tamara fréquentait le cours d'anglais à l'usage de « externes », qui avait été confié à des professeurs détenus (ceux-ci travaillant bénévolement, il va sans dire, et c'était l'aspect fructueux de l'entreprise). Tamara eut tôt fait de dissiper les terreurs de Clara quant aux atrocités que ces hommes auraient pu perpétrer.

Clara finit par lier conversation avec un des prisonniers. Au vrai, ce n'était pas un criminel d'État mais un de ces « droit commun » dont le nombre était limité à Marfino. Il s'agissait du souffleur Ivan, trop bon ouvrier pour son malheur. Sa vieille belle-mère disait de lui qu'il était le roi des bricoleurs et l'empereur des pochards. Il gagnait gros, buvait sec, et, lorsqu'il était dans les vignes du Seigneur, il brutalisait sa femme et terrorisait ses voisins. Tout cela était bien anodin, mais le chemin d'Ivan croisa celui du M.G.B. Un « camarade » sans galons ni chevrons, mais respirant l'autorité, le fit mander par convocation et lui proposa un travail pour un salaire de trois mille roubles. Dans son petit emploi, Ivan gagnait moins mais finissait par toucher plus en fabriquant du supplément à la pièce. Oubliant à qui il avait affaire, il s'enhardit jusqu'à demander quatre mille roubles par mois. Son interlocuteur trop bien qualifié lui concéda un supplément de deux cents roubles. Ivan resta intraitable. L'inconnu le congédia. Après sa paye suivante, comme il s'était saoulé et avait mené grand tapage dans la cour, la milice, jusqu'alors sourde à tous les appels, se manifesta sous la forme d'un détachement au grand complet qui l'emmena. Dès le lendemain il passa en jugement, fut gratifié d'un an et, le verdict aussitôt rendu, comparut devant le même manitou dépourvu de tout insigne qui lui expliqua que le même travail l'attendait au même endroit, mais sans rémunération. Que si ces dispositions le contrariaient, il pouvait partir extraire du charbon au-delà du Cercle polaire.

Maintenant Ivan était là à souffler ses tubes électroniques aux formes ahurissantes et perpétuellement renouvelées. Son temps touchait à sa fin mais il avait un casier judiciaire sali et, pour n'être pas expulsé de Moscou, il implorait ses chefs de le garder dans le même emploi en qualité d'externe, même pour un salaire de mille cinq cents roubles.

Personne d'autre dans la charachka n'aurait trouvé de sel à ce récit sans malice ni à son heureuse conclusion, car il y avait là des hommes qui avaient passé une cinquantaine de jours dans la cellule des condamnés à mort et d'autres qui avaient connu personnellement le pape ou Albert Einstein. Clara fut néanmoins bouleversée par cette histoire. En définitive, selon les propres paroles d'Ivan, ces gens-là « font tout ce qu'ils veulent ».

Effarouchée par les politiques, elle maintenait entre elle et eux toute la distance de rapports officiels circonspects. Le récit du souffleur insinua toutefois dans sa tête le soupçon que, parmi ces combinaisons bleues, pouvaient se trouver d'autres hommes totalement innocents... S'il en était ainsi, son père avait-il jamais eu l'occasion de condamner l'un d'eux ?

Personne, là encore, à qui poser pareille question : ni chez elle ni à son travail. Son amitié pour Innokenti et leur promenade n'avaient eu aucune suite, peut-être parce qu'il était reparti pour l'étranger en compagnie de Nara.

Pourtant, cette année-là, Clara se fit son premier vrai ami. Ce n'est pas au travail qu'elle découvrit Ernst Golovanov. C'était un critique littéraire que Dinéra, un beau jour, avait amené chez ses parents. Rien du jeune premier séduisant, c'est à peine s'il avait la taille de Clara — dès qu'il s'éloignait, il paraissait plus petit —, et son front et sa tête carrés dominaient un tronc carré. De peu l'aîné de Clara, il semblait d'âge mûr, avec sa bedaine et son corps peu sportif. (S'il faut tout dire, son vrai nom était Saounkine et il avait pris pour pseudonyme Golovanov.) Mais c'était un garçon cultivé, posé, intéressant, qui songeait déjà à entrer à l'Union des écrivains.

Un jour elle l'accompagna au Maly Teatr. On y jouait *Vassa Jeleznova*. Le spectacle était navrant. La salle était moins qu'à moitié pleine. Les artistes devaient en être démoralisés. Ils arrivaient en scène avec ennui, comme des employés au bureau, et regagnaient les coulisses avec joie. Face à ce vide, leur jeu était quasiment humiliant : le grimage comme les rôles évoquaient un divertissement trop futile pour des adultes. Dans le calme de l'auditoire, on n'aurait pas été surpris qu'une voix, sans se forcer, comme on parle dans l'intimité, conseillât : « Allons, les enfants ! Assez fait les pitres comme ça ! », entraînant ainsi l'effondrement total de la pièce. L'humiliation des acteurs avait contaminé la salle. Chacun était gagné par l'impression qu'il s'était fourvoyé dans une entreprise peu reluisante et on éprouvait de la gêne à regarder son voisin. Aussi les entractes baignaient-ils dans le même silence que le déroulement des scènes. Les couples échangeaient des chuchotements mourants ou arpentaient le foyer sans émettre un son.

Pour Ernst et Clara, le premier entracte se déroula de la sorte. Ernst plaidait pour Gorki et s'indignait en son nom de le voir aussi mal interprété, il ne ménageait pas ses critiques à Jarov, Artiste du Peuple certes, mais qui jouait avec un manque de conscience effronté ; il s'en prenait avec encore plus de hardiesse à la routine désormais endémique au ministère de la Culture, qui finissait par couler notre théâtre et ses magnifiques traditions de réalisme et par inspirer de la défiance aux spectateurs. Ernst n'était pas seulement un écrivain habile à fignoler son expression, il savait parler avec propriété et élégance, sans bafouiller ni laisser tomber ses phrases lorsqu'il s'excitait.

Au deuxième entracte, Clara lui demanda à rester avec lui dans leur loge et lui dit :

— Si je suis rassasiée de Gorki et d'Ostrovski, c'est que j'en ai assez de voir stigmatiser le pouvoir du capital, d'entendre dénoncer le joug de la famille, avec tous ces vieux qui épousent des jeunesses. Voilà cinquante ans, voilà cent ans qu'il n'en est plus question et nous sommes toujours là à faire nos grands moulinets et à dénoncer des réalités mortes et enterrées. La réalité d'aujourd'hui, on ne risque pas de la voir sur les planches.

— C'est un peu vrai.

Ernst considéra Clara avec un sourire bienveillant et curieux. Il ne s'était pas trompé à son sujet. Cette fille n'avait pas un extérieur bien séduisant, mais on ne s'ennuyait pas dans sa compagnie.

— A quoi pensez-vous concrètement ?

Il n'y avait personne dans les loges voisines ni au-dessous d'eux à l'orchestre. Baissant la voix et s'attachant à ne trahir ni le secret d'État ni l'intérêt qu'elle portait à ces hommes, Clara raconta à Ernst qu'elle travaillait avec des prisonniers qu'on lui avait dépeints comme des chiens de garde de l'impérialisme mais qui se révélaient tout autres, et très différents les uns des autres. Elle se demandait avec douleur et demandait à Ernst s'il n'y avait pas des innocents sur le nombre.

Ernst écouta attentivement ses moindres paroles et lui répondit avec la pondération d'un homme qui a déjà réfléchi à la question :

— Assurément. C'est inévitable dans tout système pénitentiaire, quel qu'il soit.

Clara ne voyait pas de quel système il pouvait s'agir et, sans avoir médité sa réponse, elle éprouva le besoin d'emprunter ses conclusions au souffleur de verre :

— Mais, Ernst, ça revient à dire qu'ils font ce qu'ils veulent ! C'est affreux !

Son poing vigoureux s'était refermé sur le velours rouge de la balustrade. Golovanov posa ses doigts courts juste à côté et non sur la main de Clara, car il ne pratiquait pas ce genre de privautés que procure le hasard.

— Non, répondit-il avec douceur et fermeté. On ne peut pas dire « qu'ils font ce qu'ils veulent ». D'abord, qui donc « fait » ? Et qui « veut » ? En fait, c'est l'Histoire. Vous et moi nous trouvons cela parfois horrible, mais dites-vous, Clara, que nous devons nous résigner à la loi des grands nombres. Plus vaste est le champ d'un événement historique donné, plus on voit se multiplier les chances d'erreurs particulières, judiciaires, tactiques, idéologiques, économiques. Nous n'embrassons la totalité du processus que dans ses lignes directrices et l'essentiel est certainement de se persuader qu'il est inévitable et nécessaire. Parfois quelqu'un se trouve en pâtir. Qui ne le mérite pas toujours. Et les morts de la guerre ? Et les victimes, absolument gratuites, du tremblement de terre d'Achkhabad ? La circulation des automobiles augmentant, le nombre des accidents doit aussi augmenter. La sagesse pratique est d'accepter la vie dans son développement total, avec son taux d'accroissement des victimes nécessaires.

Il y avait du bon sens dans cette explication. Clara s'absorba dans ses pensées.

La sonnerie avait retenti par deux fois et les spectateurs regagnaient la salle.

Au troisième acte, la Roiek, dans le rôle de la sœur cadette de Vassa, fit entendre sa voix flûtée et parvint à remettre le spectacle sur pied.

Clara ne se rendait pas vraiment compte que ce qui la passionnait, ce n'était pas l'innocent anonyme que la loi avait envoyé pourrir depuis fort longtemps au-delà du Cercle polaire, mais le cadet des pompistes avec ses yeux bleus, ses joues couvertes d'un hâle doré, presque un enfant malgré ses vingt-trois ans. Dès leur première rencontre, l'œil du garçon s'était embrasé d'une flamme d'adoration inextinguible qui avait ôté tout repos à Clara. Elle ne pouvait prendre en considération ni apprécier à sa juste valeur le fait que Rostislav arrivât d'un camp où, de deux ans, il n'avait pas vu une seule femme. Elle se sentait seulement, et pour la première fois, objet d'admiration.

Cette admiration, d'ailleurs, n'avait pas évincé tout autre sentiment chez ce voisin de Clara. Dans cette réclusion pratiquement condamnée à l'éclairage électrique, l'adolescent semblait vivre sa vie, très pleine, effervescente : tantôt il faisait du bricolage à l'insu des chefs ; tantôt il étudiait l'anglais en cachette, des heures durant, tantôt il téléphonait à des amis, dans d'autres laboratoires, et courait les retrouver dans le couloir. Ses mouvements étaient toujours vifs et toujours, à tout moment, surtout dans l'instant présent, il semblait accaparé sans réserve par un intérêt captivant. Et son admiration pour Clara n'était qu'un de ces passe-temps enthousiastes.

Il ne manquait d'ailleurs pas de soigner son apparence et l'échancrure de sa combinaison laissait voir, sous une cravate bariolée, un pan de tissu d'une blancheur impeccable (dont Clara ignorait que ce fût le fameux « plastron », inventé par Rostislav à partir d'un drap de l'intendance coupé en seize).

Les jeunes gens que Clara rencontrait au-dehors, surtout Ernst Golovanov, avaient déjà des succès de carrière, ils s'habillaient, se déplaçaient, causaient avec l'intention évidente de ne pas perdre une once de leur dignité. Dans le voisinage de Rostislav, Clara se sentit à l'aise et prise d'une envie de faire à son tour des pitreries. Elle l'observait à la dérobée avec une sympathie croissante. Elle ne pouvait se faire à l'idée qu'un garçon comme lui ou cette pâte d'homme de Zémélia fussent réellement ces chiens de garde de l'impérialisme contre lesquels le major Chikine les avait si bien prévenues. Elle brûlait de savoir, surtout pour Rostislav, le crime qu'il devait expier. Et s'il en avait pour longtemps. (Il n'était pas marié, de toute évidence.) Elle ne pouvait se résoudre à l'interroger personnellement, imaginant que semblable procédé traumatiserait son interlocuteur, ramenant au grand jour un passé abominable dont le pauvre garçon ne demandait qu'à secouer la défroque pour en être à jamais débarrassé.

Deux mois environ s'écoulèrent. Clara, parfaitement à l'aise avec tout le monde, avait entendu une foule de récits n'ayant rien à voir avec le service. Rostislav guettait le moment où, à la garde du soir, pour la durée du dîner des prisonniers, Clara se retrouvait seule au laboratoire ; il se faisait un devoir d'y retourner pour reprendre on ne sait quel objet oublié ou pour travailler au calme.

Lors de ces visites vespérales, Clara en vint à oublier les admonestations du responsable opérationnel...

La veille au soir, tout naturellement, ils avaient ouvert les vannes à l'un de ces entretiens torrentiels dont l'eau sauvage culbute toutes les digues, toutes les prudences.

L'adolescent n'avait pas à secouer la défroque d'un passé abominable. Il n'y avait en lui qu'une jeunesse détruite et une soif engloutissante de connaître et de savourer tout ce qu'il n'avait pu encore éprouver.

Il avait donc vécu avec sa mère dans un village du Podmoskovié, non loin du Canal. Il achevait ses études secondaires lorsque des membres de l'ambassade des États-Unis avaient pris en location une datcha dans ce village. Rouska et deux de ses camarades avaient commis l'imprudence (par curiosité, on s'en doute) d'aller deux fois à la pêche avec ces Américains. Cela ne parut pas tirer à conséquence, Rouska entra à l'université de Moscou mais, en septembre, alors qu'il retournait à son village, il fut arrêté discrètement — si bien que sa mère devait longtemps ignorer ce qu'il était devenu. (Il apparaît que le M.G.B. s'arrange toujours pour appréhender son monde de façon que l'inculpé n'ait le temps de rien cacher, de transmettre ni signal convenu ni mot de passe à ses proches.) On l'incarcéra à la Loubianka (prison dont Clara n'avait jamais entendu parler avant Marfino). On instruisit son affaire. On s'efforça d'extorquer à Rostislav l'aveu de la mission à lui confiée par les services secrets américains et l'emplacement de l'appartement clandestin où il devait venir faire ses rapports. Rouska reconnaissait qu'à l'époque il était un jeune chien et n'avait su que pleurnicher dans son désarroi. Puis ç'avait été le miracle : on avait fait sortir Rouska de cette Loubianka dont personne ne repasse le seuil sans acquitter un lourd péage.

Cela se passait en 1945. Et c'est là qu'il en était resté la veille.

Toute la nuit, Clara avait été fort excitée par ce préambule. Le jour même, dans l'après-midi, elle avait fait fi des derniers préceptes de vigilance, avait même franchi les dernières bornes de la décence, s'était assise sans façon aux côtés de Rouska et, dans le ronflement modeste de la petite pompe, leur entretien avait repris.

A la pause du déjeuner, tous deux faisaient songer à deux enfants mordant à tour de rôle à une grosse pomme. Ils étaient tout surpris d'avoir attendu si longtemps pour se confier l'un à l'autre. C'est à peine s'ils achevaient leurs phrases. Coupant impatiemment la parole à Clara, Rostislav lui prenait les mains et elle n'y voyait aucun mal. Quand tout le monde fut parti déjeuner, ces frôlements d'épaules et de mains acquirent un sens tout neuf. Clara vit juste devant elle ces yeux bleus lumineux qui insinuaient en elle toute leur extase ahurie.

D'une voix entrecoupée, Rostislav lui disait :

— Clara ! Qui sait quand nous nous retrouverons ainsi ? Pour moi c'est un miracle ! Je suis à vos pieds ! (Il pressait déjà, il caressait ses mains.) Clara ! Mon destin peut-être sera d'agoniser une vie entière en prison. Faites de moi un homme heureux, faites que dans la pire des cellules, au secret, je puisse me réchauffer au souvenir de cette minute ! Laissez-moi vous embrasser !

Clara se sentait une déesse descendue visiter un prisonnier au fond d'un in-pace. Rostislav l'attira à lui et imprima sur ses lèvres un baiser d'une énergie exterminatrice, le baiser d'un prisonnier torturé par la continence. Baiser qu'elle lui rendit...

Enfin elle s'arracha à lui, se détourna, bouleversée, prise de vertige...

— Partez... supplia-t-elle.

Rostislav se leva et resta là, chancelant.

— Pour le moment, sortez ! lui intima Clara.

Il hésita. Se soumit. Sur le seuil, pitoyable, suppliant, il se retourna vers elle et disparut dans le couloir comme happé par un coup de roulis.

Bientôt la pause prit fin et chacun revint.

Clara n'osait lever les yeux ni sur Rouska ni sur un autre. Elle sentait en elle s'allumer une flamme qui n'était pas celle de la honte. La joie ? Peut-être, mais une joie sans quiétude.

Elle entendit annoncer que les prisonniers auraient droit à leur arbre de Noël.

Elle passa trois heures immobile à ne mouvoir que ses doigts : elle tressait des fils de plastique multicolore pour en faire une petite corbeille destinée à orner l'arbre.

Retour de sa visite, Ivan le souffleur modela deux diablotins de verre brandissant comiquement des sortes de fusils, puis, avec du verre filé, il fabriqua une cage où il accrocha à un fil d'argent un *clair de lune*, argenté lui aussi, qui tintait mélancoliquement.

CHAPITRE XLVI

Pendant la moitié de la journée, sans qu'il fît froid, un ciel bas et trouble s'était épanché sur Moscou. Avant le déjeuner, lorsque les sept prisonniers sautèrent du petit autobus bleu dans la cour de promenade de la charachka, les premiers flocons, impatients, isolés, commençaient à voleter.

Un de ces flocons, un de ces parfaits hexagones étoilés se posa sur la manche de la vieille capote roussie que Nerjine traînait depuis le front. Il s'arrêta en pleine cour et aspira l'air de tous ses poumons.

Le lieutenant Schustermann se trouvait là et l'avertit qu'il devait réintégrer les bâtiments, car l'heure de la promenade était passée.

C'était agaçant. Il n'avait guère envie, disons même qu'il lui était franchement impossible de parler de la visite, de communiquer ses impressions, de rechercher la sympathie d'autrui. Ne rien dire. Ne rien écouter. Il tenait à rester seul pour lentement, lentement filtrer à travers son être tout l'acquis dont il avait fait provision, avant que cela n'eût fondu en souvenir.

Or, s'il est une chose impossible à la charachka, comme dans tout autre camp, c'est la solitude. Partout, toujours des cellules, des compartiments de trains spéciaux, des wagons à bœufs, des baraquements concentrationnaires, des salles d'hôpitaux et partout des hommes et encore des hommes, étrangers ou proches, délicats ou brutaux, mais toujours et toujours des hommes.

En pénétrant dans le bâtiment (les détenus avaient

leur entrée réservée : un escalier de bois donnant sur un couloir souterrain), Nerjine s'arrêta et se demanda où il pourrait bien aller.

Il trouva.

Par un escalier de service excentrique et quasiment désaffecté, contournant des monceaux de chaises brisées et renversées, il gagna un palier en cul-de-sac du deuxième étage.

Ce palier avait été affecté en qualité d'atelier au peintre-détenu Kondrachov-Ivanov. Cet homme n'avait rien à voir avec l'objectif majeur de la charachka, mais on l'y entretenait comme les maîtres d'autrefois gardaient à leur service un peintre choisi parmi les serfs : les vestibules et les pièces de la Section de Technique spéciale étaient vastes et exigeaient des ornements picturaux. Moins spacieux mais plus nombreux étaient les logis personnels du vice-ministre, de Foma Gourianovitch, d'autres de leurs proches collaborateurs, et il y avait encore plus d'urgence à les orner de tableaux qui fussent grands, beaux et gratuits.

Au vrai, Kondrachov-Ivanov satisfaisait mal à ces exigences : ses toiles étaient assurément grandes, ne coûtaient pas un liard, mais elles n'étaient pas *belles*. Colonels et généraux, lorsqu'ils venaient visiter sa galerie, essayaient en vain de lui inculquer la juste façon de dessiner, de choisir ses couleurs, mais devaient se contenter en soupirant de ce qu'on leur offrait. Il faut dire que ces œuvres gagnaient assurément à êtres encadrées de dorures.

Au cours de son ascension, Nerjine passa devant la toile commandée pour le vestibule de la Section Technique spéciale, « A.S. Popov présentant le premier radiotélégraphe à l'amiral Makarov », puis il s'élança sur la dernière volée et, avant même de voir l'artiste, aperçut tout en haut, près du plafond, sur le mur fermant le palier, un tableau de deux mètres de haut, également achevé, mais dont personne ne voulait.

D'autres toiles étaient accrochées aux murs de l'escalier, certaines fixées à des chevalets. La lumière descendait de deux fenêtres, nord et ouest. Sur le même palier donnait, coupée de la lumière du bon Dieu, la lucarne grillagée à rideau rose du Masque de Fer.

On ne voyait rien d'autre ici, pas même une chaise. Deux billots de taille inégale, dressés verticalement, en tenaient lieu.

Bien que l'escalier fût pauvrement chauffé et qu'il y régnât constamment un froid humide, le manteau molletonné de Kondrachov-Ivanov gisait à terre et le peintre, jambes et bras émergeant d'une combinaison étriquée, restait là, immobile, long, inflexible, comme insensible au froid. De grosses lunettes qui étoffaient son visage et en accusaient la sévérité étaient comme rivées à ses oreilles et résistaient aux brusques demi-tours dont Kondrachov était prodigue. Son regard était attaché à un tableau. Il tenait son pinceau et sa palette et ses deux bras pendaient de toute leur longueur.

Percevant des pas précautionneux, il se retourna.

Les deux hommes se croisèrent du regard, chacun encore à ses pensées.

Cette visite ne réjouissait guère le peintre qui, en ce moment, aurait eu besoin de solitude et de silence.

Le plaisir de revoir Nerjine l'emporta toutefois. C'est sans trace d'hypocrisie, c'est même avec son enthousiasme habituel et toujours disproportionné qu'il s'exclama :

— Gleb Vikentitch ? Mais entrez donc !

Avec un ample geste d'accueil du pinceau et de la palette.

Pour un artiste, la bonté est une vertu ambivalente : elle nourrit son imagination mais dévaste son emploi du temps.

Nerjine, emprunté, marqua le pas sur la dernière marche et dans un souffle, comme s'il craignait de réveiller un tiers :

— Non, non, Hippolyte Mikhalytch ! Je suis venu simplement, si vous permettez, pour... garder le silence.

— Mais oui, mais oui, mais bien sûr ! répondit également, en sourdine, hochant la tête, le peintre qui avait lu dans le regard de Nerjine, ou bien s'était souvenu que son ami avait dû revoir sa femme. Il recula, comme avec une courbette d'adieu, pointant pinceau et palette vers un des billots.

Retroussant les pans de sa capote qu'il avait préservée de tout raccourcissement lors de son séjour dans les camps, Nerjine s'affaissa sur son siège, appuya son dos aux balustres de la rampe et — quoi qu'il en brûlât d'envie — n'alluma pas de cigarette.

Le peintre ramena son regard vers le même coin de tableau.

Leur silence se mit à couler...

Nerjine éprouvait pour sa femme un sentiment ravivé qui le lancinait avec une subtilité agréable.

Il sentait comme un pollen précieux à la pointe de ses doigts qui, au moment du départ, avaient touché les mains, le cou, les cheveux de sa femme.

On peut vivre des années privé de ce qui est le partage charnel des hommes.

Vous restent : la raison (si elle veut bien loger dans votre tête). Les convictions (si on a la maturité requise). Et puis, jusqu'à plus soif, le grand souci du bien commun.

Manque le noyau.

Et cet amour d'une femme, à soi seul, cet amour qui manque, contrebalance le reste de l'univers.

Et ces mots simples :

— Tu m'aimes ?

— Oui. Et toi ?

qu'on a là-bas exprimés du regard ou d'un mouvement des lèvres, voici qu'ils vous emplissent l'âme de leur carillon assourdi.

En ce moment, Nerjine ne pouvait imaginer ni se rappeler que sa femme eût le moindre défaut. Elle était toute pétrie de qualités. De fidélité.

Dommage qu'il n'ait pas pris sur lui de l'embrasser aussi au début de leur entrevue. Ce baiser perdu n'était plus recouvrable.

Les lèvres de sa femme avaient l'inconsistance de lèvres délaissées. Et quelle fatigue en elle ! Et quel air de bête aux abois pour parler de son divorce.

Divorcer légalement ? Gleb laisserait sans regrets

déchirer une feuille de papier timbré. Qu'est-ce que l'État peut avoir à faire dans l'union des âmes ? Et même des corps ?

Suffisamment malmené par la vie, il savait que les choses et les événements suivent une inflexible logique. Dans le train-train de chaque journée, les hommes ne songent pas aux conséquences inverses qui pourront naître de leurs actions. Ce Popov, en inventant la radio, pensait-il qu'il mettait au jour une omniprésente crécelle, la torture haut-parlante des penseurs solitaires ? Ou encore les Allemands : ils avaient laissé passer Lénine pour abattre la Russie et devaient au bout de trente ans retrouver une Allemagne cassée en deux. Ou encore l'Alaska. Quel pas de clerc, cette braderie ! Mais voilà, les tanks soviétiques ne pouvaient désormais déferler sur l'Amérique sans se mouiller les chenilles. C'est ainsi qu'un fait négligeable tranche le destin de la planète.

Nadia n'échappe pas à la règle. Elle divorce pour éviter des persécutions. Une fois divorcée, elle se remariera sans même y prendre garde.

Ce dernier geste des doigts sans alliance lui avait étrangement étreint le cœur, c'était bien là un adieu pour toujours...

Nerjine demeura silencieux et le trop-plein de joie des retrouvailles qui, dans l'autobus, dilatait encore tout son être, s'écoula peu à peu, évacué par des considérations d'une sombre lucidité. Du coup ses pensées se retrouvèrent en équilibre et il rentra dans sa peau de prisonnier.

— Ça te va, cet endroit, lui avait-elle dit.

La prison lui allait.

Il ne regrettait point ces cinq années sous les verrous. Avant même d'en être éloigné, Nerjine les savait profondément mêlées à son être et nécessaires à son existence.

Était-il plus juste point de vue sur la Révolution qu'un regard à travers les barreaux qu'elle avait scellés ?

Et quel autre lieu permet de mieux connaître les hommes ?

Et soi-même ?

De combien d'errements juvéniles, de combien d'élans mal dirigés l'avaient préservé l'unique et rigide chemin prédestiné de la prison !

Comme le disait Spiridon : « La liberté est un trésor et les diables y montent la garde. »

Et ce rêveur, là, si peu accessible aux moqueries du siècle, qu'avait-il perdu à la réclusion ? Bien sûr, il lui était interdit de flâner dans la campagne moscovite avec sa boîte de couleurs. Et d'arranger des natures mortes sur une table. Les expositions ? Mais il ne savait pas en organiser : en un demi-siècle il n'avait pas exposé une seule fois dans une bonne salle. L'argent de ses tableaux ? Il n'en gagnait déjà pas en liberté. L'attachement du public ? C'était encore ici qu'il était le mieux servi. Un atelier ? Quand il était en liberté, il ne disposait même pas d'un palier non chauffé comme celui-ci. Pour logis et pour atelier, il n'avait jamais eu qu'une longue pièce en forme de couloir. Pour pouvoir y travailler à son aise, il devait empiler ses chaises et rouler son matelas, si bien que certains visiteurs lui demandaient s'il était sur le point de déménager. Il n'avait qu'une table et lorsqu'il y disposait une nature morte, sa femme et lui prenaient leurs repas sur des chaises.

Pendant la guerre, l'huile de lin avait disparu — il se servit de l'huile de tournesol de sa ration pour y dissoudre ses couleurs. Comme pour obtenir des cartes d'alimentation il fallait travailler dans une entreprise officielle, il se fit affecter à un groupe de défense anti-chimique pour y peindre les portraits des lauréates en préparation militaire et politique. On lui commanda dix portraits, mais sur les dix candidates il n'en choisit qu'une, qu'il épuisa par des séances de pause interminables. Il la représenta toutefois d'une manière qui n'agréa pas au commandement et nul ne revit ce portrait sous-titré « Moscou 41 ».

Or l'année 41 était manifeste sur cette toile. On y voyait une jeune fille en tenue anti-gaz. Ses cheveux cuivrés rebelles s'échappaient en tous sens de son calot et cernaient sa tête d'une auréole troublée. La tête était relevée, les yeux fous regardaient droit devant eux on ne sait quoi d'atroce et d'impardonné. Il n'y avait point de délicatesse juvénile dans cette silhouette de jeune fille. Les mains, prêtes au combat, retenaient la jugulaire du casque et cette tenue anti-ypérite, d'un gris noir, était parcourue de plis roides et cassants, cette surface brisée que glaçait un reflet d'argent était une armure des temps chevaleresques. Noblesse, dureté et ressentiment s'étaient rejoints et gravés sur le visage énergique de cette komsomole de Kalouga en qui Kondrachov-Ivanov voyait une autre Jeanne d'Arc !

A première vue, l'œuvre répondait bien à la devise : « Nous n'oublierons rien, nous ne pardonnerons rien ! », mais elle passait toute mesure et évoquait on ne sait quelle force ingouvernable : le tableau fit peur, on ne l'exposa pas et il resta des années dans l'appentis du peintre, face au mur, jusqu'à l'instant de l'arrestation.

Daniel, le fils de Léonid Andreiev, qui avait écrit un roman, réunit une vingtaine d'amis pour leur en faire la lecture. Un mercredi littéraire dans le style du siècle dernier... A chacun des auditeurs ce roman coûta vingt-cinq années de rééducation par le travail. Ce roman subversif fut écouté par Kondrachov-Ivanov, descendant du décembriste Kondrachov qui, pour avoir participé à une insurrection, avait été condamné à vingt ans de bagne et dont le destin devait être marqué par une particularité mémorable : la venue en Sibérie d'une jeune gouvernante française qui s'était éprise de lui.

En vérité, Kondrachov n'échoua pas dans un camp : aussitôt paraphé le verdict de l'O.S.O., il fut conduit à Marfino et attelé à un tableau par mois, selon des dispositions expresses de Foma Gourianovitch. Pendant les douze mois de l'année écoulée, Kondrachov avait peint, entre autres, les tableaux accrochés aux murs de l'escalier. Qui l'eût dit ? Lui, qui avait vécu cinquante années et avait encore vingt-cinq ans à vivre, connut, au lieu d'une existence banale, la fièvre d'un envol, car il ignorait s'il aurait jamais en partage une autre année de réclusion aussi sereine. Il ne prenait pas garde à ce qu'on lui faisait manger ou à ce qu'on lui mettait sur le dos, ni à l'appel quotidien qui passait et repassait sur sa tête, comme sur tant d'autres.

Il se trouvait ici privé de tout échange avec d'autres peintres. Ou de la vue de toiles autres que les siennes. Ou de ces albums de reproductions que la douane laissait passer au compte-gouttes et qui donnaient à deviner les styles et les tendances de la peinture en Occident.

Quelle que fût l'évolution de cette peinture, elle ne pouvait influer sur le travail de Kondrachov-Ivanov ni l'affecter, puisque toutes ses créations, toutes ses découvertes possibles s'inscrivaient dans un pentagramme magique dont les cinq sommets avaient été occupés une fois pour toutes : deux par le dessin et la couleur tels que lui seul pouvait les voir, deux par le Bien et le Mal universels, le dernier par l'artiste lui-même.

Il ne pouvait plus retourner en promeneur vers les paysages de jadis ni recomposer de ses mains les anciennes natures mortes mais toutes ces choses, et surtout leur couleur, lui étaient apparues sous un jour neuf dans les cellules assombries par leurs « muselières » : désormais, de mémoire, il peignait des paysages et des natures mortes tels qu'on n'en avait jamais peint.

Une de ces natures mortes, conformes au « carré égyptien » de 4 sur 5 (Kondrachov accordait une importance primordiale au rapport des côtés) était accrochée près de la fenêtre de Mamourine. La moitié de sa surface était occupée par la perspective verticale d'un plateau de cuivre éblouissant. Simple plateau qui, pourtant, faisait l'effet d'un héroïque et fulgurant bouclier ! A côté, une cruche d'un métal obscur, aux cannelures émaillées de noir, et qui devait contenir de l'eau plutôt que du vin. Le fond était drapé d'un brocart jaune doré (ces derniers temps, Kondrachov s'était pris d'affection pour toutes les nuances du jaune) que l'on percevait comme le voile de l'Invisible. Dans l'accord de ces trois objets, il y avait on ne sait quoi qui inspirait un courage sans recul possible.

(Aucun des colonels ne voulut de cette nature morte,

ils auraient souhaité que le plateau fût couché et agrémenté, à tout le moins, d'une pastèque ouverte.)

Kondrachov peignait plusieurs tableaux à la suite, puis il se réservait d'y revenir. Il n'en avait jamais porté aucun à ce point extrême où l'artiste a le sentiment de la perfection. Il ignorait même si ce point existait. Il quittait ses toiles lorsqu'il cessait d'y distinguer quoi que ce fût, quand son œil y avait usé son acuité. Il les quittait quand, à chacun de ses retours, les retouches s'amenuisaient, quand il se rendait compte qu'il gâchait son travail au lieu de l'améliorer.

Il les délaissait : retournées vers le mur, voilées. Les tableaux le quittaient, s'éloignaient et, quand il les revoyait d'un œil lavé, juste avant de les livrer, pour rien, pour toujours, à leur futur décor de luxe bouffi, il était percé d'un dernier transport. Même si personne ne devait jamais plus les voir, il était leur auteur !

... Redevenu attentif, Nerjine se mit à examiner le dernier tableau de Kondrachov.

Un ruisseau glacial en occupait le centre. On n'aurait su dire dans quel sens il allait : il ne coulait pas, sa surface était sur le point de se couvrir d'une pellicule de glace. A ses endroits les moins profonds, on entrevoyait la nuance brunâtre et comme le reflet des feuilles mortes qui devaient tapisser son lit. Une première neige tachait les deux berges, les balafres de la fonte laissaient revoir le hérissement d'une herbe d'un jaune tavelé. Sur une des rives poussaient deux jeunes saules ; flous jusqu'à l'impalpable, mouillés par la neige fondante qui çà et là les saupoudrait encore. L'essentiel était au fond, à l'orée de cette forêt fournie qui alignait des sapins d'un noir olivâtre derrière un bouleau lumineux, désarmé. La douce flamme de miel accusait encore l'obscurité et la cohésion de cette cohorte de conifères, lances pointées au ciel. Le ciel n'était qu'un camaïeu déchiré, désolant, et le soleil noyé, impuissant à darder un seul rayon, allait se coucher dans une brume non moins navrante. Mais là encore n'était pas le cœur du tableau : c'était bien l'eau glacée de ce ruisseau stagnant, avec son épaisseur et sa profondeur.

Plombée et transparente, très froide. Qui avait absorbé et qui conservait l'équilibre entre l'automne et l'hiver. Si ce n'est même un équilibre plus secret.

L'artiste en ce moment gardait les yeux fixés sur ce tableau.

Il est une règle imprescriptible que, comme tous les créateurs, Kondrachov connaissait bien, et de longue date, qu'il avait essayé de combattre mais à laquelle il cédait de nouveau. Cette règle veut que rien de ce que l'auteur a pu faire auparavant n'ait de poids, de valeur, de mérite à ses yeux : seule et unique, l'œuvre aujourd'hui en train concentre l'expérience de toute une vie, elle seule désigne le zénith des dons et de l'intelligence, fournit la meilleure pierre de touche du talent.

Or, il trouvait cette toile ratée.

Jusqu'ici, cela avait toujours été le cas, l'insatisfaction avait toujours précédé la réussite, mais ce désespoir préalable s'était toujours laissé oublier tandis que maintenant, cette œuvre unique et première, où il faisait son véritable apprentissage de peintre, le décevait : sa vie entière était donc vaine, il n'avait jamais eu aucun talent.

Cette eau, elle avait bien sa densité, son froid, sa profondeur, son immobilité, mais rien de tout cela ne comptait si elle ne traduisait pas la synthèse suprême de la nature. Cette synthèse — compréhension, transparence et conciliation universelles —, Kondrachov ne l'avait jamais découverte en lui-même mais il la reconnaissait et la saluait dans la nature. Cette suprême sérénité, la retrouvait-on dans cette eau ? C'était une douleur qui le lancinait, qui le désespérait, il devait à tout prix savoir si cette eau exprimait bien la sérénité.

— Vous savez, Hippolyte Mikhalytch, je crois que je me range à votre avis : tous ces paysages sont vraiment russes.

— Et pas caucasiens ? — dit Kondrachov-Ivanov en se retournant vivement. Comme ancrées à son nez, ses lunettes ne frémirent même pas. Cette question soulevée par Nerjine, assurément secondaire, avait pourtant son importance. Beaucoup en effet quittaient avec perplexité les paysages de Kondrachov qui, par leur noblesse et leur emphase, ne leur paraissaient pas russes, mais on ne sait trop, caucasiens peut-être.

— On peut parfaitement voir des choses comme ça en Russie, lui dit Nerjine d'une voix de plus en plus assurée, puis il se leva, fit un tour, examina « Un matin extraordinaire » et d'autres paysages.

— Mais c'est sûr, mais c'est sûr, reprit le peintre tout ému, en secouant la tête. Non seulement c'est possible en Russie, mais ça se voit. Je vous emmènerais voir un de ces paysages si on pouvait s'y rendre sans escorte ! Nous avons pris le pli de considérer la nature en Russie comme une pauvrette, pas très favorisée, aux charmes bien modestes, et cela par la faute de Lévitan, sur sa lancée. Mais s'il n'y avait que ça dans notre nature, dites-moi un peu où nous serions allés chercher nos suicidés par le feu ? Et nos *streltsy* rebelles ? Et nos révolutionnaires de la Narodnaia Volia ?

Nerjine émit un grognement d'assentiment :

— C'est vrai. Malgré tout, Hippolyte Mikhalytch, vous aurez beau dire, je ne comprends pas cet engouement pour l'expression forcée. Par exemple, votre « chêne mutilé » ? Pourquoi faut-il qu'il soit juché sur une falaise ? Sous lui, naturellement, c'est l'abîme et c'est bien le moins, s'agissant d'une œuvre de vous. Votre ciel n'est pas seulement secoué par l'orage, c'est un ciel qui par définition n'a jamais vu le soleil. Tous les ouragans qui ont fait rage depuis deux siècles sont passés par ici, ont tordu les branches du chêne, se sont efforcés de toutes leurs griffes de l'arracher à son roc. Je sais, vous êtes un shakespearien, il vous faut la démesure dans l'atroce. Mais c'est démodé : en termes statistiques, pareilles situations affectent peu de monde. Il ne faut pas mettre de pareilles majuscules au bien et au mal.

— Je ne peux pas souffrir de vous entendre parler comme ça ! s'écria le peintre furieux en secouant ses immenses bras. Qu'est-ce qui est démodé ? Le crime serait passé de mode ? Mais c'est à notre époque qu'il a fait son entrée ! Du temps de Shakespeare, on en était encore à d'innocentes amusettes ! Ce ne sont pas des majuscules qu'il faut au Bien et au Mal, mais des lettres de quinze étages et qui clignotent comme des phares ! Parce qu'on s'est perdu dans trop de nuances ! Peu de gens, statistiquement ? Et chacun d'entre nous ? Et combien sommes-nous de millions ?

— Ce n'est pas faux, bien sûr... fit Nerjine en hochant la tête à son tour. Quand, au camp, on nous propose de troquer un reste de conscience contre deux cents grammes de pain noir... Mais tout ça se fait sans bruit, sans publicité...

Kondrachov se redressa de plus belle, déployant toute sa taille peu commune. Et son regard se porta devant lui, en hauteur, comme celui d'Egmont marchant au supplice.

— Aucun camp, jamais, ne doit avoir raison de la force d'une âme !

Nerjine eut un sourire de lucidité malveillante :

— Il ne faudrait pas, bien sûr, mais finalement c'est pourtant bien ce qui arrive ! Vous n'avez pas encore fait de camp, vous êtes mauvais juge. Vous ne savez pas le supplice qu'on y endure. Les gens qui y arrivent sont faits ainsi ou autrement, mais lorsqu'ils en sortent — s'ils en sortent —, ils sont méconnaissables, ce ne sont plus les mêmes. C'est bien connu, l'existence détermine la conscience.

— N-n-n-non ! — Kondrachov déploya ses longs bras prêts à empoigner tout un monde. — Non ! Non ! Non ! Ce serait trop humiliant ! A quoi bon vivre alors ? Pourquoi, dans ce cas, y aurait-il des amants fidèles malgré leur séparation ? Car enfin l'existence exigerait qu'ils se trahissent ! Pourquoi les gens se montrent-ils différents lorsqu'on les soumet à des conditions identiques, comme celles du camp de concentration ? On ne sait pas au juste à qui revient l'initiative : est-ce la vie qui forme l'homme ou l'homme fort et généreux qui forme la vie ?

Nerjine était tranquillement persuadé de la supériorité de son expérience pratique sur les conceptions fantastiques de cet idéaliste qui se soustrayait à tout vieillissement. Mais il était impossible de ne pas se laisser éblouir par ses objections :

— A sa naissance, l'homme est doté d'une certaine Essence ! C'est en quelque sorte le noyau de l'homme, c'est son *moi* ! Aucune condition externe ne peut le déterminer ! En outre, tout homme porte en lui une Image de la Perfection qui parfois s'éclipse mais parfois se manifeste, et avec quelle vigueur, pour lui rappeler ses obligations de chevalier !

— Il y a également ce point, dit en se grattant la nuque Nerjine qui, entre-temps, s'était rassis sur son billot. Pourquoi tous ces chevaliers, chez vous, et tout cet attirail chevaleresque ? Il me semble que vous passez la mesure, encore que cela ne soit pas pour déplaire à Mitia Sologdine. Une jeune fille mobilisée dans la DCA devient chez vous un chevalier, un plateau de cuivre devient sous votre pinceau un bouclier de chevalier...

— Comment ? dit Kondrachov stupéfait. Cela ne vous plaît pas ? Je passe la mesure ? Ha ! Ha ! Ha !

Il fut tout entier secoué d'un grandiose éclat de rire dont l'écho roula dans l'escalier comme de rocher en rocher. Et, comme s'il était juché sur un coursier et tenait une lance en arrêt, il pointa sur Nerjine son bras, l'index aiguisé :

— Qui donc a exilé les chevaliers de notre existence ? Des hommes épris d'argent et de commerce ! Des amateurs de festins bacchiques ! Or que manque-t-il à notre siècle ? Des gens inscrits à des partis ? Non, très cher, mais bien des *chevaliers* ! Du temps des chevaliers, pas de camps de concentration ! Ni de chambre à gaz !

Soudain silencieux, se laissant mollement choir de toute la hauteur de sa selle jusqu'à s'accroupir au niveau de son visiteur, étincelant de tout l'éclat de ses lunettes, il lui dit :

— Voulez-vous que je vous fasse voir ?

C'est ainsi que s'achèvent toutes les discussions avec les artistes !

— Bien sûr ! Faites-moi voir !

Sans se redresser de toute sa stature, Kondrachov se fraya chemin jusqu'à une encoignure d'où il tira une petite toile fixée à un châssis qu'il rapporta en n'en laissant voir à Nerjine que l'envers grisâtre.

— Vous savez qui est Parsifal ? lui demanda-t-il d'une voix assourdie.
— Quelque chose à voir avec Lohengrin.
— C'est son père. Le gardien du Saint-Graal. C'est justement ce qui me préoccupe. Chaque homme peut connaître un moment où, pour la première fois, il voit l'Image de la Perfection...
Kondrachov ferma les yeux, ravala et mordilla ses lèvres. Il se préparait à l'épreuve.
Nerjine s'étonna de la petite taille de ce qu'on allait lui montrer.
L'artiste rouvrit les paupières.
— Ce n'est qu'une esquisse. L'esquisse du tableau de ma vie. Je ne le peindrai sans doute jamais. C'est l'instant où Parsifal, pour la première fois, voit — le château ! du Saint-Graal !
Et il se retourna pour placer l'esquisse sur un chevalet et l'offrir aux yeux de Nerjine. Et il n'eut plus d'yeux que pour cette esquisse. Il porta sa main déployée à son front comme pour protéger ses yeux de la lumière qui émanait de *là*. Reculant, reculant encore pour mieux embrasser sa vision, il trébucha sur la première marche et manqua s'affaler de tout son long dans l'escalier.
Le tableau projeté devait être deux fois plus haut que large. On y voyait une entaille anguleuse entre deux montagnes abruptes. Sur les deux versants, à droite et à gauche, se montraient les derniers arbres d'une forêt épaisse, vieille comme le monde. Des sortes de fougères reptiles, des buissons tenaces, hideux, repoussants, se collaient aux bords et jusqu'à la paroi verticale des deux versants à pic. En haut et à gauche, un cheval d'un gris pâle venait d'arracher à la forêt son cavalier qui portait une sorte de casque et dont le manteau était écarlate. Le cheval n'avait aucune peur de l'abîme, il levait encore un sabot dans un dernier pas inachevé, il était prêt à suivre le vouloir de son maître, à reculer comme à traverser, quitte à prendre son vol s'il le fallait.
Le cavalier ne regardait pas l'abîme aux pieds de son cheval. Ahuri, stupéfait, il regardait, très loin devant nous, tout ce haut de ciel embrasé d'une gloire orange

et or qui émanait du soleil ou d'on ne sait quelle source plus pure encore, au-delà du château. Jailli des paliers de la montagne et amoncelant lui aussi ses paliers et ses tourelles, visible dès le bas de la faille, perçant à travers l'ajour des rochers, des fougères, des arbres, dardant son aiguille jusqu'au zénith mais dénué de toute netteté et comme façonné dans les nuages, presque mouvant, et trouble, et pourtant reconnaissable dans tous les détails de sa perfection surnaturelle, c'était, nimbé d'un invisible, d'un autre soleil, c'était, bleu froid, le château du Saint-Graal.

CHAPITRE XLVII

La sonnerie du déjeuner se répandit dans tous les recoins de séminaire de la charachka et parvint jusqu'à ce palier éloigné.

Pour exigu que fût l'espace commun assigné à la promenade, Nerjine aimait à se frayer son chemin à lui, fermé aux autres, où, comme il aurait fait dans une cellule, il marchait trois pas dans un sens, trois dans l'autre, mais seul. Il retirait ainsi de sa promenade le court profit d'une solitude et d'un maintien de son être.

Cachant son complet de civil sous les longs pans de son inusable capote d'artilleur (le port intempestif de ce costume était une infraction grave au règlement intérieur et aurait pu lui coûter sa promenade, mais il tenait trop à sa goulée d'air frais pour aller se changer), Nerjine en quelques pas rapides rejoignit et occupa son petit chemin battu entre deux tilleuls, à la limite même de la zone autorisée, tout près de la palissade qui se tournait vers la silhouette marine du palais épiscopal.

Il aurait souhaité ne pas laisser fuir en bavardage futile tout ce qui l'emplissait.

Les flocons virevoltaient, toujours aussi espacés, impondérables. Insuffisants pour former une vraie neige, ils ne fondaient cependant pas au sol.

Nerjine se mit à marcher presque à la façon d'un aveugle, la tête renversée vers le ciel. L'air qu'il inspirait profondément modifiait le tréfonds de son corps. Son âme se mêlait à la paix du ciel, pourtant trouble et sur le point de crever en neige.

On l'interpella :

— Glebka.

Nerjine se retourna. C'était Roubine. Vêtu lui aussi d'une vieille capote d'officier, coiffé d'une chapka d'hiver (saison où il avait été également arrêté sur le front), il se dissimulait à demi derrière le tronc d'un tilleul. Devant son ami et copain de gamelle, il se sentait gêné en ce moment et conscient de commettre une vilaine action : Nerjine paraissait poursuivre son entretien avec sa femme et c'est cette minute sacrée que Roubine allait altérer. Aussi, dans son extrême embarras, ne laissait-il dépasser du tilleul qu'une moitié de sa barbe.

— Glebka ! Si vraiment je te gâche le plaisir, tu n'as qu'un mot à dire et je disparais. Mais il faut absolument que je te parle.

Nerjine regarda les yeux doucement quémandeurs de Roubine, puis les branches blanchies des tilleuls, puis de nouveau Roubine. Quand même il continuerait d'arpenter son petit sentier solitaire, il n'aurait plus grand-chose à extraire, au fond de son âme, de ce bonheur amer. Ce bonheur commençait à tiédir.

La vie reprenait son cours.

— Allons, vas-y, Levtchik !

Et Roubine rejoignit la petite piste de son ami. Ce visage grave, qui ne souriait pas fit comprendre à Gleb qu'un événement d'importance venait de se produire.

On ne pouvait imaginer tentation plus cruelle pour Roubine : le charger ainsi d'un secret d'importance planétaire en exigeant qu'il n'en touchât mot à personne, pas même à ses proches ! Si, à cet instant, les impérialistes américains l'avaient ravi en plein charachka pour le découper en morceaux, il ne leur aurait pas révélé son exceptionnelle mission ! Mais être, de tous les encagés, le seul à posséder un secret aussi tonitruant sans en parler ne fût-ce qu'à Nerjine, cela passait les forces humaines !

S'en ouvrir à Gleb revenait à ne rien dire : son ami ne parlerait pas. Il était d'ailleurs tout naturel de le prendre pour confident puisqu'il était seul au courant de la classification des voix, seul capable d'envisager la difficulté et l'intérêt de la tâche. Mieux encore — il était urgent de lui parler et de s'entendre avec lui dès maintenant, avec un peu de temps devant eux, car ensuite ce serait la grande fièvre, Roubine ne pourrait plus quitter les bandes magnétiques, la besogne serait de plus en plus lourde, et il lui fallait un adjoint...

Si bien que la simple prévoyance professionnelle justifiait l'apparente violation du secret d'État.

Deux chapkas élimées, deux capotes usées, épaule contre épaule, les deux hommes arpentaient le sentier que leurs pas élargissaient et noircissaient.

— Petiot ! C'est du secret, mais de l'archisecret, *triple zéro.* Te dire : au Conseil des ministres, il n'y a pas plus de deux personnes qui soient au courant.

— Par définition, je suis une vraie tombe. Mais si vraiment il s'agit d'un secret aussi redoutable, mieux vaut peut-être que tu n'en dises rien. Moins on en sait, mieux on dort.

— Bourrique ! Je m'en serais évidemment gardé, puisque je risque ma tête si on vient à l'apprendre. Seulement je vais avoir besoin de toi.

— Bon, alors, fais-moi ton boniment.

Vérifiant du coin de l'œil qu'il n'y avait personne dans le voisinage, Roubine l'informa à voix basse de l'entretien téléphonique et du sens de la mission qui lui incombait.

Pour émoussée que fût la curiosité de Nerjine depuis qu'on l'avait emprisonné, il écouta avec l'attention la plus compacte, interrompant la confidence à deux reprises pour se faire répéter certaines choses.

— Comprends, péquenaud, lui dit Roubine en guise de conclusion, comprends bien qu'il s'agit d'une science vierge, la *phonoscopie,* avec ses méthodes et ses perspectives propres. M'y engager tout seul, ça me rase et ça m'est plus difficile. Ce serait chouette de s'atteler tous les deux à cette charrette ! Est-ce qu'il n'est pas flatteur d'être le pionnier d'une science nouvelle ?

— N'importe quoi d'autre, je ne dis pas, grogna Nerjine, mais rien de moins qu'une science ! Non, la science, je m'en torche !

— C'est juste, Archésilaos d'Antioche verrait la chose

d'un mauvais œil ! Mais dis-moi un peu : une libération anticipée, ça ne te dirait rien ? En cas de succès, une libération en bonne et due forme, un casier judiciaire blanchi... Même sans parler de succès, tu pourrais renforcer ta position à la charachka, y devenir le spécialiste irremplaçable ! Tous les Anton du monde n'oseraient plus lever le petit doigt !

Un des tilleuls où venait buter leur piste formait une fourche à hauteur de poitrine. Cette fois, Nerjine, au lieu de rebrousser chemin, s'adossa à l'arbre et laissa reposer sa tête entre les deux branches. Il regarda Roubine. Sa chapka inclinée sur le front lui donnait un air vaguement canaille.

C'était la deuxième fois en vingt-quatre heures qu'on lui offrait le salut. Et ce deuxième sauvetage ne lui souriait pas davantage.

— Écoute-moi, Lev... Toutes ces bombes atomiques, ces fusées V, ta phonoscopie naissante (il parlait distraitement, comme un homme qui n'a pas vraiment arrêté sa réponse)... c'est la gueule du loup. Voici des siècles qu'on emmure les gens qui en savent trop long. Si cette histoire de phonoscopie n'est connue que de deux membres du Conseil des ministres, et aussi bien sûr de Staline et de Béria, et puis de deux pauvres types comme toi et moi, notre libération anticipée, ce sera une balle de pistolet dans la nuque. A propos, pourquoi la Tchéka-guébé a-t-elle pour usage de vous plomber la nuque ? Moi, je trouve ça vil. J'aimerais mieux les yeux ouverts et une salve en pleine poitrine ! Ils ont peur de regarder leurs victimes en face, c'est tout ! Et comme ils ont du pain sur la planche, ils ménagent les nerfs des bourreaux.

Roubine garda un silence gêné. Nerjine se tut également, toujours avachi contre son tilleul. On aurait pu croire qu'ils s'étaient tout dit et redit en long et en large et pourtant leurs yeux — bleu sombre et bruns — s'observaient encore.

Fallait-il franchir un nouveau pas ?...

Roubine soupira :

— C'est que cette communication téléphonique est comme un maillon de l'histoire universelle. On n'a pas moralement le droit de faire comme si elle n'avait pas eu lieu.

Nerjine s'anima :

— Retrousse tes manches et mets-toi à l'ouvrage ! Inutile de m'entortiller avec des histoires de science nouvelle et de libération anticipée. Tu as un but, n'est-ce pas, qui est de coincer ce galopin ?

Les yeux de Roubine se fermèrent à demi, son visage redevint dur.

— Oui ! C'est bien mon objectif ! Ce salopard de zazou moscovite, cet arriviste, il barre la route au socialisme et il faut s'en débarrasser !

— Qu'est-ce qui te dit que c'est un zazou et un arriviste ?

— Sa voix, que j'ai entendue. On voit bien qu'il fayote devant ses boss américains.

— Et toi, tu ne te montes pas la tête ?

— Je ne comprends pas.

— Comme de toute évidence il occupe un poste déjà convenable, il serait peut-être plus naturel qu'il fayote devant Vychinski ? N'est-ce pas une curieuse façon de se faire valoir que de franchir une frontière sans même citer son nom ?

— C'est qu'apparemment il espère bien gagner l'étranger. Ici, pour arriver, il doit continuer à trimer en toute conscience, en toute médiocrité, avec un bout de médaille au bout de vingt ans ou une palme en plus sur sa manche, je sais bien. Tandis qu'en Occident, c'est tout de suite le gros scandale et un million en poche.

— M... ouais... Enfin, tout de même, trancher des motivations morales d'un bonhomme d'après sa voix coincée entre 300 et 2 400 Hertz... Qu'est-ce que tu en penses, toi, il a dit vrai ?

— Au sujet du magasin de pièces-radio ?

— Oui.

— Il semble bien, dans une certaine mesure.

Nerjine singea la voix de Roubine :

— A la base de tout ça, il y a un germe de rationalité. Ah, là là ! Liovka-Liovka ! Tu prends donc le parti des voleurs ?

— Pas des voleurs, des agents secrets !

— Quelle différence ? Toujours des zazous et des arrivistes, simplement ils sont new-yorkais et ils volent le secret de la bombe atomique pour empocher de l'Est trois millions ! Peut-être n'as-tu pas entendu leur voix ?

— Nigaud ! Tu es à jamais empoisonné par les exhalaisons des tinettes ! La prison t'a déformé le regard et voilé toutes les perspectives de l'univers ! Comment peut-on comparer les hommes qui nuisent au socialisme et ceux qui sont à son service ?

Le visage de Roubine trahissait de la douleur. Nerjine renvoya en arrière sa chapka qui lui tenait trop chaud puis laissa de nouveau aller sa tête entre les deux branches.

— Dis-moi un peu de qui étaient les beaux vers que j'ai lus naguère sur les deux Aliocha Karamazov...

— L'époque était tout autre, en ce temps-là les idées n'étaient pas encore différenciées ni les idéaux bien décantés. A l'époque, c'était encore concevable.

— Tandis qu'ils se sont décantés, depuis. Sous forme de Goulag ?

— Non ! Sous la forme des idéaux moraux du socialisme ! Tandis que le capitalisme en ignore tout. Il ne connaît que l'appât du gain.

— Dis-moi — Nerjine maintenant calait ses épaules dans la fourche, s'apprêtant à soutenir une longue diatribe —, dis-moi un peu à quoi ressemblent ces idéaux moraux du socialisme ! On n'en voit pas la trace ici-bas, mais n'importe ! Mettons que quelqu'un ait fait rater l'expérience, dis-moi où et quand on a pu les proclamer et en quoi ils consistent ! Hein ? C'est que tout le socialisme et tout socialisme est une espèce de caricature de l'Évangile. Le socialisme ne nous promet jamais que l'égalité et la satiété, et encore par la contrainte.

— Et c'est peu ? Quelle société, dans toute l'histoire, en a vu autant ?

— Dans n'importe quelle porcherie on est égal et on mange à sa faim. Merci du service. Des hommes égaux et rassasiés ! Vous feriez mieux de nous fabriquer une société conforme à la morale !

— Nous y viendrons ! Seulement il ne faut pas nous gêner ! Nous mettre des bâtons dans les roues !

— Ni vous empêcher de voler des bombes ?

— Ah, ces cervelles détraquées ! Pourquoi faut-il que les esprits ouverts et lucides...

— Qui donc ? Un Iakov Ivanovitch Mamourine ? Un Grigori Borissovitch Abramson ? demanda Nerjine en riant.

— Tous les esprits distingués ! Les plus grands penseurs d'Occident ! Un Sartre ! Tous pour le socialisme ! Tous contre le capitalisme ! C'est devenu un truisme ! Tu es seul à ne pas voir clair, espèce de singe vertical !

Penché sur Nerjine, Roubine le menaçait de tout son torse et, les doigts écarquillés, lui donnait des bourrades. Nerjine le repoussait à petits coups dans le sternum :

— Mettons que je sois un singe ! Mais je ne veux pas user de ta terminologie, de ton « capitalisme », de ton « socialisme » ! Ce sont des mots que je ne comprends pas et dont je ne peux pas me servir !

— Il te faudrait la Langue de Clarté ? demanda Roubine avec un éclat de rire, puis sa tension se relâcha.

— Oui, si tu veux.

— Quelles choses sont donc à ta portée ?

— Je comprends à la rigueur qu'on ait une famille à soi ! Et qu'on respecte l'individu...

— La liberté illimitée ?

— Non, mais la limitation consentie, morale.

— Ah, philosophe végétatif ! Tu crois qu'avec ces conceptions philosophiques d'amibe on peut vivre au XXe siècle ? Toutes ces idées sont des idées de classe ! Elles dépendent de...

— Dépendent ? Mon œil ! riposta Nerjine en se dégageant de son encoignure. La justice ne dépend de rien !

— Tout est classe ! Concept de classe ! déclara Roubine en secouant une de ses grosses pattes au-dessus de la tête de Nerjine.

— La justice, c'est la pierre angulaire, c'est le fondement de l'univers ! reprit Nerjine en se mettant à son tour à gesticuler. (De loin on aurait pu croire qu'ils allaient se battre.) Nous sommes nés en portant la justice au fond de l'âme et nous ne voulons pas, nous n'avons pas lieu de vivre sans elle ! Tu te souviens de ce que dit Fiodor Ioannovitch [1] : je ne suis ni intelligent ni fort, il n'est pas bien difficile de me duper, mais je suis à même de distinguer le *blanc* du *noir* ! Rends-moi les clefs, Godounov !

— Non, pas d'échappatoires ! le sermonna Roubine d'un air menaçant. Il faudra bien que tu te rendes compte et que tu dises de quel côté de la barricade tu te trouves !

— Saleté de bordel de fanatiques, répliqua Nerjine, également irrité. Ils ont quadrillé toute la terre de leurs barricades ! C'est ça l'atroce ! On voudrait être citoyen de l'univers, on voudrait planer comme un ange dans les airs, je t'en fiche ! Il faut toujours qu'on se fasse tirer par les talons : *qui n'est pas avec nous est contre nous !* Laissez-moi respirer ! Le grand air ! — poursuivit Nerjine tout en repoussant Roubine.

— Si nous t'en laissons assez, les autres, là, ceux d'en face, ne t'en laisseront guère !

— Parce que vous en seriez capables ? Où a-t-on vu ça ? Votre route est jalonnée de baïonnettes et de tanks...

— Mon petiot, fit Roubine radouci, dans une perspective historique...

— Tu sais où je me la mets, ta perspective ? C'est maintenant que j'entends vivre, et pas dans une perspective quelconque. Je sais ce que tu vas me débiter ! Et la déviation bureaucratique, et la période provisoire, et le système transitoire... Mais c'est qu'il m'empêche de vivre, votre système transitoire, qu'il mutile mon âme, votre système transitoire, et ce n'est pas moi qui me battrai pour lui, je ne suis pas fou !

— Mon tort est d'être venu t'asticoter après une visite de ta femme, reconnut Roubine d'une voix tout à fait radoucie.

— Ces retrouvailles n'ont rien à voir là-dedans ! reprit Nerjine dont la rage ne retombait pas. — C'est mon opinion de toujours ! Nous nous gaussons des chrétiens, ces nigauds qui attendent le paradis et tolèrent n'importe quoi sur terre, mais nous, qu'est-ce que nous attendons ? Au nom de quoi tolérons-nous n'importe quoi ? Au nom de notre mythique postérité ? Quelle différence entre le bonheur de nos descendants et le bonheur dans un autre monde ? L'un et l'autre nous sont invisibles.

— Tu n'as jamais été marxiste !

— Si, pour mes péchés !

— Ah, le chien ! Ah, la salope !... Dire que nous avons travaillé ensemble à la classification des voix ! Qu'est-ce qui me reste à faire ? Travailler seul ?

— Tu finiras bien par trouver quelqu'un.

— Mais qui donc ? fit Roubine avec un haut-le-corps ; une déconvenue enfantine, bien surprenante, marqua son mâle visage de pirate.

— Non, vieux, ne prends pas ça mal. Enfin quoi, il faudrait que j'accepte de me faire arroser de purin par eux et que je leur procure la bombe atomique ? Non !

— Pas à eux, à nous, bourrique !

— Comment, à nous ? Tu as besoin d'une bombe atomique, toi ? Moi non. Je suis comme Zémélia, je n'aspire pas à la domination de l'univers.

— Trêve de plaisanteries ! dit Roubine qui se ressaisissait. Il faut donc laisser ce mirliflore livrer la bombe à l'Ouest.

— Tu confonds, Liovotchka, fit Nerjine en passant doucement la main sur le col de la capote de son ami. La bombe, elle est déjà à l'Ouest, puisque c'est là qu'on l'a inventée, et c'est vous qui êtes en train de la leur barboter.

— C'est également eux qui l'ont lancée ! dit Roubine avec un éclair brun dans les yeux. Et tu serais prêt à pactiser ? A faire preuve de complaisance envers ce morveux ?

Nerjine répondit de façon tout aussi prévenante :

— Liovotchka ! Fais en sorte que vie et poésie soient pour toi la même chose. Pourquoi te mettre en rogne contre lui ? C'est toujours ton Aliocha Karamazov défendant Pérékop. Si tu y tiens, pars à l'assaut du même Pérékop.

— Tu ne me suivras pas ? demanda Roubine avec un regard soudain méchant. Tu acceptes l'idée d'un Hiroshima ? Sur la terre russe ?

— Qu'est-ce que tu penses, toi-même, du vol de cette bombe ? Il faut l'isoler moralement, cette bombe, au lieu d'aller la leur voler.

— Comment ça, l'isoler ? Pur délire d'idéaliste !

— Rien de plus simple : il suffit de faire confiance à l'ONU ! On vous a proposé le plan Baruch, il n'y avait qu'à y souscrire ! Seulement voilà, notre Mac veut sa bombe !

Roubine tournait le dos à la cour et au chemin, tandis que Nerjine, qui leur faisait face, vit Doronine s'approcher d'eux à vive allure.

— Du calme, voilà Rouska. Ne te retourne pas, chuchota-t-il à Roubine pour le mettre en garde. — A voix haute, d'un ton égal, il poursuivait : — Dis-moi, là-bas, ta route n'a jamais recoupée celle d'un 689e régiment d'artillerie ?

Qui est-ce que tu y connaissais ? reprit Roubine d'assez mauvais gré, n'ayant guère eu le temps de changer de longueur d'onde.

Un certain major Kandyba. Il lui est arrivé une chose curieuse...

— Messieurs ! clama Rouska de sa voix franche et joviale.

Roubine se retourna, le regard morose, le souffle rauque :

— Vous dites, l'infant ?

Rostislav contemplait Roubine de tous ses yeux et son visage était la pureté même.

— Lev Grigoriévitch ! Je suis très affecté de voir mes confidents me regarder de travers alors que je viens à eux le cœur pur. Que sera-ce avec les autres ? Messieurs ! Je viens vous faire une proposition : que diriez-vous si demain, à la pause du déjeuner, je vous livrais nos Judas au moment exact où ils vont empocher leurs trente deniers ?

CHAPITRE XLVIII

Si l'on exceptait Gustav, le petit boulot aux oreilles roses, Doronine était le cadet des zeks de la charachka. Il séduisait tous les cœurs par son caractère peu ombrageux, sa joyeuse témérité, sa vivacité. Aux rares minutes où la direction autorisait le volley-ball, Rostislav s'adonnait au jeu sans réserve ; si les avant laissaient passer le ballon, il bondissait, s'envolait comme une hirondelle, renvoyait la balle, retombait au sol, quitte à s'ensanglanter les genoux et les coudes. On aimait bien, aussi, ce nom peu commun de Rouska [1] qui avait paru inventé exprès pour lui lorsque, deux mois après son arrivée, sa tête, rasée au camp, s'était de nouveau recouverte de beaux cheveux châtains.

On l'avait muté des pénitenciers de Vorkouta parce que sa fiche d'immatriculation au Goulag lui attribuait la profession de fraiseur. On s'aperçut de l'erreur et il fut remplacé par un fraiseur authentique. Il fut toutefois préservé du retour au camp par Dvoiétiossov qui le fit affecter comme apprenti à la deuxième des pompes. L'esprit vif, Rouska ne tarda guère à en posséder le maniement. Il s'accrochait à la charachka comme à une maison de convalescence, car il avait connu dans les camps de rudes épreuves qu'il évoquait maintenant avec entrain et bonne humeur : la vie d'un *crevard* au fond d'une mine humide, puis sa décision de simuler la maladie en faisant monter sa température journalière, c'est-à-dire en se frottant les aisselles avec deux pierres de masse comparable afin qu'entre les deux thermomètres — censés le confondre — l'écart ne fût pas supérieur à un dixième.

Mais lui qui ressuscitait en riant un passé appelé à se reproduire infailliblement au cours de ses vingt-cinq années de peine confiait à bien peu, et sous le sceau du secret, sa qualité essentielle de jeune arsouille ayant tourné en bourrique, deux ans durant, le service de Recherches criminelles du MGB. Digne filleul de cette institution, il ignorait comme elle toute gloriole.

Dans la foule bigarrée des pensionnaires de la charachka, rien ne l'avait signalé jusqu'à une certaine journée de septembre. Ce jour-là, avec des mines mystérieuses, Rouska était allé trouver quelque vingt zeks parmi les plus influents de la charachka dont ils constituaient l'opinion publique et avait confié en particulier à chacun d'entre eux que, le matin du même jour, le major Chikine lui avait proposé de l'embaucher comme mouton. Il avait accepté, entendant mettre à profit cet office pour le bien de la communauté.

Bien que le dossier de Rostislav Doronine fût agrémenté de cinq faux noms successifs, de croix, de V, de NB, de sigles chiffrés signalant sa perversité, ses dispositions à l'évasion et la nécessité de ne le faire voyager que menottes aux poings, le major Chikine, qui s'acharnait à accroître le nombre de ses informateurs, avait considéré que Doronine n'était qu'un adolescent, manquait donc de fermeté, tenait à sa situation à la charachka et devait de ce fait fournir un agent à la dévotion du responsable opérationnel.

Discrètement convoqué (c'est ainsi que l'intéressé pouvait se faire appeler au secrétariat et s'entendre dire : « Ah oui, oui, tenez, allez donc voir le major Chikine »), Rostislav passa trois heures dans le bureau du major. Cependant, tout en écoutant les instructions et les explications du *Parrain*, Rouska se servit de ses yeux pénétrants et voraces pour étudier la grosse tête du major, blanchie par des lustres de mouchardages et de pinaillages secrètement mitonnés, son visage brunâtre, ses mains minuscules, ses pieds chaussés de souliers d'enfant, son nécessaire de bureau en marbre, les rideaux de soie de ses fenêtres et, redressant mentalement les lettres, il lut les en-têtes de tous les dossiers, de tous les papiers glissés sous le verre du bureau dont il était pourtant éloigné d'un mètre et demi, puis il supputa quelles paperasses devaient dormir dans le coffre-fort de Chikine, quelles autres dans ses tiroirs.

Parfois Doronine plantait candidement ses yeux bleus dans ceux du major et opinait du bonnet. Cette candeur azurée voilait l'ébullition des projets les plus osés mais l'« oper », accoutumé à la grisaille de la docilité humaine, n'y voyait que du feu.

Rouska se rendait compte que Chikine avait le pouvoir effectif de le renvoyer à Vorkouta s'il refusait de devenir mouchard.

Avec toute sa génération, Rouska avait été dressé à considérer la « pitié » comme un sentiment dégradant, la « bonté » comme un ridicule, la « conscience » comme une façon de parler des curaillons. En revanche, on lui avait inculqué l'idée que la délation est un devoir civique, la meilleure voie pour aider celui même qu'on dénonce et pour assainir la société. Tout cela n'avait pas entièrement imprégné Rouska, mais y avait laissé des traces. Pour l'instant, la grande question n'était pas de savoir si la chose était mauvaise ou licite, mais bien le parti qu'on en pouvait tirer. Enrichi par des expériences tumultueuses, auditeur averti de cinglantes controverses entre prisonniers, ce jeune garçon ne négligeait pas la possibilité de voir un jour les archives du MGB éventrées, et livrés à l'opprobre tous les « collaborateurs secrets ».

A long terme, il était tout aussi dangereux d'accepter les avances du Parrain que de les refuser dans l'immédiat.

Outre toutes ces considérations, Rouska était un virtuose de l'aventure. Lorsqu'il eut déchiffré à l'envers les alléchants papiers fixés par un verre sur le bureau de Chikine, il frémit au pressentiment d'un jeu envoûtant. Le confort miteux de la charachka avait mis au supplice son goût de l'action !

S'étant fait préciser, pour plus de vraisemblance, le montant de son salaire, Rouska accepta avec chaleur.

Quand il eut tourné les talons, Chikine se félicita de sa pénétration psychologique et déambula longuement dans son cabinet en frottant les paumes mignonnes de ses mains : un informateur aussi fervent promettait une riche moisson de rapports. Rouska, cependant, non moins satisfait, faisait le tour des prisonniers dignes de confiance et leur confessait qu'il avait accepté son office de mouchard pour l'amour de l'art, par désir d'étudier les méthodes du MGB et de démasquer les vrais moutons.

Aucun zek, même parmi les vieux, ne se souvint d'avoir jamais recueilli pareille confidence. Défiants, ils demandèrent à Rouska pourquoi il se vantait ainsi, au risque d'y laisser sa tête. Il leur répondit :

— Quand on refera un procès de Nuremberg pour toute la meute, vous témoignerez en ma faveur.

Chacun des vingt zeks initiés répéta la chose à un ou deux autres et personne n'alla cracher le morceau au Parrain ! Cela seul suffisait à mettre une cinquantaine de personnes au-dessus de tout soupçon.

L'aventure de Rouska troubla durablement la charachka. On lui fit confiance. Cette confiance lui resta. Mais, comme il se doit, les événements suivent leur cours secret. Chikine exigeait du solide. Rouska devait donc filer quelques tuyaux. Il refaisait sa tournée et se plaignait à ses interlocuteurs :

— Messieurs ! Vous imaginez ce que doivent dégoiser les autres puisque moi, qui ne suis en service que depuis un mois, je me fais asticoter par Chikine ! Mettez-vous à ma place, refilez-moi ne serait-ce que des bouts de tuyaux !

Les uns l'envoyaient paître, d'autres lui livraient quelques renseignements. On décida d'un commun accord la perte d'une dame qui travaillait par pure cupidité pour grossir les milliers de roubles que son mari lui rapportait. Elle traitait les zeks de très haut, ne cachait pas que c'étaient des gens à abattre (propos tenus en compagnie de jeunes filles « externes » et qui étaient parvenus aux oreilles des intéressés), elle en avait fait « coincer » deux, l'un pour une liaison, l'autre pour avoir fabriqué une valise à l'aide de matériaux appartenant à l'État. Rouska l'accusa sans vergogne de poster du courrier pour les zeks et de dérober des condensateurs entreposés dans un placard. Quoiqu'il n'en eût pas produit la moindre preuve, quoique le mari, colonel du MVD, eût protesté avec la dernière énergie, comme toute délation secrète exerce un empire irrésistible, la dame fut congédiée malgré ses pleurs.

Parfois Rouska cafardait aussi des zeks, pour des peccadilles et non sans les avertir. Puis il cessa de les avertir et garda bouche cousue. Du reste, on ne lui demandait rien. Tous avaient d'instinct compris qu'il continuait à moucharder sur des points dont l'aveu lui était désormais impossible.

C'est ainsi que Rouska eut le destin des êtres dédoublés. Son jeu ne fit l'objet d'aucune dénonciation mais on évita le jeune homme. Il prodiguait des détails sur l'organigramme que Chikine avait placé sous verre sur son bureau et qui réglementait les visites « incognito » de ses mouchards. On pouvait du coup mettre un nom sur ceux-ci, mais c'était un piètre dédommagement qui ne le dédouanait pas de son appartenance au collège des informateurs.

Nerjine, qui aimait Rouska malgré toutes ses combines, ne se doutait évidemment pas que c'était lui qui l'avait dénoncé à propos d'Essénine. La perte du livre avait causé à Gleb une souffrance que l'autre ne pouvait prévoir. De son côté, Rouska avait considéré que le livre appartenait en propre à Nerjine, que cette appartenance serait établie et que personne n'irait confisquer ces poèmes ; cela étant, il fournissait une distraction appréciable à Chikine en lui révélant que Nerjine dissimulait dans sa valise un livre sans doute transmis par quelque jeune « externe ».

Savourant encore sur ses lèvres le baiser de Clara, Rouska gagna la cour. La blancheur neigeuse des tilleuls lui fut une floraison, il trouva à l'air une douceur printanière. En deux années d'errances clandestines, ses rêveries d'enfant s'étaient usées à dépister les limiers et il avait négligé de rechercher l'amour des femmes. Il était vierge lorsqu'on l'avait emprisonné et cette pensée gorgeait ses veillées d'une amertume inconsolable.

Une fois dans la cour, la vue du bâtiment bas de l'état major de la prison spéciale lui rappela le spectacle qu'il avait projeté pour le lendemain à l'heure du déjeuner. L'heure était venue d'en publier l'annonce — jusqu'alors impossible sous peine de couler l'entreprise. Tout nimbé des transports qu'il inspirait à Clara, se sentant du coup trois fois plus chanceux et plus intelligent, il regarda alentour, avisa Nerjine et Roubine à l'extrémité de la cour et marcha vers eux d'un pas décidé. Sa chapka était posée de travers et en arrière, exposant son front et toute une mèche de cheveux à l'air de cette journée sans gel.

Le visage sévère de Nerjine, à ce qu'en vit Rouska qui approchait, puis la face morose détournée par Roubine, trahissaient un entretien sérieux. Les deux hommes l'accueillirent d'une phrase anodine et improvisée de toute évidence.

Tant pis ! Il ravala son humiliation et leur exposa son point de vue :

— J'espère que vous n'ignorez pas ce grand principe de toute société équitable selon lequel toute peine mérite salaire. A ce titre, demain, chaque Judas recevra ses deniers d'argent pour le troisième trimestre de l'année en cours.

— Ah, les grippe-sous ! fit Nerjine indigné. Ils ont déjà fait leur dernier trimestre et on ne leur paye encore que le troisième ? Pourquoi un tel retard ?

— C'est que les feuilles de paye doivent être visées dans une infinité d'endroits, dit Rouska d'un air de s'excuser. Et je serai parmi eux pour toucher mon argent.

— On te paye également pour le troisième trimestre ? s'étonna Roubine. Tu n'as pourtant travaillé qu'un demi-trimestre ?

— Il faut dire que j'ai fait du zèle ! déclara Rouska en les dévisageant de son sourire franc, irrésistible.

— Payé comptant ?

— Dieu nous en garde ! Il s'agit d'un mandat postal fictif versé sur notre compte personnel. On m'a demandé si je voulais avoir pour créditeur Ivan Ivanovitch Ivanov. J'ai trouvé ça par trop classique. Je leur ai suggéré Klava Koudriavtseva. C'est tout de même plaisant de se dire qu'une femme pense à vous.

— Ça fait combien par trimestre ?

— C'est bien ça le plus fin ! D'après les états, un informateur touche cent cinquante roubles par trimestre. Pour des raisons de décence, la somme doit être expédiée par la poste et celle-ci, inflexible, perçoit pour trois roubles de frais. Tous nos « parrains » sont tellement pingres qu'ils ne veulent pas en être de leur poche, et tellement paresseux qu'ils ne songent pas à proposer une augmentation de trois roubles en faveur des informateurs secrets. Aussi tous nos mandats sans exception sont-ils de cent quarante-sept roubles. Comme aucun citoyen normalement constitué n'envoie jamais de mandat de cette somme, ces trente deniers sont le sceau de Judas. Demain, à l'heure du repas, il faudra se grouper à la porte de l'état-major et regarder les mandats de ceux qui ressortent de chez l' « oper ». Le pays se doit de connaître ses mouchards, qu'en dites-vous, messieurs ?

CHAPITRE XLIX

Les premiers flocons clairsemés se détachaient du ciel pour tomber sur le pavé obscur de la rue Matrosskaia Tichina où les pneus achevaient d'emporter la neige des jours précédents. A la Cité universitaire de Stromynka, les étudiantes de la chambre 318 vivaient la vie d'un dimanche après-midi.

Située au deuxième étage, cette chambre donnait par une grande fenêtre carrée sur Matrosskaia Tichina. De la fenêtre à la porte, en longueur, contre chacun des deux murs, s'alignaient trois lits de fer accolés que surmontaient les échafaudages branlants d'étagères en rotin. Au milieu de la pièce, ne laissant que d'étroits passages entre les lits, se succédaient deux tables : près de la fenêtre, c'était la « table aux thèses » où s'empilaient d'énormes colonnes de livres, de dessins, de textes dactylographiés ; puis la table à tout faire : en ce moment même, Olenka y repassait, tandis que Mouza écrivait une lettre et que Liouda déroulait ses bigoudis devant un miroir portatif. Près de la porte, on avait trouvé assez de place pour installer une cuvette qu'un rideau dissimulait (la toilette était censée avoir lieu au bout du couloir, dans une pièce que les filles trouvaient bien froide, trop éloignée, inconfortable).

Étendue sur son lit, Erika, la Hongroise, lisait. Elle était drapée dans un peignoir que la chambrée avait baptisé le « drapeau brésilien ». Elle possédait bien d'autres peignoirs, dont le raffinement ravissait ses camarades, mais ne sortait jamais qu'habillée avec la plus grande modestie, comme pour passer inaperçue.

Habitude contractée par la militante communiste au long de ses années de clandestinité dans son pays.

Le lit suivant, celui de Liouda, était sens dessus dessous (Liouda venait à peine de se lever), la couverture et un drap frôlaient le sol, mais une main précautionneuse avait disposé sur l'oreiller et le chevet une paire de bas et une robe de soie bleue repassée. Un tapis de prière persan était fixé au mur au-dessus de ce lit. Plantée devant la table, Liouda détaillait à haute et intelligible voix les avances que lui avait faites un poète espagnol évacué de son pays en URSS alors qu'il n'était qu'enfant. Elle évoquait par le menu l'atmosphère du restaurant, la qualité de l'orchestre, les plats, les boissons.

Le fer d'Olenka était branché à une douille voleuse et son fil planait au-dessus de la table. (A la Stromynka, par mesure d'économie, il était rigoureusement interdit de se servir de fers à repasser et de réchauds électriques, aucune prise n'avait été aménagée et la « Commandanture » au grand complet donnait la chasse aux douilles voleuses). Olenka écoutait Liouda, riait parfois, mais ne quittait pas des yeux son repassage. Cette jacquette et la jupe assortie étaient tout pour elle. Elle aurait mieux aimé se brûler la chair que de roussir cet ensemble. Elle ne vivait que de sa bourse d' « aspirante », se nourrissait de pommes de terre et de bouillies, resquillait vingt kopecks dans l'autobus chaque fois qu'elle le pouvait, n'avait garni le mur au-dessus de son lit que d'une carte de géographie, du moins disposait-elle d'un ensemble habillé, parfait, flatteur.

Un peu trop forte, avec des traits plutôt grossiers, Mouza portait des lunettes qui la faisaient paraître plus que ses trente ans. Elle s'efforçait d'écrire sa lettre sur cette table animée par les mouvements du repassage, au bruit d'un récit qui l'agaçait, qui l'humiliait. Elle jugeait indélicat de demander le silence. Prétendre faire taire Liouda, c'était s'exposer au risque de l'enflammer et de s'attirer une repartie insolente. Liouda était une nouvelle, elle ne faisait pas de thèse. Diplômée d'une école des finances, si elle s'était inscrite en économie politique, c'était surtout pour avoir des occasions de distraction. Son père, général en retraite, lui envoyait de grosses sommes de Voronej.

Liouda professait la conviction sommaire que les « rencontres » et, d'une manière plus générale, les relations avec les hommes formaient tout le sens de la vie d'une femme. Dans son présent récit, toutefois, elle mettait en valeur un trait particulièrement piquant. Mariée pendant trois mois à Voronej, puis liée à divers hommes, elle regrettait maintenant une virginité bien fugace. Aux premiers mots échangés avec son poète espagnol, elle avait joué les oies blanches, tremblante, effarouchée par le moindre attouchement sur l'épaule ou le coude, et lorsque le poète, bouleversé, implorant, eut obtenu d'elle qu'elle lui offrît le premier baiser qu'elle eût jamais donné, ç'avaient été des frissons, elle était passée de l'extase au désespoir, ce qui avait inspiré à son admirateur un impromptu de vingt-quatre vers, en espagnol malheureusement.

Mouza écrivait à ses parents déjà âgés au fond d'une ville de province. Son papa et sa maman s'aimaient encore comme des nouveaux mariés et chaque matin, lorsqu'il partait au travail, le père se retournait jusqu'au coin et faisait des signes à maman qui lui répondait du geste à sa fenêtre. La fille les aimait d'un amour tout semblable, elle avait pris le pli de leur écrire souvent en leur détaillant ses moindres impressions.

Aujourd'hui, elle se sentait mal dans sa peau. Deux jours plus tôt, dans la soirée du vendredi précédent, il lui était arrivé une aventure qui avait supplanté son inlassable labeur quotidien sur Tourgueniev, travail qui lui tenait lieu de vie, de toutes les vies possibles. Elle en avait gardé la pire impression de dégoût, barbouillée comme d'une boue, d'une sorte de honte impossible à laver, impossible à cacher, impossible à montrer et qui, pourtant, l'empêchait de vivre.

Ce vendredi donc, au retour de la bibliothèque, comme elle allait se coucher, on l'avait convoquée au bureau de la Cité et on lui avait dit : « C'est bien ça, oui, cette porte-ci, s'il vous plaît. » Entrant, elle avait vu là deux hommes en civil qui se présentèrent sous les noms de Nicolas Ivanovitch et Serge Ivanovitch et se montrèrent d'abord fort polis. Peu soucieux de l'heure déjà tardive, ils la retinrent. Une heure, puis deux, puis trois. Ils commencèrent par des questions sur ses camarades de chambre et de cours (sur qui ils devaient en savoir aussi long qu'elle). Sans nulle précipitation, ils lui parlèrent patrie, rappelèrent le devoir civique qui dissuade tout travailleur intellectuel de rester emprisonné dans sa spécialité et l'incite à servir le peuple par tous les moyens en son pouvoir. Rien de plus vrai, Mouza ne trouva rien à objecter là contre. Alors les frères Ivanovitch lui proposèrent de les *aider*, c'est-à-dire de venir trouver l'un d'eux à certaines heures dans ce même bureau, ou bien au club politique, ou au foyer et parfois même sur rendez-vous à l'Université, afin de répondre à certaines questions ou de remettre quelques-unes de ses observations par écrit.

L'épreuve avait alors commencé, longue, atroce ! Ils s'étaient montrés de plus en plus grossiers, en étaient venus à élever la voix, à la tutoyer. « Pourquoi t'entêter ? C'est tout de même pas l'espionnage étranger qui te fait des avances ? » « Pas gâté qu'il serait, l'espionnage étranger, avec une paumée comme toi ! » Ensuite ils avaient déclaré nettement qu'on ne lui laisserait pas soutenir sa thèse (presque au point, l'affaire de quelques mois), qu'on lui boucherait tout avenir à l'université, car la Patrie n'avait que faire d'intellectuels ramollis. Elle prit peur : ces hommes pouvaient en un tournemain lui faire perdre sa bourse d'aspirante. Sur ces entrefaites, ils avaient exhibé un pistolet qu'ils s'étaient passé, le pointant sur Mouza comme par mégarde. Ce pistolet ne réussit qu'à dissiper la terreur de Mouza. Car finalement le pire était de traîner toute sa vie une mauvaise « notation confidentielle ». A une heure du matin, les Ivanovitch la congédièrent en l'invitant à « réfléchir » jusqu'au mardi suivant, 27 décembre, puis ils lui firent signer l'engagement de ne rien divulguer.

Ils l'assurèrent qu'ils savaient tout et que si elle

venait à parler de leur entretien, sa signature suffirait à la faire arrêter et condamner.

Quel mauvais sort voulait que leur choix fût tombé justement sur elle ?... Elle attendait ce mardi comme une condamnée, sans force pour travailler, le souvenir plein d'un passé récent où elle pouvait ne penser qu'à Tourguéniev, où son âme ignorait l'angoisse et où, pauvre sotte, elle ne savait pas qu'elle était heureuse.

Olenka, qui écoutait sa compagne en souriant, fut prise d'un rire si violent qu'elle faillit avaler de travers l'eau qu'elle avait dans la bouche. La guerre avait retardé le bonheur d'Olenka, mais, à vingt-huit ans, elle se sentait désormais heureuse, heureuse, heureuse et pardonnait tout à tout le monde, chacun ayant le droit de courir après le bonheur comme il l'entendait. Elle avait un soupirant, étudiant du même niveau, qui ce soir viendrait la chercher et l'emmènerait avec lui.

— Je lui dis : « Vous autres Espagnols, vous avez une si haute notion de l'honneur, eh bien il faut vous dire qu'en m'embrassant sur la bouche vous m'avez déshonorée ! »

Et le visage séduisant, encore qu'un peu cruel, de la blonde Liouda trahit le désespoir d'une demoiselle qui a perdu son honneur.

Cependant, toujours étendue, la mince Erika poursuivait sa lecture des morceaux choisis de Galakhov. Le livre déployait sous ses yeux tout un univers de caractères élevés et lumineux, d'une cohésion intime qui l'émerveillait. Les héros de Galakhov n'étaient jamais ébranlés par le doute, ne rechignaient jamais à servir leur patrie ou à se sacrifier. Peu familiarisée avec la langue et les usages du pays, Erika n'avait jamais croisé de types semblables et leur rencontre dans un livre ne lui en paraissait que plus précieuse.

Elle laissa pourtant tomber sa lecture, se retourna sur le côté et se mit à son tour à écouter Liouda. Ici même, dans cette chambre 318, elle avait entendu bien des choses contradictoires ou surprenantes : tantôt c'était un ingénieur qui refusait de rejoindre un attirant chantier sibérien pour rester à Moscou et y vendre de la bière ; tantôt c'était un étudiant qui, sa thèse soutenue, ne trouvait pas de travail (« Y aurait-il donc des chômeurs en Union soviétique ? ») ; pour obtenir un permis de séjour à Moscou, il fallait, disait-on, laisser une grosse enveloppe à la Milice. Et Erika demandait : « Mais c'est un phénomène *instantané* ? » (par quoi elle entendait : provisoire).

Liouda poursuivit son histoire : si elle épousait le poète, elle n'avait plus qu'à feindre l'innocence de façon vraisemblable. Elle demanda des conseils sur la meilleure façon d'expédier ce simulacre lors de leur nuit de noces.

Un cinglement douloureux parcourut le front de Mouza. Elle eût jugé impoli de se boucher ostensiblement les oreilles. Elle trouva un prétexte pour se retourner vers son lit.

Olenka s'exclama gaiement :

— Les héroïnes de la littérature universelle ont eu bien tort d'avouer leur faute à leur fiancé et de se tuer !

— Bien sûr que c'étaient de petites dindes, fit Liouda en riant. C'est pourtant bien simple !

Au demeurant, Liouda se demandait si elle épouserait son poète :

— Il ne fait pas partie de l'Union des écrivains soviétiques, il n'écrit qu'en espagnol et on se demande ce qu'il pourra toucher comme droits d'auteur. Ce n'est pas très substantiel !

Erika fut si frappée qu'elle posa les pieds au sol et s'assit sur son lit.

— Comment ? demanda-t-elle. Ici aussi, en Union soviétique, on se marie *par le calcul* ?

— Tu t'y feras et tu pigeras —, lui répondit Liouda en secouant sa tête devant sa glace. Tous les bigoudis ôtés, une foule de bouclettes blondes frémit sur sa tête. La moindre de ces bouclettes aurait suffi à enchaîner un poète encore adolescent.

— Moi, les filles, je tire la présente conclusion... entreprit Erika, mais, remarquant l'étrange regard que Mouza traînait au ras du sol, elle poussa un cri et ramena ses jambes sur son lit.

— Quoi ? Encore un « coureur » ? s'écria-t-elle, le visage décomposé.

Les filles éclatèrent de rire. Non, aucun coureur ne s'était manifesté.

En pleine journée parfois, mais surtout de nuit, la chambre 318 était le champ de course de ces épouvantables rats russes, horriblement effrontés, dont les pattes tambourinaient sur le sol et qui poussaient leurs petits cris aigus. Lors de ses années de lutte clandestine contre Horthy, Erika n'avait jamais tremblé comme elle le faisait maintenant à la pensée qu'un de ces rats pourrait sauter sur son lit et galoper sur son corps. En plein jour, le rire de ses compagnes dissipait sa terreur, mais chaque nuit elle se bordait dans sa couverture de la tête aux pieds et se jurait de quitter la Stromynka dès le lendemain si elle en réchappait. Nadia, qui était chimiste, avait bien apporté de la mort aux rats qu'elle avait éparpillée dans les coins, les sales bêtes s'étaient un peu calmées puis étaient revenues à la charge. Deux semaines plus tôt, Erika avait décidé de ne plus tergiverser : c'était elle en effet qui, puisant de l'eau dans le seau avec son quart, avait eu le privilège d'en retirer le cadavre d'un raton noyé. Tremblant de dégoût, ne cessant d'évoquer ce petit museau gravement résigné, Erika s'était rendue le jour même à l'ambassade de Hongrie et avait demandé à être logée dans un appartement. L'ambassade s'était adressée au ministère des Affaires étrangères, ce dernier au ministère de l'Éducation nationale, celui-ci au recteur de l'Université qui avait saisi de l'affaire son département administratif et économique, lequel avait fait savoir qu'il ne se trouvait pas d'appartement libre pour le moment et que c'était la première fois qu'on dénonçait la présence de rats à la Stromynka. La correspondance refit le chemin inverse puis repartit en sens opposé. L'ambassade entretint toutefois chez Erika l'espoir de se voir logée dans un appartement privé.

Les bras enserrant ses genoux ramenés sur sa poitrine, drapée dans son drapeau brésilien, elle était là comme un oiseau des tropiques sur son perchoir.

— Ah, mes petites, leur disait-elle de sa voix chantante et plaintive. Je vous aime tellement ! Jamais je ne vous avais quittées, à l'exception des rats.

Ce qui était vrai et faux. Ces filles lui plaisaient mais il n'en était pas une à qui elle aurait pu confier ses grandes inquiétudes sur le destin, unique en Europe, de sa Hongrie. On ne sait trop ce qui s'y passait depuis le procès de Laszlo Rajk. Le bruit lui parvenait d'arrestations dont les victimes pouvaient être des communistes qu'elle avait connus dans la clandestinité. Le neveu de Rajk, inscrit lui aussi à l'université de Moscou, et d'autres étudiants hongrois, avaient été rappelés dans leur pays d'où plus un seul n'avait donné signe de vie.

La porte retentit du signal convenu (« Amis ! Inutile de cacher le fer ! »), Mouza se leva et, boitillant (un rhumatisme précoce lui donnait des douleurs lancinantes au genou), alla tirer le verrou. Dacha entra d'un pas rapide. C'était une grande fille décidée à la grande bouche tordue. Elle riait aux éclats mais ne négligea pas de repousser le verrou.

— Ah, mes petites ! J'ai eu toutes les peines du monde à faire lâcher prise à mon soupirant ! Je vous le donne en mille, si vous devinez qui c'est !

— Tu en as donc tellement que ça ? dit Liouda d'un air surpris, tout en fouillant dans sa valise.

De fait, l'Université sortait de la guerre comme d'une syncope. Il y avait peu de garçons parmi les « aspirants » et ce n'étaient pas de vrais hommes.

— Attends ! — Olenka leva une main et fixa sur Dacha un regard de somnambule —. Ce ne serait pas le Prognathe ?

Il s'agissait d'un étudiant qui, par trois fois recalé à son examen de matérialisme dialectique et historique, s'était fait exclure pour crétinisme irrécupérable.

— Non, c'est mon serveur ! s'exclama Dacha qui ôta sa toque à oreillettes, montra une chevelure nattée très serrée et alla accrocher son couvre-chef à une patère rudimentaire. Elle n'enleva pas son pauvre manteau en mouton doré, obtenu contre un bon, trois ans auparavant, au magasin de l'Université, et resta plantée ainsi devant la porte.

— Ah ! l'autre, là !

— J'étais en tram, il monte, raconta Dacha en riant. — Je l'ai aussitôt reconnu. « Vous descendez à quel arrêt ? », qu'il me dit. Que faire ? On est donc descendu ensemble. « Alors, comme ça, vous ne travaillez plus dans vos bains publics ? Que de fois j'y suis allé, je ne vous y ai jamais vue... »

— Tu aurais dû lui dire... — Mais le rire de Dacha avait sauté sur Olenka et s'emparait d'elle comme l'aurait fait une flamme. Tu aurais dû lui dire... tu aurais dû lui dire... — Elle ne put venir à bout de sa phrase et, prise de fou rire, s'affaissa sur son lit sans pour autant chiffonner la robe qui y était déployée.

— Quel serveur ? Quel bain public ? demandait Erika.

— Tu aurais dû lui dire... — hoquetait Olenka, puis de nouveau le fou rire la terrassait. Elle étendit les mains et d'un mouvement des doigts essaya de traduire ce qui ne pouvait plus passer par sa gorge.

Liouda éclata à son tour, puis ce fut Erika, qui n'y comprenait rien, et le visage sombre et ingrat de Mouza se dilata en une sorte de sourire. Elle ôta ses lunettes et se mit à les frotter.

— « Où allez-vous ? me dit-il. Vous connaissez quelqu'un dans cette cité universitaire ? », poursuivit Dacha, toujours suffoquant de rire. Je lui réponds : « Oui, j'ai une amie qui est gardienne ici... qui tricote... des moufles... »

— Des mou-fles ?

— ... oui, au tricot !

— Mais je veux savoir ! Qui est ce serveur ? implorait Erika.

On frappa sur le dos d'Olenka. Le fou rire s'apaisa. Dacha ôta son manteau. Avec son pull-over moulant, sa jupe toute simple retenue par une ceinture étroite, on la devinait souple, bien faite, capable de se plier en deux, une journée entière, quelle que fût la besogne. Écartant sa couverture à fleurs, elle s'assit avec précaution sur le bord de son lit qu'elle faisait avec un soin dévot — oreillers et coussins mousseux, chemin de dentelle, serviettes brodées au mur — puis conta à Erika ce qui suit :

— C'était l'automne dernier, avant les premiers froids, tu n'étais pas encore là... Où peut-on dénicher un mari ? Comment lier connaissance ? C'est Liouda qui m'a donné le conseil d'aller me promener au parc de

Sokolniki, mais toute seule ! Ce qui fait du tort aux filles, c'est qu'elles se promènent par deux.

— Axiome toujours vérifié ! commenta Liouda qui mettait toute son application à faire disparaître une tache au bout d'une de ses chaussures.

— J'y suis donc allée, reprit Dacha dont la voix n'était plus aussi allègre. J'ai un peu marché, je me suis assise pour admirer les arbres. De fait, je n'ai pas tardé à avoir un voisin, assez bien de sa personne. J'apprends qu'il travaille comme serveur à la brasserie du parc. Et moi ?... J'ai été tellement gênée, je ne pouvais tout de même pas lui dire que je préparais une thèse. Il faut bien dire que les hommes fuient les bonnes femmes instruites...

— Allons, il ne faut pas dire ces choses-là ! interrompit Olenka d'un ton fâché. Ça peut vous mener loin !

Dans ce monde raréfié que venait de déserter le gros corps d'acier de la guerre, dans ce monde où des trous noirs et béants remplaçaient le sourire et les gestes des garçons de leur âge et même de leurs aînés de cinq, de dix, de quinze ans, cette expression anonyme, grossière, absurde de « bonnes femmes instruites » ne devait pas venir salir le rayon lumineux, éclatant, prestigieux de la Science, unique dédommagement pour tant d'échecs personnels, unique force de ces femmes sacrifiées.

— ... et je lui ai dit que je travaillais comme caissière dans des bains publics. Il s'est accroché. Où ça ? Et à quelles heures ? C'est tout juste si j'ai pu me défiler...

Toute animation avait quitté Dacha et ses yeux sombres avaient un regard désemparé.

Elle avait passé sa journée à travailler à la bibliothèque Lénine, avait trop peu et très mal mangé dans une cantine, puis était rentrée, accablée par la perspective assurée d'un dimanche soir vide, sans promesses.

Autrefois, lorsqu'elle allait en classe dans une école en rondins, au village, elle avait eu du plaisir à être bonne élève. Puis elle avait connu la joie lorsque son inscription dans une école supérieure l'avait arrachée au carcan du kolkhoze et l'avait autorisée à séjourner en ville. Maintenant elle n'était plus très jeune, elle avait étudié dix-huit ans d'affilée, elle était lasse, elle avait le cerveau comme engourdi. Tout cela pourquoi ? La joie élémentaire de toute femme : un enfant, personne ne la lui donnerait, elle ne la donnerait à personne.

Tout en se balançant rêveusement, pour toute la chambre qu'emplissait maintenant le silence, Dacha proféra sa sentence favorite :

— Comme quoi, les petites, la vie n'est pas un roman...

Au parc à tracteurs du kolkhoze se trouvait travailler un moniteur agricole. Il écrivait à Dacha, se montrait insistant. Mais elle était sur le point de soutenir sa petite thèse et le village ne manquerait pas de dire : « C'était bien la peine de se tuer à faire des études, pour se marier à un moniteur agricole ? C'est bon pour une fille qui est chef d'équipe... » D'autre part, Dacha sentait bien qu'elle ne serait jamais au premier rang des chercheurs, qu'elle serait entravée, enchaînée, que son travail dans l'enseignement supérieur lui pèserait comme un outil magique mais trop lourd pour elle. Même après avoir soutenu sa thèse de candidate, elle n'oserait pas, elle ne saurait pas s'aventurer dans les sphères les plus hautes de la Science.

Ces femmes qui optaient pour les études, on leur prodiguait des louanges, on les célébrait, on les comblait de promesses — le choc contre le mur n'en était ensuite que plus douloureux.

Dacha, qui avait jalousement épié sa voisine, la chanceuse et désinvolte Liouda, lui dit :

— Écoute mon conseil, Lioudka, et lave-toi les pieds.

Lioudka se retourna :

— Tu crois vraiment ?

Indécise, elle tira pourtant de sa cachette un réchaud électrique qu'elle brancha à la douille voleuse à la place du fer.

Dacha, active de nature, se cherchait un travail à faire pour échapper à son cafard. Elle se souvint d'un récent achat de linge. Rien n'était à sa taille, mais il fallait tout de même prendre ce que les magasins voulaient bien vous jeter au nez. Elle entreprit donc de tout rajuster.

Toute la chambrée se taisait, Mouza aurait pu pour

de bon se remettre à sa correspondance, mais non, cela ne venait pas ! Elle relut les dernières phrases, remplaça un mot, revint sur quelques jambages mal tracés... Non, la lettre ne voulait pas s'écrire ! Elle mentait, cette lettre, papa et maman ne s'y tromperaient pas. Ils comprendraient que leur fille filait un mauvais coton, qu'il lui était arrivé une sale histoire. Pourquoi ne disait-elle pas tout ? Pourquoi, pour la première fois, mentir ?

Si elle avait été seule dans la chambre, Mouza aurait gémi. Ou hurlé, ce qui peut-être l'aurait soulagée. Elle se contenta de poser son porte-plume et de dissimuler entièrement son visage dans ses mains. Voilà comment ces choses arrivent ! Un choix engageant toute une vie et personne pour vous conseiller ! Personne pour vous aider ! Et la promesse écrite de ne rien divulguer ! Et mardi il faudra retourner voir ces deux hommes si sûrs d'eux, si forts de leurs paroles toutes prêtes et de leurs feintes rodées. Qu'il faisait bon vivre avant-hier ! Maintenant tout est perdu. Car ils ne céderont pas. Toi non plus. Comment continuer à disserter sur le Hamlet et le Don Quichotte qui sommeillent en chaque homme si on se redit sans cesse qu'on est une mouche, qu'on a son nom de guerre, Marguerite ou bien Trésor, qu'il faut noircir tout un dossier sur les filles qui sont ici, sur son professeur ?

Le plus discrètement qu'elle put, Mouza effaça les larmes de ses paupières crispées. Dacha demanda aux autres :

— Et Nadiouchka, où est-elle ?

Personne ne répondit, personne n'en savait rien.

Dacha, plongée dans sa couture, brûlait de révéler ce qu'elle avait à dire sur Nadia :

— Qu'est-ce que vous en dites, les gamines, ça vous semble pas un peu longuet, cette histoire ? Porté disparu, bon. Enfin, il y a plus de quatre ans que la guerre est finie. Elle pourrait peut-être arrêter les frais, non ?

— Qu'est-ce que tu racontes ! Mais qu'est-ce que tu racontes ? s'exclama Mouza d'une voix douloureuse, élevant les deux mains au-dessus de sa tête. Les larges manches de sa robe à carreaux gris glissèrent jusqu'aux coudes, découvrant des avant-bras blancs et adipeux. — C'est l'amour vrai ! Le véritable amour ignore la dalle du tombeau !

Les lèvres pulpeuses, un peu proéminentes, d'Olenka se tordirent en une moue oblique :

— La dalle du tombeau ? Ça me semble bien transcendantal, tout ça. Les réminiscences, les souvenirs tendres, je ne dis pas, mais l'amour ?

— Justement, si l'être aimé n'existe pas, comment peut-on l'aimer ? reprit Dacha pour revenir à ses moutons.

— Si j'en avais la possibilité, ma parole, je lui enverrais un certificat d'inhumation attestant qu'il est mort, archimort et enterré ! déclara Olenka avec flamme. Maudite guerre dont le souffle est encore sur nous, après cinq ans !

— Pendant la guerre, intervint Erika, beaucoup sont allés réfugier très loin, au delà d'Océan. Peut-être il est en vie aussi.

— Ça, c'est une chose possible, convint Olenka. C'est un espoir qu'on peut avoir. Mais le côté pénible, chez Nadia, c'est qu'elle se délecte de son malheur. Et seulement de son malheur à elle. Sans quoi il lui manquerait quelque chose dans l'existence.

Dacha attendait que chacune eût dit son mot, tout en écrasant lentement un ourlet avec son aiguille, comme pour en affiler la pointe. Elle savait bien, en lançant la conversation sur ce sujet, quelle énorme surprise elle allait leur assener.

— Gamines, écoutez-moi, leur dit-elle d'un ton pondéré. Tout ça, c'est du canular et Nadia nous mène en bateau : elle ne croit pas plus que ça que son mari est mort, elle ne s'attend pas du tout au retour du disparu. Elle *sait* tout bonnement qu'il est en vie. Et elle sait même où il est.

Il y eut un brouhaha.

— Où es-tu allée pêcher ça ?

Dacha leur décerna un regard triomphant. Son esprit d'observation, exceptionnel, lui avait valu dans la turne le surnom de « limier ».

— Il faut savoir écouter, mes biches ! Est-ce qu'elle a

une seule fois parlé de lui comme d'un mort ? No-on... Elle évite même d'en parler au passé, elle en parle de façon indécise, ni présent ni passé. S'il était disparu, il serait normal, de temps en temps, de le traiter comme un mort !

— Qu'est-ce qui a donc pu lui arriver ?

— Ça ne vous saute pas aux yeux ? s'exclama Dacha en écartant d'un geste décidé ses travaux d'aiguille.

— Il est bien vivant, mais il l'a plaquée ! Et elle a honte de l'avouer ! Et elle est allée inventer une « disparition ».

— Je le croirais volontiers ! Ça oui ! approuva Lioudka qui barbotait derrière son rideau.

— C'est donc qu'elle se sacrifie pour le bonheur de son mari ! s'écria Mouza. C'est donc qu'il y a une bonne raison pour qu'elle garde le silence et ne se remarie pas.

— Qu'est-ce qu'elle gagne à attendre ? se demanda Olenka.

— Tout se tient merveilleusement, bravo, Dachka ! — s'écria Lioudka qui surgit de derrière le rideau, sans son peignoir, en chemise, jambes nues, encore plus grande, encore plus svelte. — Et elle en crève, et c'est bien pourquoi elle s'est fabriqué son rôle de Sainte Nitouche fidèle au disparu. Y a pas ça de sacrifice, elle brûle de se faire consoler, seulement personne ne veut d'elle ! Il y a des filles dans la rue qui font se retourner tous les hommes, mais elle ! Elle peut toujours faire les premiers pas, rien à gratter !

Et elle retourna derrière son rideau.

— Il y a bien Chtchagov qui vient la voir, dit Erika qui avait du mal à accoucher de ce Chtch...

— Il vient, c'est sûr, mais ça ne prouve encore rien, rétorqua fermement l'invisible Liouda. Il faut encore qu'il gobe l'hameçon.

— Comment « gobe » ? demanda Erika, perplexe.

Ce fut un seul éclat de rire. Dacha persévéra :

— Non, ce qu'il faut dire, c'est qu'elle espère encore reprendre son mari à l'*autre*.

La porte retentit derechef des mêmes petits coups. « Amis ! Inutile de cacher le fer ! »

Toutes se turent. Dacha tira le verrou.

Nadia entra d'un pas traînant, le visage tiré et vieilli, comme si elle voulait confirmer par toute son apparence les pires railleries de Liouda. Chose curieuse, elle n'adressa pas même à l'assistance de ces mots de convenance, de ces formules polies, elle ne dit pas « Me revoilà ! » ou bien « Quoi de neuf, les amies ? ». Elle accrocha son manteau et gagna son lit sans mot dire.

Erika se remit à sa lecture. Mouza reposa son visage entre ses mains. Olenka renforçait les boutons roses de son chemisier crème.

Personne ne sut que dire. Pour remédier à la gêne que créait ce silence, Dacha conclut d'une voix traînante :

— Comme quoi, gamines, la vie n'est pas un roman...

CHAPITRE L

Après sa visite, Nadia aurait souhaité ne voir que d'autres femmes au destin mutilé et ne parler que de ceux qui restaient derrière les barreaux. Partie de Lefortovo, elle traversa tout Moscou et arriva à Krasnaia Presnia pour transmettre à la femme de Sologdine les trois paroles sacramentelles de son mari.

Elle ne la trouva pas chez elle (ce qui n'avait rien de surprenant, car cette femme n'avait que son dimanche pour régler ses affaires personnelles et s'occuper de son fils). Il était impensable de confier un billet aux voisins. Nadia savait par la femme de Sologdine — et pouvait sans peine imaginer — l'hostilité et les indiscrétions de ces gens.

Si, en montant l'escalier raide, obscur même en pleine journée, Nadia avait des ailes à la pensée de parler avec une femme qu'elle trouvait charmante et qui était accablée de la même peine secrète, lorsqu'elle le redescendit elle se sentit moins déçue que brisée.

De même que, grâce à un révélateur incolore et apparemment anodin, le papier sensible dévoile inexorablement des traits — les siens — jusque-là invisibles, Nadia, après cette visite manquée à la femme de Sologdine, sentit s'affronter en elle toutes les sombres pensées, tous les sales pressentiments qui avaient germé lors des retrouvailles et ne s'étaient pas encore manifestés.

Il avait dit : « Ne t'étonne pas si tu apprends qu'on m'a fait repartir ailleurs ou que notre correspondance est suspendue ». Il se pourrait qu'il reparte ?... Que prennent fin ces visites annuelles ! Que ferait-elle alors ?...

Ah ! et puis le cours supérieur de l'Angara...

Et puis autre chose ! n'était-il pas devenu croyant ?... Il avait prononcé une phrase qui le laissait entendre... La prison mutilerait son esprit, l'entraînerait dans le mysticisme, l'idéalisme, lui enseignerait la résignation. Son caractère changerait, ce serait un autre homme à son retour, un tout autre homme...

Le pire, c'était encore cette menace : « Ne te leurre pas sur la *fin* de ma peine. C'est une façon de parler ! » Elle s'était alors récriée : je ne veux pas y croire ! C'est impossible ! Mais les heures succédaient aux heures. Elle retraversa Moscou de Krasnaia Presnia à Sokolniki, livrée à ses pensées qui maintenant la harcelaient, l'aiguillonnaient, sans qu'elle songeât à un seul geste de parade.

Si la peine de Gleb ne devait jamais s'achever, pourquoi l'attendre ? Pourquoi réduire son existence à n'être plus qu'un appendice de sa vie à lui ? Sacrifier ce don qu'est l'existence dans l'attente du vide ?

Encore heureux qu'il n'y ait pas de femmes, *là-bas !*

Il y avait dans l'entrevue de ce jour on ne sait quoi d'innommé, d'incompris — d'irréparable...

Elle arriva trop tard au restaurant universitaire. Il suffit de cette menue malchance pour mettre le comble à son désespoir ! Elle se ressouvint sur-le-champ de l'amende de dix roubles qu'on lui avait infligée deux jours plus tôt, pour être descendue de l'autobus par la plate-forme arrière. Dix roubles, c'était une somme : cent roubles d'avant la réforme monétaire.

Devant la Stromynka, sous les premiers flocons délicieux, un petit garçon, une grande casquette enfoncée jusqu'aux oreilles, vendait en vrac des cigarettes Kazbek. Nadia s'approcha pour lui en acheter deux.

— Où trouver des allumettes ? se demanda-t-elle à voix haute.

— Tiens, gratte, ma grande ! lui proposa le gosse de fort bon gré en lui tendant la boîte. On ne fait pas payer le feu !

En pleine rue, sans réfléchir à ce qu'on pourrait penser d'elle, Nadia craqua une allumette, une autre, enflamma sa papiroska par le côté, restitua la boîte et, au lieu d'entrer dans son bâtiment, se promena. Le tabac n'était pas encore un vice pour elle, mais elle n'en était pas à sa première cigarette. L'âcre fumée lui procurait de la souffrance et du dégoût et, par là même, dégonflait un peu l'angoisse qui pesait sur son cœur.

Arrivée à la moitié de sa cigarette, Nadia la jeta et monta au 318.

Elle longea avec une impression d'écœurement le lit défait de Liouda et se laissa tomber lourdement sur le sien, désireuse avant tout de se dérober aux questions.

Quand elle fut assise, ses yeux se trouvèrent au niveau de quatre colonnes de papier érigées sur sa table : les quatre exemplaires dactylographiés de sa thèse. Et elle ne put se retenir de penser aux tribulations interminables qu'avait connues ce travail. Elle avait dû se démener pour faire photocopier les schémas, puis tout recommencer une fois, et puis encore une fois, et on venait de lui rendre son ouvrage pour une troisième refonte.

Bafouant toute justice, on lui avait interdit l'espoir de soutenir sa thèse dans les délais prévus : elle se mit à repenser au « projet spécial », sa seule façon d'avoir un salaire et la tranquillité. Or la route lui était barrée par la terrible notice de renseignements : huit pages à remplir et à remettre mardi au service du personnel.

Tout dire, noir sur blanc, c'était, dès la fin de la semaine, se faire chasser de l'Université, de la Cité, de Moscou.

A moins de divorcer tout de suite...

Comme elle s'y était résolue.

Mais c'était une vraie croix, et la procédure serait longue et tortueuse.

Erika troussa son lit comme elle put (elle y éprouvait encore quelque difficulté, comme à la lessive et au repassage, toutes choses qu'elle avait apprises à faire à la Stromynka, car jusque-là une domestique s'en était chargée à sa place), se farda les joues devant son miroir, sans mettre de rouge à lèvres, et partit travailler à la Bibliothèque Lénine.

Mouza essaya bien de lire, mais n'y trouva pas de goût. Elle remarqua la prostration de Nadia et lui lança des regards inquiets, sans toutefois se résoudre à l'interroger.

— Ah, oui ! s'avisa brusquement Dacha. J'ai entendu dire aujourd'hui qu'on allait nous doubler l'allocation pour achat de livres.

Olenka eut un haut le corps : « Tu veux rire ? »

— C'est le doyen qui a dit ça à des filles.

— Attends, ça fera combien ? — Le visage d'Olia s'anima de la flamme que l'argent n'allume jamais que sur les traits de ceux qui n'en ont guère l'habitude et ne l'aiment pas de passion. — Trois cents et trois cents : six cents. Soixante-dix plus soixante-dix : cent quarante ; cinq plus cinq... Ho-là-là ! — s'écria-t-elle en battant des mains — ça fait sept cent cinquante !!! C'est quelque chose !

Elle se mit à chantonner. Elle avait une gentille petite voix.

— Tu vas pouvoir t'acheter un Soloviov[1] complet !

— Tu parles ! dit-elle en pouffant. Avec cet argent on peut se faire faire une robe en crêpe-georgette grenat, tu te rends compte ? — Elle pinça du bout des doigts le bord de sa jupe. — Avec un double volant !

Il manquait encore bien des choses à Olenka. Il n'y avait guère plus d'un an qu'elle avait repris de l'intérêt pour les choses matérielles. Sa mère, longtemps malade, était morte deux ans plus tôt. Depuis lors, Olenka était seule au monde. La mort du père et du frère avait été officiellement annoncée aux deux femmes dans la même semaine de 1942. La mère était alors tombée gravement malade, Olenka avait dû quitter l'université en première année, perdre tout un an, travailler comme salariée, reprendre des études par correspondance.

De tout cela il ne restait aucune trace sur son joli visage un peu joufflu de vingt-huit ans. Nadia était assise sur son lit, face à elle, et elle était heurtée par cette expression de douleur figée qui alourdissait l'airde la chambre. Elle demanda à Nadia ce qu'elle avait :

— Hein, Nadioucha ? Quand tu es partie, ce matin, tu étais toute joyeuse.

Paroles de compassion dont le vrai moteur était l'agacement. On ne sait trop quelles demi-teintes trahissent nos sentiments.

Nadia n'avait pas seulement flairé de l'irritation dans la voix de sa voisine. Elle avait bien vu Olenka s'habiller devant elle sans la moindre gêne, épingler une petite fleur de rubis au revers de sa jacquette, se parfumer.

Et ce parfum qui entourait Olia d'une invisible aura de bonheur parvenait aux narines de Nadia comme une impondérable frustration.

Sans dérider son visage, articulant les mots comme au prix d'un immense effort, elle répondit :

— Je te gêne ? Je te gâche ton plaisir ?

Leurs regards se croisèrent par-dessus les monceaux de papier encombrant la table à thèse. Olenka se redressa, son menton dodu se durcit. Elle lui dit en détachant les mots :

— Vois-tu, Nadia, je n'aurais pas voulu te faire de peine. Mais, comme l'a déclaré notre ami commun Aristote, l'homme est un animal social. Nous pouvons répandre de la joie autour de nous, mais pas jeter du noir, ça, nous n'en avons pas le droit.

Nadia restait là, les épaules voûtées, et sa pose n'avait plus rien de juvénile. Elle dit d'une voix plate et meurtrie :

— Tu ne te rends pas compte jusqu'à quel point peut aller la souffrance morale ?

— Justement ! Je m'en rends parfaitement compte ! Tu souffres, c'est certain, mais il n'est pas permis de s'aimer comme tu fais ! Pas permis de se bourrer le crâne pour bien se prouver qu'on est seul sur terre à souffrir. Il y en a d'autres qui ont enduré des choses bien pires que toi. Voilà ce que tu devrais te dire.

Elle n'alla pas jusqu'au bout de ses pensées mais franchement, pourquoi faudrait-il qu'un mari disparu, toujours remplaçable, soit une perte plus rude que celle d'un père et d'un frère tués, d'une mère morte, trois êtres que la nature ne peut nous rendre ?

Une fois posée sa question, Olia demeura un moment toute droite, un regard sévère posé sur Nadia.

Nadia comprit fort bien qu'Olia voulait parler de la disparition de sa famille mais, intérieurement, elle ne capitula pas. Sur ce point, elle avait ses idées : toute mort est irréparable mais ne se produit qu'une fois. Ensuite, par menus glissements, par insensibles à-coups, elle dérive vers le passé. Et on se dégage peu à peu de sa souffrance. On épingle une broche en rubis à son revers, on se parfume, on va à un rendez-vous.

La douleur de Nadia n'était pas de celles qui lâchent prise : toujours là à l'encercler, à l'empoigner, passée, présente, future. Nadia pouvait toujours se débattre, s'agripper à n'importe quoi, elle ne pouvait s'arracher à ces crocs.

Pour répondre comme il convenait, il aurait fallu tout dévoiler. Mais le secret en cause était trop dangereux.

Et elle céda, elle capitula, mentit, désigna de la tête sa thèse :

— Excusez-moi, mes amies, je suis à bout. Je n'ai plus la force de tout reprendre. Il y a des limites !

Quand il fut avéré que Nadia ne plaçait pas sa souffrance au-dessus de tout autre, Olia passa soudain d'une tension soupçonneuse à un esprit de conciliation :

— Ah ! La grande vidange ! Tu n'es pas seule dans ton cas, tu aurais tort de te démonter.

(La *grande vidange* consistait à éliminer les noms étrangers de tous les textes : « Laue [1] a établi » devenait ainsi « Des savants ont établi » et « la démonstration convaincante de Langmuir [2] » devenait : « Il a été démontré. » Sans parler des Russes, pour peu qu'un Allemand ou un Danois au service de la Russie se fût distingué, il importait de donner au complet ses nom et patronyme, de souligner son indéfectible patriotisme et ses mérites scientifiques impérissables.)

— Il ne s'agit pas des étrangers, il y a beau temps que j'ai fait ma vidange. Il s'agit maintenant d'éliminer Balandine, l'académicien.

— Le soviétique ?

— ... avec toute sa théorie. Or j'avais tout bâti là-dessus. Or voilà qu'il a... qu'on l'a...

L'académicien Balandine venait de plonger dans l'abîme souterrain où le mari de Nadia traînait son boulet.

Olenka revint à la charge :

— Il ne faut par prendre ces choses tellement à cœur !

Elle aurait pu aussi bien riposter : « Et moi, avec mon Azerbaïdjan ? »

Rien ne prédisposait cette jeune fille de Russie centrale aux études iraniennes. Elle n'en avait pas la moindre idée lorsqu'elle s'était inscrite à la faculté d'Histoire. Or son directeur de travaux était un homme jeune — d'ailleurs marié — qui lui avait fait une cour assidue tout en orientant ses travaux sur la Russie kiévienne. Il avait beaucoup insisté pour qu'elle écrivît une première thèse sur ce sujet. Affolée, Olenka se jeta alors sur le Quattrocento mais voilà, le Quattrocento, c'était encore un homme jeune dont le comportement était dans le droit fil de la Renaissance. Au désespoir, Olenka fit transférer son dossier et se mit à la remorque d'un iranisant décrépit, sous la férule de qui elle rédigea sa thèse et l'aurait même soutenue si les journaux ne s'étaient mis à faire un sort à l'Azerbaïdjan iranien. Olenka avait négligé l'attraction secrète mais tenace que l'Azerbaïdjan soviétique avait toujours exercée sur cette région étrangère à l'Iran : on lui rendit sa thèse pour qu'elle pût la remanier.

— Encore heureux si on est prévenu à temps qu'il faut tout reprendre. Mais il y a pire. Tiens, Mouza nous disait bien...

Mouza n'entendait plus rien. Par bonheur, elle s'était absorbée dans sa lecture et tout avait disparu autour d'elle : la chambre, tout.

— ... une fille, en Lettres, qui avait soutenu sa thèse depuis au moins quatre ans, sur Zweig, et qui était assistante depuis belle lurette. Tout à coup on déniche trois passages dans son travail où elle traite Zweig de cosmopolite, mais dans le sens favorable du mot. On l'a convoquée au V.A.K. [1] et on lui a retiré son titre de docteur. Affreux !

— Se faire du mouron quand on est en Chimie, c'est du luxe ! — fit à son tour Dacha. — Qu'est-ce qu'on devrait dire en Eco Po ? A moins de se jeter par la fenêtre. Ben non, on vit, quoi. Heureusement que j'ai mon Stoujaïlo-Oliabychkine pour me dépanner !

Nul n'ignorait que Dacha en était à son troisième sujet de these. Le premier s'intitulait : « Alimentation des communautés en régime socialiste. » Sujet limpide vingt ans plus tôt lorsque chaque pionnier, Dacha entre autres, savait pertinemment que les cuisines familiales étaient appelées à un prompt dépérissement, que les foyers allaient s'éteindre dans chaque logis et que les femmes, délivrées de leur harnais, iraient prendre leurs repas dans des cuisines-usines. Le temps passant, cette question, enrobée de brumes, était devenue scabreuse. Il était désormais évident que, pour se nourrir dans une cantine, comme Dacha elle-même, il fallait y être poussé par quelque fatale nécessité. L'alimentation publique n'offrait que deux secteurs florissants : les grands restaurants, où l'on ne voyait guère s'affirmer les grands principes du socialisme, et les débits les plus miteux, où l'on ne trouvait à acheter que de la vodka. La théorie, toutefois, en était encore restée aux cuisines-usines puisqu'au cours de ces vingt dernières années le Guide des Travailleurs n'avait pas trouvé le loisir de se prononcer sur les questions d'alimentation. Aussi était-il risqué d'avancer une petite hypothèse personnelle. Dacha se rongea les sangs, puis son directeur lui fit changer de sujet mais là encore, manque de jugeotte, il misa sur le mauvais cheval. « Le commerce des produits de consommation courante en régime socialiste ! » Maigre sujet. Tous les discours, toutes les directives affirmaient bien qu'on pouvait et même qu'on devait fabriquer, puis écouler des produits de consommation courante, mais, dans la pratique, confronter ce type de production à celle de l'acier laminé ou à l'industrie pétrolière, c'était formuler comme un reproche. L'industrie de consommation était-elle appelée à fleurir ou à péricliter ? Le Conseil scientifique n'en savait rien et il refusa opportunément le sujet.

Il se trouva des philanthropes pour souffler à Dacha un sujet qu'à force de démarches elle put faire déposer : « Un économiste politique russe du XIXe siècle, Stoujaïlo-Oliabychkine. »

— Est-ce qu'au moins tu as mis la main sur le portrait de ton bienfaiteur ? lui avait demandé en riant Olenka.

— Justement, pas moyen !

— Quelle noire ingratitude de ta part !

Olenka essayait bien de dérider Nadia mais ne parvenait qu'à l'éclabousser de l'excitation dont elle s'emplissait à l'approche du rendez-vous.

— A ta place, j'en découvrirais un et je l'accrocherais à mon chevet. J'imagine tout à fait : un bon vieux propriétaire terrien, un visage noble, des inquiétudes spirituelles. Après un robuste petit-déjeuner, il s'installait à sa fenêtre, imaginons un trou de province, un peu comme la maison Larine dans *Eugène Onéguine,* à l'abri des tempêtes de l'Histoire. Et tout en regardant une fille de ferme nourrir ses gorets, il raisonnait sans hâte

Sur la fortune des États
Et sur leurs revenus [1]...

Petit-petit-petit... ! Et le soir il jouait aux cartes...

Olenka éclata. Écarlate. Toute à la dilatation de son bonheur.

Liouda s'était faufilée dans sa robe bleu ciel, dépouillant ainsi sa couche de l'éventail qui l'avait recouverte (et Nadia regardait de son côté, comme rivée à elle par un tic douloureux). Devant sa glace, elle raviva le fard de ses sourcils, de ses paupières, puis dessina avec grand soin un cœur rouge aux contours nets sur ses lèvres.

— Avez-vous remarqué, fillettes, — dit soudain Mouza avec le plus grand naturel, comme si chacune était dans l'attente de sa remarque — ce qui fait la différence entre les héros de la littérature russe et leurs congénères d'Occident ? Les héros favoris des écrivains occidentaux sont perpétuellement en quête de gloire, d'argent, de réussite. Le Russe, lui, se passe du boire et du manger, ce qu'il lui faut, c'est la justice et le bien. Pas vrai ?

Puis elle resombra dans sa lecture.

— Ben, tu pourrais au moins demander de la lumière, lui dit Dacha compatissante. Et elle éclaira.

Liouda avait enfilé ses bottes et tendu le bras vers son manteau de fourrure. Nadia, d'un brusque mouvement de la tête, désigna le lit et dit d'un air écœuré :

— Tu vas encore nous laisser le soin de refaire cette saleté ?

— N'en fais rien, je t'en prie ! riposta vivement Liouda, avec un éclair dans ses yeux expressifs. — Et garde-toi bien à l'avenir d'y toucher ! — Sa voix s'envola, devint cri. — Et pas de morale !

— Il faudrait que tu comprennes ! — dit Nadia hors de ses gonds, vidant tout ce qu'elle avait au fond du cœur. — « C'est un manque d'égards ! On a tout de même le droit d'avoir autre chose en tête que tes divertissements nocturnes !

— Tu es jalouse ? Les garçons se bousculent pas à ta porte ?

Leurs deux visages, déformés, prirent l'expression si laide des femmes en colère.

Olenka fut sur le point d'attaquer Liouda, mais elle perçut un reproche à son adresse dans ces « divertissements nocturnes » et s'abstint.

— Il n'y a pas lieu ! cria Nadia d'une voix brisée, assourdie.

— Si tu t'es trompée de vocation, si tu prends l'université pour un couvent — criait Liouda d'une voix vibrant de plus en plus au pressentiment d'une victoire imminente — eh bien, reste dans ton coin et ne joue pas les trouble-fête. On en a marre ! Vieille fille !

— Lioudka ! Silence ! s'écria Dacha.

— Qu'est-ce qu'elle a à fourrer son nez dans des... Vieille fille ! Vieille fille ! Vieux croûton !

Mouza sortit de son rêve, brandit un mince volume en direction de Liouda et clama :

— Ah, cette mesquinerie bourgeoise ! Toujours vivace ! Et triomphante ! Et prospère !

Toutes les cinq se mirent à crier chacune pour soi, sans écouter les autres ni tenir aucun compte de rien.

Congestionnée, aveugle, honteuse de sa sortie et de ses sanglots, Nadia, toujours en manteau — sa grande parure, revêtue à l'occasion de la visite — se jeta à plat ventre sur son lit et se couvrit la tête de son oreiller.

Liouda se repoudra, arrangea ses boucles blondes par-dessus son col d'écureuil, tira sa voilette juste au-dessous de ses yeux, ne toucha pas à son lit, faisant toutefois la concession d'y jeter négligemment sa couverture, et sortit.

On appela Nadia, elle ne bougeait pas. Dacha lui ôta ses chaussures et lui borda les pieds.

Puis on entendit les coups frappés à la porte, ce qui précipita Olenka dans le couloir. Elle revint comme le vent, glissa ses boucles sous son petit chapeau, plongea dans un manteau fourré à col jaune et regagna la porte d'un pas méconnaissable (toute son allure disait la joie et aussi l'imminence d'un combat).

C'est ainsi que le No 318 dépêcha dans le monde extérieur deux de ses pensionnaires, créatures de tentation, toutes deux charmantes, toutes deux joliment habillées.

Avec elles s'enfuirent la gaîté et le rire et la chambre plongea dans la grisaille.

Moscou était une ville énorme et ces filles ne savaient où aller...

Mouza de nouveau avait abandonné son livre, ôté ses lunettes et caché son visage dans ses grandes mains.

Dacha opina :

— Sotte d'Olga ! Il s'amusera un peu avec elle et il la plaquera. On m'a raconté qu'il en avait une autre. Le tout, c'est qu'il n'y ait pas d'enfant.

Mouza leva les yeux au-dessus de ses mains :

— Olia n'est pas compromise. Si vraiment c'est un type de ce genre, elle n'a qu'à le laisser tomber.

— Comment, pas compromise ? fit Dacha avec un sourire oblique. — Qu'est-ce qu'il te faut de mieux, elle...

— Tu es toujours au courant de tout ! Comment peux-tu savoir ces choses-là ? répartit Mouza indignée.

— Pas la peine d'avoir découvert la poudre, du moment qu'elle passe la nuit chez eux...

— Oh, mais ça ne prouve rien ! Mais rien ! — riposta Mouza.

— De nos jours, c'est la seule façon. Sans ça, on ne les retient pas.

Les filles restèrent un moment silencieuses, chacune sur ses positions.

A la fenêtre la neige tombait, plus abondante. Il commençait à faire sombre dans la rue.

L'eau chantonnait paisiblement dans le radiateur sous la fenêtre.

L'idée d'agoniser tout un dimanche soir au fond de cette niche était insoutenable.

Dacha revit en pensée le serveur qu'elle avait envoyé promener, un homme sain, vigoureux. Qu'avait-elle eu besoin de le rembarrer ? Il l'aurait emmenée dans le noir vers un de ces foyers de jeunes de banlieue, où l'Université ne va guère. Et il l'aurait tripotée, dehors, dans une encoignure.

— Mouza ! Allons au cinéma ! supplia Dacha.

— Qu'est-ce qu'on joue ?

— Le *Tombeau indien.*

— Un navet ! Le genre commercial !

— Mais c'est tout près ! Dans notre bâtiment ! Mouza n'était pas chaude.

— Quel cafard ! Allez, viens !

— Je n'irai pas. Trouve-toi quelque chose à faire.

Il y eut soudain une baisse de courant — un filament d'un rouge terni demeura allumé dans l'ampoule.

— Il ne manquait plus que ça !... gémit Dacha. — Encore le générateur qui se trouve mal !

Mouza restait assise, immobile comme une statue.

Sur son lit, Nadia ne faisait pas un geste.

— Mouza, allons au cinéma !

On frappa à la porte.

Dacha glissa un œil dans le couloir et se retourna :

— Nadioucha ! C'est Chtchagov. Tu te lèves ?

TABLE

Composition réalisée par AUBIN - 86240 LIGUGÉ

IMPRIMÉ EN FRANCE PAR BRODARD ET TAUPIN
7, bd Romain-Rolland - Montrouge - Usine de La Flèche.
LIBRAIRIE GÉNÉRALE FRANÇAISE - 14, rue de l'Ancienne-Comédie - Paris.

ISBN : 2 - 253 - 03123 - 2 30/5727/0